D0266499

BAGDAD PALACE

Omslag Jan Hendrickx
Zetwerk Intertext, Antwerpen
Foto auteur © Houtekiet

ISBN 90 5240 837 8
D 2005 4765 21
NUR 301

Aster Berkhof

Bagdad Palace

Roman

Houtekiet
Antwerpen / Amsterdam

1

'Nicola Fransse… Wat een heel mooie voornaam,' zei de passagier links van haar in het zoemende vliegtuig.
Ze opende de ogen.
'Sliep u echt?' vroeg de man. 'Pardon dan.'
Ze had van Ilja gedroomd. Ze sloot behaaglijk weer de ogen, maar de tover was verbroken.
'Je wilt dat Bagdad van jou, je wilt daar weer heen,' hadden ze in het Brusselse Reuter-agentschap gezegd.
'Het is niet mijn Bagdad, maar ik wil er weer heen, ja, dat is waar.'
Ze hadden het Bagdad van voor Saddam bedoeld, maar ook, misschien wel vooral, dacht ze, het Bagdad uit het verre verleden, de legendarische stad van kaliefen en wijsgeren, waar karavanen uit alle verten elkaar kruisten, tussen tuinen en paleizen en fonteinen en moskeeën en trotse kameelruiters en prinsessen achter tralies. Ze glimlachte. Haar baas had haar met een onderzoekende blik aangekeken.
'Je wilt weten wie ze zijn, nietwaar? Die zelfmoordterroristen, die heiligen, die martelaars, die opgepepte, onder dwang handelende huurmoordenaars, dat gespuis…'
'Geen gespuis.'
'Kerels die verkocht worden aan wie er geld voor biedt, volgens jou.'
'Niet volgens mij,' had ze gezegd. 'Nog niet. Ik ga dat onderzoeken.'
'Tussen hysterische menigten en benauwde soldaten.'
'Kom kom,' had ze gemoedelijk gezegd. 'Ze zijn tegen Bush, niet tegen mij.'
'Zand en schorpioenen, dat is het enige wat er van jouw stad overgebleven is.'

'Nee nee, ook pepermuntthee drinken op een tapijtje in het zand onder een palmboom, met vier knapen om je heen door een wriemelende soek lopen, op zijn Europees geklede studenten, op de binnenpleinen van een druk bezochte universiteit, op zijn Europees geklede meisjes met een zonnebril die je toelachen, wijsgeren en schrijvers. Mijn Bagdad was geen oord van terrorisme, van fundamentalisten die een heilige oorlog voerden. Ze waren daar in mijn tijd even weinig sjiiet of soenniet als ze in Frankrijk katholiek zijn of in Zweden protestants. De mensen van Bagdad willen die vreemde legers buiten. Opgewonden kleine leiders van opgewonden kleine groepen proberen van de gelegenheid gebruik te maken om macht te veroveren. Bagdad is niét zoals we het nu op de televisie zien.'

'Goed, goed, ga dan maar,' had de man gelaten, toch niet ontevreden gezegd. 'Maar loop niet alleen op straat, slaap op een dure plek en ga naar huis voor het donker wordt.'

Het vliegtuig zoemde.

Er werd gemopperd in de Airbus toen de steward kort voor de landing aankondigde dat de passagiers voor Bagdad zouden moeten overstappen in een militair toestel.

'U zit alweer te lachen,' hoorde Nicola de Fransman rechts van haar boos zeggen. 'U vindt het allemaal heel plezierig.'

'Sorry,' zei Nicola.

'Weer eens zo'n piepende, krakende oude kist, die twee keer moet springen om van de grond te komen,' zei de man. 'In iedere luchtzak die we tegenkomen gaat het ding met een plof twintig meter lager vliegen. De piloot moet drie keer de deur van zijn cockpit toesmakken eer die toe wil blijven en bij hard zwenken komt door spleten stof naar binnen. Als iemand zich verplaatst moet hij zich vasthouden aan schouders en hoofden en bij het landen gaat het onding bonzend terug de hoogte in, soms wel twee keer eer het op de grond wil blijven. Wat is daar goed aan? Druk doen, altijd maar druk doen, alsof vandaag nog de wereld zal vergaan. Maar dit is een Frans toestel en dat militaire ding is Amerikaans. Ze nemen alles over. Waar er een plek vrijkomt, zetten zij hun poot.'

Ja, jongen, en vroeger hadden jullie hier en daar een poot, dacht Nicola, en dat doet een beetje zeer.

Uit de hoek van haar oog zag ze dat de man links van haar naar haar omkeek en de wenkbrauwen optrok. Hij kan niet gehoord hebben wat ik bij mezelf zei, dacht ze. De man boog zich naar haar toe en fluisterde: 'Vive la France.' Hij was zo groot dat ze omhoog moest kijken om tegen hem te spreken. Hoe kan iemand zo mooi zijn, dacht ze een beetje wrevelig. Als hij ergens gaat aankondigen dat hij Kevin Costner of Harrison Ford komt vervangen, laten ze het hem doen, denk ik. Misschien ook wel als hij binnenstapt bij Time Warner en zegt dat hij de zaken komt regelen. Hij had de schouders van een atleet. Zijn Engels was even goed als dat van Britse geleerden en lords. Hij zag er gezond en gebruind uit, alsof hij pas terugkwam van een skivakantie. En rijk was hij ook al, zo leek het haar, nadat ze weer eens zijn heel elegante pak en schoenen en peperdure Rolex gemonsterd had. Door zijn diepzwarte, blauwige haren en een bepaalde flonkering in zijn donkerbruine ogen was zij er bijna zeker van dat hij van Indiase afkomst was. Een Bengali, had ze eerst gemeend, maar daarvoor was hij niet donker genoeg. Meer westwaarts, naar Pakistan toe, verbeterde ze zichzelf. Was hij een van die jonge, nieuwe magnaten, *captains of industry*, of financiers uit India, die volgens haar baas bij Reuter bezig waren de wereld te pakken?

Ze keerde zich naar hem toe en vroeg, omhoogkijkend: 'Bent u een Punjabi?'

Hij was zo verrast door de vraag dat hij daar een ogenblik sprakeloos zat.

Toen zei hij, met jongensogen: 'U hebt adem geschept. U durfde de vraag eerst niet goed te stellen, maar daarna wel.'

'U bloost!' zei hij, nog vrolijker.

'Nee, ik bloos niet.'

'Ja, zeker wel. Pardon, pardon, zo mag ik niet spreken. Dat was onwelvoeglijk van mij. Vergeef het mij, alstublieft.'

Weer een en al verwondering vroeg hij: 'Hoe kon u weten dat ik een Punjabi ben? Wij hebben elkaar vroeger nooit ontmoet, geloof ik?'

'Ik wist het niet, ik vermoedde het. U bent er dus een?'

'Ik ben er een. Hanteer ik de Engelse taal niet zoals het hoort? Heb ik toch een accent?'

De onrust die ze in dat vraagje hoorde, merkte ze ook in zijn vorsende blik. Het was iets wat ze kende. Ze wilden er allemaal uitzien als een 'blanke'. Ze wilden ook zo klinken. Maar het was alweer voorbij.

'Hoe?' vroeg hij opnieuw, benieuwd, opgewekt. 'Hoe hebt u opgemerkt dat ik een Punjabi ben?'

Haar handen maakten een vaag, wapperend gebaartje.

'Ik heb mijn kinderjaren daar bij jullie doorgebracht,' zei ze. 'Mijn vader was een protestantse zendeling uit Utrecht. Hij reisde daar rond. Hij nam het allemaal letterlijk op, rondtrekken en de leer verkondigen. Mijn moeder volgde hem, maar op een dag niet meer. Ze keerde terug naar Utrecht, waar ze vandaan kwam en bleef daar. In uw Engels zit geen accent en in Europa houdt iedereen u voor een Toscaan, denk ik, of voor een Andalusiër. Nu wordt u een beetje rood,' zei ze verrast, geamuseerd.

'Ach, ik weet dat we ons belachelijk maken,' zei hij. 'Ik weet nog wel dat wij in India om het even welke taal laten rollen alsof daar water murmelt.'

Hij liet haar namen opnoemen van de plaatsen waar haar vader gepredikt had. Hij kende ze bijna allemaal.

'Ik moet absoluut eens naar Utrecht komen,' zei hij, weer met die ogen. 'Een tegenbezoek.'

'Maar ik woon niet meer in Utrecht,' zei ze. 'Mijn broer is daar gebleven. Hij heeft er gestudeerd. Hij is daar chirurg. Ik ben in Londen gaan studeren, ook een tijdje in Amerika, een beetje in Stockholm en dan in Brussel. Daar ben ik gebleven. Een paar Britten en ik behartigen daar de Reuter-dingen.'

'Is Stockholm niet een heel koude stad?'

'Ja.' Ze glimlachte. 'Het is de enige koude stad waar ik van houd. Geen grote redenen daarvoor. Dingen die ik gelezen had, jongelui die ik ontmoet had. Ik mag de Zweden wel. Het Reuterbureau werd daar toen vernieuwd. Ik was erbij omdat ik Zweeds ken.'

'Zoveel van de Zweden houden dat je de taal ervoor leert?'

'Ja, waarom niet? Dan kun je echt met hen babbelen. Ik heb ook Arabisch geleerd.'

'Spreekt u Arabisch?' vroeg hij met nog meer verbazing.

Ze lachte.

'Al wie géén Arabisch kent, vindt dat ik het goed doe. Diegenen die het wel kennen, zullen er wel een andere mening over hebben.'

'Maar waarom Arabisch?'

'Ik houd van landen waar het heet is.'

'Heet in welke zin?'

'In de echte zin. Veertig graden en meer. En ook weids, in de breedte en in de diepte. Heel oude geschiedenis. Het Midden-Oosten dus. Je bent daar tegelijk bij Darius, Alexander de Grote, bij de kalief uit Duizend-en-een-Nacht, bij de emir van Koeweit, bij de zee van pelgrims in Mekka, bij de rivieren van Mesopotamië, bij de gewiekste, welvarende handelaars van Damascus, bij de rabbijnen die de punten en de komma's van de talmoed uitpluizen, bij de kleine jongetjes die de koran uit het hoofd leren, bij de kameeldrijvers van Jordanië, bij de bankiers van Beiroet, bij Jezus Christus en Khomeini en om je heen, overal om je heen waar je ook kijkt, een onmetelijke weidsheid die je niet kunt peilen.'

'Hé…' deed hij langzaam, in verrukking. 'Mag ik eens aan je voeten komen zitten en van je leren hoe je met heldere woorden uit verwarde gedachten verlost kunt raken? Je moet gelukkig geweest zijn te midden van je Punjabi's.'

'Ja,' zei ze dromerig. 'Overal zie je zacht bewegende rijzige vrouwen in witgele, lichtblauwe, wazig groene en roze sari's. Ze zijn voornaam, ze zijn rustig, opgewekt, helemaal niet arm. Het land is vruchtbaar. De horizonnen zijn open aan alle kanten. Er is water in de bronnen. Op de dorpspleinen spelen kinderen. Je ruikt kaneel en rozemarijn.'

'Er zijn nu ook al vrachtwagens die roetwolken uitspuwen.'

'Helaas, ja.'

Ze keek weer naar hem op.

'Drijft u handel in goederen of in bedrijven?' vroeg ze.

Hij zat het enkele ogenblikken ernstig te overwegen.

'Het is een harde vraag,' zei hij. 'Bedrijven, dan heb je het ook over mensen. Je mag geen handel drijven in mensen. Maar toch, ja, ik drijf handel in bedrijven.'

'Mijn vraag bevatte geen oordeel,' zei ze. 'Je kunt alles op veel manieren doen. En dan nog, ik heb er geen behoefte aan om mensen te beoordelen, ik wil de dingen vooral weten'
'Weten is belangrijk,' zei hij. 'Of het altijd goed is, is wat anders.'
'India heeft heel goede computerbedrijven,' zei ze. 'Hebt u er daarvan?'
'Een korte tijd heb ik ze eens zo goed als allemaal gehad,' zei hij, 'maar nu niet meer door een uitschuiver in een andere tak.'
'Als u bedrijven aankoopt, gaat u dan na of er kinderen tewerkgesteld worden?'
'Ja,' zei hij. 'Dat is voor ons extra moeilijk. In Europa heersen andere sociale toestanden dan hier, ook heel andere denksystemen. Voor jullie zijn alle mensen gelijk, voor ons niet. Wij moeten tevreden zijn met wat we gekregen hebben. We moeten dat tonen. Arm geboren, arm leven. Machteloos geboren, machteloos leven. Machtig geboren, je macht gebruiken, zoveel je maar kunt, ook misbruiken, dus ten nadele van anderen. Uit eerbied voor het Grote Schema. De meerderheid daar bij jullie gelooft niet meer in God, maar de Tien Geboden van Mozes zitten in jullie als bramen. Ook bij ons is dat zo. Zij die hebben leren denken geloven niet meer in Kali of Sjiva of Visjnoe, maar die oude kasten, met de rechten en plichten die eraan verbonden zijn, zitten in ons, als bramen. Aan bramen trekken doet pijn, ook bij mij nog steeds. Hoewel ik al lang een arme heiden ben.'
De steward legde uit waarom er in Damascus overgestapt moest worden in het militaire vliegtuig. Er waren in de loop van de ochtend weer eens ontploffingen geweest in Bagdad, onderweg tussen het vliegveld en de stad. Raketten waren daar neergekomen. Het burgerlijke deel van het vliegveld was tijdelijk afgesloten. Na de landing in Bagdad zou een militaire bus hen langs een omweg naar de stad brengen. Alleen reizigers met een internationaal paspoort voorzien van een Amerikaans visum zouden toegelaten worden. Personen die niet voldeden aan deze voorwaarden werd de raad gegeven in Damascus con-

tact op te nemen met de Amerikaanse consul. De steward dicteerde tweemaal het adres en het telefoonnummer.

2

In de luchthaven van Damascus bracht een stewardess de passagiers voor Bagdad naar een hoekje van de aankomsthal, waar twee Amerikaanse militairen achter een tafeltje zaten bij een metalen deur. Ze moesten daar een rij vormen. Nicola hoorde de slecht gehumeurde Fransman zeggen: 'Als ik nu wil gaan plassen, moet ik het aan die twee vragen.'

Hij vestigde haar aandacht op de onzindelijkheid van de muur en van de vloer.

'En die kromme, verroeste deur...' zei hij.

'Dat is toch niet de schuld van die twee arme jongens?' zei Nicola.

'Het is hun hoek,' zei de Fransman.

Dat was ook waar.

'En zei u arme jongens?' vroeg hij.

'Och, ik ben er zeker van de ze liever honkbal zouden gaan spelen in Wisconsin,' zei Nicola.

'En dat tafeltje,' zei de man, 'bekijk dat eens, dat hebben ze zeker meegebracht uit Vietnam voor ze daar aan de haal moesten,' voegde hij er grimmig aan toe.

Nicola keek geamuseerd naar hem om.

'Jullie zijn daar eerder aan de haal gemoeten,' zei ze.

'Niet aan de haal,' zei de man boos.

'Kijk daar eens in de hoek,' zei ze. 'Dat zou best een schorpioen kunnen zijn.'

'Dat is kauwgom, niet een schorpioen, maar die hoort daar niet te liggen,' zei de man. 'Houdt u mij voor de gek misschien?'

Waarom ben ik zo opgewekt, dacht Nicola. Ze ging moeilijk, misschien wel gevaarlijk werk doen, maar ondanks dat alles, naast dat alles om, had ze ook het gevoel dat ze met vakantie ging. Dat gevoel overheerste zelfs. Het leek haar dat ze naar huis ging. Dat is ook zo, dacht ze dromerig, glimlachend. Als kind al had ze Bagdad bezocht, met haar vader, wanneer die onvermoeibare apostel toch eens in Nederland zijn familie ging bezoeken. Die verre, witte stad, omringd door goudkleurige woestijnen, kende ze al uit de sprookjes van Duizend-en-een-nacht. Plaatsnamen uit de beroemde verhalen die ze opgeschreven had, vond ze er terug. De poorten waar de karavanen aankwamen, de soeks waar de nomaden uit de woestijn 's avonds laat in het donker tussen fluitspelers en trommelaars en vertellers en slangenbezweerders keken naar dingen die ze nog nooit in hun oases gezien hadden. Ze glimlachte om haar teleurstelling toen ze van die luister weinig meer terugvond dan uitgestrekte wijken die uit witte, stoffige huisjes bestonden en daarboven uit oude minaretten en hier en daar een vervallen paleis. Beter had ze zich gevoeld te midden van de wriemelende, keuvelende, in witte gewaden gedrapeerde, vriendelijke, hoffelijke mensen overal. En warme muurtjes waar je op de grond met je rug tegen aangeleund kon zitten. En warm zand onder je blote voeten. En babbelen en giechelen onder rietmatten terwijl iemand van op een halve meter hoogte hete thee uit een koperen kan in een minuscuul glaasje liet stromen. Zelfs de hete middaguren die de stad verpletterden. De geurige avonden te midden van mensen die weer opleefden. De nachten onder een donkerblauwe hemel, zo vol sterren dat die door elkaar leken te wemelen en daarin veel lager, heel helder de volle maan die daar hing als een lamp. Nog steeds waren daar de kalief en de prinses die vertelde en vertelde om niet met een oude man te moeten trouwen. En de ruiters met een tulband en een kromme sabel. De meisjes hadden flonkerende ogen boven hun mondsluier. Ze werden over de daken heen van het ene huis naar het andere gebracht om bij de ruiter van hun dromen te geraken en met hem de vlakte in te stormen.

Je bent een romantische trien, nog altijd, op je achtentwintigste, dacht ze genoeglijk. Maar het was waar dat ze thuiskwam. En dat Ilja daar zou zijn. Mijn dichter, dacht ze vertederd. Mijn speelkameraad. Mijn clown.

De Amerikaan achter het tafeltje die de ondervragingen

deed zag haar lachen. Luid vroeg hij haar of ze wat aan te merken had op hem.

'Nee, helemaal niet,' zei ze haastig. 'Neem me niet kwalijk, ik dacht aan andere dingen. Heel andere dingen. Andere personen. Eén bepaalde persoon.'

'O? En welke persoon zou dat dan zijn?'

Jongen, wat ik denk, gaat jou geen bal aan, dacht ze. Ze zei dat ook, in beleefdere termen, maar blijkbaar niet onderdanig genoeg. De man stond zo heftig op dat de stoel achter hem omviel.

'Kom eens met mij mee,' zei hij, terwijl zijn gekromde wijsvinger haar ook dat teken gaf.

'Ik wil wel zeggen aan wie ik dacht,' zei ze snel, pramend. 'Ik dacht aan Popov, dat is een beroemde clown.'

De man liep naar een langere tafel, waar twee Amerikaanse soldaten voor hun computerschermen zaten. Hij tokkelde met zijn wijsvinger op de hoek van de tafel en zei: 'Leg daar uw papieren neer.'

'Ik heb ook een vriend die kleine circusvertoningen geeft. Hij is een heel grappige man. Daarom moest ik lachen. Het had niets met u te maken.'

'Nu,' zei de man terwijl zijn wijsvinger weer die forse tok liet horen. Hij was een kapitein, merkte ze aan zijn kentekenen. Te oud voor zijn graad, meende ze na een blik op zijn buikje. Niet bezig met het boeiendste werk. Teleurgesteld. Een verbitterde verouderde beroepsmilitair die al lang een ander beroep had moeten hebben. Ook nerveus, zoals nu alle Amerikanen in Irak. Misschien wel bang. Thuis een ouder wordende vrouw en al grote kinderen. Ze vergaf hem reeds de woestheid waarmee hij de hoeken van haar identiteitspapieren verfrommelde. Toen haar perskaart op de grond belandde en hij die na enkele seconden aarzeling toch opraapte, moest ze weer haastig een glimlach onderdrukken.

'De papieren zijn zo te zien in orde,' zei hij. 'Maar wat bent u van plan? Wat wilt u doen in Bagdad? Wat precies?'

'Eens kijken naar die martelaars, voor ze aan stukken gereten worden natuurlijk,' zei ze stil.

'Dat zijn geen martelaars,' zei de man luid. 'Dat zijn domme, bloeddorstige terroristen.'

'Ja, maar wie zijn zij? Zichzelf in stukken laten rijten is niet wat jongelui normaal doen.'

'Ze zijn dom,' zei de man. 'Ze begrijpen niets. Hun tiran zit achter de tralies, dankzij ons. Wij hebben hen bevrijd.'

Het heeft niets met jou te maken, kerel, dacht ze.

'Holle, valse leuzen,' zei de man. 'Holle, valse profeten en dan naar een holle, valse hemel, bevolkt met hoeren. Zo staat het in de koran,' zei hij luid, snel. 'Oude mollahs, oude ayatollahs, oude imams.'

'Ja, desnoods,' zei Nicola. 'Maar jongelui toch niet. Nergens ter wereld zijn jongelui bezig met God. Zij fluiten liedjes. Ze weten waar de mooiste griet woont. Ze willen voetbal of basketbal spelen. Ze zitten te gieren om de ouderwetse theorieën van hun vader. Ze willen een auto hebben en met hun zakken vol geld in winkels binnenlopen vol mooie dingen.'

'U moet drie formulieren voor mij invullen,' zei de Amerikaan. 'U moet die laten afstempelen bij de Militaire Politie in de vertrekhal en er weer mee bij mij komen.'

'O, daar ben je,' hoorde ze iemand roepen. 'Toch op de goede plek. En ik me maar zorgen maken.'

De grote elegante Hindoe die naast haar had gezeten in het vliegtuig, kwam haar een kus geven. Met de arm om haar schouders gaf hij haar een tweede.

'Lieveling, ik was ongerust,' zei hij. *'Hi Bill,'* zei hij tegen de Amerikaan.

Hij flapte een kleine portefeuille open en liet de Amerikaan de binnenkant zien.

'Ja ja, in orde, meneer Surendranath,' zei de Amerikaan snel, nerveus.

'Ben je klaar met Nicky?' vroeg de Hindoe.

'Ik wist niet dat u beiden samen reisde,' brabbelde de Amerikaan gejaagd. 'Dat u samen hoort, bedoel ik. Ja ja, het is allemaal in orde. Naar het vliegtuig maar.'

Gekunsteld vrolijk maakte hij met zijn beide handen wapperende gebaren in de richting van de uitgang. Buiten, terwijl ze al een tijdje over het tarmac naar het vliegtuig gelopen waren, keek Nicola naar hem op.

'Ook zo schaakt men iemand,' zei ze.

'Het werkt altijd,' zei hij vrolijk. 'Je moet ze overrompelen. Met een schok. Het jaagt ze op. Ze zoeken naar een middel om het gezicht niet te verliezen. En dan is het al voorbij.'

'U doet dat weleens meer.'

'De hele tijd,' zei hij.

'Uw arm ligt nog altijd om mijn schouder,' zei ze.

'Sorry.' Hij stak zijn beide handen op. 'Ik vond wel dat die daar goed lag.'

'U hebt in Cambridge gestudeerd, nietwaar?'

'Hoe kunt u dat in 's hemelsnaam weten?' vroeg hij.

'Een maatje zelfgenoegzaamheid, een maatje arrogantie, een heel mooi accent en precies dat bepaalde blauw in uw das.'

'Bravo. Ik ben onder de indruk.'

'Als ik uw schouders bekijk, heb ik de neiging om te denken dat u misschien wel mee geroeid heeft.'

'Niet in de echte wedstrijd,' zei hij verveeld, een beetje boos. 'In de selecties wel, ja,' voegde hij er glimlachend aan toe. 'Ik denk dat ik ook wat weet,' zei hij.

Hij haalde een bankbiljet tevoorschijn, honderd dollar. Hij ritste er met zijn duim langs tot het rechtop stond tussen zijn duim en zijn wijsvinger. Hij zei: 'U krijgt dit van mij als u géén journaliste bent.

'Waarom zou ik een journaliste zijn?'

'In uw handtas zit een mapje van het soort waar perskaarten in zitten. Er zit daar ook een opschrijfboekje in, erg versleten, maar heel mooi, glanzend bruin leer. Een ballpoint zit daar tegen aan en er zitten nog drie andere ballpoints gereed als reserve in een klein zakje, wat dieper. Daar zit ook een minicamera, denk ik, in een fluwelen tasje. En u hebt in drie kranten zitten lezen wat er daar geschreven stond over landen uit het Midden-Oosten. Een toerist zou in de brochures van zijn touroperator hebben zitten kijken.'

'Adieu biljet van honderd dollar,' zei ze.

Even, vluchtig, wisselden ze weer dat glimlachje uit.

'U zult niet schrijven over de zuilen van Babylon, niet over de Grote Kalief die gezanten stuurde naar Karel de Grote en hem bij wijze van geschenk een witte olifant liet brengen, te voet, stap voor stap door heel Europa.'

'Even toch wel.'

'Melancholisch dan, tussen haakjes.'

'Waarschijnlijk zo, ja.'

'Over Bush dus wel. Over dat nerveuze Amerikaanse leger. Dat gebrabbel in het Amerikaans Congres. De leugens van die ministers, het *rumspeak*...'

'... bespottelijk voor iedereen, behalve voor Rumsfeld.'

'Als u dat zo zegt, op die toon, hoef ik niet te vragen hoe u over Bush denkt,' zei de Hindoe.

'Irak produceert geen wapens om mensen in massa te vernietigen, nu niet, toen niet. Indien Bush dat niet wist, is hij een idioot. Indien hij het wel wist, is hij een schurk. In beide gevallen loopt daar een gevaarlijk persoon rond die ze in Texas hadden moeten opsluiten in een bewaarplaats met een zes meter hoge omheining. Persoonlijke mening, maar ik handhaaf die.'

'*Hear, hear,*' zei de Hindoe.

'O, denkt u er ook zo over?' vroeg Nicola.

'Amerika is een schurkenstaat geworden,' zei de man heftig. 'Zij verwerpen het verdrag dat het wereldmilieu beschermt. Zij onteren de UNO, die orde en vrede in de wereld wil. Uit eigenbelang gaan zij andere landen pakken die hun niet toebehoren en ze gebruiken daarvoor bloedig geweld. God wil het, schreeuwden de christelijke kruisvaders en ze hielden in het Midden-Oosten de brandende steden omsingeld tot iedereen er verkoold was. *Gott mit uns,* liet Hitler in de gespen van de gordelriemen van zijn SS gieten. *God bless America,* zei de gangsterbaas in Washington met gevouwen handen en neergeslagen ogen nadat hij het bevel gegeven had te beginnen aan de moordpartij in Irak.'

'Brr, brr,' deed Nicola.

'Is het niet waar wat ik zeg? Ze hadden hem in Texas moeten houden, hem die sportploeg verder laten besturen, of die quizploeg, of wat was het?'

Het militaire transportvliegtuig had deuken. Loeiend en schuddend reed het over de startbaan, zo lang dat het leek of het niet van de grond kon komen. Het raakte opnieuw de grond nadat het even met schommelen opgehouden had.

'Dat doet het elke keer,' zei de mopperaar, die nu schuin voor Nicola zat en zich naar haar omkeerde om haar bewust te maken van het gevaar. Hij bleef oplettend roerloos wachten nadat er alleen nog maar het ronken van de motor geweest was. De man uit India zat weer naast Nicola, zij nu bij het venster.

'Die jonge terroristen,' vroeg Nicola, 'die martelaars, die mee de lucht in gaan, wie zijn dat volgens u?'

'De heilige doders...'

Hij zei het peinzend, de blik strak voor zich uitgericht.

'De wilde heiligen...'

Hij zat van nee te schudden.

'Die konden er beter niet zijn,' zei hij, 'maar ze zijn er. Ze moeten er zijn.'

'Moeten?'

'Anders gaat het niet, vinden zij.'

'Zo kwam er ook de bom van Hiroshima,' zei Nicola.

'Ja precies, dat bedoelde ik.'

'En het mosterdgas, in de loopgraven van 1914-1918 en de vlammenwerpers in de Vietnamese huttendorpen.'

'Zeker en vast.'

'Wie zijn zij?' vroeg Nicola.

'Komt u daarvoor naar Bagdad? Om dat te weten?'

'Ja. Ik zou die jongelui willen ontmoeten,' zei Nicola. 'Tussen hen zitten. Horen wat ze zeggen. Naar hun ogen kijken.'

'Dat zal maar moeilijk kunnen, denk ik,' zei de man.

'Hoezo, dat zal maar moeilijk kunnen?'

'Die jongelui bestaan niet.'

'Hoe kunt u zoiets zeggen? Elke dag gaan er de lucht in.'

'Ze bestaan niet als soort. Er zijn geen plaatsen waar zij samenleven en waar je tussen hen kunt zitten. Het is geen volk, het is geen stam. Geen groep, geen school. Geen geheim genootschap. Zelfmoordstrijders worden niet geboren. Ze worden gemaakt. De kern van de zaak is dat men die heilige doders maakt. Naïevelingen geloven dat je mensen niet tot kwaad kunt dwingen. Je kunt een gehypnotiseerde geen misdaad laten begaan, zeggen ze. Je kunt een gehersenspoelde niet het tegenovergestelde laten doen van wat hij zelf zou doen, zeggen ze. Maar dat kun je wel. De gekloonde boeven van Hitler marcheerden door de straten met blinkende, klinkende laarzen terwijl ze liederen zongen in twee stemmen. Vroeger waren zij *Rechtsanwalt* of *Gymnasiallehrer* of dichter of letterzetter of bergboer in Beieren. De Parijzenaars die nu de boeken van Bernard-Henri Lévy lezen, die gaan luisteren naar Patrick Bruel, die *pâté de foie gras* eten en ook in druk verkeer niet opletten achter het stuur van hun auto, liepen op het einde van de achttiende eeuw bedekt met bloed door de straten en hakten alle graven en baronnen die ze konden krijgen het hoofd af. Ze deden dat zelfs met hun koningin. Wat overkwam ons daar, heb ik een van mijn Franse vrienden eens ontreddered horen vragen.

Hij was zo opgewonden dat hij even niet kon spreken. 'Sorry,' zei hij wat later. 'Ik wil altijd maar drukte maken. Tussen haakjes, ik heet Rao Mohan Surendranath. Noem mij Rao en doe geen moeite om de rest te onthouden, dat zal je toch niet lukken.'

De kapitein die in de luchthaven van Damascus hun paspoorten en visa nagekeken had, kwam met een jonge soldaat uit de cockpit. De soldaat had een stempeldoos bij zich en een clipboard waar een papier op zat. Zij namen de vingerafdrukken van de passagiers. Niet van alle passagiers. De kapitein wees de personen aan die hij wilde hebben. Allen behalve de blanken. Dat werd Nicola meteen duidelijk.

'Ze vergaan van de zenuwen,' zei Rao stil.

Er waren er alle dagen meer die wensten dat Bush er niet aan begonnen was, zei hij. Die oorlog aanpakken tegen heel de wereld in, dat was ze wel bevallen.

'Ze leven nog altijd in dat wilde Westen,' zei hij.

Pioniers en overal vijanden waar zij zich glorierijk van af maakten. Die oorlog winnen, dat was dus echt goed. Saddam Hoessein pakken. Dat leek het allerbeste. Maar dat was het niet echt, niet helemaal. Die oorlog ging door, alle dagen dode Amerikanen. Die vaders en moeders kwamen op de beeldbuis. Er werden toespelingen gemaakt op een tweede Vietnam, een dodelijke jungle waar overal de vijand zat.

De kapitein en de soldaat kwamen bij hen. 'Nee nee, u niet,' zei de kapitein nerveus glimlachend tegen Nicola. 'U ook niet, mijnheer Surendranath,' zei hij driftig de soldaat afwerend die de stempeldoos al geopend had. 'We kennen toch allemaal mijnheer Surendranath.'

'Ik ken hem niet, kapitein,' zei de soldaat. 'De afspraak is dat we...'

'Goed, goed, geef hier die doos,' zei Rao boos. 'Iedereen kan toch zien dat ik geen blanke ben. Men kan mij dus niet vertrouwen.'

Heftig drukte hij de toppen van zijn beide wijsvingers op het inktkussen en bracht de afdrukken aan op het papier. Grote vegen ontstonden daarbij, wat de soldaat niet beviel. Toen ze al een eind verder waren kwam de kapitein nog eens terug en zei gedempt, over de schouder van Nicola heen: 'Sorry, mijnheer Surendranath, er werd niets onaangenaams bedoeld.'

'Hoeft niet, hoeft niet,' zei Rao kregelig. 'Praat er niet meer over, Bill.'

Hij haalde papieren uit zijn aktetas en begon daarin te bladeren alsof hij iets zocht. Hij bleef daar nog een poos mee bezig. Nadat hij de tas weer gesloten had zat hij daar stil, met gesloten ogen. Nicola kon horen dat zijn adem rustiger werd. Wat heeft hij, dacht ze. Waarom was hij zo opgewonden?

Hij opende weer de ogen en zei: 'Ik heb me aangesteld. Het is belachelijk. Iedere niet-blanke wil voor een blanke gehouden worden. Daar verlangt hij vurig naar. Dat is bekend. Ik dus ook. Ik ben er zeker van dat u het een bespottelijk schouwspel vond. Ik vergeef het mezelf niet. Ik wil er niet naar verlangen om voor een blanke gehouden te worden. Ik wil mezelf zijn, op mijn plaats, met mijn kalasjnikov.'

Hij wees in haar open handtas naar het notitieboekje en de ballpoint. Hij zei: 'Dat is toch ook een kalasjnikov?'

'Met papieren klappertjes dan,' zei zij, 'zoals in een kinderpistool. Pif paf, even schrikken van het geluid. Een klein wolkje rook. Een vage geur van buskruit en gedaan.'

'Het valt niet te verwaarlozen wie heilige doders maakt,' zei hij. 'Het is niet de eerste vraag, maar wel de tweede. Die moet gesteld worden.'

Nicola zei: 'Als ik niet nadenk, houd ik die jonge martelaars voor geëxalteerde moslimextremisten. Fundamentalisten. Elke godsdienst heeft zo'n uitwas. Als ik nadenk, weet ik dat ik waarschijnlijk dingen met elkaar verwar.'

Rao keerde zich naar haar toe en vroeg: 'Terrorisme, hoe staat u daar tegenover?'

Ze merkte dat zijn blik aandachtig op haar gevestigd stond.

'Voor de Amerikanen is alles terrorisme wat niet goed is voor de Amerikanen,' zei hij. 'Voor Israël is alles terrorisme wat niet goed is voor Israël. Maar dat bedoel ik niet. Ik bedoel ook niet het oorlogsgeweld. Oorlog is een hoofdstuk apart. In vredestijd geweld gebruiken voor een doel dat je voor goed houdt. Mag dat volgens u?'

'Vredestijd is een wankel begrip,' zei ze. 'U zou het beter moeten omschrijven. Tijdens hun oorlog met de Palestijnen pakten de Israëli's grond van de Palestijnen. Dat lukte hen. Nu is de oorlog uit, zeiden ze. Zij beslisten dat. Maar voor de Palestijnen was de oorlog niet uit. Een veldslag verliezen betekent niet de oorlog verliezen. Denk even aan De Gaulle. Hij was geen terrorist toen hij in 1944 terugkwam met de Britten en de Amerikanen. Of de Basken met alle geweld een staat nodig hebben, daar ben ik niet zo zeker van. Maar de Palestijnen vragen gewoon hun eigendom terug. Als een buurman van mij mijn huis en mijn tuin in beslag komt nemen, onder voorwendselen dat hij daar beter gebruik van kan maken dan ik en ik verzoek hem weg te gaan en hij gaat niet en ik verzoek het hem nog eens en hij gaat weer niet, dan verzamel ik potige vrienden met knuppels en gooi hem eruit. Het terrorisme is het patriottisme van de verslagene. Het is dat hier in de geciteerde omstandigheden, het is het niet altijd. Het patriottisme is weleens het terrorisme van de overwinnaar. Ook dat is het niet altijd, maar het is het in de geciteerde omstandigheden.'

De ernst ging niet weg uit zijn blik.

'Bravo,' zei hij. 'Bravo,' zei hij nog eens. Zijn gezicht ontspande zich.

'Die potige kerels, dat zou u toch niet echt doen?'

'Ik denk het ook niet,' zei ze.

Haar glimlach ontmoette weer de zijne.

'U zou het wel willen,' zei hij.

'Ja.'

'Dat is eigenlijk hetzelfde.'

'Zeker.'

Ze vertelde dat ze jonge moslims gekend had die niets hadden van godsdienstige dwepers. Wat ze gingen doen in hun leven was niet vooruit beslist door Allah. Zij wilden in Parijs naar het theater gaan en in München een halve nacht lang zitten discussiëren in een *Weinkeller*. Zij discussieerden over Porsches en Alfa Romeo's en hun zusters wilden in shorts met bruine dijen en een zonnebril lopen kuieren over zeedijken. Ze kenden Jacques Brel en Michel Sardou.

'Dat waren geen grimmige mollahs die gluren en luisteren of ze op het middaguur geen muziek horen in open deuren. Geen gehersenspoelde robotten met verdraaide ogen. Geen geëxalteerde, gillende vrouwen die er willen uitzien als nonnen.'

'Jammer genoeg maken die meer lawaai en dan komen ze in de kranten.'

3

'Ziet u het?' vroeg hij.

Ja, ze zag de hittenevels en de woestijn en daarin de stad als een uitgestrekte wazig witte vlek te midden van oases, ver van alles verwijderd.

'Bagdad is nu veel groter dan toen u daar als klein meisje was,' zei hij.

'Driemaal zo groot wel, denk ik. Bagdad zien, dat is de aarde zien, de geschiedenis van de aarde, heeft de oude Lahcen mij eens gezegd.'

Als in een wonderbaarlijke droom begon ze lijnen te onderscheiden in de witheid. Het werden lanen, pleinen. Het konden paleizen zijn, stadspoorten. Maar toen begon ze donkere stippen te ontwaren, zwarte gaten, puinhopen, alsof een onaards geweld de stad door elkaar had geschud.

'Die veldheren,' prevelde ze. 'Kauwgom, honkbal, bourbon, en Madonna. Niks weten, alles dus maar aan stukken. De wederopstanding van de Tyrannosaurus.'

Ze zag de verkeersslierten tussen het puin.

'Daar,' zei hij, 'die delen, die wijken, waar het lijkt of de aarde verzakt is, daar werd aangedrongen. Vijfentwintig aanvallen na elkaar, bommen van een ton. Er zijn sloppen waar mensen nu tussen hun muren onder de grond wonen, een verdieping lager dan vroeger. Daar, dat brokkelige ding, dat is dat grote hotel. Er is een stuk uit. Weggeschoten.'

'Dachten ze misschien dat de aanhang van Saddam daar zat?'

'Ik kan daarin slechts weinig denkwerk onderscheiden,' zei hij. 'Schietwerk zie ik, bons- en beuk- en trappelwerk. Beneden is het beter dan wat het van daarboven leek,' zei hij, toen ze in een drom aanschoven om het vliegtuig te verlaten. 'Ook stenen jungles hebben paden en paadjes. Er zijn taxi's, er zijn bussen.'

Hij vroeg haar in welk hotel ze zou logeren. Hij knikte tevreden toen ze hem de naam had gegeven.

'Een goed betonnen dak. Ik weet dat, ik heb het laten bouwen door een van mijn ondernemingen. Ik bouw ook veel andere dingen. Ik mag de Amerikanen niet, maar zij mogen mij. Ik bouw snel en goed. Ze weten dat. In het begin lieten ze Iraki's daken bouwen. Die vielen dan op hun hoofd. Die van mij vallen niet op hun hoofd. Nog steeds niet,' zei hij.

Geamuseerd liet hij haar zijn gezicht bestuderen.

'U bent geen Iraki,' zei ze. 'Maar u wilt de Amerikanen hier wel weg.'

'Niet meteen,' zei hij. 'Ik moet eerst nog veel daken voor hen bouwen. Ik moet hun Capitool nog voor hen bouwen.'

'Capitool?'

'Het staat al een eind boven de grond. Witte gebouwen met veel vensters in stapels bij elkaar zoals in Washington, daarboven de zuilen en de koepel, zoals in Washington. Tweemaal zijn ze al eens eerder begonnen aan zo'n monumentaal regeringsgebouw. Het symbool van hun oppermacht. Tweemaal werd het verwoest door aanstormende martelaars. Nu maak ik het. Een onderdeel van mijn talent bestaat erin dat ik de martelaars op een afstand houd. De nieuwe regering zal er zetelen, het nieuwe parlement en in alle hoeken zijzelf. Dat was mijn opdracht, tonen, bewijzen dat zij de meesters zijn. Dat kost hun natuurlijk verschrikkelijk veel geld. Generaal Marshall met zijn beroemde plan voor de heropbouw van Europa in 1945 is mijn grote voorbeeld. Steden aan stukken schieten en ze weer heropbouwen, er bestaat geen betere business.'

'Bent u een cynisch man?' vroeg ze. 'Bent u het echt?'

'Ja,' zei hij. 'Maar dat valt niet altijd mee.'

Ze merkte opnieuw die vreemde onrust in zijn ogen. Angst leek ze daar waar te nemen.

'Ik moet er ook aan toevoegen dat Hindoes buitengewone komedianten zijn,' zei hij. 'Nergens ter wereld worden er zoveel en zulke theatrale films gemaakt als in Bombay. Ik zal je er op een avond eens een paar tonen. Je lacht je een breuk. De drama's bedoel ik dan. Bij de kluchten zit je te huilen.'

'Hebt u al beslist dat we op een avond bij u thuis samen naar films zullen kijken?'

'Nee,' zei hij zacht, 'maar wij, Hindoes, zijn ook grote dromers. Wij dromen er bijvoorbeeld van dat India op een dag zo groot en zo machtig zal zijn als Amerika en misschien zelfs een beetje machtiger. Wat zegt u daar wel van? Hebt u daar niet de echte grote kwaliteit? Vergeef het mij, ik tater en tater om mijn zenuwachtigheid te overwinnen. Ik loop te hunkeren om u te vragen of u morgen met mij gaat lunchen en nog de dag daarna en de dag daarna.'

'Drie keer niet,' zei ze. 'Eén keer? Ja, goed, Eén keer.'

'Hoera. Ik kom u om één uur in uw hotel halen.'

Het militaire vliegveld was een warboel van grote en kleine vliegtuigen, helikopters en heen en weer rijdende vrachtwagens en jeeps. Rao loodste haar door de drukte tot bij een plaats waar ze weer hun papieren moesten laten zien en daarna wees hij haar de rij taxi's.

'De goeie,' zei hij.

Hij had haar al gezegd dat zijn chauffeur op hem wachtte en dat ze met hem kon meerijden. Hij herhaalde dat voorstel. Maar nee, zei ze. Ze had een zwak voor taxichauffeurs.

Hij monsterde haar in verrukking.

'Bent u bijna twee meter groot?' vroeg hij.

'Net een meter vijfentachtig,' zei ze.

'Ik zevenentachtig,' zei hij, 'maar ik heb wel drie keer zoveel volume als u, denk ik.'

Ze vroeg zich af waartoe die vergelijking moest dienen.

'U bent zo dun. Een klimoprank. De Indiase meisjes zijn veel minder groot. Ze wekken de indruk overal een beetje ronder te zijn. Ze wekken de indruk...'

Ook dat bewuste uitsluiten van de ervaring amuseerde haar.

'Rijd niet te veel rond met de welingelichte taxichauffeurs,' zei hij. 'Niet in uw eentje. En houd ook het traject in het oog. Ze rijden overal met u heen, als u de stad niet goed kent.'

'Ik ken de stad wel,' zei ze. 'Ik heb er als opgroeiend meisje een heel jaar gewoond met die mobiele zendeling, mijn vader. In de loop van de laatste zes of zeven jaar ben ik er drie keer geweest, telkens voor maanden. En verleden jaar opnieuw, de hele zomer.'

Hij stak wanhopig de armen op en riep: 'Het is niet waar, het is niet waar!'

Boos gemopper volgde waaruit Nicola niet meteen kon opmaken wat er aan de hand was.

'Daar! Daar!' zei hij driftig, met een woest gebaar in de richting van een Amerikaanse jeep die voorbij kwam rijden, een eindje van het gebouw waar ze zich bevonden.

Een soldaat met een helm zat aan het stuur, naast hem stond een andere soldaat rechtop met een handmitrailleur, achterin zat een derde bij een rol met een roodwit lint dat werd afgewonden terwijl de jeep voortreed.

'Weer een aanslag ergens in de stad,' zei Rao. 'Duidelijk met doden. Algemeen alarm dan. Alle plaatsen afgesloten van waaruit gevlucht kan worden. Luchthavens, stations, busterminals. Uren gezeur. De wereld vergaat als er geraakt wordt aan hun Amerikaanse Heiligheden.'

Ze moesten naar een loods die bewaakt werd door een rij Amerikaanse soldaten. Hun papieren moesten nagekeken worden door andere controleurs. Een uur of wat later kregen ze thee, nog wat later sandwiches.

Het werd donker. Op twee plaatsen in de verte loeiden sirenes. Een gele zoekstraal ging heen en weer boven het vliegveld. Rao was weer rustig. Ze keuvelden.

'U bent opvliegend en ongeduldig,' zei Nicola.

'Dat maak je mee met Punjabi's,' zei Rao. 'Wij zitten vol geweld, vinden wij van onszelf. Wij krijgen niet de gelegenheid om dat uit te werken. Wij bestaan als ontwikkelde mensen al tweeduizend jaar langer dan de Angelsaksers, maar zij hebben de stoommachine uitgevonden, daarna de elektriciteit, daarna de atoombom. Maar nu hebben wij dat ook,' zei hij.

'En nu gaat de wereld wat zien,' zei Nicola.

'Wij hebben alles en een aantal van onze dingen zijn beter.'

'U hebt toch opgemerkt dat ik zat te glimlachen terwijl ik dat zei,' voegde hij er enige tijd later aan toe.

'U had wolventanden,' zei Nicola.

'Laat ze vooral niet klagen,' zei hij. 'Ze hadden alles en dat heeft heel lang mogen duren.'

'U scheldt naar de Amerikanen maar u werkt met hen samen. U collaboreert.'

'Nee, zij collaboreren met mij,' zei hij, 'maar zij weten dat nog niet.'

'Weten uw vrouwen het wanneer u ernstig spreekt of wanneer u grapjes maakt?'

'Vrouwen? Ja, laat ik me niet aanstellen. In jongere jaren heb ik er eens drie tegelijk gehad. Dat mag bij ons. Klaarblijkelijk weet u dat. Een van hen heb ik later overgehouden, die is nu dood. Door mijn schuld.'

Hij stond bruusk op en liep weg. Een poos later kwam hij terug met een glas whisky in de hand. Hij zei dat ze over een kwartiertje de stad in zouden mogen.

'Toen u over uw vorige bezoeken vertelde, had u het over een zekere Ilja,' zei hij. 'Altijd glimlachte u dan.'

'Hij is mijn allerbeste kameraad,' zei Nicola.

'Ja, dát glimlachje, daar had ik het over. Ik ken ook een Ilja. Dat zal wel niet dezelfde zijn. Hoewel hier toch niet zoveel Ilja's rondlopen. Uw Ilja, wat doet die, wat is hij?'

'Clown. U moet dat niet verkeerd begrijpen. Clown is hij binnenin. Maar aan de buitenkant is hij opvoeder, beschermer van jongelui die hij van de straat haalt. Clown wordt hij wanneer ze zitten te huilen of wanneer ze op elkaar toestormen en het lijkt dat ze elkaar zullen doden. Wat doet die Ilja van u?'

'Dat,' zei hij. 'En het gaat nu niet goed met hem. Helemaal niet goed.'

'Ilja Doelin heet de mijne,' zei Nicola ongerust. 'Hij is een van de Russen die overgebleven zijn toen Saddam wapens kreeg van de Sovjet-Unie. Hij scheldt naar Bush. Maar hij wil geen martelaars. Heilige doders, zoals u ze noemt. Hij wil ook geen andere terroristen. Hij is een zachtmoedig man. Hij wil vrede. Hij wil jongelui die kletsen over Zinedin Zidane, over skateboards, over Sting en over Sophie Marceau.'

Hij knikte bij al wat ze zei.

'Hij is het,' zei hij.

'Maar waarom zegt u dat het niet goed met hem gaat? Wat is er gebeurd?'

'Het is niet eens zeker dat hij nog leeft,' zei hij. 'Als hij niet dood is, zit hij. U weet dan wel wat ik bedoel met zitten. Diep. In het donker. En dan komen ze.'

'Komen? Ze?' vroeg ze angstig. 'In 's hemelsnaam, wat bedoelt u daarmee?'

'Eergisteren. Een van die stomme dingen. Geklungel. Slecht voorbereid, nog slechter uitgevoerd.'

Hij bleek het te hebben over een aanslag in de volksbuurt El Kujan. Een vuil plein waar overal mensen liepen. Veel ingestorte huizen. Eén wat groter gebouw dat gerestaureerd was. In het midden een nieuwe groene poort en rechts daarvan getraliede vensters. Het was een post van de nieuwe Irakese politie die met de Amerikanen samenwerkte. Al een paar keer waren rotte vruchten tegen die deur en die vensters gesmeten. Toen, in de volle ochtenddrukte, kwamen twee auto's over het plein razen, recht naar de groene poort toe waar twee agenten op wacht stonden. De tweede auto reed zo wild dat hij de eerste raakte. Die vloog met gierende banden uit zijn baan en bonsde zwijmelend tegen een fruitkraam aan. Te midden van uit elkaar stuivende mensen ramde de andere auto de poort en ontplofte in wolken vuur en opvliegend puin. Meteen sirenes en een politieauto die van ergens kwam aanrijden. Uit de auto die tegen het fruitkraam aangereden was en uiteindelijk omkantelde, kwam een bloedende man geklauterd. Hij probeerde te vluchten, maar hij viel. Omstanders wierpen zich op hem. De agenten uit de auto die was komen aanrijden sleurden hem in een auto en reden weg.

'Die bebloede man, dat was Ilja Doelin.'

'Nee, onmogelijk,' zei Nicola. Ilja zich te pletter gaan rijden tegen een politiepost? Dan kun je evengoed zeggen dat Bill Clinton of kanselier Schröder in die auto zat. Daar gebeurde het tegenovergestelde van wat Ilja Doelin zou doen. U hebt het over een andere Ilja. Mijn Ilja is er een zoals ik, met mijn potige kerels en mijn knuppels. Vuur en vlam. Ik zal je van hier en van ginder, maar ik zal je uiteindelijk niets.'

'Nee, ik vertel maar wat ik links en rechts hoor, wat ik lees. Windt u zich niet op.'

Nog heftiger zei ze: 'We zouden dan ook moeten geloven dat we hier een blanke martelaar hebben. Een Europeaan die zich mee laat ontploffen omdat hij niet wil dat Irakese politieagenten meewerken met de Amerikanen. Wat voor een onzin is me dat nou?'

'Die Europeaan is wel een Rus,' zei Rao. 'Dat woord heeft nog altijd een rare, wat rauwe klank in de oren van de lui aan de overkant van de Atlantische Oceaan. De Grote Vijand over wie Ronald Reagan het altijd maar had, is er wel niet meer, maar helemaal vergeten is hij ook niet.'

'Allemachtig.'

'Nee, toe, ga niet meteen erge dingen denken. Ik zal u helpen.'

'Ilja wil net voorkomen dat jongelui zich zouden laten opleiden tot dat waanzinnige martelaarschap. Hij wil dat beletten. Hij spant zich daarvoor in, uit alle macht. En hij zou zich nu te pletter gaan rijden tegen de poort van zo'n politiepost? Dat kan niet, dat is heel zeker niet zo gebeurd.'

Rao stelde voor met haar naar het hoofdkwartier van de Amerikanen te rijden.

'Het is al donker,' zei ze. 'Als je daar nog binnen wilt raken, moet je honderd papieren invullen. Het staat niet vast dat je er voor de ochtend nog uit komt.'

'Dat zou heel goed waar kunnen zijn,' zei hij.

Hij liet haar beloven dat ze hem de volgende ochtend zou opbellen. Hij gaf haar drie verschillende telefoonnummers op kaartjes en zei dat hij niet wist waar hij dan zou zijn. Ze moest de nummers maar proberen. Op een ervan zou ze hem vinden.

4

Ilja Doelin, opvoeder, trainer, bewaker, twijfelachtige politieman, overhaalbare vrederechter, vader, moeder, oudere broer en altijd weer kornuit, woonde met een honderdtal jongelui, vooral Iraki's, ook Syriërs en Palestijnen en een verdwaalde, wat verlopen Britse filosoof en een jonge rebelse imam, in een aantal kleine huisjes rond een binnenplein. Er stond ook een stuk van het gebouwtje waar vroeger de bus van de lijn Bagdad-Basra stopte. Het woord Bagdad stond daar nog te lezen. Ook de overblijfselen van een oud bioscoopje bevonden zich tussen de huisjes, Palace had dat geheten. En een hele zijde van het binnenplein werd ingenomen door het halfverwoeste, mooie negentiende-eeuwse gebouw dat in het verleden Ecole Française geheten had, later Jong-Socialistische Sovjetclub, nog later Institut Russe. Boven een van de vensters waren op de gebarsten muur nog de eerste vier letters van het woord 'Française' zichtbaar. Ertegenover, aan de overkant van het plein, stonden de verweerde muren van de Gailani-moskee. Overal op het binnenplein van het tehuis lagen hoopjes puin. Door de woorden Bagdad en Palace waren de jonge bewoners hun verblijfplaats Bagdad Palace gaan noemen.

Ilja gebruikte zijn auto alleen om in de stad rond te rijden op zoek naar rakkers of straatschuimertjes en hen uit te nodigen om eens een kijkje te komen nemen in zijn club. Ze zouden er sporten kunnen beoefenen, leren lezen en misschien een stiel leren. Daarom had hij Nicola gezegd dat ze over zijn auto kon beschikken. Maar nu vroeg ze zich af of er voor haar nog nut te halen zou zijn uit dat voertuig dat tegen een marktkraam gebotst en dan omgekanteld was te midden van een woeste menigte. Ze besloot meteen een auto te huren.

De jongeman in het kantoortje van Avis, die zijn boeken al gesloten had, stak zuchtend de armen op. Na het tentoonspreiden van zijn woede en afkeer van mensen die niet wisten hoe de moderne wereld werkte, opende hij weer zijn boek. Nors zei hij dat hij enkel nog een Mercedes Coupé had. Slijmerig voegde hij eraan toe dat de prijs voor haar zeker geen probleem was. Nicola zei kordaat: 'U hebt waarschijnlijk nog een Fiësta of een Punto, of zeker een Golf.'

Dat laatste berouwde haar meteen, want het werd een Golf.

'Hebt u de *collateral damage* er wel bij geschreven,' vroeg ze, 'de bepaling waar instaat dat ik ook vergoed wordt voor schade die ik zelf aanricht? U flapt de papieren zo heftig heen en weer. Ik heb ervoor betaald.'

'Het staat erbij,' zei hij, weer met zo'n zucht.

Ze vroeg zich af of ze het moest nakijken, maar ze bedwong zichzelf. Je verkondigt dat ze je niet allemaal proberen te bedotten. Behandel hen dan ook zo. Ze vond de gedachte prekerig en ze ergerde zich daaraan.

'Vooruit, vooruit,' zei ze nerveus, 'dat papier mag wat scheef zitten in dat mapje. Sorry,' zei ze. 'Bedankt dat je me nog geholpen hebt.'

Ze legde een bankbiljetje voor hem neer, een dollar, nog

steeds de magische munt. Toen glimlachte ook hij. Ze dacht: waarschijnlijk verkondigt ook hij nu dat wij niet allemaal arrogante hufters zijn.

Ilja, kerel, wat heb je gedaan, dacht ze terwijl ze de stad in reed. De twee gelijkvloerse kamers die Ilja bewoonde aan de achterkant van het gebouw van de vroegere Ecole Française, gaven uit op een steeg waar zich verder alleen maar Arabische woningen bevonden. Een blinde muur met telkens een poortje dat uitgaf op het binnenplaatsje. Ook Ilja had zo'n binnenplaatsje. Hij had daar kippen, ook twee eenden en een aantal duiven. Wilde duiven had hij zoveel maïs gevoerd dat ze altijd weer terugkwamen en nu, tot zijn grote vreugde, bij hem op zijn binnenplaatsje kwamen slapen. Hij had ook een ezeltje gehad, maar dat was gestolen. Enige tijd was er ook een hondje bij hem komen wonen, maar daarna was het weer weggegaan. De poort waarachter gewoonlijk zijn auto stond, was niet op slot, de kleine deur waardoor je op de binnenplaats kwam evenmin.

Zal hij nooit leren dat wij een soort zijn die je niet kunt vertrouwen, dacht ze wrevelig. Ze sloot de garagepoort en duwde het oude, aan de bovenkant afgebrokkelde deurtje open waardoor je op de binnenplaats kwam. Ook de twee deuren die toegang gaven tot de binnenkamers stonden open. Breng je bezit toch naar de straat, dacht ze boos. Stal het daar uit zodat de diefjes kunnen zien wat er te stelen valt. Als er nog zoiets is, dacht ze bitter.

In de hoek van het binnenplaatsje waar in de winter als er regenwolken boven de rivieren hingen of tijdens een onweer water van het dak stroomde, bewoog iets in het donker achter de regenton.

'Ia!' riep ze verheugd.

Gebukt greep ze met de beide handen achter de ton iets wat je vanaf een afstand voor een pakje lompen kon houden, maar dat een klein haveloos meisje met verwarde stekelige haren bleek te zijn.

'Lieve kleine Ia,' zei ze blij. 'En altijd maar weer achter die ton. Om hier niet weggejaagd te worden.'

Ze drukte kussen op het donkerbruine gezichtje waarin twee kraaltjes schitterden. Een auto kwam met groot gedruis het steegje in rijden en stopte bij het poortje. Een Amerikaanse soldaat met een stengun holde het binnenplaatsje op, daarna volgde nog een tweede. De eerste greep Nicola bij de schouder en rukte haar weg van de ton.

'We wisten wel dat er op een avond eens iemand zou komen,' zei hij. 'De kornuiten komen uit hun hol als het donker wordt.'

Onthutst zei hij: 'O, u bent een vrouw! Maak u eens bekend.'

'Ik ben Nicola Fransse van het agentschap Reuter. Wilt u mijn schouder loslaten alstublieft?'

Terwijl ze vragen moest beantwoorden, kwam de andere soldaat, een heel jonge man met blauwe ogen, tot vlak bij het kleine meisje dat ze nog steeds op de arm droeg. Hij glimlachte naar haar en pookte met zijn vinger in haar buikje om haar te kietelen. Daarna stak hij zijn hand naar haar uit. Het kleine meisje legde er de hare niet in.

'Handje?' vroeg de soldaat bemoedigend, in het Arabisch.

Het kleine meisje schudde van neen. Pas nadat de soldaat het opnieuw gevraagd had en haar glimlachend toegeknikt had, haalde zij een dun bruin armpje waar geen hand aan zat uit de lompen en legde dat stompje in zijn hand.

'O sorry,' zei de soldaat.

Hij werd bloedrood. Hij leek het armpje weer in de lompen te willen duwen. Het kleine meisje deed het zelf.

'Ze heeft ook zo'n beentje,' zei Nicola. 'Vroeger had ze ook het handje en het voetje, maar toen kwamen jullie. Door computers gestuurde raketten. *Precision bombing.*'

'Dus toch!' riep de eerste soldaat. 'U bent er ook zo eentje. Het is heel goed dat we de wacht gehouden hebben op de hoek van de straat. Bent u alleen gekomen of is er al iemand binnen?'

Hij beval de andere soldaat het huis te doorzoeken. Niets, gaf die door een handgebaar te kennen toen hij weer uit het duister tevoorschijn kwam.

'Mee,' beval de eerste soldaat.

Hij wilde Nicola met zich meetrekken, maar zij zette een stap achteruit. Ze zei dat hij haar niet zomaar kon arresteren. Ook de andere soldaat mompelde zoiets. Nicola merkte de goedige, verwijtende toon op in zijn stem.

'Ze kent de plaats. Ze is hier thuis,' zei de eerste soldaat. 'Dat kun je toch merken. Vriendin van die lange slungel?' vroeg hij Nicola.

'Ik ben een vriendin van Ilja Doelin, ja.'

'Een vriendin of de vriendin?'

'Dat gaat u niet aan,' zei Nicola.

'Een vriendin of de vriendin?' vroeg de soldaat luider.

'Ben jij een Amerikaanse pummel of de Amerikaanse pummel?' vroeg Nicola.

'Zachtjes aan, Dickie,' zei de jonge soldaat haastig.

'Hier woonde een terrorist!' riep de eerste soldaat.

De rand van zijn ronde helm, zijn neus en zijn kin vormden één lijn.

'Als zij er al niet aan meedeed, dan weet ze er toch van. Gaan we dat niet na?'

De jonge soldaat zwichtte.

Nicola zette het kleine meisje weer op de grond. Het kind verdween snel kruipend, fladderend achter de ton. Nicola toonde haar papieren, ook een biljet waaruit afgeleid kon worden dat zij die dag in Bagdad aangekomen was. Dat laatste viel de grote soldaat tegen.

'De naam is absoluut onleesbaar,' zei hij. 'Het kan het biljet van om het even wie zijn.'

'Hebben ze dat dan in het geheim in mijn zak gestopt?' vroeg Nicola.

'U moet die tong van u een beetje in bedwang houden, jongedame. Zo tegen ons blijven spreken, dat kan niet.'

'Bevelen en als u niet gehoorzaamd wordt, alles aan stukken schieten, die werkwijze werd hier en daar al eens opgemerkt.'

Even leek het erop dat de grote soldaat haar te lijf zou gaan, maar de jongere soldaat voorkwam het, kordater dan tevoren. De grote merkte dat op. Even stond hij daar onbeweeglijk, met een flonkerende blik.

'Je weet wat ik bedoel, Dick,' zei de jonge soldaat zacht.

'De vraag is of daar aan die kant begrepen werd wat ik bedoel,' zei hij.

Zijn kin maakte een kleine rukkende beweging in de richting van Nicola.

'Jazeker werd het begrepen,' zei die stiller. 'Het spijt me, het was niet mijn bedoeling u te beledigen. Ilja Doelin is een heel goede vriend van mij. Ik heb maar net op het vliegveld gehoord wat hem overkomen is. Wat daar gezegd werd, kan alleen maar een misverstand zijn. Ilja Doelin is geen terrorist. Ilja Doelin is dag in dag uit in de weer om te bekomen dat de jongelui in Bagdad geen terroristen worden. Hij zegt dat de jongelui in Bagdad geen terroristen zijn, maar dat er geprobeerd wordt terroristen van hen te maken. Ik ben het daar helemaal mee eens. Kan ik met Ilja praten? Zou u dat voor mij kunnen regelen?'

'Wat ik voor u zal regelen, dame, is dat u nu mee naar onze politiepost gaat, dat u daar waarschijnlijk de nacht zult doorbrengen en dat u morgen, in de voormiddag als het meevalt, ondervraagd zult worden.'

'Als u dat doet,' zei Nicola, 'dan maak ik daar lawaai over van hier tot Brussel, van Brussel tot Londen, en van Londen tot Washington. En dan gaat u ergens naar een politiepost om ondervraagd te worden, misschien niet eens diezelfde ochtend of middag. Mensen in voorhechtenis nemen op geen enkele andere grond dan dat ze zich ergens op een plaats bevinden is een misdrijf. Ook in het land van mijnheer Bush.'

Praat niet zo, dacht ze, wrevelig om haar eigen agressiviteit. Hij is over zijn toeren, zoals alle Amerikanen, omdat het in Irak voor hen niet verloopt zoals ze het zouden willen. Het kwelt hem dat de hele wereld zich tegen hen gekeerd heeft. Hij is bang om dood te gaan. Hij wil naar zijn vrouw en kinderen. Opnieuw bood ze hem haar excuses aan.

'Ik heb hoofdpijn,' zei ze. 'Dan spreek ik op een ongepaste toon. Dat moet ik niet doen. Maar ik ben het niet eens met wat jullie in Irak doen. Jullie zijn hier niet om te zoeken naar vernietigingswapens. Saddam Hoessein is er niet eentje van de bende van Osama Bin Laden. Jullie zijn hier niet om terroristen te bestrijden. Er zijn er hier niet meer dan eender waar ter wereld. Ik wil graag met u van gedachten wisselen over waarom u dan wel hier bent. In beleefde termen. Dat mag ik doen. U mag dat ook doen in mijn land. Als het waar is dat jullie de democratische beginselen willen verspreiden, dan mag u zelf niet handelen zoals de dictators. Pardon voor het sermoen.'

'Dick, de jongedame heeft gelijk,' zei de kleine soldaat tegen de andere nadat hij die een eindje meegenomen had in de richting van de straatdeur. 'Geen incidenten, werd ons gezegd. Geen.'

'Kunnen we een akkoordje sluiten?' vroeg Nicola pramend. 'We rijden samen naar de plaats waar Ilja Doelin gevangen zit, u ondervraagt mij daar en ik praat met Ilja Doelin.'

'We kunnen niets tegen haar inbrengen,' zei de jonge soldaat gedempt. 'Niets, absoluut niets.'

De andere stapte boos naar Nicola en riep: 'Zal ik u eens vertellen wat die grote vriend van u uitkraamt? Hij beweert dat hij nièt met die terrorist naar de poort van die politiepost reed. Hij reed niet met die kerel mee. Hij reed niet voor hem uit om de weg voor hem vrij te maken, maar om hem de weg te versperren. Hij wilde hem beletten die poort te gaan rammen. Toen dat verhaal onder ons de ronde deed ontstond daar een schaterlach die ze in heel de stad gehoord moeten hebben.'

'Maar zo is het heel zeker wel gebeurd!' riep Nicola uit. 'Allemachtig, daar hebben we de uitleg. Eerst probeerde hij die kerel te overhalen niét te gaan doen wat hij van plan was, en toen dat niet lukte, is hij wild voor hem gaan rijden en gaan remmen om de gruweldaad toch nog te voorkomen. Daarom reed die tweede auto tegen de eerste aan, daarom kantelde die eerste, daarom kwam die bloedende man uit die auto met een verhaal dat jullie niet geloofden, maar dat helemaal waar is. Laat mij meegaan naar jullie majoor of kolonel. Ik zal hun uitleggen wat voor iemand Ilja Doelin is, met bewijzen erbij en getuigenissen, ik zal namen en adressen en telefoonnummers geven. Serieuze, geloofwaardige lui.'

'Ja, Dick, laten we dat doen,' zei de tweede soldaat. 'Als het waar is wat deze dame zegt, en ik denk dat het waar is, dan zijn wij een flater aan het begaan. Dan moet die zogenaamde eerste Europese terrorist uit de gevangenis. Er moet geen tweede schaterlach ontstaan.'

'Aan wiens kant sta jij eigenlijk, Bernard Lean?'

'Aan dezelfde als jij, Dick, maar misschien moeten we allebei bepaalde deeltjes in ons opstel herzien. Laten we in geen geval naar de kolonel rijden, maar naar majoor Briggs. Die zag of hoorde je vroeger nooit, lange jaren militaire attaché geweest in Moskou en zo, maar je hoort hem meer en meer. Hij weet wat van Russen. Hij spreekt hun taal. Te goed hoor je weleens zeggen. Komaan, Dick, komaan, we rijden naar hem.'

5

De perskaart van Reuter deed het hem. Majoor Briggs, van het 17de Airborne *in the barracks* aan de noordwestelijke kant van Bagdad, zag er met zijn kleine, gespierde gestalte, zijn rustig, wat donker uiterlijk, zijn bruine, bijna zwarte knevel en de pijp in de asbak, zo Schots uit dat verschillende mensen hem daar al vragen over gesteld hadden, naar Nicola later zou horen. Hij bekeek de kaart ook aan de achterkant.

'Reuter Brussel, dat bent u dus,' zei hij.

'Ik en enkele anderen,' zei Nicola.

Er verscheen een millimeter glimlach in een mondhoek. 'Reuter is niet altijd mals voor ons, maar dat hoeft ook niet. We weten dat jullie heel trouwe vrienden zijn.'

Snel, opzettelijk snel, zo leek het Nicola, vervolgde hij: 'Onze merkwaardige Rus. Ilja, is het geen prachtige naam? Ik zou ook wel zo willen heten.'

Het was heel zeker waar, zei Nicola, dat hij geprobeerd had de moordlustige dweper in die tweede wagen de weg te versperren. 'Daar is hier hard om gelachen, hoor ik, maar toch is het waar.'

'Ik heb niet gelachen,' zei de majoor.

'Knotsgekke dingen doen, het liefst levensgevaarlijk, dan leeft die kerel pas.'

'Is het waar dat hij een van die opvoeders is in het Bagdad Palace?'

Het beviel haar dat hij die naam gebruikte, rustig, duidelijk zonder enige bijgedachte. Hij aanvaardde het bestaan van wat anderen in zijn omgeving zeker wel 'dat ding' noemden.

'Niet met een ingesnoerde piemel in een bomauto gaan zitten, dat leert hij hun,' zei de jonge soldaat. 'Geen raketten stelen en die vanuit een hol in het gebergte afvuren op onze stellingen. Niet van achter een barst in een muur op Amerikaanse soldaten schieten. Wel voetbal en basketbal. Boeken en bladen. Beuken op oude tekstverwerkers. Loeiende rock. Aardrijkskunde. Leren schrijven. Niet op elkaars gezicht slaan, maar discussiëren. Afspraken maken: ik jat jouw radiootje niet, jij dan ook niet dat van mij. Ook je oren wassen.'

'U hebt met hem gepraat,' zei Nicola verrast. 'U hebt naar hem geluisterd.'

'Dit is een vreemde tijd,' zei majoor Briggs. 'In oorlogstijd ben jij hier en de vijand is daar. Nu is ook de vijand hier. De vijand leeft te midden van ons. Het is zelfs nog erger. Wij leven te midden van de vijand. Wij zitten met die psychotische angst. Wij kunnen niet eens meer veilig slapen. De vijand is in onze slaapkamer. Als je dat niet in de hand hebt, ga je regels overtreden. Er is zo'n regel in verband met personen die we gevangennemen. Die regel luidt dat gevangenen dan bij ons blijven. Het alternatief is niet dat wij hen afmaken. Dat heeft Amerika, bij mijn weten, nog nooit gedaan, maar je kunt gevangenen ook doorgeven. Aan personen die wat met hen doen. Jij hebt dat dan niet gedaan. U bent Belgische, nietwaar. Ik heb in een boek over krijgstactiek, een wat ketters boek, ik geef het toe, gelezen hoe je door overdracht bevrijd kunt worden van hinderlijke personages. In het begin van de jaren zestig gaf u Kongo zijn onafhankelijkheid. U probeerde bepaalde voordelen te behouden. Lumumba maakte de dingen toen moeilijk voor jullie. Een krachtdadige stem in Brussel zei dat die man weg moest. Ze gaven hem door aan oproerige Kongolese militairen. Die plaatsten hem op een vrachtwagen en reden met hem de jungle in en ze kwamen niet terug.'

'U zegt toch niet tegen mij dat Ilja dood is?'

Majoor Briggs schudde van nee terwijl hij even de ogen sloot.

'Hij is wel doorgegeven, tegen mijn zin.'

'Doorgegeven aan wie?'

'Aan de Irakese politie.'

'Die boeven van Saddam die naar jullie overgelopen zijn?'

'Er waren er onder hen ook die vooral een goed loon wilden en genoeg te eten voor hun kinderen. Nee, wacht even, Ilja Doelin werd aan hen doorgegeven voor ondervraging. Ze wilden namen, telefoonnummers, wij hadden Doelin al ondervraagd, op de gewone, goede manier, maar hij zei niets. 's Nachts zijn ze er met hem vandoor gegaan. Ze, daar bedoel ik vooral een van mijn kapiteins mee. Een zuiderling uit Tennessee voor wie de noorderlingen de slavernij daar nog steeds niet zijn komen afschaffen en die een verwant heeft in Washington, op Capitol Hill, halve hoogte.'

Hij nam de gsm die voor hem op de tafel lag, begon een nummer in te tikken, maar sloot het toestelletje weer. Hij keek op naar Nicola en zei: 'Ik wil een ruilhandeltje met u. Niet helemaal mooi, maar ik heb leren leven met dingen die niet helemaal mooi zijn.'

'U geeft mij Ilja terug en ik zeg niets tegen Reuter? Ik doe het,' zei Nicola.

Majoor Briggs liet niet blijken wat hij vond van haar snelle manier van antwoorden. Hij tikte een nummer in en zei: 'Geef mij Brahim.' Hij wachtte even en zei toen: 'Breng mij die Rus eens terug.' Na even wachten zei hij luider: 'Nu, bedoel ik.'

Nog even wachtte hij en toen ratelde hij een lange Arabische zin af.

'Jakkes,' zei Nicola bewonderend toen hij het toestelletje weer weggelegd had. 'U kunt zelfs vloeken in het Arabisch.'

'U dan waarschijnlijk ook,' zei majoor Briggs terwijl er meer gebeurde aan zijn mondhoeken.

Dat ging meteen weer weg. Hij nam enkele bladen uit een map en zei dat hij uitvoerig met Ilja Doelin gesproken had en dat hij ook twee getuigenissen had, drie eigenlijk, maar twee goede, waaruit voor hem bleek dat het waar was wat Ilja zei, dat hij niet een medewerker was van die terrorist, maar dat hij wel degelijk geprobeerd had de aanslag te verhinderen. 'We zouden hem waarschijnlijk over enkele dagen losgelaten hebben,' zei hij. 'Misschien morgen al. U mag hem meenemen.'

Grommend voegde hij eraan toe: 'Tenzij ze daar in dat hok achter de oude kazerne overdreven hebben. Dan zal ik zo dadelijk ook overdrijven. U sprak over een ingesnoerde piemel,' zei hij tegen de jonge soldaat.

'U kent dat verhaal zeker wel, majoor,' zei de jongeman. 'Door hun godsdienst bezielde zelfmoordenaars die voor hun vertrek hun piemel dik met zwachtels omwikkelen en er dan nog een leren koker overheen binden om met een gaaf werktuig aan te komen bij de rustbedden in de hemel van Allah, waar op groene zijde die beroemde meiden wachten die nooit oud worden en met wie je zonder ophouden kunt beuken, zonder moe te worden, tot het einde van de tijden.'

'De legende ken ik,' zei de majoor, glimlachend nu. 'Maar is die waar?'

De jonge soldaat haalde met een grimasje de schouders op.

'Een heel betrouwbaar waarnemer houdt staande dat het zo gedaan wordt,' zei een soldaat die wat verderop in het vertrek achter een tafel zat.

De majoor vertelde dat hij in Moskou een man gekend had die voor vijf roebel de duivel uitdreef. Die man verdiende goed zijn brood, zei hij. Hij genas je ook van huidkwalen, eerst moest je twee drankjes innemen, daarna moest je je helemaal afschrobben met heet water en zeep en een harde borstel en daarna moest je nog twee drankjes innemen.

'Het werkte altijd,' zei de man. 'Ik vroeg hem wat de drankjes bevatten. Hij wilde het eerst niet zeggen. Ik vroeg of ik ze mocht proeven. Dat mocht ik. Ze smaakten bepaald lekker. Toen bekende hij mij dat het wodka was met wat munt in. De borstel en de bruine zeep volbrachten het wonder. Na de borrels telde de patiënt met genoegen de roedels neer. Als hysterie met alle geweld moet, dan liever die kerels,' zei hij, 'dan bosberen die meteen klaarstaan met hun duimschroeven en hun priemen.'

'Gaan jullie het hier winnen?' vroeg Nicola.

'Heel zeker,' zei majoor Briggs.

'Ik krijg andere dingen te zien,' zei Nicola.

'Over de resultaten kun je maar oordelen als je nagaat wat de bedoelingen waren.'

'Nee,' zei hij snel terwijl hij zijn twee handen afwerend voor zich ophield. 'Laten we het daar verder niet over hebben. Later misschien eens,' zei hij, weer met het begin van een glimlachje. 'Hoop ik,' voegde hij eraan toe.

Een ruige, potige Iraki in een Amerikaans uniform dat hem niet paste, kwam naar binnen. Nerveus zei hij dat de man van de trappen gevallen was. Hij kon daarna niet goed rechtop lopen en hij bonsde met zijn hoofd nog tegen een muur aan. Hij zette een stap opzij.

'Alle mensen,' jammerde Nicola toen ze Ilja zag binnenkomen.

'Ninotsjka,' stamelde hij teder, blij.

Zo meende hij haar naam gehoord te hebben toen ze aan elkaar voorgesteld werden tijdens de receptie van de UNESCO waarna ze hem de hele avond lang van alle kanten naar haar had zien kijken met die verlegen, blinkende ogen, tot ze bij het naar huis gaan in de hal bijna tegen hem aangeduwd werd en hij haar bloedrood stotterend vroeg of ze eens niet naar het Bagdad Palace zou willen komen om over de jongelui te schrijven die daar aan een nieuw leven probeerden te beginnen. Hij was haar altijd zo blijven noemen.

Ze sloeg de armen om zijn hals en gaf hem kussen.

'Au, au!' riep hij klaaglijk. 'Een beetje kalmer. Ik had net eens geen pijn.'

'Je bent toch niet gekwetst of zo?' vroeg ze. 'Er is toch niets ergs aan de hand?'

'Builen en schrammen, maar als ik die bosapen tegenkom in het donker, sla ik hen dood en stop ik hen in de riool.'

Hij was een goed hoogspringer geweest. Hij had nog steeds

de benen en de soepele schouders van een atleet. De drieduizend meter wilde hij nog steeds lopen tegen kerels die veel jonger waren dan hij, zei hij. Als een locomotief kwam hij dan, een en al verbetenheid, voorbij de anderen razen. Met zijn te lange, pluizige blonde haren en zijn slordige kleren zou je hem voor een verstrooide geleerde gehouden hebben, of voor een dichter, overgebleven uit een vroegere tijd, of voor een clown. Daar hoefde hij niets anders voor te doen dan plotseling roerloos te blijven staan in een of andere houding, met een of ander gezicht en dan gingen de kinderen aan het gieren.

Wat heb ik met deze kerel, dacht Nicola radeloos. Hij is krankzinnig verliefd op mij, hij overrompelt en verplettert mij. En ik? Ja, ik ben ook verliefd op hem. Ik wil hem ook verpletteren, maar daarna ga ik weer weg, en ook hij gaat weg. Die dromer vergeet mij dan. Ik zou niet weten hoe ik met hem moet samenleven. Dat zal ook hij me wel niet kunnen uitleggen, maar hij wil bij mij zijn en ik bij hem. En als we dan opstaan om het ontbijt te gaan klaarmaken, blijkt het avond te zijn.

Ze waren allebei groter dan majoor Briggs, die bij hen was komen staan en naar hen opkeek en zei dat hij naar een vergadering moest en of hij door die deuropening mocht.

'Kom een van de volgende dagen samen eens eentje bij me drinken in de mess,' zei hij, 'de barak met een gele streep.'

'Dat doen we,' zei Nicola.

'Jullie zullen het wel vergeten.'

'Bedankt, majoor. Echt bedankt.'

Buiten, terwijl ze naar de auto liepen, vroeg ze onrustig: 'Hebben ze je echt pijn gedaan?'

'Het telt niet mee,' zei hij. 'Wat gebeurde voor die wachtpost moest wel verkeerd uitgelegd worden, maar ik kon niets anders doen. Ik hield die jongen al dagenlang in de gaten. Hij deed raar. Zijn ogen stonden raar. Ze bleven star op mij gericht staan alsof ze op me wilden schieten. Ze bleven ook eens op de lucht gevestigd staan nadat hij bruusk het hoofd had opgericht. Hij keek er ook mee naar mensen, van de ene naar de andere, alsof hij iemand zocht. Hij vroeg of ik hem wilde meenemen in mijn auto, hij moest een boodschap doen, zei hij. We kwamen bij dat plein voor de politiepost en toen sprong hij opeens uit mijn auto. Hij holde naar een verroeste grijze Citroën. Die versnellingen krijsten. Hij raakte niet weg van de plaats, maar toen wel en toen wist ik wat hij deed, toen zag ik het. Ik heb het nog geprobeerd. Ik ging voor hem rijden. Ik remde, maar hij beukte tegen mij aan en toen lag ik daar in die auto van mij en allerlei zware dingen ploften op mij neer. Ik wilde al lang een andere auto kopen, nu zal ik het wel moeten doen.'

Ze stopten bij het Amerikaans ziekenhuis.

'Wat gaan we daar doen?' vroeg hij.

'Jou laten nakijken,' zei ze.

'Maar nee, dat is helemaal niet nodig.'

'Je liep te zwijmelen.'

'Omdat ik jou zag. Omdat je me bent komen halen. Je bént me komen halen. Je stond daar, tussen die soldaten. Krijgsvrouw. Moordgriet. Breng me naar huis en blijf bij me. Ik wil met je bonken.'

Ze dwong hem toch het onderzoek te ondergaan. Toen het afgelopen was, zaten er op vier plaatsen kleefpleisters op hem. Zijn linker voorarm lag in een verband. In zijn andere hand had hij een zakje met geneesmiddelen.

'Je moet me naar huis brengen,' zei hij. 'Je kunt mij in deze kapotte stad niet op straat zetten. Er is in de hele wereld geen beter bed dan dat van mij. Dat heb jij zelf gezegd. Ik doe het nooit weg. Niet daarheen. Linksaf. Dan naar rechts.'

Toch, dacht ze. Het is wat je wilt.

Overal voelde ze zijn tedere, zoekende handen. De vurigheid van dat verlangen bedwelmde haar. Het verwarmde haar. Maar het onbestendige daarin, het labiele verontrustte haar. Ik de wereld rond, met mijn laptop, mijn telefoontje en met hem, dat kan niet. Hij ergens wonen en op mij wachten en alle dagen bellen en schreeuwen, dat kan ook niet. Ik met hem in deze verwoeste stad en niet naar Noordwest-India en niet naar Zuidoost-China, ook dat kan niet.

Ironisch speelde ze haar eigen rol. We zullen wel zien. Weer eens zullen we wel zien.

Ia moest hen gehoord hebben, terwijl ze nog uitstapten in de steeg. Het stoffige vleermuisje kwam aansnellen over het binnenplaatsje en klauterde tegen hem omhoog. Niemand wist hoe ze heette. Ze zei het de hele tijd, herhaaldelijk, soms radeloos, wanhopig, woedend, maar je kreeg niets te horen dan de klinkers i en a. Ze zei veel andere dingen, dat zag je aan de bewegingen van haar mondje, maar een scherfje van een obus was door haar keel gegaan. Het tochtte in haar terwijl ze sprak. Ze deed de ene longontsteking na de andere op.

6

In het grote, vierkante, met echt dons gevulde bed, waar je niet alleen op, maar ook in lag, zag Nicola de volgende ochtend weer hoe mooi haar onstuimige kunstenaar de vertrekken van zijn Arabische huisje gemaakt had. Weer raakte ze in de bekoring van de witte muren, de granaatrode vloerkleden, de vele boeken, het koper van een prachtige koffiekan, het warme blauw en groen en goud van gepolychromeerd cederhout.

Hij sliep nog, op zijn buik, een arm over haar heen, zijn pluizige haardos tegen haar aan.

Hij was in de nasleep van het Gorbatsjov-tijdperk uit Moskou naar Bagdad gekomen, niet vanwege de wankele, prozaïsche economische en militaire alliantie die deze beide steden toen had verbonden – oude wapens, oude roedels, had hij eens gegromd – maar vanwege zijn vriendschap met jongelui uit Bagdad, studenten die hij ontmoet had aan de universiteit in Moskou, die hem bij hen thuis uitgenodigd hadden en met wie hij in Bagdad en in andere steden en oasen vrienden van hen ontmoet had, zachtmoedige intelligente jongelui die nog maar een losse band hadden met de oude islam, die van de letterlijk op te nemen koran, en die met hem praatten over Poesjkin en Tsjechov, Prévert, Günter Grass en Graham Greene. De helderheid van hun serene, tot zijn essentie herleide islam was hem bevallen. Een heel grote, heel verre God, nergens afgebeeld, ook niet in symbolen, volmaakt onzichtbaar, voor hem neerknielen, het hoofd tot tegen de grond, in een onmetelijke woestijn, alleen maar een richting, maar in die richting ook nog woestijn, en dan weer opstaan en glimlachen en Jacques Brel een fabelachtig kunstenaar vinden, en zitten lachen om de kaki shorts en de theatrale tropenhelmen van de Britten, de Fransen nabootsen in het vertellen van *des conneries*, en vanuit de wijsheid van hun heel oude beschaving genoeglijk het hoofd zitten schudden bij de naïviteit van de Amerikanen met hun simplistische kinderlijke vaderlandsliefde. Die jongelui liepen ontspannen door Bagdad. Ze hielden elkaar bij de pink vast. Hun ogen ontmoetten al die van meisjes, een en al glinstering. Wanneer zullen jullie eindelijk ophouden met dat Sovjet-gedoe, vroegen ze Ilja, allemaal dezelfde mensen in dezelfde huurkamers, dezelfde hemden, dezelfde schoenen, hetzelfde loontje dat je van anderen moet krijgen, wanneer zullen jullie nu eindelijk weer eens Russen worden en de oude Karamasov weer vermoorden en kersentuinen verkopen en dan doodongelukkig zijn en daarna gauw weer niet meer? Hun ontspannenheid en hun charme, hun inzicht in de betrekkelijkheid van de dingen, hun gemoedelijke aanvaarding van die begrensdheid die ook een weidsheid was, hadden hem ervan weerhouden mee te gaan met de wapenfabrikanten en de oliehandelaars toen die terugkeerden naar Moskou. De brutaliteit en de domheid van het Saddam-regime hadden veel verknoeid. Alles verbrijzelend, op platvoeten, waren daarna de Amerikanen gekomen. Ze hadden een op leugens en op schijnvrijheid gevestigde nieuwe tirannie op het land neergeploft. Vrienden van Ilja waren onder Saddam vermoord, enkelen waren gevlucht. Een klein aantal, vogelvrij verklaard, verborgen, werd door de verlossers overreden met hun tanks of lag begraven onder het puin waar de opruimende, heropbouwende, twijfelachtige verlossers reeds hun schatten mee aan het verdienen waren.

Ilja had zitten huilen terwijl hij daarover sprak. Maar ze waren niet dood, zei hij. Ze waren níét dood. Die doden waren er al weer. Hij had het over de jongeren, de haveloze tieners uit zijn brokkelige opvoedingscentrum. Zij waren al op weg, zei

43

hij. Over enkele jaren zouden er weer zachtmoedige, intelligente jongelui over de lanen kuieren, pink om pink, toegeeflijk de schouders ophalend bij te hoogdravende toespraken van ayatollahs en mollahs, genoeglijk glimlachend om de hooghartigheid van hotemetoten in hun limousines, geamuseerd de betrekkelijkheid afwegend van hun twijfelachtige gelijk. Daar kunnen wij hen bij helpen, zei hij hartstochtelijk. Dat kunnen wij voor hen doen. Dat lekkere, wat luie, maar heel rijke leven, hier weer laten opbloeien, het is goed zo, de hotemetoten weten veel minder dan ze zeggen, maar ze laten je met rust en ik groet jou en jij groet mij en we zijn blij dat we elkaar zien en we doen elkaar geen pijn en komen er dan wéér die vinden dat ze alles moeten hebben, dan overleven ook wij dat weer.

De avond tevoren had Nicola aan Ia gevraagd tegen niemand te zeggen dat Ilja teruggekomen was. Nergens zeggen, aan niemand wat verklappen, zo had ze haar verzoek nog wat verduidelijkt en het kleine meisje had het beloofd. Om het te bevestigen had ze haar boventanden en haar bovenlip krachtig over haar ondertanden heen geklemd. Nicola hoorde haar bezig in het keukentje. Het was alsof daar een vogeltje kwetterde. Nicola trok het overhemd van Ilja aan. Ia zat bovenop de gootsteen en was druk in de weer met de koffiekan, koffiedozen, de kopjes, de lepeltjes en de suiker. Nee, nee, zei ze, krachtig van nee schuddend, ze had tegen niemand wat gezegd. Er was niemand in de hele wereld die wist waar Ilja was. Die mededeling bestond uit hoofdgebaren, blikken, gekreun en af en toe een klank. Het had haar van het begin blij gemaakt en vrolijk gestemd dat Ilja ook klonk als Ia.

Er waren al glurende rakkersogen en kale knikkers te zien geweest in de deuropening van de slaapkamer. Er was gefluister geweest, gegiechel, geworstel met plotseling getrappel van voeten en gesmoorde kreten.

'Nee, nee, ik niet, ik heb niets verklapt,' gaf het kleine meisje met een heftig wapperend armpje te kennen terwijl in de steeg en op het grote binnenplein die ze door een raam konden zien, het rumoer en het gedrum aangroeiden.

Toen kwamen ze uitgelaten kraaiend en gillend en over elkaar heen tuimelend het huisje binnenstormen. Ze sleurden Ilja uit bed en enkele potige jongelui tilden hem op hun schouders. Ze zouden hem in zijn blootje mee naar buiten genomen hebben als Nicola niet in alle haast een badmantel om hem heen geslagen had. Toen verscheen, onstuimig in zijn wapperende boernoes en tulband, alsof hij op weg was om woestijnrovers te gaan bestrijden, Oerman ben Shalah, de jonge onstuimige imam die met Ilja het jeugdcentrum leidde, maar die volgens de oude mollahs uit de Gailani-moskee zo slecht leefde dat hij gekruisigd moest worden. Hij sloeg de armen om Ilja heen en gaf hem kussen terwijl de tranen over zijn wangen stroomden. Steeds meer jongelui kwamen in de steeg aandrummen. Toen dook Woodrow Hill op, die ze Wood noemden. Hij was hun leraar. Vroeger een bekend wiskundige en wijsgeer in Oxford, naar werd gezegd, een droevige, depressieve man, die stil, zonder opstandigheid, zei dat niets waar was, dat alles mocht en dat je dus kon doen wat je maar wilde, maar die steun vond in zijn werk onder de jongelui van Irak. Hij klampte zich daaraan vast alsof hij anders zou verdrinken.

Reusachtig, vuistslagen uitdelend, om zich een weg te banen door de menigte, verscheen Fernando, hun bewaker. Hij was een Spanjaard, zoon van een destijds verbannen communist. Hij was boos omdat zijn eerste minister Aznar meegeheuld had met Bush, in naam van hemzelf en tien andere klootzakken, zei hij. Niet in naam van het Spaanse volk, dat hem naar huis gestuurd heeft. Wanneer hij de stad inging moest men hem in het oog houden, anders begon hij Amerikaanse soldaten uit te schelden, het kwam dan tot een vechtpartij, hij won die en belandde vervolgens in de gevangenis. El Burro, noemden ze hem en zo mocht je hem ook aanspreken. Ook de jongelui, onder wie hij de orde hield, mochten dat.

Het duurde enige tijd voor Nicola met de hulp van Woodrow Hill de opgewonden jongelui uit het huisje kon verdrijven en zij en Ilja de kans kregen om zich aan te kleden en samen met Woodrow te ontbijten. Daarna liepen ze samen door een tussendeur naar het binnenplein. Jongelui voetbalden tussen groepjes anderen door die keuvelend heen en weer liepen. Er werd ook honkbal en basketbal gespeeld. Enkele jongeren probeerden te tennissen met oude, duidelijk kaal en grijs geworden ballen. In een kring van schreeuwende jongelui vond een worstelwedstrijd plaats. Tussen de zuilen van een overdekte galerij, een overblijfsel van het oude, eerbiedwaardige Institut Russe, zaten kleine jongens te bikkelen. Twee van de vier jonge Irakese onderwijzers die Nicola tijdens haar vorige verblijf had leren kennen, kwamen toegelopen en begroetten haar.

'Weg! Weg!' zeiden ze, treurig, een beetje moedeloos, toen Nicola hun vroeg waar de twee anderen waren.

Ze hoefde niet te vragen wat er bedoeld werd met dat 'weg'. Weggaan was wat ze allemaal al weleens gewild hadden. Weggaan uit dat verhakkelde land, waar het oorlog geweest was, waar ze na tien jaar schamel arm geweest waren, waar het daarna weer oorlog geworden was, waar het nog steeds oorlog was, waar iedere dag bommen ontploften. Die ellende de rug toekeren. Misschien wel, een bedwelmende droom, aan de andere kant van de Middellandse Zee in een van die paradijselijke Europese landen wonen waar de mensen een auto hadden en op de caféterrassen zaten te kletsen.

De twee die vertrokken waren hadden een diploma, zij die achtergebleven waren hadden geprobeerd er een te behalen, maar het was ze niet gelukt. Je mocht jezelf daar geen achtergeblevene noemen, zei een van hen met een grimlachje. Het was de eerste wet van Bagdad Palace: je liep niet weg uit je verwoeste, mishandelde land. Als iedereen die wat kon aan de haal ging, dan gaf je je land helemaal weg aan de verwoesters, de mishandelaars. Oerman, hun jonge imam, hun rebel, hamerde hen dat in wanneer hij hen toesprak op de berg puin die er nog lag en die zijn spreekgestoelte geworden was in de wind die zijn donkere mantel deed wapperen. Ook Ilja zei het. Wat kunnen, dus wat leren en dan niet weggaan, zei hij rusteloos, met de hartstocht die hem vervulde. Wood, hun sombere Brit, die in niets meer geloofde, haalde dan goedwillig de schouders op. Waarom niet, zei hij altijd maar weer. Als alles absurd was, waarom ook dat dan niet? Een beetje gek zijn, bedoelde hij dan.

Het goede leven dat ergens was niet gaan pakken, tussen de brokken blijven zitten. Je kon niet weten waar het goed zat en waar het kwaad, zei hij. Die dingen bestonden, maar ze bestonden ook niet. In het begin hadden ze hem daar uitleg over gevraagd, maar het eindigde er altijd mee dat ze de schouders ophaalden en zeiden: 'Man, van wat jij zegt, verstaan we niets.' El Burro, die met vuisten en schouders de orde onder hen handhaafde, zei maar zelden wat. Alleen wanneer hij boos was en het hem te machtig werd, kon je hem horen. 'Wij, niet zij!' schreeuwde hij dan. Daar bedoelde hij de Amerikanen mee. Die wilde hij duidelijk wel te lijf gaan. Het kostte hem moeite die woede in bedwang te houden. Hij was een onrustige, ongelukkige man. Ze wisten dat hij niet graag alleen was. Daarom liepen ze met hem mee. Ze klopten hem dan op de schouder. Ze glimlachten hem toe.

'Ik heb de indruk dat er nu wel drie keer zoveel jongelui zijn als toen, de vorige keer,' zei Nicola. 'Klopt dat?'

De jonge onderwijzers bevestigden het met genoegen.

'Gemiddeld honderd vijfenzeventig,' zei Hafid, de oudste. 'Dat wil zeggen, soms tweehonderd, soms honderd vijftig.'

'Het is zoals bij jullie,' zei Moulay, de jongere onderwijzer, die er nog uitzag als een student. 'De zee bedoel ik. Die stijgt en die daalt.'

'Je bent er eens geweest,' zei Nicola. 'In Oostende, om een oom van je te bezoeken, nietwaar?'

'Ja, ik herinner het mij.'

Nicola kon merken hoe blij de jongelui waren dat Ilja er weer was. Ze kwamen hem in de armen drukken. Ze overrompelden hem met vragen.

Met de borst naakt onder zijn wapperende mantel voerde Oerman Ilja onder het maken van theatrale gebaren mee naar het zogenaamde spreekgestoelte. Hij wilde hem die puinhoop laten beklimmen zodat hij daarboven een toespraak kon houden, maar Ilja maakte zich wrevelig vrij en zei tegen Oerman dat hij dan maar zelf moest spreken. Die deed dat met zichtbare tevredenheid. Hij schreeuwde om stilte. Terwijl steeds meer jongens toestroomden, kafferde hij de Amerikanen uit om hun hebzucht en brutaliteit.

'Waarom laten ze ons niet met rust?' riep hij. 'Zij hebben een onmetelijk, prachtig land, dat bovendien welvarend is. Zij leven daar goed, als vrienden onder elkaar. Ze hebben universiteiten en fabrieken en de geweldigste steden van de aarde. Ze hebben de grootste wolkenkrabbers, de grootste banken en de grootste bedrijven, maar ze hebben nog steeds niet genoeg. En dus kwamen ze naar dit verre, zachtmoedige volk, dat houdt van dadels, murmelend water en sprookjes. Roofvogels hebben zich op Bagdad gestort. Het is een leugen dat hier plannen gesmeed werden voor de vernietiging van mensenmenigten. Wij hadden een tiran, maar alle andere landen in dit gewest hadden een tiran, hébben een tiran. Ik ken in de wereld wel vijftig tirannen met wie zij mooi aan tafel gaan zitten.'

'Hij doet het altijd,' zei Hafid, de onderwijzer glimlachend. 'Eerst met de zweep op de Amerikanen, daarna op ons.'

'Wat mogen jullie van hem vooral niet worden? Pleger van geweld of godsdienstig dweper?'

'Hoera!' zei Hafid zachtjes.

'Waarom hoera? Wat bedoel je daarmee?'

'Omdat u een onderscheid maakt tussen die twee dingen. Voor ongeveer de hele wereld schijnt er geen verschil te bestaan tussen een terrorist en een moslimfundamentalist. Lees de pers maar, kijk naar de televisie, een terrorist is een moslimfundamentalist, een moslimfundamentalist is een terrorist en de gewone moslims worden dat ook wel, als je hen niet in de gaten houdt. Als je geen bommen op hen gooit. Dat is voor onze Oerman niet waar. Ook voor u dus niet.'

Hij keek vriendelijk, aandachtig naar haar om.

'Is het werkelijk zo voor u? Gaat het in uw binnenste werkelijk om twee verschillende dingen?'

'Jazeker.'

'Oerman verafschuwt godsdienstige dweepzucht. Hysterie die weer dieren van ons maakt, noemt hij dat. Hij haat dat onbeheerste, dat irrationele. Godsdiensten hebben soms zo'n onderafdeling waar de dingen tot het uiterste doorgedreven worden. De islam heeft zijn derwisjen, die steeds sneller dansend een soort van waanzin verwekken waardoor volgens hen een eenheid met het goddelijke totstandkomt. Het christendom heeft vormen van mystiek, meditaties en rituelen die zo intens zijn dat je ook daar de limieten van de rede overschrijdt. Kartuizerkloosters hadden vroeger, nu nog misschien, ik weet het niet, een zo harde, verschrikkelijke levenswijze dat dingen in het brein gebroken werden en er wezens ontstonden die niet helemaal meer op deze wereld leefden. Die moeten het allemaal maar zelf weten, zegt Oerman. Maar hij en zijn hedendaagse islam doen dat dus niet.'

'Ik ook niet,' vervolgde hij, glimlachend weer, 'ook Moulay niet. Die hysterie is iets negatiefs, vindt Oerman. Ik ben het daarmee eens. Je hebt geen wil meer, je hebt geen verstand meer, je zintuigen werken niet meer, je gewaarwordingen worden onnauwkeurig, allemaal dingen die er níét meer zijn. Je moet volgens Oerman niet streven naar dingen die er niet meer zijn. Je moet je bezighouden met de dingen die er wél zijn. Hij wil jonge moslims die kunnen lezen en schrijven, die muziek maken, die op terrasjes gaan zitten, die een computer gebruiken bij hun werk en na een tijd een auto hebben, die trouwen met het meisje dat zij gekozen hebben en dat geen bevelen meer moet ontvangen van haar oudere broer. De oude mollah daar in de moskee zou Oerman wel in stukken rijten als hij hem dat soort van dingen hoort zeggen.'

'Is het nog altijd die oude Belkacem?' vroeg Nicola.

'O, u kent hem?' zei Hafid. 'Ja, hij is het nog steeds. Beter geen auto's, zegt hij, want in de koran worden geen auto's vermeld. Niet met een trein rijden, want treinen waren er niet in die tijd van de profeet. Niet telefoneren, want ook Mohammed telefoneerde niet. Dan zou Oerman hem wel te lijf kunnen gaan. Want zachtmoedig is onze Oerman niet. Geweld vindt hij verloren tijd en verloren moeite, maar het kost hem veel energie om zichzelf in bedwang te houden. Dat lukt hem niet altijd.'

Er werd niet meer gevoetbald, ook aan de basketbalkant van het binnenplein werd niet meer gespeeld. De jongelui vormden een ordeloos bewegende menigte rond de puinhoop waar Oerman stond te spreken en waar Ilja in een opeengepakte kring toehoorders discussieerde met jongelui.

'Wat hebben ze?' zei Nicola bevreemd. 'Waarom zijn ze zo onrustig? Wat gaat er in hen om?'

'Hetzelfde als wat in Ilja omgaat,' zei Hafid.

'En wat gaat er in Ilja om?' vroeg Nicola.

'Dat hij ongelukkig is en boos en bang.'

'Dat zijn drie dingen,' zei Nicola.

'Die zijn in hem,' zei Hafid. 'Hij is ongelukkig om wat die kwibus in de auto bij de politiepost gedaan heeft. Hij is daar ook boos om en hij is bang omdat hij niet weet hoe dat in het binnenste van die jongen is kunnen beginnen, hoe het voortgezet kon worden, hoe dat aan het laaien kon gaan en ontploffen zonder dat hij er iets van gemerkt had.'

'Die zelfmoordenaar, was dat een jongen uit Bagdad Palace?'

'Ja. De vierde al, als u het wilt weten. Van de vorige drie wisten we het ook niet.'

'Kwibus, zei u. Noemt u hem echt een kwibus?'

'Niet echt. Of toch wel.'

'Of wel of niet.'

'Oetlul zou ik ook kunnen zeggen, of stakker…'

Het trof Nicola hoe donker zijn ogen op haar gericht stonden.

'Ik denk erover zoals Hafid,' zei Moulay. 'Ik wil geen heilige moordenaars.'

'De familie van die jongen is dood,' zei Hafid. 'Omgekomen tijdens een bombardement. Een grootmoeder, een neefje en een paar nichtjes leven nog. Ik zal u wat vertellen,' vervolgde hij. 'Een foto van die jongen hangt nu in dat huisje tegen de muur met bloemen eromheen, met een lampje ervoor. Hun heilige verwant is nu bij Allah. Hij is ook nog bij hen. Het is een ondraaglijke toestand, het huilen van die oude vrouw wordt in de straten gehoord. Vrouwen en kinderen komen daar ook binnen. Dat wordt daar een kapel van het soort dat u, christenen en ex-christenen, goed kent.'

'Sliep die jongen hier bij jullie?'

'Dikwijls.'

'Hoe heette hij?'

'Abdullah, maar hij noemde zich Emiel. Hij beroemde er

zich op dat hij eruitzag als een Europeaan. Hij zei dat ze hem al dikwijls voor een blanke gehouden hadden. Dat is niet waar, denk ik.'

'De Europese naam heeft hem in elk geval niet beschermd,' zei Moulay.

'Hadden jullie niets aan hem gemerkt?'

'Nee. Daar wordt naar het schijnt voor gezorgd.'

'Gezorgd?'

'Tijdens de opvoeding, opleiding of misleiding, ik weet niet goed hoe ik het moet noemen. Dat gewelddadige proces werkt stil en langzaam. Zo maak je menselijke bommen. Er zal er hier of daar wel zeker al een geweest zijn die zelf, vrijwillig zo'n bom wilde zijn. Die zich daarvoor komt aanbieden. Maar veel zullen dat er niet zijn. De meesten worden op de een of andere manier "geholpen". Wie doet dat? Waar gebeurt dat? Dat zouden wij allemaal graag weten. Het eindpunt kennen we: de hemel van Allah. Maar het vertrekpunt? We zitten ermee verveeld dat we dat niet kennen. We denken dat het niet de jongelui zijn die met alle geweld naar Allah willen. Op de een of andere manier, op de een of andere plaats wordt dat gedachtegoed in hun geest binnengebracht. Niet zonder slag of stoot, denken wij. Maar wat voor slag? Wat voor stoot? Daar weten we het weer niet meer. Wij denken dan aan oude mollahs, aan oude professoren in oude universiteiten, aan Mekka, aan de centra van de traditionele moslimtheologie, aan afgelegen, half in het zand verzonken kloosters met koepels over het graf van een of andere heilige wonderdoener. De islam dus. Het hart van de islam. Islam wordt dan terrorisme. Terrorisme wordt islam. Maar dat is helemaal verkeerd. Islam is geen terrorisme. Terrorisme is geen islam. Dat weten wij, maar hoe vertellen we dat aan de mensen, hoe maken we dat duidelijk voor de mensen? Hoe zeggen wij het aan de wereld waar al die woorden in een hutsekluts door elkaar galmen?'

Er galmde een belslag. De jongelui verspreidden zich en vormden groepjes bij deuren en zuilen.

'Naar school,' zei Hafid, weer glimlachend. 'Negentien klasjes, leren lezen, leren schrijven, Engels leren, Frans leren, gevorderd lezen, gevorderd schrijven, gevorderd Engels, gevorderd Frans, loodgieterij, elektriciteit, elektronica, bedrijfsbeheer, maatschappelijke instellingen, maatschappelijk recht, burgerlijk recht, strafrecht, noem het maar, we hebben het,' zei de jonge man.

Ilja kwam naar haar toe. Hij zei dat ze hem ten minste twee uur zou moeten missen. Hij wist dat het haar zwaar zou vallen, maar er was niets aan te doen.

'Rekel,' zei ze week, vertederd.

Ze zag een grote zaal waar lange tafels stonden met stoelen en kasten met borden en koppen.

'Eten zij nu ook hier?' vroeg ze.

Haar verwondering beviel hem.

'Jazeker,' zei hij. 'Twee keer per dag zelfs. Een echte warme maaltijd en dan nog een kleinere, ieder op zijn ogenblik.'

'En wie betaalt dat?'

'Een kei van een Hollandse dame bereddert dat. Ze belt aan bij organisaties, de officiële zowel als de niet-officiële. Ze staat daar dan in de deur en ze wijkt niet. Nel heet ze. Als je Nelleke zegt, is het alsof je sneeuwwater ziet worden. Je kunt je niet voorstellen wat voor een vrachtwagens er nodig zijn om die menigte jonge schavuiten te voeden, maar die kreunende voertuigen komen aanrijden, altijd weer zijn ze er. De jonge schavuiten moeten het wel verdienen. Twee uur school in de ochtend of niet aanschuiven aan de middagtafel, nog eens twee uur in de late middag en dan mag je aanschuiven aan de avondtafel. Wet voor iedereen: lezen en schrijven, groot en klein, ze kunnen er niet omheen. We geven geen duimbreed toe. Komen zeuren kan, maar na het lezen en het schrijven. "Wil je weer een aap worden?" vraagt onze Wood dan soms. Tweede wet: schone handen. Vieze handen, niet aan tafel. De vorige keer dat je hier was, waren dat nog raadgevingen, nu zijn het wetten. Wat erna volgt, studeren of leren werken, dat blijft vrij, je kiest zelf, op dat vlak geven we alleen raad. Die wordt zo goed opgevolgd dat er gewoontes beginnen te ontstaan. Soms, als een knaap heel schrander is geweest, pakt Wood die knik-

ker tussen zijn handpalmen en tilt de knaap op totdat hij op de hoogte van zijn hoofd hangt. "Jij wordt minister," zegt hij dan.'
'Ik moet nu naar mijn leerlingen,' besloot hij.
'En ik naar mijn hotel,' zei Nicola. 'Ik sta daar ingeschreven voor aankomst gisteravond.'
Ilja sloot haar in zijn armen en kuste haar heftig, langdurig. Daarna holde hij weg. Moulay, die aan kwam lopen met een stapel schriften, had de kus gezien. Nicola werd rood onder zijn vrolijke blik. Ze vroeg, een beetje geërgerd: 'Is het nu ook al de gewoonte dat jullie moslims met zulke ogen naar meisjes kijken?'
'U doet het ook,' zei Moulay. 'U keurt het af, maar u doet het ook.'
'Waar heb je het over?'
'Jullie moslims, zegt u. Wat stelt dat in 's hemelsnaam voor? Alle negers lijken op elkaar, alle Chinezen ook en alle moslims leven op dezelfde manier.'
'Je hebt gelijk, vergeef het me.'
'Als ik nu eens zeg: jullie christenen. Wat heb ik dan gezegd?'
'Heel weinig,' zei Nicola. 'Ga er niet over door,' zei ze. 'Het was fout van me dat te zeggen. Ik heb je om vergiffenis gevraagd.'
'We lopen allemaal op drijfzand,' zei de jonge leraar. 'We zakken daarin weg, we raken niet vooruit.'
'Wat wil jij, Moulay?' vroeg Nicola. 'Met je leven, bedoel ik, je bestaan.'
'Ik heb het hier goed,' zei hij. 'In die menigte jonge kereltjes staan. Ze zijn allemaal verschillend van elkaar. Ze zeggen domme dingen en dan ineens zeggen ze verstandige dingen. Ze knoeien en dan opeens doen ze iets heel moois en iets heel goeds. Maar ik zou ook wel graag naar de universiteit gaan. Veel meer studeren dan ik tot nog toe gedaan heb.'
'Wat wil je studeren?'
'Linguïstiek. Dat zul je zeker wel belachelijk vinden. De hele tijd vind ik het zelf belachelijk. In deze puinenstad. Een week geleden vroeg een welmenende Italiaanse kakeltrien mij eens bezorgd of er hier ook wezen onder onze jongens zijn. Onze

jongelui zijn allemaal wezen. Hier en daar heeft er een nog een halve moeder of een stuk van een vader.'

'Moulay, zo heb ik jou nog nooit horen spreken,' zei Nicola geschrokken.

'Zo spreek ik tegen mezelf. Dat mag toch? Tegen die Italiaanse dame heb ik gezegd: "Ja mevrouw, er zijn wezen onder onze jongens." Vind je linguïstiek gek?'

'Het zou niet als eerste vak in mij opgekomen zijn,' zei Nicola. Moulay stond te dromen.

'Het zou best waar kunnen zijn,' zei hij, 'dat hier op deze plaats, tussen de Tigris en de Eufraat, de mensen voor de eerste keer geschreven hebben. Misschien hebben de mensen ook hier voor de eerste keer gepraat. Geordende zinnen, bedoel ik dan. Geluiden en gebaren en blikken, dat deden wij al veel langer. De chimpansees zijn het blijven doen. Maar opeens legde iemand een verband. Mijn hand, jouw wang. Mijn hand op jouw wang. Hij sprak een oordeel daarover uit. Hij vervoegde opeens een werkwoord. Zal ook morgen mijn hand uw wang mogen raken? Zo weef je een leven.'

'Ja,' zei Nicola blij. 'Ga jij maar linguïstiek studeren. Dan kom ik bij jou in de aula zitten.'

7

De jongeman achter de balie in haar hotel zag er, met zijn donkerblauwe maatpak met smetteloos wit overhemd en das, de korte haren in bedwang gehouden door een laagje gel, helemaal uit als de jonge Amerikaanse manager die hij nabootste. Met drukke gebaren en geklak van zijn tong probeerde hij te doen alsof Nicola net zo goed een drama had kunnen veroorzaken door de avond tevoren niet te komen opdagen.

'Wanneer zullen we weer eens argeloos kunnen leven in deze woeste stad?' vroeg hij. 'Rustig wat opschrijven als een afspraak niet nagekomen wordt en er niet verwittigd wordt? Niet denken dat die iemand verhakkeld ergens op een plein ligt, maar rustig met een collega praten over de ondraaglijke hitte in Bagdad en onze nu eindelijk uitmuntende airconditioning.'

Hij zei dat het hem speet, maar dat zij de vorige nacht zou moeten betalen. Hij deed daarna nog alsof haar creditkaart onleesbaar was. Nadat die zich toch had laten registreren, wierp hij het ding voor haar neer als was het iets van een laag gehalte. Hij wilde haar slechts bekijken nadat ze gezegd had dat ze vanzelfsprekend de verloren nacht zou betalen en dat het lekker koel was in het hotel.

'Er is een meneer die al vijf keer voor u gebeld heeft,' zei hij.

'Die ken ik,' zei Nicola lachend.

Haar baas in Brussel, die haar zou vragen hoe de stemming nu was onder de Amerikanen in Bagdad, wat de Britten zeiden, hoe het met de Koerden en de sjiieten was en wie nu uiteindelijk die martelaren waren die overal beschikbaar schenen te zijn waar er een paar nodig waren, of ze haar eerste indruk al had opgesteld, wanneer die verwacht mocht worden en of er toch zeker een heel concreet, ietwat scabreus verhaaltje bij was. In de lift vroeg ze zich af: hoe wordt iemand martelaar nadat hij zich eerst Emiel heeft laten noemen en graag voor een Europeaan wilde doorgaan, hoe lang heeft dat geduurd en waar werd dat bewerkstelligd?

Terwijl ze onder de douche stond, met gesloten ogen genietend van het eerst hete, daarna lauwe en ten slotte lekker koele water, rinkelde de telefoon.

'Ja jongen, ja jongen, ja jongen,' mompelde ze.

Zes keer is maar zes, dacht ze. Ik zal de zevende keer wel antwoorden. Die zevende keer kwam er terwijl ze in de fauteuil naast haar bed zat, in de weer met de haardroger, de wijde witte badmantel die naast het bad voor haar klaar had gehangen, los om haar heen.

'Toe, Georgie,' zei ze, het telefoontje tegen haar wang. 'De wereld staat niet weer eens in brand, ik ben nog maar net aangekomen op mijn kamer. Hallo?... Hallo? O sorry, Rao, ik dacht dat het iemand anders was. Was u het ook die zes vorige keren?'

'Zes niet, drie wel. Ik stel voor dat we gaan lunchen in de Country Club. Dat is een echte oase, met dadelpalmen en water, Britse gazons die permanent besproeid worden en een bijna olympisch zwembad.'

'Nee, wacht even,' zei Nicola nerveus. 'Kunnen we dat niet morgen of overmorgen doen? Ik beken dat ik de afspraak vergeten was.'

'Nee, doe me dat niet aan. Ik heb de hele verdere dag vrijgehouden. Allermooiste meisje, ik kan al de hele ochtend mijn gedachten niet bijhouden. Vannacht lag ik op mijn rug op bed, de handen achter het hoofd, terwijl de gordijnen wuifden, en ik zag u, altijd maar u. Mijn ranke elf. Ik ben verliefd op u, ik ben verliefd op u. Ik zal mijn auto zo bij de ingang van het hotel plaatsen dat ik kan binnenkijken in de hal, door de boog naast de balie ook in de tweede hal, tot aan de liftdeur op de achtergrond, zodat ik u meteen zie als u beneden komt.'

Haar grootvader had gedweept met de Indische dichter Rabindranath Tagore. Zo bezield had die de liefde bezongen, dat het bijna gewijde gezangen leken, een mystiek en een wijsheid uit heel oude tijden, maar hij was volgens geruchten in de Britse salons ook een eersteklas meisjesversierder geweest en een behaagzieke ijdeltuit.

'Ik doe het omdat ik nieuwsgierig ben,' zei ze tegen de meid in de spiegel nadat ze die mooi had gemaakt.

Zo jong, zo blij zag hij eruit dat het leek of een grote, elegante student haar verwelkomde.

'Wat voor een auto is dit?'

Hij liet zijn schouders even een rollende beweging maken. Ze zocht een indicatie van het merk.

'Een Bentley! Alle mensen, de koningin van Engeland rijdt in een Bentley! Rijdt u daar zomaar mee rond? Ik zou geen hoek om durven te gaan uit schrik ergens tegen aan te rijden en een deuk te krijgen. Zo'n auto kost zeker meer dan alle auto's bij elkaar waar ik al in gereden heb.'

Ze zat naast hem, maar ze keek achterin. Ze wees naar een notelaren deurtje.

'Is dat echt het ijskastje waar ze het altijd over hebben?' vroeg ze. 'Zit er champagne in?'

'Ook.'

'Ik voel mij hier helemaal niet thuis,' zei ze ongelukkig. 'Ik wou dat ik in een Polo of een Golf zat. Hooguit in een Audi, een A3. Ik ben van plan er zo een te kopen,' zei ze glimlachend, 'maar ik kan die nog niet betalen.'

Hij droeg sportieve donkerblauwe slacks, mocassins en een wit overhemd met korte mouwen.

'Zoals de jongelui,' zei hij. 'Het is natuurlijk de vraag wat u daar precies mee bedoelt? Achttien jaar of achtentwintig of achtendertig of achtenveertig? Vroeger was achtenveertig heel oud, maar nu niet meer. U hebt zin om te vragen hoe oud ik ben,' zei hij. 'Doe het maar.'

'Hoe oud bent u, Rao?' vroeg ze.

'Ik zal antwoorden als u vraagt: hoe oud ben je, Rao?'

Hij keek naar haar om.

'Hoe oud ben je, Rao?'

'Ik ben vierenveertig,' zei hij. '*Les meilleurs amants du monde,* zegt men dan in Parijs. Jij bent het gewend uit te gaan met jonge cavaliers,' zei hij.

'Ik ben achtentwintig,' zei ze. 'En je bent niet mijn cavalier. Je bent een meneer uit het vliegtuig die mij inlichtingen kan verschaffen over dingen hier in Irak. Een zakenrelatie.'

'Ziedaar een meid van wie je kunt zeggen dat ze bij de pinken is,' zei hij vrolijk.

Ze reden door de zwaar verwoeste delen van de binnenstad die het doelwit geweest waren toen de Amerikanen probeerden om vanuit de lucht het regime van Saddam te onthoofden. Nicola had die puinhopen al eerder gezien. Of daar na de bombardementen nog iemand leefde, had ze een Amerikaanse officier eens gevraagd. De officier had haar met een glimlachje herinnerd aan wat de Amerikaanse bevelhebber van de Amerikaanse troepen op de televisie gezegd had. Dat antwoord had geluid: 'Nee, die zijn dood of halsoverkop op de vlucht.' Ze had de officier gevraagd of zijn whisky hem nog smaakte. Hij had naar zijn glas gekeken en had gevraagd of zij 'een rooie' was. Of zij er echt nog een was uit het tijdvak van 'de commies'.

Ze kwamen langs een heel grote donkerblauwe kraan waarop in grote gedrukte hoofdletters de naam S&S stond. Hij wees die letters aan en zei: 'Dat ben ik.'

'S&S?'

'Surendranath en Surendranath. Heb ik je niet voorspeld dat je die naam zou vergeten?'

'Waarom tweemaal Surendranath?'

'Dat staat mooier. Het ziet er degelijker uit. Als de ene het niet meer weet, weet de andere het. Maar die tweede, dat ben ik ook,' zei hij, weer met die vrolijke lach.

Twee reusachtige vrachtwagens met steenpuin droegen eveneens de naam S&S, ook twee kranen, een rechts van hen en een verderop links.

'Allemaal van jou.'

'Allemaal van mij.'

'Van jou alleen.'

'Van mij alleen. Maar ik ben hier niet de enige. Bagdad heropbouwen, dat is een groot werk.' Rustig, zakelijk zei hij: 'De Amerikanen gooien het stuk, ik bouw het weer op.'

'Je hebt gefoefeld om die contracten te krijgen.'

'En hoe. Lobbyen heet dat in beleefde termen. Ik ga hier door voor een weldoener. Ik en die anderen bouwen Irak weer op nadat de bullebak Saddam ervan langs gekregen heeft, zoals Marshall Europa heropbouwde nadat de bullebak Hitler ervan langs had gekregen.'

'De vergelijking gaat niet helemaal op,' zei Nicola.

'Hoezo?' vroeg hij.

'Volgens mij werd hier een bullebak vervangen door een andere bullebak.'

'Ik ben het daar met je eens,' zei Rao.

'De Irakezen hebben Amerika niet gevraagd hen van Saddam te komen bevrijden. Saddam was een beul, maar er zit er zo een in bijna alle omliggende landen, maar er zit niet overal evenveel petroleum onder de grond. Tussen haakjes een kleine opmerking: jij laat je betalen door Bush.'

'Je bent niet mals voor mij,' zei hij.

'De wederopbouw van Irak wordt betaald met de olie van Irak. Irak moet betalen wat Amerika kapotgemaakt heeft.'

'Bijna al wat je zegt is waar,' zei hij.

'Wat is er niet waar?' vroeg Nicola.

'Dat de mens een goede diersoort is.'

Ze had zoiets ook al gehoord van Woodrow Hill, hun verbitterde Brit, die wiskunde zou kunnen doceren in Oxford, maar die tussen berooide, ongeletterde jongelui stond te midden van de gebarsten en verbrokkelde muren van wat ze schamper Bagdad Palace noemden. Wij deugen niet, zei hij. Wij moeten niet uitvaren tegen de wereld. Die liet maar zien wat wij waren. We hadden bepaalde regels opgesteld. Doodslaan mag niet. Brand stichten mag niet. Dat hadden we gedaan omdat het nuttig was. Uit zelfbehoud. Als de bewaking verslapte, werden wij schobbejakken. De Amerikanen waren schobbejakken omdat er tegen hen niets te beginnen viel. Hitler en Stalin hadden een tijd gedacht dat er tegen hen niets te beginnen viel. Ze gedroegen zich als schobbejakken. Hij kende wel tien beulen in Latijns-Amerika, zei hij, tegen wie niets te beginnen viel omdat Amerika het niet toeliet. De Saoedi's deden in hun land wat ze maar wilden omdat de Amerikanen dat goed vonden. De Amerikanen deden in Irak wat ze maar wilden omdat er niemand sterk of rijk genoeg was om wat tegen hen te beginnen. Wat je geregeld ziet, zei Wood eens, is dat de wacht afgelost wordt. Een kolonel grijpt de macht in een Afrikaanse staat en daarna grijpt een andere kolonel daar de macht. De manier waarop Latijns-Amerikaanse alleenheersers de macht grijpen in hun land is geen nieuws meer in onze kranten.

'Rao,' zei Nicola, 'wat hier in Irak gebeurd is, vat je dat samen met het onverschillige bericht dat Bush hier eens de wacht komt aflossen?'

'Het bericht is correct, de onverschilligheid niet. Nee, ik vind niet goed wat de Amerikanen hier doen. Ik ben ertegen gekant dat in Bombay tijdens de zomermaanden de regen neerstroomt. In Bengalen ben ik tegen de overstromingen gekant, in Hamburg tegen de gure winden uit Polen. Mijn grootvader, vierennegentig, is gekant tegen oud worden. Hij slaat met zijn stok porseleinen vazen aan stukken wanneer hij weer niet meer weet waar hij de avond tevoren het boek gelegd heeft dat hij

met een vergrootglas aan het lezen is. Wat staat jou tegen, bekoorlijke prinses uit elfenland?'

'Ik antwoord er niet op,' zei Nicola, 'niet op die manier.
Regen en wind zijn niet hetzelfde als ingestorte huizen en daarin
verhakkelde mensen die er de avond tevoren nog samen hebben zitten eten. Dat zouden we misschien wel willen, maar
daarom is het zo nog niet.'

'Wij hebben in ons land mensen die voorzichtig met hun
zakdoek een bank afvegen voor ze erop gaan zitten, uit schrik
dat ze vliegjes verpletteren. Ze kijken ook waar ze stappen. Ik
denk niet aan de dode mieren onder mijn voetzool. Ook voor
onze kinderen is er een grote voetzool, ook voor ons is die er.
Waar ligt dan de grens? Tot bij welke soort levende wezens mag
je ze doodtrappen? Vanaf welke soort mag het niet meer?'

Ze schudde van neen.

'Je kunt te goed praten,' zei ze.

'Vanaf onze soort mag het niet meer,' zei hij. 'En wij bepa-
len zelf waar onze soort begint.'

'Is dat niet heel gemakkelijk?' vroeg Nicola. 'Terreur wordt
met afschuw bestempeld als onfatsoenlijk, alsof oorlog fatsoenlijk zou zijn, alsof moorden mag als we het maar met veel taal-
en cultuurgenoten doen.'

'Daar ga ik mee akkoord.'

'Is Osama Bin Laden er een die de wacht wil aflossen?' vroeg
ze.

'Dat is het beste wat iemand mij ooit al over Osama Bin Laden gevraagd heeft,' zei hij verrast. 'Als het dat is heeft het zin,
alleen dan heeft het zin. Ze willen hem allemaal beschrijven als
een godsdienstige dweper, zo'n nakomeling van de profeet, die
het vaandel weer opneemt om de heidense wereld voor Allah
te winnen. De heilige oorlog. Wat een onzin. Een miljard moslims, honderd daarvan willen die oorlog. Zoals bij jullie. Een
miljard christenen, maar slechts honderd daarvan, een paus
en negenennegentig kardinalen, willen weer evangeliseren. De
muezzins op de minaretten gaan door met het zingen van hun
oproep tot het gebed. Nog steeds hoor je in de verte die stemmen schallen. Maar de menigten zijn verstrooid. Ze denken

aan andere dingen. Ze willen de wereld zien, andere mensen ontmoeten, genoeglijk kletsen, zaken doen, dat kunnen ze, muziek maken, een huis met vensters hebben waaruit je naar buiten kunt kijken, zonen en dochters hebben die gaan studeren en Allah, och, die mag er best nog zijn, ergens in de verte, het aangename vermoeden van een groot verband. Arts of ingenieur of wetenschappelijk vorser, dat willen ze zijn, of loodgieter of bouwondernemer, of onderwijzer of popzanger. De overgrote meerderheid van de moslims is even weinig moslim als jullie in Europa en Amerika christen zijn. Jullie hebben banken en bedrijven, die willen ze hier ook, maar ze hebben die nog niet, daar zit de knoop. Als Bin Laden een opgezweept moslimfundamentalisme nastreeft, is hij een ouderwets overblijfsel uit een ver verleden, een schim, zoals dat hoopje kardinalen en de paus in Rome. Dat zijn knikkebollende slapers voor wie alles moet blijven zoals het was. Maar de wereld is op alle gebieden veranderd. Osama Bin Laden dus als aflosser van de wacht, niet als religieuze dweper. Die koning en die vierhonderd prinsen die over Saoedi-Arabië regeren zullen zich nog wel herinneren dat hun grootvader, Ibn Saoed, de sjeik was van een bedoeïenenstam in de woestijn en dat hij met een handjevol krijgers Riad veroverde en zijn rijk stichtte. Op veel plaatsen in de wereld financieren zij met hun oliedollars kleine moskeeën en koranscholen, maar dat ze daarmee een wereldrijk zouden kunnen vestigen, is een kinderdroom, even naïef, ook even kleurig als het verhaal van Ali Baba. Als Osama Bin Laden voor Allah strijdt, is hij een nul. Als je de wacht wilt aflossen, als je Amerika wilt overtroeven, dan moet je banken en industriële ondernemingen hebben, creatieve computerbedrijven, vliegtuigmaatschappijen, auto's, steden met metro's, een nieuwe concurrent voor de beurzen van New York, Londen en Tokio en Zürich. Zoek die maar niet in de landen van Allah. Het zijn armemensenlanden, schamel, stoffig, onderontwikkeld, ongeschoold, technisch onbekwaam. Dat hete, nog slaperige deel van de wereld stelt vandaag politiek, economisch en militair niets voor.'

Hij zuchtte.

'Was me dat een redevoering. Waarom heb je me niet doen zwijgen?'
'Je bent echt opgewonden,' zei ze. 'Die dingen raken je.'

8

Ze reden door wijken waar de huisjes steeds verder van elkaar stonden. Hier en daar zagen ze kleine gerstakkers, bevloeid volgens de eeuwenoude systemen, met houten raderen en lederen emmers die over een dijkje kantelden. Bij een put met een grote houten katrol waren vrouwen geitenharen zakken aan het vullen. Bedoeïenen liepen heen en weer. Kamelen stonden te grazen en bij een muurtje wachtten beladen pakezels. Steeds meer geïrrigeerde akkertjes zagen ze, ook veel dadelpalmen. En toen, in een dieper liggende, duidelijk helemaal bevloeide, werkelijk groene vallei, leken ze het park binnen te rijden van een Engelse *landlord* ergens in Sussex, compleet met de vele bomen, de grasperken met de bloemen en in de achtergrond het landhuis met de terrassen. Op zijn Europees geklede gasten zaten onder pergola's. De bedienden zagen eruit als maharadja's. Er waren tennisvelden en een eind verderop lag een golfterrein. Het clubgebouw met kasteelallures dateerde nog uit het Britse koloniale tijdvak. De leien daken waren bemost, de ten dele met klimop begroeide muren waren afgeschilferd, en sommige erkers en balkons hadden helemaal geen verf meer en waren grijs geworden. Maar de landelijke charme van het rustige adellijke leven was ongerept gebleven.

'De Fransen bouwden paleizen voor hun gouverneurs,' zei Rao. 'Later, weer in Frankrijk, werden dat weemoedige, teleurgestelde, gepensioneerde officieren met een karig inkomen. De Britten bouwden plaatsen als deze voor hun *civil servants* en hun wapendragers, de *boys,* zoals ze vertederd zeiden. Later, weer in Engeland, werden dat weemoedige, teleurgestelde, gepensioneerde sergeantjes en ambtenaars met een karig inkomen.'

Twee met een stengun gewapende Irakese soldaten versperden hen bij de poort de weg. De twee militairen traden haastig opzij, en die aan de linkerkant, die korporaalstrepen had, zei met een stralend gezicht: 'Rijden maar, mister Surendranath en smakelijk eten.'

'Kinkel,' zei Rao toen ze voorbijgereden waren.

'Waarom kinkel?' vroeg Nicola.

'Alleen in de kleine huisjes word je smakelijk eten toegewenst. In de betere kringen is het vanzelfsprekend dat je smakelijke dingen opgediend krijgt.'

'Je zegt dat met een ernstig gezicht,' zei Nicola verwonderd.

'Gebruiken zijn niet altijd oppervlakkige dingen, ze stellen ook wat voor.'

'Je bent een snob! Betere kringen, je moest je schamen!'

'Ja, dat woord was fout. Ik geef het toe. Maar stijl stelt wat voor. Stijl is beter dan geen stijl.'

Hij stopte heftig zodat de kiezelstenen, midden in de tuin, tussen twee grasvelden, knerpten.

'Even nog over opstand plegen,' zei hij. 'Osama bin Laden en zo. Ik wil niet dat je me verkeerd begrijpt. De Amerikanen zijn een prachtig volk in een prachtig land. Ik dweep daarmee. Maar ze zijn té groot geworden, té machtig, té rijk. Ze denken dat ze alles mogen. Ze verwerpen de UNO, ze schenden de Veiligheidsraad, ze stormen soevereine landen binnen, verwoesten er steden, verdrijven de regeerders en houden het land bezet. Tam die brutaliteit ondergaan, dat hoeft voor mij niet. Altijd heb je ergens de grote man en de kleine man. De kleine man kan weinig en heeft weinig. Je kunt dan met kromme schouders op je stoel blijven zitten, maar je kunt ook opstaan en de grote lummel die je deur komt inbeuken de weg versperren en hem om een woordje uitleg verzoeken. Als het dat is wat hier aan de hand is, goed, zeg ik dan.'

'Terreur tegen terreur, dus,' zei Nicola.

'Géén geweld?' vroeg hij.

'Als het kan,' zei ze zacht.

'En als het niet kan?'

'Dat weet ik niet. Doden, mensen aan stukken rijten, ik weet het niet, zeg ik lafhartig. Ik zou het wel moeten weten. Ik zou moeten weten dat ik mensen níét aan stukken mag rijten. Nooit. Weet jij het, Rao?'

'Is het de kleine man die is opgestaan?' vroeg hij, weer met die koortsige ogen. 'Is dat wat er aan de hand is? En is dat die elfde september begonnen? Ging het door in Madrid? Laait die gloed ten westen van de Jordaan? Dan zouden we kunnen zeggen dat wij wat aan het doen zijn. Wij, de kleine mensen. We hebben al eens eerder wat gedaan. We lagen onder de voet van koningen en keizers, die beweerden dat God hen bezielde. Gepeupel stormde door de straten van Parijs. Het bloed stroomde van de schavotten. Daar werd de vrijheid geboren die jullie als een kostbaar goed aan jullie hart drukken. Niemand van jullie zweert de Franse revolutie af.'

Even leek het alsof hij de vinger naar haar zou uitsteken, maar hij deed het niet.

'Ik zeg nu iets belangrijks,' zei hij. 'Luister goed. Wij mogen niet moorden, maar wij mogen gemoord hebben.'

Zijn gloeiende blik bleef op haar gevestigd. Ze meende er angst in te bemerken.

'Heb je mij gehoord?' vroeg hij met haperende, onvaste stem. 'Heb je gehoord wat ik zei, meisje zo mooi dat ik in de war ben en dingen zeg waarvan ik niet weet of ik ze wel moet zeggen?'

'Rao, wat heb je?' vroeg ze ontdaan. 'Dit leeft duidelijk in je. Daarnet leek ik je voor een welvarende, heel aangenaam levende salonnihilist te moeten houden. Je verdient hier handen en handen vol geld met die Amerikanen. Voel je je schuldig?'

'Wat ik voel is niet belangrijk,' zei hij. 'Wat waar is, daar gaat het om. De jongelui die in die Boeings de torens van Manhattan omverramden, misschien is dat wel het kwaad dat je niet mag bedrijven, maar dat je bedreven mag hebben.'

'Wat een verschrikkelijke gedachte.'

'Maar als die waar is, wat dan? WAT DAN?'

Hij schudde van nee alsof hij hulp nodig had.

'Prachtig meisje uit de noordelijke gewesten, bekoorlijke nevel uit de koele wouden, als het zo miserabel verloopt dat jij het gevoel krijgt dat ik nooit wat voor je betekend heb, dan zal ik toch iemand geweest zijn die je zo vereerde dat hij gedreven door het geweld in hem moest vragen hoe hij moest leven.'

Een in het wit geklede man in een golfterreinautootje kwam aansnellen. Het was Gopal, de manager van de countryclub, een welbespraakte, altijd opgewonden Hindoe uit Madras. Met een vloed van heldere klinkers en rollende r's als rinkelende knikkers in snel stromend water verwelkomde hij Rao, boog diep naar Nicola, vroeg waarom hij midden in het park was blijven stilstaan en of er misschien iets haperde en of het hem meteen meegedeeld zou kunnen worden indien er hulp te bieden viel.

'Gopal, dit is Nicola Fransse,' zei Rao. 'Zij doet mij de eer aan haar te kunnen laten zien hoe u buitengewone gasten eert en hoe uitmuntend u ze behandelt.'

Plots drukte de man een telefoontje tegen zijn donkerbruine wang. Zijn ronde, gelige ogen flitsten en weer ontstond een rinkelende, rennende woordenvloed. Nog voor die beëindigd was snelde de man in een roekeloos achterwaarts rijdend autootje terug naar de club en verdween achter een hoek. Dat leverde voor hen op dat bij hun aankomst bij het grote terras een kloeke Sikh met een volle baard en een monumentale tulband de Bentley van hen overnam, dat een oudere, op zijn Indisch geklede bediende met grijze haren en witte handschoenen Nicola bij de arm hield om haar het trapje op te leiden, dat een andere, jonge bediende hen tussen de tafeltjes van het grote terras naar een kleiner terras bracht, naar de verre hoek daarvan, die een paviljoentje bleek te zijn omringd door oleanders. Daar verscheen een ober toen ze nog maar nauwelijks plaatsgenomen hadden, die hun *pink ladies* aanbood in bewasemde glazen, waarop nootjes volgden, daarna ook kleine stukjes ansjovis op stokjes en reepjes gerookte ham die je met een zilveren vorkje vanonder ijsblokjes tevoorschijn moest halen. Daarna, toen ze gedronken hadden en Nicola bewonderend de wenkbrauwen opgetrokken had en hoorde dat er ook een miniem snufje peper in de cocktail zat en een miniem druppeltje honig, schoof een bescheiden glimlachende en knikkende Indische man in een grijs maatpak een groot open boek, een soort van register, zo meende Nicola, onder de arm van Rao. Tegelijk reikte hij Rao een balpen aan. Die zette een krabbel in het boek. De man haalde het boek weer onder de arm van Rao uit, sloot het en ging na weer eens dat bescheiden glimlachje ten beste te hebben gegeven van hen weg.

'Dit, lieve Nicola,' zei Rao, 'was een historisch moment. Weet je wat hier gebeurd is? Daarnet, de man met het register, bedoel ik.'

'Als hij later gekomen was zou ik denken dat je de rekening ondertekend had, voor discrete latere betaling, geld is onfatsoenlijk, nietwaar, maar clubs waar je vooruit moet betalen, zijn er niet, denk ik. Heb je moeten garanderen dat je zeker zou betalen? Nee toch?'

Rao schudde van neen.

'Ik heb moeten bevestigen dat jij een eerbare dame bent, geschikt om binnengelaten te worden als gelegenheidsgast in een club waarvan je geen lid bent. Enkele honderden jaren lang konden gekleurde oosterlingen er niet op rekenen in de clubs van de blanken binnengelaten te worden, tenzij... tenzij een blanke meneer borg voor hem stond. Nu is het andersom. Jij, blank meisje, mag hier binnen omdat deze gekleurde oosterling borg voor je staat. En met eerbaar bedoel ik uiteraard, ik moet weer het afschuwelijke woord gebruiken, iemand van de betere stand. De taak werd toen volbracht door een Britse sergeant en de plaatselijke boekhouder van de taxatiedienst. En kijk eens hoe waar het is. En hoe, zoals de wijsgeer zegt, de geschiedenis zich herhaalt. Kijk, daar komt Patton, de Amerikaanse sergeant-majoor.'

'Ik ken hem,' zei Nicola. 'Rechte lijn van de helm over de neus naar de ingesnoerde buik.'

'Ja, je kent hem,' zei Rao vrolijk, uitvoerig knikkend.

De Amerikaan heette niet Patton, maar wilde heel graag zo genoemd worden, naar de beroemde generaal uit de Tweede Wereldoorlog. Hij zou zelf die gewoonte verspreid hebben. Hij werd gevolgd door twee korporaals die naast elkaar achter hem aanliepen. Hij negeerde de bediende die hem naar een tafel wilde brengen en koos er zelf een in het midden van het restaurant. Hij nam daar niet de stoel die de bediende voor hem gereed hield, pakte de andere stoel, duwde daarmee het hem aangeboden zitje weg en ging in het midden van de behoorlijk brede tafel zitten. Terwijl de twee korporaals naast elkaar tegenover hem plaatsnamen, duwde hij de kaart die hem aangeboden werd weg. Hij gaf meteen zijn bestelling, twee dingen blijkbaar, bij elk ervan tokte hij met zijn vingertop krachtig op de tafel, begon dan luid tegen de twee korporaals te praten en schaterde het uit. Zijn acolieten volgden hem na, nerveuzer, naar het Nicola leek. 'Hij tekent zijn eigen karikatuur,' had Ilja over hem gezegd. Door de herinnering vergat ze even de theatrale Amerikaan, en ook de charmante, irreële, would-be koloniale Britse club uit een vervlogen tijdperk. Ilja... Ze besefte dat ze na het verlaten van het hotel nog geen ogenblik aan hem gedacht had. Het maakte haar ongelukkig. Ze probeerde zich ervan te overtuigen dat ze niet de hele tijd aan hem hoefde te denken. De vorige dag in het vliegtuig en op de luchthaven was ze ook niet veel met hem bezig geweest, maar toen was er dat grote, warme, vierkante bed nog niet geweest. Maanden lang was er dat niet geweest. Nu wel, dacht ze. Het bracht haar in de war. Het leek haar vreemd, onaangenaam dat ze zich die vraag stelde. Ze had zo'n nacht niet voorzien. Misschien zou die er ook niet geweest zijn als ze Ilja niet uit de gevangenis gehaald had in die toestand. Daar heb je het weer, dacht ze, steeds ongelukkiger. Hou ik van hem of niet? Maar de pracht van de plaats waar Rao haar had heen gebracht, nam haar alweer in beslag, de terrassen, de weelderige, gezellige vertrekken die ze in het clubhuis kon onderscheiden, het zwembad dat ze nu ook zag, de oleanders en de palmbomen overal, het onwerkelijk groen van de golflink.

'Zeg, is dit nu niet ongeveer de plaats, het gebied bedoel ik, waar zich volgens de oude bijbelse overleveringen het aards paradijs bevond? We zijn hier in het hartje van Mesopotamië, tussen de twee woestijnrivieren Tigris en Eufraat. Eden,' zei ze verrast. 'Daar, dat bordje, deze plaats heet de Eden Country-club.'

'Ja, dit is de plek,' zei hij glimlachend. 'Maar het duurde niet lang, er gebeurde wat. God vond dat de mensen, zijn schepselen, hem niet onderdanig genoeg dienden, dat ze hem niet dikwijls genoeg aanbaden, en hij besloot hen uit te moorden, hij liet de regen neerstromen, neerstromen, neerstromen, tot alle mensen verdronken waren, ook de vrouwen en de kinderen, behalve Noah en zijn familie, die hem wel onderdanig gediend hadden en hem wel dikwijls genoeg aanbeden hadden. Zij mochten in een boot overleven. Daar begon de mensheid opnieuw. Ik heb in geen enkele andere godsdienst of cultuur een zo komiek en zo griezelig verhaal gevonden. God wil een aarde met mensen, hij doet dat scheppingswerk, maar het lukt hem niet. Dan doet hij het een tweede keer.'

Hij vervolgde: 'Nog een voetnoot, als het mij toegestaan is, ik hoor westerlingen dikwijls zeggen dat de islam een wrede godsdienst is. Komt iemand in jouw familie een man vermoorden dan ga jij in de ander zijn familie ook een man vermoorden. Vermoordt hij een vrouw, dan vermoord ook jij een vrouw. Vermoordt hij een slaaf, dan vermoord ook jij een slaaf. Godloochenaars hak je het hoofd af en een dief hak je de hand af. Is een vrouw overspelig, dan stenig je haar en wordt je dochter onkuis, dan snijd je haar de keel over. Maar wat in jullie godsdienst gebeurt, dat is nog wat anders. Omdat God niet tevreden is over zijn mensdom, vermoordt hij alle mensen behalve één gezin. En het gaat nog door: wie Gods voorschriften niet eerbiedigt, zonden begaat, zo heet dat, en geen berouw betoont, wordt in het vuur geslingerd. Daar moet hij branden, niet tot hij opgebrand is, nee, dat zou al wat zijn, maar hij blijft branden tot in alle eeuwigheid. Meisjelief, meisjelief, wat een gruwelijk gedoe is dat christendom.'

'En die erfzonde van jullie,' zei hij. 'De afstammelingen worden belast met de schuld van de voorvaderen. Stel je dat eens voor in een menselijke maatschappij. Bush liet als gouverneur van Texas boeven ter dood brengen, maar alleen de boeven. De God van het christendom stelt ook de kinderen van de boeven terecht en de kleinkinderen, eeuwen en eeuwen lang. Ik geloofde mijn ogen niet toen ik als student voor de eerste keer in de bijbel zat te lezen. Dat bloederige gedoe. En vandaag worden de hel en de erfzonde nog steeds niet verloochend. Troost je, wij hebben ook gekke dingen in onze godsdienst: wanneer je geboren wordt als brahmaan heb je macht, je mag die gebruiken, je moet die zelfs gebruiken, misbruik ze maar, dan toon je dat je Gods werk goedkeurt. Zo houden wij eeuw na eeuw onze conservatieve maatschappij in stand. Was dat geen praktische regeling? Je wilde weten of ik gekant ben tegen de met bloed bespatte zelfmoordterroristen. Of het nu heilige martelaars zijn of vrijheidshelden. In mijn oppervlakkige, behoorlijk ordelijke leven ben ik ertegen gekant, maar in mijn diepere binnenste ligt dat anders. Je hoeft er niet mee in te stemmen dat het Nabije Oosten heet en droog is en West-Europa koel en vochtig. Dat is gewoon zo.'

'Dat is niet hetzelfde. De regen kun je niet tegenhouden, zandstormen ook niet, zelfmoordrijders wel.'

'Zelfmoordrijders,' zei hij bitter. 'Zouden er in de hele wereld al vijfhonderd geweest zijn? We kwebbelen erover alsof het er vijfhonderd miljoen geweest zijn. Vandaag loopt de aarde vol met vernederde, verslagen, afgrijselijk toegetakelde mensen, haveloze, hongerige volkeren. De vraag die mij verontrust is of psychoten, ik gebruik liever het woord dwepers, daarvan gebruik aan het maken zijn, om morgen een miljard schreeuwende volgelingen op de been te brengen. Hitler, dat was een groepje mensen in een kelder in Beieren. Fidel Castro, dat waren zestig guerrillastrijders in een afgelegen gebergte van Cuba. Saoedi-Arabië, dat was een groep woestijnbewoners met lange geweren, aan de gordel een kruithoorn en een dolk.'

'Ik blijf het herhalen: bommen in een auto laden en je daarmee vrijwillig te pletter rijden terwijl je jong bent? Het wil er bij mij niet in.'

Na een korte stilte zei ze zachter: 'Het is wel nuttig. Als je met alle geweld iets wilt bekomen.'

Weer was er die stilte.

'Ik ben iets gaan denken,' zei ze.

'Denken?' vroeg hij.

'De zelfmoordrijder is misschien de atoombom van de

eenentwintigste eeuw. De atoombom werd gebruikt. In panische angst werd daarna die afschuwelijke kracht min of meer bezworen. Het zijn de Amerikanen die de atoombom gebruikt hebben, de anderen hebben de twee torens van Manhattan omver geramd.'

Peinzend zei ze: 'De anderen... Maar wie zijn dat precies?' Haar hand werd een vuistje.

'Het zijn níét de zeventien of achttien jongelui die in een gewone straat tussen gewone mensen woonden en dan gingen leren hoe je met een Boeing naar links en naar rechts kan afzwenken. Het zijn niet de kereltjes in hun bomauto's. Maar wie dan wel? Dat wilde, moordende vuur zit níét in een jongeman die in een vrolijke bende door de straten wil hollen, naar de meisjes fluiten en dansen.'

Ze keek aarzelend op naar de man tegenover haar.

'Jij verafschuwt hen ook, maar je aanvaardt hun bestaan, nietwaar, Rao? *A fact of life.* Je registreert het. Geef je het ook een plaats in je economische productiviteitstheorieën? Zo van: is het heel goed voor je project, doe het dan maar? In de aard van wat Napoleon zei: veracht de verraders niet meteen, gebruik ze eerst en veracht ze daarna.'

'Hier moet ik de brahmaan in mij bestrijden,' zei hij weer rustiger, glimlachend. 'Als brahmaan moet ik mijn voorrechten gebruiken, mijn geld dus, mijn aanzien, mijn macht. Ik mag die misbruiken, ik móét die zelfs misbruiken. Ik moet ze namelijk vergroten om het Grote Concern dat mij die voorrechten schonk te eren. Een te grote oogst van je pachtertjes eisen. Te hoge intresten vragen voor het geld dat je hun leent om te overleven. Daarna hun buffel afpakken en hun ploeg en hun huisje. Dat doen wij al drieduizend jaar. Ik zeg dat nu zoals ik een grap vertel, maar ik meen het ook. Mijn soortgenoten en ik leven als eerbare ploerten. Ploerten omdat we zo leven, eerbaar omdat we door zo te leven goede Hindoes zijn. Ik heb al te veel onder jullie geleefd om nog echt een Hindoe te kunnen zijn, maar weg is het niet. Ik word dus schatrijk, maar ik woel in mijn bed.'

'Rao, je vindt het niet echt goed dat jongelui zich te pletter rijden tegen die muren, nietwaar?' vroeg ze ongelukkig.

'Nee, niet echt, nee.'

'Maar ze mogen het toch doen?'

'Ik heb het afgeleerd te zeggen wat mensen mogen en niet mogen doen. Mensen moeten hun eigen leven leiden. Jullie hebben een liberaal van mij gemaakt.'

Ze nam daar geen vrede mee. Ze vroeg hem of hij het zou toelaten, of hij het hun in een cursus over productiviteit zou aanraden.

'Ik vrees dat de brahmaan het in mij nog even haalt,' zei hij.

'Ik geloof je niet,' zei ze. 'Je bent een snob. Je bent niet cynisch, maar je speelt dat rolletje. Schurkje spelen. Heel chic.'

Hij lachte, maar ze schudde van neen.

'Geef het toe,' zei ze met aandrang. 'Beken dat het niet waar is wat je zegt. Ik kan hier niet tegenover je zitten als je zo tegen mij spreekt.'

'Ik trek alles terug,' zei hij. 'Ik ben een ijdele praalhans. Ik dacht dat ik indruk op je zou kunnen maken met mijn immoreel gepraat. Terloops gezegd, heel dikwijls werkt dat. Vrouwen zijn dol op liederlijke smeerpoezen. Zuipen en cocaïne snuiven, niet gaan slapen 's nachts en toch honderd twintig bedrijven beheren, aan een tafeltje zitten met zo'n geniale sadist, zo'n Nero, gespeeld door Bruce Willis natuurlijk.'

'Hou op. Ik kan geen gekheid maken over die dingen.'

'Even een openbare kleine biecht dan: ik ook niet.'

9

Er kwam kreeft, helrood op een zilveren schaal tussen blokjes ijs. Lichtgele wijn parelde in de glazen. Het was helemaal onwerkelijk vergeleken met de hete schamelarme door de oorlog verwoeste stad in de verte.

'Ken je paria's, Rao? Mensen die als verworpelingen geboren worden en die bereid zijn om zo te leven? Ze zijn niet meer allemaal zo.'

'Ik heb eens een dag met enkelen van hen doorgebracht in

Calcutta. Een van hen was een vakbondsleider, de andere had een emancipatiebeweging. Allebei bonsden ze met hun vuist op de tafel. Ze zullen ook vroeger wel niet allemaal gelaten geweest zijn, denk ik. In de meeste moslimlanden worden overspelige vrouwen niet meer gestenigd. Vaders snijden hun dochters niet meer de keel over. Broers ranselen nog wel kerels af die te vrijpostig met hun zusters omgaan. Er waren ook lang geleden al edelmoedige brahmanen. Boeddha zei: "Sluit je ogen voor de grote dingen want we kennen die niet. Doe zoals de schildpad: trek je poten en je kop in. Wees stil. Wees rustig." Je kunt leven in die stille vrede. Boeddha glimlacht. Je kunt ook bommen van een ton laten neerploffen op steden.'

'Zo hoor ik je liever,' zei Nicola.

Ze kregen pepermuntthee en Griekse lekkernijtjes, daarna sterke koffie met kaneel en een druppel rozenwater.

'Met heilige doders kun je alleen vooraf praten,' zei Nicola. 'Ik heb het gedaan. In Gaza, met verschillenden. Ze stonden met verdraaide ogen te schreeuwen, hun gezicht maar twintig centimeter van het mijne. Ze gingen het doen, ze hadden zich daarvoor opgegeven, maar je kunt niet weten of het waar is. En nadien met hen praten kan niet. Dan zijn ze er niet meer.'

Ze sprak over Bagdad Palace.

'Ik ken de plaats,' zei hij. 'Heel verdienstelijk. Ordeloze boel wel. Het lijkt of ze daar met bulldozers het puin uit elkaar geveegd hebben zodat er een grote ruimte vrijkwam. Dat is hun binnenplein geworden. Openingen overal in het puin waar ze in en uit lopen. Het lijkt wel dat ze daar in holen wonen.'

'Het scheelt niet veel,' zei Nicola glimlachend. 'Maar aan twee kanten is het best bewoonbaar.

'Altijd lawaai en tumult,' zei hij. 'Maar je hoort hen lachen. Een wriemelende hoop vitale, opgewekte knakkers die waarschijnlijk niets meer hebben dan dat. Die kracht en die vitaliteit. Kent iemand iets beters? Maar dag en nacht loeien de media over de vijfhonderd heilige moordenaars.'

'Ik zou willen weten wat ze voelen, wat er in hen omgaat wanneer ze op die muur toestormen, wanneer die muur groter en groter wordt,' zei Nicola. 'Rijden ze dan echt in de armen van Allah? Of zijn ze doodsbenauwd en worden ze naar die muur geslingerd door monsterachtige armen? De toekomstige heiligen die zich laten interviewen door journalisten zijn tateraars. Als je hoort van een die het toch overleeft, laat je me het dan weten, Rao? Zou je dat willen doen?'

'Waar was je deze nacht, Nicola?' vroeg hij. 'Je was gisteravond niet in je hotel, tijdens de nacht ook niet en vanmorgen ook niet. Waar was je? Mag ik dat vragen?'

Ze vertelde over Ilja, over de gevangenis, over de intelligente Amerikaanse majoor, over het kleine meisje Ia dat tegen Ilja op geklauterd was.

'In dat haveloze Bagdad Palace zijn er natuurlijk ook logeerkamers,' zei hij.

Nicola voelde zich rood worden. Dat ergerde haar. Ook de mededeling over de logeerkamers, die eigenlijk een vraag was, stond haar tegen.

'Neem me niet kwalijk, ik heb je niets gevraagd,' zei hij snel. 'Je kent die Ilja Doelin blijkbaar heel goed. Hij zal er wel voor gezorgd hebben dat er een plek was waar je kon slapen.'

'Je ondervraagt me,' zei ze. 'In Frankrijk zeggen ze dat je een meisje niet mag ondervragen. Als je het wel doet, vinden ze je onbeleefd. Onbeschoft, moet ik eigenlijk zeggen. Is het iets van de brahmaan?'

'Je bent boos.'

'De brahmaan bezit zijn vrouwen, nietwaar? Hij is hun heer. Je hebt me daarstraks verteld dat je drie intelligente zusters had die alle drie een hindoeman hadden en dat ze die daarna de deur uit gegooid hebben. Je prees hen daarvoor.'

Hij antwoordde niet.

'Hoe is het nu met die zusters van je?' vroeg ze.

'Best,' antwoordde hij ietwat stug.

Hij had haar iets gevraagd dat hem niet aanging. Maar mij gaat het wel aan, dacht ze.

Terwijl ze nog in de war was, kwam de manager weer met hen praten. Hij bracht drankjes en dronk met hen.

Ze zagen Patton en zijn twee acolieten opstaan en naar buiten gaan.

'Ik ben altijd blij als ik weer de rug van die kerels zie,' zei de manager.

Andere gasten kwamen erbij. Rao dronk cognacjes met hen. Het werd een vrolijke bedoening.

Toen ze later met zijn tweeën naar buiten liepen, zei Rao: 'Ik heb het verknoeid. Ik heb het echt verknoeid, nietwaar? Ik ben een domme jaloerse lomperik.' Ze haalde ietwat moeizaam glimlachend de schouders op. Ze leek iets te moeten beschermen. Wat precies, kon ze niet omschrijven. Het was intiem, het was warm, niet een overweldigende gloed, maar wel een zaligheid die haar helemaal vervulde, die ze afzonderde van al de rest, die ze wilde bewaren. Hém leek ze ook te beschermen. Die lekkere sloddervos met de losse ledematen, die wel gloeide, maar ook weer niet altijd. Het onstandvastige bleef iets gemoedelijks. Hij en ik bij elkaar, dat was toch wel vurig, dacht ze. Dat was heerlijk, maar ook het andere scheen ze op de een af andere manier te moeten beschermen. Dat mondaine, dat levenswijze, dat kosmopolitische, die tropische vitaliteit, die onstuimigheid, een geweld uit het oosten dat haar bekoorde. Een bestaande affiniteit al die hem tegemoet ging, terwijl die haar ook nieuwsgierig maakte.

De twee wachters bij de poort sprongen in de houding en brachten de militaire groet. Daarna grinnikten ze.

'Rekels,' zei Rao, terwijl hij hun een handjevol muntstukjes toegooide, wat door de rekels op gejuich werd onthaald.

'Houd toch op zo bedroefd te kijken,' zei ze toen ze wegreden van de countryclub. 'Ik zou onmogelijk een oordeel over je kunnen vellen. Ik weet nog niet half wie je bent.'

'Je bent echt niet boos, nietwaar?' vroeg hij zo ongelukkig, dat ze vrolijk lachte.

'Zeg, wat komt daar aangereden?' vroeg ze even later.

Uit de richting van de vlakte waar hier en daar witte huisjes verspreid stonden, kwam op grote snelheid een voertuig aanrazen, een oude, roestige minibus. Hij reed met zoveel geweld schommelend door de kuilen dat het leek dat hij zou omvallen. Terwijl hij naderbij kwam zagen ze dat het hoofd van de man die de minibus bestuurde van onder tot boven met een witte doek omwikkeld was. Alleen voor zijn ogen was er een spleet opengelaten. Helemaal ongewoon was dat niet. Wanneer de wind de allures van een zandstorm begon aan te nemen, deed zelfs iedereen het.

'Dat is er een die slaag gaat krijgen als hij te laat komt, denk ik,' zei Rao.

De minibus kwam recht op hen toe rijden.

'Jongen, de weg is er niet voor jou alleen,' zei Rao terwijl hij uitweek naar rechts. 'In Spanje willen ze allemaal torero worden, in Italië voetballer en in de woestijn rallyrijder.'

In de minibus die loeiend, bijna rakelings langs hen heen ging, leek een witte, stenen man te zitten.

'Hij vertraagt niet,' zie Nicola onrustig omkijkend.

'Ik hoop dat hij eraan denkt dat remmen niet alles kunnen,' zei Rao.

'Stop! Stop! Daar gebeurt wat!' riep Nicola angstig. 'Kijk, die bewakers, ze stappen met hun wapen in de poortopening, maar die kerel vertraagt nog steeds niet.'

Ze hoorden geweerschoten.

'Daar! Hij rijdt die bewakers gewoon omver. Stop toch! Stop toch!' gilde Nicola.

De minibus reed over bloem- en grasperken heen op het clubgebouw toe, het grote terras op waar tafels en mensen door elkaar tuimelden. De pergola stortte op de minibus neer. Een ondraaglijke donderslag weergalmde. In vuur en rook, tussen opvliegend puin, ging een menselijke gestalte de hoogte in met gespreide armen en benen, en plofte molenwiekend neer in een vuurhaard. Brokken van het clubgebouw stortten neer. Op verscheidene plaatsen flakkerden vlammen op. Ze zagen de zwarte rookwolken boven de verwoesting. Ze hoorden geschreeuw en gejammer in de verte.

'Allemachtig,' jammerde Nicola. 'Allemachtig, allemachtig!'

'En wij maar aangename gesprekken voeren en geleerd doen over heilige doders,' zei Rao.

Hij stapte uit. Met een strak gezicht stond hij te kijken naar de rookwolken die in de verte een zwarte zuil vormden.

'We moeten gaan helpen,' zei Nicola. 'Kom gauw. Daar zijn mensen gekwetst. Er zijn er die we misschien nog kunnen redden.'

'Ja, goed, dat doen we,' zei Rao.

Hij stapte weer in de wagen.

'Stel je eens voor dat we daar een beetje langer gebleven waren,' zei Nicola, 'een heel klein beetje maar, vijf minuten.'

Helemaal ontredderd keerde ze zich naar Rao.

'Heb je hem gezien?' vroeg ze. 'Die man achter het stuur? Die grauwwitte gedaante. Dat onmenselijke wezen. Dat bewoog niet. Dat reed.'

'Naar de hemel van Allah,' zei Rao somber.

'Niet hij,' zei Nicola heftig. 'Niet hij reed daarheen. Iemand of iets joeg hem daarheen. Een onzichtbaar geweld. Hij is een jongeman geweest, duidelijk goed gebouwd. Een jonge atleet die door de straten liep met kameraden. Daarna werd hij het stenen monster dat door de vlakte kwam aanrazen. Wie deed dat? Wie doet dat soort dingen met jongelui? '

De gloed van het brandende clubgebouw was zo geweldig dat ze niet dichterbij konden komen. Toch slaagden ze erin nog enkele kermende mensen uit de vlammen te trekken en hun bloed te stelpen en hun wonden te verbinden met boernoezen die ze vonden en die Nicola in repen scheurde.

Er kwamen Amerikaanse militaire helikopters aan vliegen, daarna arriveerden brandweerwagens, wagens met soldaten. Drie kinderen werden slechts lichtgekwetst van onder het brandende puin gehaald. Nicola vertroetelde hen. De Amerikanen hielden urenlang de plaats omsingeld. Pas tegen de avond mochten Rao en Nicola weer naar de stad.

Achttien doden, vierendertig zwaargewonden, werd hun meegedeeld. Het aantal doden zou nog oplopen. Rao bracht Nicola naar haar hotel.

'Je ziet maar,' zei hij. 'Bij mij moet je zijn als je eens gezellig op een mooie plek in het groen een middagje wilt doorbrengen.'

'Je was van streek,' zei Nicola. 'Minder dan ik, maar toch ging het niet goed met je. Is het de eerste keer dat je het van dichtbij meemaakt?'

'Ja. Er zijn betere dingen.'

Hij stapte mee uit.

'Ik woon op veel plaatsen,' zei hij. 'Als het maar voor een korte tijd is, verblijf ik doorgaans in een hotel, als het voor lange tijd is, zoals nu, in een huis. Dan laat ik een deel van mijn mooie dingen overbrengen. Deze plaats is kogelvrij, ook bomvrij, denk ik. Dat zou ik niet durven te beweren als ik de Amerikanen tegen me had, maar zoals jij me zei, collaboreer ik met hen. Ik heb veel mooie gedichten, uit verre gewesten, vertaald in prachtig Engels. Ik heb ook pentekeningen in Chinese inkt, die behoren tot de allermooiste dingen die de mens ooit gemaakt heeft. Kom je ze eens bekijken? Ik beloof je dat ik geen onbeleefde vragen meer zal stellen. Niet meer poseren als de bedroefde rationalist die te veel weet om nog gelukkig te kunnen zijn. Eindelijk bekennen dat het brahmanengedoe voor mij en veel van mijn soortgenoten stoffige folklore geworden is en dat ik openlijk de verantwoordelijkheid opneem voor mijn schurkenstreken.'

Ze glimlachte.

'Ik kom weleens,' zei ze.

10

De stad stond in rep en roer. Amerikaanse legerwagens met gewapende soldaten reden met grote snelheid heen en weer. Op verschillende plaatsen in de verte hoorden ze het gehuil van alarmsirenes. Ook geweerschoten hoorden ze, en mitrailleurvuur. Bij dat laatste haalden de jongelui achter de balie in het hotel onverschillig de schouders op. De Amerikanen deden dat zelf, zeiden ze. Ze schoten in de lucht om duidelijk te maken dat het allemaal niet zo eenvoudig was.

Nicola reed naar Bagdad Palace. Zoals alle avonden was het er stil omdat veel jongelui tijdens de avonduren de stad in gingen. Toch was het er stiller dan op de gewone avonden die ze zich nog herinnerde. In de groepjes waar de jongelui bij elkaar zaten tussen het puin, op muurtjes, of gewoon op de grond op het binnenplein, werd weinig gepraat. Er werd niet gevoetbald. Ook in de basketbalhoek was er niemand. In het vergaderzaaltje naast de bibliotheek vond ze Ilja met Oerman, de jonge imam, de Brit Wood, die altijd over andere dingen leek te mijmeren, en zeven of acht grotere jongelui die zowat optraden als tussenpersonen naar de grote bende toe, maar die eigenlijk geen functie hadden. Burro, de bewaker, lag op enkele kussens in de hoek op de grond een stripverhaal te lezen.

Ilja had vier pleisters op zijn gezicht, twee in zijn hals en al zijn vingers waren omzwachteld. Hij trok Nicola op de bank naast zich en gaf haar een kus. Ze vertelde wat ze meegemaakt had.

'Wat zeg je daar? Was jij daar?' vroeg Ilja.

Ze riepen verward door elkaar. Ze wilden bijzonderheden horen.

'Hij reed vlak langs ons heen. Misschien dertig centimeter. Ik had de auto kunnen aanraken. Hij zat achter dat raampje. Zo'n wit spook dat zich niet verroerde. Het leek wel of het ons niet zag.'

'Het, zeg ik wel degelijk,' voegde ze er ongelukkig aan toe.

'Het schepsel!' riep Burro. 'Het onding.'

Ook Oerman sprak zijn afschuw uit. Boos en moedeloos zei hij dat je niets kon winnen met zulke dingen.

'We verliezen dan wat,' zei hij. 'Iedere keer als er een die macabere klucht opvoert zakken wij af. Dan regeren de zinnelozen over de wereld. Dan kunnen wij het best nog maar eens Big Bang hebben.'

'Ja, leuk idee,' zei Wood, de Brit. 'We klampen ons allemaal vast aan ons stuk aardkorst, we kijken de ruimte in en daarna zaniken we er duizend jaar over welke van die brokken nog branden en welke al bewoond zouden kunnen zijn.'

'Ilja,' vroeg Nicola, 'de kerel die jij in je auto probeerde tegen te houden toen hij op die politiepost toe reed, zat die hier in Bagdad Palace met jullie? Was hij een van jullie? Je zei dat. Is het zeker waar?'

'Neen! Neen! Neen!' riepen de jongelui door elkaar.

Over hun stemmen heen riep Burro dat de nietsnut er wel degelijk een van hen was geweest. Oerman bevestigde het verdrietig.

'Vandaag zitten ze daar heel normaal te wezen,' zei hij droevig, 'morgen stormen ze als krankzinnigen naar buiten.'

Ilja probeerde het nog te bestrijden. Hij had de jongen alleen nog maar een paar keer meegebracht bij wijze van proef, zei hij, om te zien of het goed zou zijn om hem in hun gemeenschap op te nemen. Maar de anderen legden hem het zwijgen op. Burro zei dat hij een meester was in het verdraaien van feiten als die feiten hem niet bevielen.

'Ja, goed,' zei Ilja mistroostig. 'Hij was hier, niet altijd.'

'Dikwijls genoeg,' zei Burro luid. 'Hij was er een van ons.'

Ook Wood bevestigde het.

'We mochten hem,' zei hij. 'Hij aardde hier. Dat dachten we toch…'

'Hij liet zich Emiel noemen,' zei Nicola. 'Dan ben je geen opgefokte fundamentalist. Dan schreeuw je niet dat je moet weten wat in de koran staat en alleen maar dat. De naam Emiel komt namelijk niet voor in de koran. Dat denk ik toch niet.'

'Hij komt er niet in voor,' zei Oerman met een glimlachje.

'Emiel genoemd willen worden is voor een moslimfundamentalist bijna hetzelfde als whisky drinken en s' middags tijdens het gebed je voordeur openzetten en luid wilde muziek spelen en tijdens de ramadan zitten slampampen en 's avonds niet een deel van de maaltijd naar de armen dragen, maar dat voor hun deur op de grond neerstorten.'

'Als de Brusselaars allemaal zo overdrijven,' zei Oerman, 'dan moet ik absoluut eens naar Brussel.'

'Deze Emiel beroemde er zich op dat hij op straat voor een blanke gehouden werd. Als hij het uitzicht van een blanke had, kan niemand hem dat kwalijk nemen, maar zich daarop beroemen, dat wordt niet aanbevolen in de koran,' zei Nicola fors. 'Ik denk zelfs dat de begrippen blank en heidens daar niet heel verschillend van elkaar zijn.'

Oerman liet geamuseerd zijn hoofd heen en weer wentelen en zei ten slotte: 'Toegegeven, het gaat in die richting. Hoewel men zich mag afvragen of de profeet wel veel blanken gezien heeft. Andalusië en zo, toen was hij al lang dood.'

'Graag Emiel heten, graag voor blank doorgaan, dan bén je zo iemand,' zei Nicola. 'Dat is niet een schijntje dat je ophoudt, je bent zo'n jongen. Maar deze jongen heeft ook een auto in gereedheid laten brengen, met dynamiet en een tuig om het gedoe de lucht te laten in gaan. Met gedoe bedoel ik de auto met hem erin. Hij liet zich in een auto naar die plek brengen, hij kon dus heel helder denken. Hij sprong in die auto, raasde ermee naar de poort van die politiepost en toen waren daar opeens vuur en rook en puin en dode lichamen en huilende gekwetsten. We hadden dus een intelligente moderne jongen, die kalm en efficiënt een plan uitvoerde en tegelijkertijd zouden we dan ook een waanzinnige wildeman hebben die aan het moorden slaat. Dat kan niet,' zei ze met kracht. 'Je bent het een of je bent het ander. Je bent niet de twee tegelijk.'

'Alle godsdiensten hebben iets van dat geweld,' zei Oerman wrevelig. 'De heilige waanzin, wordt dat dan genoemd. Waanzin is niet heilig. De kruistochten! Die christelijke ridders en hun voetknechten waren geen heiligen, zij plunderden landen, ze vermoordden boeren als die weigerden hun dieren te laten slachten. Ze roeiden steden uit waar men nauwelijks wist wat er aan de hand was. En de inquisitie! Als je de goddelijke personen niet nauwkeurig telde, werd je levend verbrand. Als je het verkeerde lied zong tijdens een eredienst, sneed men je tong uit. Die dominicanen waren niet heilig. Mohammed had een sterke, eenvoudige leer, maar hij was ook een vitale krijger. Zijn razzia's waren niet heilig. Hij wilde niet dat men achter zijn rug zijn geloof weer ging afzweren. Kruisig die godloochenaars, zei hij. Hak hun armen en benen af. Dan was hij niet heilig. Dat boek van Luther en Calvijn, dat hoogmoedige volk dat zichzelf voor uitverkoren houdt. Steek daar dat water over, zei de God van Abraham, plunder die dorpen, verwoest ze, steek de olijfbomen in brand, dood de bewoners en neem het land in beslag. Ik heb beslist dat het zo moet. Die bijbel, waarvan zelfs de komma's heilig zouden zijn. Zachte arme mensen zijn heilig. Liefde is heilig. Goedheid is heilig en schoonheid is goed en vreugde is goed en jong zijn onder Gods wijde hemel is goed. Donkerte is niet goed, dwingen is niet goed, elkaar begluren, elkaar gevangennemen, elkaar schenden, niets daarvan is goed. Goed is wat je in vreugde kunt beleven. De vreugde is de bloem van de vrijheid.'

Nicola vroeg nadrukkelijk: 'Ilja, wat zeggen we dan over die tengere jongen die blij was wanneer ze hem voor een blanke hielden en die Emiel wilde heten?'

Een van de jongelui zei: 'Hij zong ook goed. Wanneer hij alleen was deed hij dat. Hij wilde graag gitaar leren spelen.'

Ilja keer verwonderd op.

'Dat heeft hij mij nooit verteld,' zei hij.

'Hij vertelde het ook niet aan de anderen,' zei de jongeman. 'Hij heeft het mij eens gezegd, op een avond, toen de meesten al sliepen. Hij scheen zelf te schrikken van wat hij gezegd had. Hij zei haastig dat het niet waar was van die gitaar. Hij had dat verzonnen, zei hij. Ik mocht het tegen niemand vertellen. Nu ja, zo was hij. Altijd maar twijfelen.'

'Op het plein voor die politiepost twijfelde hij niet,' zei Ilja. 'Hij schreeuwde tegen mij. Hij sprong uit mijn auto alsof iemand hem daar zou vermoorden. Hij stormde naar die andere auto. De motor brulde alsof hij tweehonderd per uur moest rijden. Toen vloog hij in stukken in de lucht. Als er een vuurgloed ontstaat, vind je de martelaars niet meer. Als er geen vuurgloed ontstaat, vegen ze ze bij elkaar of het loopt daar opeens vol honden.'

'Zachtjes, zachtjes,' zei Nicola, haar arm om hem heen.

'Drie weken geleden is er nog eens een verdwenen,' zei Ilja.

'Karim,' zei een jongeman.

'Ja, Karim,' zei een andere.

'O, hadden jullie het ook gemerkt?' vroeg Ilja.

'Gemerkt, ja,' zei de eerste jongeman, 'maar weten is toch wat anders.'

Van haast alle jongelui die hij opnam, wist Ilja nadien wat er met hen gebeurde, wanneer ze niet meer kwamen, of niet dikwijls meer.

Dat was Nicola bekend. Dat was van belang voor hem. Ze

mochten weggaan wanneer ze maar wilden, maar niet om kroeglopers te worden, of drugdealers, of kleine pooiers. Dan haalde hij hen uit de sloppen. Dat moeizame, tergend langzame werk matte hem af. Dan stond hij te tieren in de kantoren van de hulporganisaties. Ze staken daar radeloos de armen in de hoogte als ze hem zagen komen. Ze hielpen hem om van hem verlost te zijn, zei er eens een. Hij stond met zijn blinkende jongensogen te lachen toen ze dat zeiden.

Karim was een ratje, een kleine stedeling, werd daarmee bedoeld, geen stevige Koerd, geen opgeschoten bedoeïen. Een van de onderwijzers leerde hem technisch tekenen. Hij tekende eens een fantastisch groot gebouw. Ook de vogels konden daarin wonen, zei hij. En de antiloop en de jakhals. Op een dag was hij weg. Niemand had meer van hem gehoord, maar enkele straten verder, op een plein, was een kleine jongeman op een brommer een loods komen binnenrijden waar Amerikaanse legerwagens werden hersteld. De loods was ingestort door de ontploffing. Drie Amerikanen kwamen om en twaalf waren gekwetst. Al wie wat wist over de gebeurtenis, bevestigde dat het een kleine jongeman was geweest. Het had Ilja ongerust gemaakt. Hij was informatie gaan inwinnen. Bijna raakte hij in de gevangenis, wat hem in dergelijke omstandigheden al eens eerder overkomen was. Hij kon bekomen dat hij mocht zien wat er overgebleven was van de kleine terrorist. De hand klopt, zei hij somber toen hij terugkwam. Een basketschoen ook, een twijfelachtig gegeven, wie droeg zo'n schoen niet? Maar de volgende dag brachten ze hem een armbandje waar de naam Karim in gegraveerd stond.

Nicola zag dat buiten veel jongelui, wel honderd dacht ze, in groepjes bij elkaar zaten in de hoek waar de venstertjes van hun zaaltje zich bevonden. Het was er stil. Dat was iedere keer zo als er wat gebeurd was, zei Ilja. Iets als die loods waar vrachtwagens gerepareerd werden, iets als die poort van de politiepost op het pleintje, iets als die countryclub, die zuil van vuur en puin, die menselijke gestalte die met gespreide armen en benen wentelend de hoogte in ging en neerplofte in het vuur.

'Dan zijn ze bang,' zei hij. 'Het lijkt iets van hen te zijn. Het lijkt dat zij het gedaan hebben. Dat is niet waar. Dat is niet waar,' herhaalde hij met opeengeklemde kaken. 'Maar het zou kunnen. Daar zijn ze bang voor. Die sluipende duivel, die ze niet kennen.'

Nel Roos, hun bevoorraadster, hun beschermvrouw, kwam binnen. Ze greep Ilja bij de schouders en schudde hem door elkaar.

'Ik heb gehoord wat je hebt uitgespookt,' zei ze. 'Autorammer.'

Ze bekeek Nicola met een begin van een glimlach.

'En jij bent er ook weer. Ben jij het die hem uit de gevangenis gehaald hebt? Wat is dat?' vroeg ze, strak de vingertoppen van Ilja monsterend.

'Dat is niets,' zei Ilja.

Hij verborg zijn handen achter zijn rug. Nel Roos greep een ervan en kneep in de vingers, waarna Ilja haar op gehuil en gevloek onthaalde.

'De cowboys van de Far West,' zei ze. 'Met hun witte hoed.'

Ze keerde zich naar Oerman toe.

'Dat van die countryclub,' vroeg ze, 'is iets daarvan begonnen onder de mollahs? Weet je daar wat van?'

Oerman schudde van neen.

'Niets van gehoord?'

'Neen.'

'Basra?'

'Ik weet het niet, Nel. Ik ben niet meer populair onder de mollahs.'

'Jij hebt koorts,' zei ze tegen Ilja.

'Maar neen.'

'Ja, zeker wel.'

Ze bepotelde zijn bovenlijf.

'In 's hemelsnaam, wat is dat hier?' riep ze.

Ze rukte Ilja's bovenhemd open. Een bebloede zwachtel kwam tevoorschijn. Na een snok van Nel bleek daaronder een blauwe, opgezwollen wonde te zitten.

'Dat was daarstraks misschien goed verbonden, maar nu niet meer,' zei Nel. 'Mee met mij.'

Ze nam Ilja, die zich heftig verzette, mee naar buiten. Nicola wipte mee in de Land Rover. Nel bestuurde die in de drukke straten alsof dat vijandelijk gebied was waar zij een tank doorheen dreef. Ze stopte voor een wit, modern gebouw.

'Dit is niet het ziekenhuis voor de Amerikaanse soldaten,' zei Nicola.

'Dat weet ik,' zei Nel. 'Dit is het ziekenhuis voor de Amerikaanse officieren.'

Ze pakte Ilja bij de arm en leidde hem kordaat stappend het gebouw in. Langs bewakers en verplegers heen loodste zij Ilja samen met Nicola naar een klein onderzoekszaaltje. Een charmante jonge arts verscheen met twee heel mooie verpleegsters.

'Ja goed, ik blijf hier,' zei Ilja.

'Ik kom deze man morgen halen,' zei Nel. 'Niet vanavond, niet vannacht.'

Yes, Mrs. Roos,' zei de arts.

Toen Nel vertrokken was en de arts zijn onderzoek begon, keek Ilja opeens om naar Nicola.

'Zei je daarstraks dat ook Rao Mohan Surendranath in de countryclub was? Waren jullie daar samen?'

'Euh… ja, wij waren daar samen. Ik heb hem in het vliegtuig leren kennen. Hij is een merkwaardige man. Ik denk wel dat hij mij dingen zal kunnen vertellen voor mijn reportage, ook namen zal hij mij kunnen geven, adressen.'

'Hebben jullie daar gegeten?'

'Ja. Met jouw permissie, geachte vriend.'

'Ik bedoelde dit niet als controle,' zei Ilja, een beetje in de war.

'Wat dan wel?' vroeg Nicola.

'Sorry, zwijg erover,' zei Ilja wrevelig. 'Geachte vriend, geachte vriend, wat is dat voor een manier van spreken? Vroeger zei je "mijn engeltje".'

De twee verpleegster glimlachten.

'Heel slecht maakt hij het niet,' fluisterde een van hen tegen Nicola.

'Ik moet een insnijding doen,' zei de arts. 'Even indommelen dus.' Hij keerde zich naar Nicola toe en zei: 'In mijn ziekenhuis in Boston zou ik je laten logeren, maar jammer genoeg mag ik dat hier niet.'

'Mag ik daarbuiten even wachten, om te horen hoe het verlopen is?' vroeg Nicola.

De arts gaf een van de verpleegsters opdracht om voor koffie te zorgen. Een uurtje later kwam hij bij Nicola: 'Toch maar een kaarsje branden voor onze Nel,' zei hij. 'De lui die bezig geweest zijn met uw vriend hadden blijkbaar niet de schoonste handen. Dat valt niet meteen op, maar er is nu voor gezorgd. Ik heb de hele boel nog eens nagekeken. Alles oké.'

'De vingertoppen, hoe is dat gegaan?' vroeg ze aarzelend.

'Laat maar,' zei hij, even de ogen sluitend. 'Dat komt weer goed.'

Hij dronk ook een kop koffie.

'Hij wilde die wilde kerel tegenhouden, denk ik.'

'Klopt,' zei Nicola.

'Zei u dat u van Reuter bent?'

'Ja.'

'Dan wilt u mij zeker een persoonlijke vraag stellen. Ik zal het u gemakkelijk maken en dat zelf doen. Dokter Matthews, hebt u als arts het gevoel dat u hier buiten staat of er midden in? Het antwoord luidt: er midden in en ik weet dat.'

'Bent u een burgerlijke arts?'

'Nee, een militaire arts. Ik heb destijds getekend voor een militaire loopbaan. Misschien kwam dat plan wel in mij op omdat mijn vader generaal was en mijn grootvader sergeant-majoor, de eerste met heel veel studies, de tweede regelrecht uit het Verre Westen zonder studies, maar toch kun je niet zeggen dat het hier in de genen zat. Ik houd heel veel van Amerika. Ik voelde het niet aan als een plicht om wat voor mijn land te doen. Ik beschouw het als een voorrecht. Ik weet niet of u dat echt kunt geloven.'

'Natuurlijk, maar het moet wel goed zijn voor Amerika.'

'Touché,' zei hij.

'En als het niet goed is voor Amerika, gaat u heel ver.'

'Te ver, zeg het maar. Te ver.'

'Hoe gaat het bij u, in het binnenste binnenste?'

'Ik geloofde Bush toen hij zei dat hij die geheime wapens van Irak wilde vernietigen en dat hij de terroristen wilde bestrijden. Nu weet ik dat er iemand loog. Hijzelf of de lui om hem heen.'

'Hijzelf, denk ik,' zei Nicola.

'Ik denk het ook, ja. Hij maakt er zelfs een grapje over. "Waar zitten die wapens dan?" zei hij eens op de televisie. "Misschien wel onder deze tafel hier.".'

'Wat mij betreft, stond hij daar als een onderontwikkelde aap,' zei Nicola.

'U schiet er echt niet naast,' zei de arts.

'Wat het terrorisme betreft...'

'Ja, ik weet het wel. Dat is hier na ons begonnen. Kort gezegd, om ons eruit te gooien.'

'Maar u blijft van uw land houden, ook als het domme dingen doet.'

'Zo ongeveer ja.'

'Wat bezielde Bush?'

'De wapenfabrikanten zaten met voorraden. Die moesten op. De bouwbedrijven zaten met arbeiders en materialen, dus steden kapotgooien en weer opbouwen was een interessant perspectief. De banken wilden weer eens duur betaalde kredieten verlenen. De oliestaten, Saoedie-Arabië voorop, waren heel machtig en heel zwijgzaam geworden. Wilt u wat doen voor uw vaderland?' vroeg de arts.

'Euh... Als puntje bij paaltje komt, denk ik. Wij zijn eigenlijk meerdere stukjes van landen bij elkaar. Ieder stukje zorgt voor zichzelf. Het spreekt zelfs zijn eigen taal. Antwerpen en Oostende liggen honderd kilometer van elkaar. Als de Antwerpenaars ruziemaken onder elkaar, verstaat de Oostendenaar daar niets van. Als de Oostendenaars ruziemaken onder elkaar, verstaat de Antwerpenaar daar niets van.'

'Is dat niet onpraktisch?'

'Ja, maar wij vinden dat plezierig. Of beter, zij vinden dat plezierig, maar ik niet. Ik vind het iets van de gehuchten. De tijd dat je uren te voet moest stappen om weer eens huizen te zien. Je deed dat dus niet en zo kreeg ieder gehucht zijn eigen taal. Om een voor mij onbegrijpelijke reden willen wij dat nog altijd blijven doen. Het tegenovergestelde van wat jullie doen. Bij jullie zijn het ook allemaal veel stukjes bij elkaar, jullie land wordt bewoond door Ieren, Britten, Zweden, Italianen, Duitsers, Fransen, Spanjaarden, Mexicanen, Portoricanen, en daarbij nog een groot aantal mengsoorten, maar ze spreken allemaal Amerikaans. Jullie smeuïge, sappige, baldadige, bijna vulgaire versie van de Engelse taal, waar de Britten het van op de heupen krijgen. En bovendien zijn het allemaal Amerikanen. En ze zijn daar blij mee, zoals u. Allemaal samen Yankee. *Hi fellow.*'

'*Hear, hear,*' zei de arts vrolijk lachend.

'Jullie zijn een gelukkig volk,' zei Nicola. 'Soms wil ik geloven dat het jullie bedwelmt, zodat jullie het niet merken als iemand helemaal verkeerde dingen doet. Alles is jullie gelukt. Dat wonderbaarlijke land aan de overkant van de Atlantische Oceaan. Het Goudland, zoals jullie het noemden. Jullie hadden te dikwijls gelijk. Jullie kunnen geen ongelijk meer hebben. Jullie zijn dat verleerd.'

'Ja,' zei de arts peinzend, nog steeds glimlachend. 'Dat zou best waar kunnen zijn.'

Hij liet haar nog even kijken naar Ilja, die lag te slapen. 'Is hij een Rus?' vroeg hij. 'Zijn naam...'

'Ja. Hij heeft van kindsbeen af nooit wat anders gehoord dan dat de mensen elkaars gelijken zijn, dat ze als gelijken met elkaar moeten omgaan.

'Dat zal hij ook wel niet meer kwijtraken.'

'Maar het programma bevatte de stelling dat de mensen ook allemaal hetzelfde leven moesten leiden. Een voorgekauwd bestaan, bedacht en bestuurd door de Grote Kauwers, die heel grote tanden hadden. Dat kun je aan hem niet meer verkopen.'

Terwijl ze even bij Ilja stond en hem kusjes gaf, had de arts een soldaat besteld om haar terug naar haar hotel te brengen. Die wenkte haar vanuit zijn jeep toe dat ze maar moest komen.

Nicola vroeg de arts: 'Als er hulp gevraagd wordt om Bush buiten te gooien, doet u dan mee?'

De arts zei: 'Ik heb voor Kerry gestemd, maar we zijn niet bij de meet geraakt.'

'Weten ze dat hier?'

De arts lachte nog vrolijker. Hij zei: 'Heel zeker. Toch iets goeds over Amerika dus: wij mogen echt wel een andere mening hebben, ze slaan ons daarvoor niet dood.'

11

Er was een foto gemaakt van de 'martelaar' die de moordpartij in de countryclub had aangericht. Een jongen van twaalf die pas een kleine polaroidcamera van zijn vader gekregen had, zag van tussen de olijfbomen waar zijn vader aan het werk was de oude minibus door de vlakte aanstormen. Hij drukte af toen de bus hem passeerde. Toen wat later in de verte een ontploffing weerklonk, toonde hij de foto aan zijn vader. Het was een slechte, wazige foto, maar je zag de zijkant van het busje, de voorste helft daarvan met het zijraampje en daarachter het massieve silhouet van de man met de brede schouders, het hoofd dat helemaal omzwachteld was, en de donkere spleet voor de ogen. Toen de legerauto's en de brandweerwagens uit de stad kwamen en het daar een druk heen-en-weergerij werd van steeds meer auto's, ook ziekenwagens, toonde de vader van de jongen de foto aan een persfotograaf. Die gaf er geld voor. Hij liet het deel van de foto met het zijraampje en het silhouet van de man uitvergroten en dat ging flitsend via de persbureaus de wereld rond. De volgende ochtend prijkte de foto op de voorpagina van de wereldbladen. Hij was door het vergroten nog grauwer en waziger geworden, maar in dat ruige grauw zag je het zijraampje en daarin, bijna levensgroot, het omzwachtelde hoofd. De Onmens, stond daar. De Zinneloze Dweper. Het ondier dat niet meer afgemaakt moest worden. Het had zelf dat werk volbracht. Bij het aankondigen van het beeld werd op de televisie gemeld dat kinderen beter niet zouden kijken. Wat te zien zou zijn, was te afschuwelijk.

'Ja, hij is het wel degelijk. De foto is echt,' zei Nicola toen Ilja weer aankwam in Bagdad Palace en Oerman met zo'n krant kwam aangelopen.

De foto had fake kunnen zijn, zei Oerman. Ze zouden dat wel durven.

'Nee, het is de echte. Ik heb hem gezien. Zo was hij,' zei Nicola.

Jongens brachten nog meer kranten aan. Een schok was door de wereld gegaan, schreef een journalist. Het duistere geweld dat de mensheid bedreigde, was zichtbaar geworden. Er leek een soort van onderwereld te zien te zijn en daarin vaag, maar zichtbaar de contouren van een gestalte uit die onderwereld. Was het een duivel? Een geest?

'Heeft die stomme kerel dan niets begrepen?' gromde Ilja. 'Dit is net wat Bush wil. Zie je hem in zijn Witte Huis staan grijnzen en die medewerkers van hem op de rug kloppen? Nog een paar van die beelden en dan wordt hij de Grote Redder, de beschermer van de aarde.'

Wood stond er droefgeestig bij.

'Gruwelen,' zei Ilja. 'Het bedwelmende genot van de eenentwintigste eeuw. Die stomme mensheid. Versufte domkop!' schreeuwde hij, de vuist geheven naar de foto. 'Achtergebleven slaper uit de negende eeuw. HEILIGE PUMMEL!'

'Kalmpjes aan, jongen,' zei Oerman. 'Wij stammen uit een verre eeuw, maar wij slapen niet allemaal. Wij zijn ook geen pummels en weinigen onder ons zijn heilig. Jullie stammen uit een nog verdere eeuw overigens,' zei hij glimlachend. 'In Rome zitten er ook enkelen te knikkebollen. Dwepers hier, dwepers daar, ik begrijp hen wel. Ze dwepen zich in vervoering. Dan zitten ze daar zalig schele ogen te hebben.'

'Nu weer wekenlang alleen nog dat,' zei Ilja. Hij frommelde boos de krant op en gooide ze weg. 'Waarom maken wij ons toch zo moe?'

'Daarom,' zei Nicola.

Ze wees naar het grote binnenplein tussen de hopen puin. Er waren jongens aan het voetballen. In de basketbalhoek waren ze een wedstrijd aan het organiseren. Aan de voet van een zuil van de hier en daar ingestorte galerij zaten jongelui in een kring rond Moulay in koor Engelse zinnetjes te herhalen. Wat verder zaten jongens in rijen op een lei op hun knie Arabische woorden af te schrijven die Hafid voor hen met houtskool op een wit stuk muur schreef. In een open, overwelfde opslagplaats, die omgevormd was tot een atelier, waren jonge koperslagers en tingieters aan het werk. Ook boekbinders en letterzetters waren er in de weer. Jongens die al konden lezen, zaten te studeren, dikwijls met z'n tweeën in één boek.

'Ach ja, daarom,' zei Ilja bitter. 'Natuurlijk daarom.'

Dat nieuwe Irak zou er komen, had hij enthousiast gezegd. Niet langer dat beulen- en slavengedoe. Niet langer dat hypocriete, hebzuchtige Amerikaanse gedoe. Niet langer dat dromers- en zienersgedoe. Geen plaats meer voor bijgeloof en hysterie. De tirannen de deur uit. De profeten de deur uit. Maar veel studenten, steeds meer studenten. Televisie met het nieuws van over heel de wereld. Fietsen en brommers en daarna kleine auto's en daarna grote auto's en huizen met vensters en afspraakjes op de hoek van de straat. Met zijn allen bij elkaar komen en dan beslissen wat we gaan doen en hoe we het gaan doen. En vreemdelingen welkom, maar niet met kanonnen en bommenwerpers. Dat groeide, zei hij. Dat zou nog meer groeien. Dat zou totstandkomen als ze hen maar met rust lieten.

De somberheid ging niet weg uit Ilja.

'Kijk,' zei hij. 'Het zijn de kleinen die spelen. Zie je het? Daar en daar. Het zijn nog vooral kleinen. Ook enkele kleinen zijn al aan het studeren. De kleinen weten nog niet veel, maar die daar,' hij wees naar groepjes grotere jongens die van op een afstand naar hen stonden te kijken, 'die zijn niet aan het voetballen, die zijn niet aan het studeren. Ze weten wat er in die countryclub gebeurd is. Ze weten wat er omgaat in Irak. Ze weten van hysterische mollahs en hysterische Amerikanen. Die verkeerde oorlog met die verkeerde legers! Kijk daar bij die zuil, vijftien, twintig staan er, ze staan naar ons te staren. Ja, Ali, wat moet je?' riep hij naar een jongen die op enige afstand met opgestoken vinger zijn aandacht probeerde te trekken.

De jongen kwam dichterbij.

'Punk is weg,' zei hij.

'Wanneer is Punk níét weg,' zei een van de grote jongens die bij hen stonden.

'Nee, Punk is niet altijd weg,' zei de jongen. 'Punk is nooit weg wanneer hij gezegd heeft dat hij zal komen. Hij zou twee cd's meebrengen en ons dan laten horen dat zijn muziek, punk bedoelt hij daar dan mee, geen ouderwets stom lawaai is, zoals sommigen onder ons zeggen,' zei de jongen een beetje verlegen glimlachend. 'Wij houden van disco en rhythm & blues, maar Punk zegt dat dat suikerwater is voor meisjes', zei de jongen toen de grotere jongens lachten. 'Er zijn er nog vier anderen die ook plaatjes zouden meebrengen. Die zijn er allemaal. We wachten op Punk, maar die is er niet.'

'Doe het dan maar zonder Punk,' zei Ilja. 'Het is een goede manier om het debat te winnen. De afwezigen hebben ongelijk.'

De jongen holde glimlachend weg. Een grotere jongen kwam bij hen en vroeg: 'Ilja, waar is Punk? Het was gisteren zijn beurt om te helpen in de keuken, maar hij heeft zich niet laten zien. Nu is hij er weer niet. Dat is ongewoon. Punk is geen luierik.'

'Ik kan je niet helpen,' zei Ilja. 'Ik weet niet waar hij is.'

Punk was een jongen met aanhang, zei Ilja tegen Nicola. Groot, stevig, welsprekend. Hij had worstelwedstrijden gewonnen. Hij had als bokser iets kunnen bereiken, maar hij begon zich met die volgens hem heel bijzondere muziek bezig te houden en het werd niets. Hij had een klein broertje gehad. Als je daar een vinger naar uitstak, kreeg je van hem slagen. Het jongetje was zieker en zieker geworden en ten slotte gestorven.

'Is Punk gisteren de hele dag niet hier geweest?' vroeg Ilja.

''s Ochtends was hij er,' zei de jongen. 'Hij was verstrooid. Hij keek voortdurend op zijn horloge. Toen stond hij op. "Ik moet weg," zei hij. "Een afspraak, Punk?" riep er iemand. "Met een of andere punkmeid?" Normaal zou hij daarop boos uitgevaren zijn, maar dat gebeurde niet. Hij stond die jongen aan te kijken, vriendelijk. Punk vriendelijk! Nadat er een toespeling was gemaakt op zijn rare muziek? "Niet met een punkmeid," zei hij met dat ongewone glimlachje op zijn gezicht. "Maar een afspraak? Ja, ik heb een afspraak." Daarop liep hij weg.'

Burro, hun bewaker, stond de foto in de krant te bekijken. Die was bijna een halve bladzijde groot. Hij wees naar het onheilspellende, schimmige silhouet achter het zijraampje. 'Die kerel was er een zoals Punk,' zei hij. 'Kijk naar de doek die hij voor zijn neus en mond gebonden heeft. Die neus, de vorm van die neus, dat is een boksersneus. Alle boksers eindigen met zo'n neus.'

'Punk is worstelaar geweest,' zei Ilja.

'Bokser ook,' zei Burro. 'Maar hij zei daar niet veel over. Hij kreeg ervan langs, geloof ik, maar hij had die neus. Die kerel heeft ook die neus.'

Met zijn vinger beschreef hij op de foto de knobbel bovenaan, de inzinking daarna, ten slotte de kleine neustop.

'En deze kerel heeft ook nog iets anders,' zei Burro. 'Ook iets van Punk. Kijk hier, het hoekje van de handdoek. Dat zit in de boernoes, maar niet helemaal. Zo'n stuk van een cirkeltje, bijna de helft. De kleur kun je niet zien, het is geen kleurenfoto, maar als het een handdoek is met een rood cirkeltje in de hoek, dan is het een Japanse karatehanddoek. En Punk had zulke handdoeken.'

Abdellahi, een van hun oudste jongens, die musicologie had gestudeerd voor de Amerikanen het conservatorium hadden vernield en die zowat hun muziekleraar was, kwam naar hen toe en zei dat hij Punk nog niet gezien had. Hij zou vandaag nochtans een les leiden, zei hij.

'We zijn er allemaal klaar voor, maar hij is er niet. Is hij ziek of zo? Jullie zijn zo stil,' zei hij. 'Ook daar zijn ze stil.' Hij wees naar groepjes jongelui. 'Is er iets aan de hand?'

Dat heb je met artiesten, had Ilja eens gezegd. Nicola herinnerde zich dat. Artiesten merken het allemaal pas als het zeer doet, had hij gezegd. Tussendoor deinen ze in de ruimte.

'Waar woont Punk?' vroeg Nicola.

'Hier,' zei Ilja.

'Ik ken een tante van hem,' zei Abdellahi. 'Die leeft nog wel in haar tentje met die gaatjes voor haar gezicht, maar ze zal misschien toch wel met mij willen praten.'

'We gaan daarheen,' zei Ilja.

'Ik breng jullie,' zei Nicola.

Door wijken die uit stegen met blinde muurtjes leken te bestaan, reden ze naar de rivier. Bij een bron zagen ze vrouwen met kruiken en in lompen geklede kinderen. Bij een oude poort in een gekanteelde muur uit de tijd toen de stad nog niet uit zijn omwallingen gegroeid was, stonden dromedarissen en pakezels. Bedoeïenen in gestreepte boernoes waren daar druk in de weer. Daarna waren er weer de stegen met de witte muurtjes.

Het vermolmde groene poortje waar Abdellahi met de vlakke hand op sloeg terwijl hij zijn naam riep, was zo laag dat je er alleen gebukt naar binnen had gekund.

'Wachten,' fluisterde Abdellahi. 'Ze moet eerst in haar...' Hij maakte bewegingen alsof hij iets over zich heen trok. 'Een beetje geduld maar,' zei hij stilletjes tegen Nicola. 'Ze heeft niet meer de beste benen.'

Kriepend ging het poortje open. Er verscheen zo'n klein vrouwtje dat je je kon afvragen of daar niet een kind stond, verkleed in de boerka van haar grootmoeder. Ontsteld, ontredderd keek Nicola naar het groezelige, verkreukte kledingstuk dat helemaal over de vrouw heen zat, aan alle kanten gesloten behalve wat gekruiste lintjes voor het gezicht dat je in het donker niet kon zien. Het hese stemmetje ontredderde haar nog meer. Het vrouwtje legde Abdellahi moeizaam uit dat er geen man meer in huis was om hen te ontvangen. Haar man was al lang dood, zei ze. Haar oudste zoon was tien jaar tevoren gesneuveld in de oorlog, haar tweede zoon nu. Over haar schoondochters en hun kinderen wist ze niets. Alleen Halil kwam soms, zei ze. Dat was de naam van Punk, had Abdellahi hen in de auto gezegd. Halil kwam haar soms bezoeken. Nicola hoorde de ontroering in het zwakke stemmetje.

'Ja, gisteren was hij hier,' zei ze. 'Gisteren omstreeks het middaguur. Ik kon hem niets te eten geven, ik had niets. Hij drukte mij in zijn armen. Ik ga een grote reis maken, Boesji boesji, zei hij. Zo noemde hij mij, Boesji boesji. Hij zong ooit eens een lied voor mij en daarin kwam ook Boesji boesji voor. Hij hield mij lange tijd in zijn armen. Ik ga heel ver, naar een plaats waar het heel goed is, zei hij. Zo hard drukte hij mij tegen zich aan dat ik daarna omviel, maar hij hielp mij weer op de been en ik kon weer op mijn krukje gaan zitten.'

Abdellahi sprak zacht en snel tegen haar in een Arabisch dat Nicola niet begreep.

Ilja huilde in de auto. Hij zat voorovergebogen, de ellebogen op de knieën, het hoofd tussen de vuisten geklemd. Terwijl ze door de kleine stegen reden en vervolgens door de grotere lanen zat hij met betraande ogen voor zich uit te kijken.

'Onze punker,' zei hij. 'Hij hield zijn jeans op met een ketting. Ook op andere plaatsen in zijn kleren rinkelde het. Die muziek deed hem wat, dat rauwe gebeuk, geen ritme, geen melodie, maar gebeuk. Misschien omdat de bokser in hem dat had willen doen, maar zijn vuisten waren niet sterk genoeg. Worstelen dan maar, maar ook zijn armen deden het niet. Dat broertje kende hij. En dat oude besje kende hij ook. Het beviel hem best, daar bij ons. Dat dacht ik tenminste. Ik dacht dat ik hem ergens een kleine bar moest bezorgen. Zo'n holletje in een steeg, schemerdonker. Een tapkast, en hij daarachter, groot en stevig, met dat behaarde bovenlijf. En 's morgens tot 's avonds die muziek en knakkers aan wie hij kon uitleggen dat dát de muziek van de mensheid was. En oude dronkaards die hij naar huis zou helpen. En kleuters uit de buurt die hem allemaal kenden en die hem misschien wel hun hondje of hun poes kwamen laten zien. Hij heeft nooit gevochten. Hij heeft nooit iemand geslagen. Hij haalde vechters uit elkaar en hield ze bij hun nek vast tot ze weer kalm waren. Dan lachte hij. Maar dat was hij dus allemaal niet. Hij was dit.'

Ilja hield de krant met de foto voor zich op. 'Hier staat het. Ondier. De wachters bij de poort vlogen uit elkaar. De tafels en de stoelen op het terras vlogen uit elkaar. De pergola werd verbrijzeld en toen werd hij die vulkaan. Dat wilde hij. Het was een voorbereid plan. Daarvoor ging hij vroeger bij ons weg: om het te kunnen uitvoeren. Hij ging afscheid nemen bij dat oude vrouwtje. Toen ging hij die grauwwitte mantel aantrekken. Hij omwikkelde zijn hoofd. Misschien wel om gaaf bij Allah aan te komen, bij die mooie meiden, die hoeri's, die eeuwig jong en mooi blijven. En toen werd hij die bom. In de auto was hij al die bom. Hij. Hij wilde dat zijn en hij werd het.'

'Of misschien toch niet,' zei Nicola. Je kunt niet tegelijk een vriendelijke snuiter en een sadistische terrorist zijn. Sadistisch wegens het vermoorden van kinderen, dat er bijna altijd bij is.' 'Zeker weten we het nog niet,' zei Abdellahi. 'Zolang we nog een klein beetje kunnen hopen, moeten we dat maar doen.'

Toen ze weer aangekomen waren in hun stoffige, brokkelige Palace, kwamen de jongelui van alle kanten toegestroomd. Ze liepen weg van hun leraars of instructeurs en dromden op het binnenplein samen rond Ilja, naar wie ze vragend opkeken.

Ilja sprak te stil. De achtersten in de menigte wapperden met de handen om hem dat duidelijk te maken. Nicola hoorde dat het Ilja moeite kostte om luider te spreken.

'Wat waar is moet je niet verbergen,' zei hij. 'Ik zal het dus maar zeggen.'

Hij stapte op een rotsblok zodat hij boven de menigte uitstak.

'Ik denk dat hij het was,' zei hij. 'Alles weten we nog niet, maar we hebben gesproken met een verwante van hem van wie hij afscheid genomen heeft, op een heel bijzondere manier. Hij sprak haar van een grote reis. Niemand van ons wist daarvan. Hier bestond het plan dat hij een muziekles zou inleiden en dat hij in de keuken wat zou helpen, maar elders bestond een ander plan. Dat was voorbereid, dat werd uitgevoerd. We begrijpen de samenhang van deze dingen niet. Mensen doen weleens dingen die ze gewoonlijk niet doen. Ze laten ook weleens dingen na die ze meestal wel doen. De onmens, zo staat het in de kranten. Het ondier. Dat is onze Halil. Wij noemden hem Punk. Hijzelf gebruikte ook die naam. Hij was een kloeke opschepper, met vuisten en schouders, maar hij beschermde en verdedigde kinderen. De muziek waar hij van hield en waar hij ons over doodzeurde was alleen geschikt om gehoord te worden bij een film over het vervoer van lijken, vind ik. Maar hij haalde grappen uit om te verhinderen dat ruzie echte ruzie zou worden. En werd er toch gevochten, dan pakte hij die lui beet en liet hij de twee koppen even tegen elkaar knotsen. Er zijn er hier vast die zich nog herinneren hoe dat aanvoelt. Hij hield van zijn kleine broertje en ging zitten keuvelen met zijn tante, een klein oud besje, naar wie hij onder haar boerka zelfs niet mocht kijken. Hij kon zitten schateren. Hij liep ook te dromen. Wat iemand zei, moest waar zijn. Die soort mag er zijn. Hij kwam graag in de late uren eens tateren. Dan was hij de fideelste knakker die je je kon indenken en daar hoorde dan de lelijkste muziek van heel de wereld bij. Ik denk soms dat hij ons daarmee strafte. De wereld zal hij wel bedoeld hebben. Maar dat kolossale ding in het zonnestelsel, hoe begin je daaraan? Ons dan maar. Ons had hij bij de hand. Ik gebruik jullie daar weleens voor. Als ik alleen maar jullie bij de hand heb. Een goed sportman worden, dat had gekund, niet de beste, maar wel een goed. Dat zat in hem. Een aanvaardbaar muziekmaker? Best mogelijk. Een bekwaam kroegbaas? Ja, dat denk ik zeker. Gezellig genoeg om de klandizie te behagen, fors genoeg om er de orde in te houden. Een borreltje gaan pakken bij Punk. Ik zag het me al doen. Ik zag hem ook al barmhartig de cd-speler stilleggen. Hij zei dat er niets slechters op de wereld bestond dan mijn wodka. En niemand had ooit slechtere geweren gemaakt dan wij, Russen. Dat had hij van zijn vader gehoord. Die kon het weten, hij had ermee geschoten. Niemand kan een oorlog winnen met oude Russische geweren, zei hij. Hij vroeg ook eens waar een tsaar voor diende. Nergens voor, zei ik hem. En een trojka, wat deed je daarmee? Door de sneeuw rijden, zei ik, met paarden ervoor die belletjes om de hals hadden en de hemel vol sterren en jij en je liefje samen onder een dikke donzige deken.'

Nicola besefte dat er een grafrede uitgesproken werd. Het eindigde ermee dat Ilja door de overvloedige tranen niet meer verder kon spreken.

De jongelui begonnen zich in stilte te verspreiden, maar ze stoven plots uit elkaar toen twee Amerikaanse militaire politiemannen op indrukwekkende motoren de binnenplaats op kwamen rijden. Nog twee politiemannen volgden, daarna kwam een jeep aanrijden, gevolgd door een gesloten gevangenenwagen met getraliede raampjes. Een militaire politieman met een handmitrailleur stond rechtop in de jeep. Achterin, de knieën uit elkaar, zat Patton, de monumentale, militaire politiechef. De politiemannen omsingelden Ilja, waarna Patton kwam aanstappen met een knuppel die hij gebruikte als wandelstok en die hij tijdens de militaire oefenparades met een knal liet neerkomen op ietwat vooruitstekende voeten. Van nog dichterbij nu zag Nicola zijn ruige, door misprijzen vertrokken gezicht. Hij kwam vlak voor Ilja staan.

'Roeski,' zei hij.

'Ik zou liever hebben dat u mij niet zo noemde, sergeantmajoor,' zei Ilja.

De Amerikaan riep: 'Je bent een Russische communist. Jullie hebben honderdduizenden tegenstrevers vermoord en een half werelddeel aan jullie dictatuur onderworpen.'

Nicola kwam tussenbeide: 'Ik heb eens ergens gelezen dat jullie Amerikanen honderdduizenden indianen uitgemoord hebben en eeuwenlang Afrikanen als slaven voor jullie hebben laten werken, maar dat zal wel niet waar zijn.'

De Amerikaan keerde zich zo heftig naar Nicola toe dat Ilja hem bij de arm tegenhield. De bewegingen van de Amerikaan verstarden. Hij stond strak, onderzoekend naar Nicola te kijken.

'Ik ben Nicola Fransse van het agentschap Reuter,' zei ze.

Ze toonde hem haar perskaart.

'Ik ken uw naam al lang,' zei de Amerikaan. 'U bent van het soort dat last verkoopt, maar ik had u nog niet gezien.'

Een van de militaire politiemannen die hem vergezelde, kwam hem wat in het oor fluisteren.

'Rao?' zei Patton ongelovig.

Plots stond hij bedremmeld naar haar te kijken.

'Dan begrijp ik niets van wat ik nu zie,' zei hij met de blik op Ilja gericht.

Hij vroeg Nicola of hij haar perskaart eens van dichtbij mocht zien. Ze gaf hem die.

'U was gistermiddag in de countryclub,' zei hij. 'Gistermiddag,' herhaalde hij met nadruk. 'Dat zou weleens een bijzondere betekenis kunnen hebben.'

'U was daar gisteren ook,' zei Nicola.

De Amerikaan liet dat over zich heen gaan. Aarzelend, duidelijk in de war, zei hij: 'U was daar met uw vriend Rao Surendranath.'

'Ja,' zei Nicola.

'U hebt samen gegeten. Dat heeft lang geduurd. U zat daar nog steeds toen ik wegging. Ik heb u niet gezien, maar hij daar wel.' Hij wees naar een van de militaire politiemannen. 'Rao Mohan Surendranath is iemand die bekwaam is om de goede dingen te zien. Het nieuwe, vrije Irak. Hij werkt eraan mee. Hij bouwt eraan mee. Letterlijk.'

'Ja, dat weet ik,' zei Nicola.

'Meneer Surendranath is een vriend van ons. Maar nu bent u bij deze persoon hier.' Hij wees naar Ilja. 'Hij is geen vriend van ons. Hem hebben ze betrapt op het plegen van een aanslag op een politiepost. Ze hebben hem opgebracht en opgesloten in de gevangenis. Dat jij nu hier bent, beste man, en niet in de cel waar je thuishoort, is een heel verdachte aangelegenheid.'

'Ik heb niet meegewerkt aan die aanslag,' zei Ilja neerslachtig. 'Ik heb gedaan wat ik kon om die te beletten.'

Schamper riep de Amerikaan dat dat wel een goede grap was.

'Ben je een late bekeerling misschien? Hand in hand dus met het duivelsgebroed, regelrecht naar de grote neukpartij bij Allah.'

Oerman trad vooruit en zei: 'Meneer de onderofficier, ik ben de imam van deze gemeenschap. Aanhangers van een godsdienst noemen de aanhangers van een andere godsdienst weleens duivelsgebroed, maar dat geeft geen blijk van de beste opvoeding. Wat de grote neukpartij betreft…' Glimlachend zei hij dat er in de koran nogal geïnsisteerd werd op onbeperkt bonken met hemelse hoeri's die nooit oud werden. Waarschijnlijk mocht worden aangenomen dat het daar symbolische aanduidingen betrof. In het christendom was kijken naar God het grote genoegen in de hemel. Verder werd er rijstpap gegeten met zilveren lepeltjes in het gezelschap van geslachtsloze engelen. 'Zonder twijfel hebben we het hier ook over symbolische aanduidingen, maar ik moet er wel bijvoegen dat de dingen aan jullie kant mij minder boeiend lijken.'

'Houd je mij voor de gek?' schreeuwde de Amerikaan.

'Ja, meneer,' zei Oerman. 'En als je nu weer iets stoms zegt, dan doe ik het opnieuw.'

'Je bent zeker een sjiiet?'

'Ik ben niets,' zei Oerman. 'Noem alle gebieden maar op, ik ben daar overal niets. Maar God is groot. Het kost mij geen moeite dat te belijden. Ik meen dat namelijk.'

'Ik krijg puisten van zulk gezwam. God is groot! God is groot! Zo heb je altijd gelijk.'

'Ja!' riep Oerman enthousiast. 'Ja, meneer. De dag dat we met zijn allen alleen maar dat zeggen, "God is groot", en dan ieder op zijn manier blijk geven van die eerbied, dan hébben we allemaal gelijk. Dan is dat waar. Dan zijn we allemaal vrienden. Als dat eens zou willen gebeuren.'

'Ben jij wel een imam?' vroeg de Amerikaan. 'Waar is je moskee dan?'

'Hier,' zei Oerman zacht. 'Hier, goede vriend, een wijde ruimte te midden van puin, ik denk soms dat je de aarde beschrijft als je dat zegt. Belkacem, de imam van de moskee daar, staat soms op de muur naast zijn minaret boos naar ons te kijken en met zijn armen te zwaaien omdat we niet stil zijn tijdens zijn gebedsuur 's middags. Maar of je nu 's middags stil zegt dat God groot is, of in de vroege ochtend, of 's avonds net voor je gaat slapen, of 's nachts in je dromen, wat je overhoudt is dat God groot is. Die warmte is goed. Die geborgenheid is goed. Die nederigheid is goed.'

'Je doet me aan mijn oude oom Simeon denken,' zei de Amerikaan. 'Die kon soms ook dagen aan een stuk spreken als je hem liet doen. Als mijn vader het niet meer kon uithouden, liet hij een vloek horen die je tot aan de andere kant van het dorp kon horen. Sorry, *padre*, ik ben niet van het godsdienstige soort, maar ik dien mijn land. Als er iets is wat je over ons moet zeggen, dan is het dit: ze dienen hun land. Hebt u ook daar aanmerkingen bij?'

'Ja, heel zeker,' zei Oerman. 'Ook de Noormannen dienden hun land.'

'Wat zijn dat, Noormannen?'

'Die kwamen in heel oude tijden aanvaren uit heel verre streken in boten met een drakenkop. Zij drongen andere landen binnen, sloegen alle mensen dood en roofden hun bezittingen. En weet je wat Hunnen zijn? Die kwamen uit heel verre steppen, uit heel oude tijden, op heel kleine paardjes aan galopperen, zij drongen andere landen binnen, sloegen alle mensen dood en roofden hun schatten en dan reden ze terug naar hun land. Ze dienden dat land.'

De twee politiemannen traden vooruit. Een van hen stak zijn chef iets toe. Het was een versleten jeansbroek, naar het Nicola leek. De Amerikaan hield die open voor Ilja. In de lussen, bestemd voor de gordelriem, zat een ketting.

Onder de jongelui die dichterbij waren gekomen om te luisteren ontstond er opeens geroezemoes.

'Ken je dit?' schreeuwde de Amerikaan.

Ilja keek verwezen naar de haveloze, verbleekte, krom staande broekspijpen, naar de ketting en naar het doodshoofd dat aan een van de uiteinden hing.

'Kijk nu wat ik doe,' zei de Amerikaan.

Hij liet de jeansbroek vallen en begon er met de voeten op te trappelen.

Burro, de bewaker kwam dichterbij.

'Doe dat niet,' zei hij tegen de Amerikaan.

'Kijk, kijk, wie we daar hebben,' zei de Amerikaan smalend. 'Burro, El Matador, maar ze pakten hem in zijn kruis.'

De Amerikaanse politiemannen lachten. De mislukte loopbaan van Burro als stierenvechter was in Cordoba geëindigd nadat een stier hem op een dag in de hoogte had gegooid en weer had opgevangen op een hoorn. De hoorn was aan de billen door de broek gegaan en Burro was daaraan blijven hangen. De stier had snuivend en brullend de ronde van de arena gedaan om het hinderlijke aanhangsel kwijt te raken. Ilja had het Nicola verteld. Nog steeds hoorde Burro in zijn nachtmerries het geschater van het publiek, had hij haar gezegd.

Burro rukte de broek onder de voeten van de Amerikaan uit. Een militaire politieman kwam hem die afnemen.

'Het voorwerp werd duidelijk herkend,' zei Patton tevreden.

'Nietwaar?' voegde hij eraan toe. Hij pakte de broek beet en toonde die aan de jongelui. 'Jullie herkennen dat ding. Jullie weten wat dat is. Jullie weten van wie het is.'

Hij gaf de broek weer aan de politieman en nam iets anders over, een oud, versleten, geruit hemd. Ook dat hield hij open. In de epauletten zaten eindjes ketting. Op de kleppen van de zakken zaten doodskopjes.

'Ken je het?' vroeg hij aan Ilja. 'Burro? Jullie?' Hij toonde het hemd aan de jongeren om hem heen.

'Waar heb je die spullen vandaan?' vroeg Ilja.

'Goed nagedacht, jongen,' zei de Amerikaan. 'Je moest dat eens een keertje meer doen.'

'Hoe kom je aan die dingen?' vroeg Ilja opnieuw.

'Kom met ons mee, dan zullen we je dat tonen,' zei de Amerikaan. 'Je zult dan ook meteen weten waar jij daarna naartoe gaat. Ben jij het die hier de lakens uitdeelt? Als we het over verantwoordelijkheden en zo hebben?'

Wood, de Brit, trad vooruit en zei: 'Ik hoor er ook bij.'

'Ik ook,' zei Oerman. Hij kwam naast Wood staan.

Toen ook Burro naar voren stapte, zei de Amerikaan: 'Nee, een volksverhuizing houden we niet. Wie is de baas?'

'Wij,' zei Oerman.

Moulay en Hafid kwamen bij hem staan.

'Willen jullie met alle geweld nu al de cel in? Jullie allemaal?'

Ilja gaf zijn medewerkers te kennen dat ze het niet hoefden te doen. Ook Nicola zei dat.

'Neem mij mee,' zei Oerman tegen de Amerikaan. 'Ik ben hier wat jullie de geestelijke leider zouden noemen.'

'Ik heb daar andere woorden voor,' zei de Amerikaan.

'Dat doet nu niets ter zake. Hij daar,' Oerman wees naar Ilja, 'in die toestand weer de gevangenis in, met die verwondingen, en straks weer koorts, doe dat niet. Hij loopt niet weg. Neem mij mee en houd mij een poos. We lossen dat wel op.'

De Amerikaan wilde er niets van weten. Hij zette zijn vinger op de borst van Ilja en zei: 'Jij gaat met ons mee. Jullie niet,' zei hij bars, met wapperende handen.

Tot Nicola's verwondering vroeg hij haar om mee te gaan.

'Om te kijken,' zei Patton. 'Volgens jullie verstoppen wij de dingen. Er gaat geen dag voorbij of er staat zoiets in jullie kranten. Nu zullen we jullie eens wat tonen.' 'Ja, goed, ik ga mee,' zei Nicola. 'Ik volg wel in mijn auto.' Er was beroering onder de jongelui op het binnenplein toen de Amerikanen Ilja meenamen naar de gevangenenwagen. 'Neen, neen, niets doen, rustig zijn, jongens,' riep Ilja hen toe. 'Ik kom wel terug.'

12

Het kostte Nicola moeite om in het drukke verkeer op de grote lanen de gevangeniswagen te volgen. Het ging beter nadat de politiemannen haar te kennen hadden gegeven dat ze dicht achter de gevangeniswagen moest rijden, zij zouden dan achter haar rijden. Met een sirene kreeg dat kleine konvooi overal voorrang. Hoe hadden die Amerikanen een verband kunnen leggen tussen die kleren en Bagdad Palace? Punk had zich ergens omgekleed, dat leek haar duidelijk. Maar op grond waarvan waren ze met die broek en dat hemd naar Ilja toe gekomen?

Ze reden de stad uit door een armoedige residentiewijk die Nicola nog niet gezien had, maar na een haakse bocht naar rechts herkende ze de weg naar de countryclub, asfalt eerst, kiezel daarna, en ten slotte het zandspoor waar er links en rechts alleen nog maar verspreide hoevetjes waren. Ze stopten in een kleine oase. Een ezel liep rondjes aan een distelboom om water op te pompen. Enkele boeren in witte mantel en tulband werkten op akkertjes. Naast de bron stond een Amerikaanse politiewagen. Ze lieten Ilja uitstappen. Nicola merkte dat ze hem in de gevangenenwagen handboeien hadden omgedaan. Patton wenkte Nicola dat ze dichterbij moest komen. Hij hield zijn wijsvinger strak op Nicola gericht en zei: 'Nu ga ik u, Nicola Fransse, van het agentschap Reuter, een dienst bewijzen. Ik geef u een scoop. Ik vraag u daarvoor geen wederdienst. Alleen maar dat u het nauwgezet vertelt en dat u er bij zegt dat u het van mij hebt.' Hij gaf haar een kaartje. 'Dat ben ik, alles staat erop. Voor uw artikel.' Langzaam, steeds met nadruk sprekend zei hij, de vinger op zijn borst gericht: 'Ik heb de zelfmoordrijder, die de koloniale countryclub vernield heeft, geïdentificeerd.'

'Ik zal nauwgezet vertellen wat ik hoor,' zei Nicola, 'maar of dat laatste waar is, weet ik niet.'

De militaire politiemannen bevestigden het met zijn allen.

'Straks is er een persconferentie en dan krijgt iedereen het te horen,' zei Patton, 'maar nu weet nog niemand het. Wat ik hier nu doe is goed voor mij en het is goed voor u. Ja?'

'Ja,' zei Nicola.

'Luister dan,' zei de Amerikaan. 'Hier, waar ik nu sta, is die foto genomen. Die griezelfoto. Het detail van die oude minibus met achter het zijraam dat spook. Daar, in die richting, reed de minibus. Ginder heel ver zie je die zandrug, en daarachter, een kilometer of zo, stond de countryclub. Links en rechts van het zandspoor kleine boerderijen. Bijna overal hebben ze de minibus gezien. Eerst gehoord, daarna gezien. Een gebrul dat uit de verte kwam. De gestalten op de akkertjes richtten zich op. Daar kwam er een die wel haast had. Daarna werkten ze voort. En wat later galmde in de verte een donderslag en ze zagen ginder achter de zandrug de zwarte rookzuil. Een aantal onder hen begreep toen al wat voor eentje ze daar in die minibus hadden zien rijden. Boeren hebben de minibus zien voorbijrijden tussen deze plek en de countryclub. Toen hebben boeren die ook zien voorbijrijden tussen deze plek en de stad. De knaap die hier de foto heeft genomen zegt dat het gebrul van ver kwam. Wel, we zijn ook daar, aan die andere kant, tussen de oasen en de stad op de boerderijtjes gaan praten. En jawel, daar hebben vreedzame landarbeiders opgekeken en ze vonden dat daar iemand wel heel erge haast had, links en rechts van het spoor, tamelijk dicht bij het spoor, wat verderop, overal getuigen. Van een bepaalde plek af, ongeveer een kleine twee kilometer naar de stad toe, niets meer. Niemand heeft daar wat gezien of gehoord. Wat zou dat dan willen zeggen volgens u?'

'Dat die minibus daar vertrokken is,' zei Nicola.

'Goed nagedacht, pienter meisje,' zei Patton. 'Ook ik heb daar goed over nagedacht. Ik zei bij mezelf: als die bus daar vertrokken is, dan valt daar misschien nog wel iets van te merken. Men moet die minibus toch in gereedheid gebracht hebben. Ik zou in die omstandigheden dat voorbereidend werk doen op een plaats niet ver van het doelwit. Je moet niet te veel meer gaan rondrijden met een voertuig vol springstof en ontstekingsmechanismen. Dat voertuig moet klaar staan op een plaats waaruit het allemaal heel snel en in korte tijd kan beginnen. Zo is het ook gebeurd op het pleintje voor de politiepost. Die terrorist werd daar aangebracht in een auto, hij stapte over in de bomwagen en twintig of dertig seconden later: bam! Er was blijkbaar geen druk autoverkeer rond de boerderijtjes in deze vlakte, maar wel veel mul zand overal. Het aanbrengen van die auto, het uitkiezen van een juiste plaats waar hij niet dadelijk opvalt, het in gereedheid brengen van de wagen, het heen en weer lopen, daar moesten sporen van zichtbaar zijn in mul zand. En jawel...'

Hij gebaarde haar dat ze hem moest volgen. De plaats waar hij stopte, had iets van een oud, verlaten gehucht. Een vervallen boerderij, een ingevallen stal, enkele kleine dienstgebouwtjes die niet meer gebruikt leken te worden. Een scheefgezakte ophaalboom naast een opgedroogd bronnetje. Wat verderop zagen ze overblijfselen van de omheining rond een verdorde graasplaats. Een klein eindje van de onbewoonde boerderij stond een combi van de Militaire Politie. Twee politiemannen kwamen hen tegemoet. Patton wenkte Nicola dat ze bij hem moest komen.

'Naar de grond kijken,' zei hij. 'Wat zie je daar?'

'Sporen van banden,' zei Nicola.

Op nog vier andere plaatsen liet hij haar kijken. Hij bracht haar naar een plaats waar een ander bandenspoor te zien was. Dat spoor was ook te zien tussen de vervallen boerderij en de opgedroogde bron aan de kant van het gehucht die naar de stad toegekeerd was.

'Duidelijk twee auto's,' zei Nicola, 'waaronder een waar nogal mee rondgereden is.'

'En die ze daarna bijna tegen een muur gezet hebben op een plaats waar je hem van de weg niet kunt zien,' zei Patton. Hij bracht haar naar die plaats. Het bandenspoor was daar zichtbaar, nauwelijks een handbreed van de muur verwijderd.

De Amerikaan zei: 'Ik heb eens horen vertellen dat alle goede reporters altijd een dictafoontje en een cameraatje bij zich hebben, klein formaat, maar goede kwaliteit. Is dat waar? Zitten er zulke tuigjes in uw tas?'

'Ja.'

'Zou u dan van mij geen foto willen nemen, terwijl ik die sporen aanwijs bijvoorbeeld? En die samen met uw artikel doorfaxen?'

'En dan doet u bij gelegenheid weleens wat voor mij?'

De Amerikaan haalde nerveus glimlachend de schouders op.

'Goed, blijf hier maar even staan,' zei Nicola.

Toen ze terugkwam van haar auto, zei de Amerikaan verbaasd: 'Zo klein? Ik dacht dat het een aansteker was. O, misschien hebben ze het wel opzettelijk zo gemaakt, dan kan u doen alsof u een sigaret gaat aansteken en dan in het geheim de foto nemen. Hoe klein zijn die fotootjes dan wel als ze eruit komen?'

'Ze komen er niet uit,' zei Nicola. 'Ze gaan de computer in en komen er dan aan de andere kant van de wereld weer vergroot uit.'

Ze maakte verschillende foto's, ook met enkele andere politiemannen erbij die snel, tevreden kwamen aanlopen. Patton poseerde voor een portretfoto. Hij keek strak, dreigend in de lens. Dat moest, zei hij, weer gemoedelijk, vertrouwelijk. Het betrof een ernstige, gruwelijke zaak. Bruusk een waarschuwende vinger opstekend zei hij dat het nu niet de grote vriendschap was tussen hen, dat moest ze niet denken. Als ze daar soms op gerekend had, dan had ze het fout.

Ilja kwam erbij. Hij vroeg de Amerikaan waarom hij met de broek en het hemd bij hen gekomen was.

'Of kende je de plunje en de ketting al van vroeger?'

'Nee nee, niet van vroeger,' zei de Amerikaan.

Hij nam hen mee het verlaten, bouwvallige boerderijtje in en wees een hoek aan waar stro uitgespreid lag. 'Het lijkt me dat daar weleens iemand is komen slapen,' zei hij. 'Om de plaats en de buurt te leren kennen. Daar lag die vieze plunje. En daar lag ook dit.' Hij haalde een beduimeld krantenknipsel uit de tas aan zijn gordel en vouwde het open. Er was met een markeerstift iets op geschreven in grote Arabische lettertekens.

'Ik kan die barbaarse haken en ogen niet lezen,' zei de Amerikaan, 'maar volgens iemand die daar wel wat van weet...' Terwijl ze het papier van dichterbij bekeek, zei Nicola: 'Hier bovenaan staat: mijn leven voor Irak. Daaronder: Irak vrij.' Snel ademend, opgelucht zei ze tegen Ilja: 'Geen dweperij, niets over de islam.'

'Dat is beter,' zei Ilja, 'hoewel...'

'Hij wilde een vrij land,' zei Nicola pramend.

'Op die manier?' vroeg Ilja.

'Ze willen naar Allah,' zei de Amerikaan. 'Ze bereiden zich daarop voor, op de een of andere manier. Het hangt af van de mollah die het ze allemaal ingepompt heeft. Er zijn er die zich helemaal insmeren met olie, een soort van reiniging, en daarna hullen ze zich in het wit, hun gezicht en al.'

'Bill!' riep hij.

Een militaire politieman kwam dichterbij. Hij toonde een fles in doorschijnend plastic. De fles was leeg, op een klein restje na. Hij hield de fles ondersteboven en ving enkele druppels op met zijn vingertop.

'Olie,' zei hij. 'Lag daar.' Hij wees naar het stro in de hoek. 'En in zijn broekzakken zat dit allemaal.'

Hij toonde een doos, met daarin een groot, krom, toegevouwen zakmes, een eindje ijzeren ketting, twee ijzeren ringen, enkele foto's van jongelui met gitaren op een podium te midden van een uitgelaten menigte en een beduimeld kaartje met een stempel in paarse inkt waarop te lezen stond: 'Bagdad Palace'. De Amerikaan stond met een schamper lachje Ilja in het oog te houden.

'Gezien, jongen?' vroeg hij.

Ilja had het kaartje gezien, ook Nicola had het gezien. Zij kenden het systeem. Gratis maaltijden uitdelen aan iedereen die kwam, was onmogelijk. Dan zou half Bagdad staan aanschuiven. Laten betalen dus. Niet met geld. Want dat had niemand. Met goede wil dus. Wat komen leren. 'Deze kerel is 's morgens nog bij jullie naar school geweest, maar hij heeft zijn kaartje voor het middagmaal niet gebruikt. Hij had geen eetlust. Een maag gaat dicht als er bijzondere dingen omgaan in het hoofd. Je zit in de problemen, kerel. Hoor je wat ik zeg?'

'Ik wist niets van al deze dingen,' zei Ilja. 'Die jongen was bij ons, ja. Hij hield zich bezig met muziek. Een raar soort muziek. Dat hij met deze dingen bezig was, was mij totaal onbekend.'

'Toe kerel, vind je nou zelf niet dat je wel heel naïef moet zijn om dat te geloven? Jullie hebben een samenzwering tegen ons. Eerste aanslag: politiepost, een kereltje van bij jullie. Nu de aanslag op de countryclub, een kereltje van bij jullie. *Aber wir haben es nicht gewusst.*'

Hij weet van twee aanslagen, dacht Nicola onrustig, maar het zijn er al drie. Karim, ons zangertje op die brommer...

De Amerikaan keek wrevelig om naar Nicola.

'Ik sta wel voor een raadsel,' zei hij. 'Niet wat hem betreft, maar wat u betreft. Ik zie u op te veel plaatsen. Ik zie u bij te veel mensen. Al te verschillende mensen.'

'Er zijn meer dan honderd jongelui in Bagdad Palace. Soms zijn het er tweehonderd. Een groot aantal slaapt daar niet. Hoe kun je weten wat die allemaal doen? Dacht u dat ze ons dat allemaal komen zeggen? Ze hoeven ons dat niet te komen zeggen. Dat leren wij hun. Wij leren hun dat de mens zelf mag weten hoe hij zijn haar laat knippen. Hij mag de schoenen dragen die hij heeft, of die vanachter nu open zijn of niet. Hij mag erover beslissen of hij veel peper op zijn schapenragout strooit of helemaal geen. Hij beslist erover of hij bij het bidden op één knie gaat zitten of op twee, of hij zijn romp daarbij rechthoudt en zijn kin laat zakken tot op zijn borst, ofwel diep doorbuigt zodat zijn voorhoofd de grond raakt. Hij mag 's nachts over straat lopen als hij dat aangenaam vindt, het liefst zonder veel lawaai, dan kunnen de anderen slapen, het liefst ook zonder politieagenten die hem de hele tijd weer naar binnen jagen, want een mens is niet iemand die 's nachts binnen móét zijn. We leren hun dat het aangenaam is om met vele anderen samen te leven en met hen dan samen te bespreken hoe je de dingen op zo'n manier kunt beredderen dat iedereen tevreden is, of bijna iedereen, en niet zo dat er een tevreden is en de anderen niet. Wij leren hun dat het niets uitmaakt of iemand sheriff is of sjeik of politiecommissaris of burgemeester of kadi of kalief. Wij leren hun dat er driehonderd verschillende godsdiensten bestaan, een ervan is het christendom, een andere daarvan is de islam. Wil iemand geloven dat er één God is en één profeet, mij goed. Wil er iemand geloven dat er één God is en dat er honderden profeten zijn, mij ook goed. Wil iemand geloven dat God uit vier personen bestaat, die elkaars broer zijn, mij goed. Wil iemand geloven dat God uit drie personen bestaat, waarvan een de vader is van de anderen, mij ook goed.'

'Hou op!' schreeuwde de Amerikaan. 'Het is niet zo eenvoudig als jij denkt.'

'Precies,' zei Ilja. 'Daar wilde ik net toe komen. Wij leren de jongelui dat terrorisme niet de goede manier is. Er gaat geen dag voorbij of wij zeggen hun dat. We hameren het hen in. Als er nu twee van onze honderd jongelui…'

Drie, dacht Nicola.

'… honderd of tweehonderd toch die weg opgaan, dan vind ik dat zo verschrikkelijk dat ik erbij moet huilen.'

Zijn stem brak, maar hij vermande zich en riep: 'Maar dat wil dan nog niet zeggen dat wij het zijn die terroristen van hen gemaakt hebben. Wij hebben hen niet op dat spoor gezet. Hoe ze daar geraakt zijn, weten wij verdomme ook niet. Verdomme, verdomme, verdomme! 'Irak vrij!' is een heel goede leus. Ik ben blij dat het die is. In het wilde weg mannen, vrouwen en kinderen vermoorden is niet de goede manier. Als ik dat door elkaar schud, houd ik daar het woord vermoorden aan over. En vermoorden, daar zijn wij tegen. Velen niet, maar wij wel. Wij zijn daar tegen.'

Ondertussen was Nicola erin geslaagd via haar gsm in verbinding te komen met de majoor die eruitzag als een Britse landjonker. Ze legde hem uit wat er gebeurd was.

'Is die kerel er weer een van bij jullie?' vroeg de majoor bevreemd.

'Ja, maar de mensen van Bagdad Palace vinden dat verschrikkelijk. Ze leren die jongelui wat, maar die twee deden net het omgekeerde, zelfs drie, maar daar weten ze nog niet van.'

'We moeten dat onderzoeken,' zei de majoor. 'Dat aspect van de zaak, bedoel ik. Ik had dat gegeven nog niet. Wil je mij die zogenaamde Patton eens doorgeven?'

Nicola liep naar het groepje en stak de Amerikaan haar mobieltje toe.

'De majoor,' zei ze.

'Welke majoor?'

'Uw majoor.'

'Die prullenman, die niet weet wat hij wil,' zei de Amerikaan nors.

Onwillig nam hij de telefoon over.

'Ja, majoor,' gromde hij.

Hij stond een tijd te luisteren terwijl zijn hoofd kleine, rukkende bewegingen maakte.

'Ja,' zei hij ten slotte. 'Goed dan, als het zo moet.'

Hij gaf Nicola de telefoon terug.

'Ik breng je dus niet op,' zei hij tegen Ilja. 'Je mag terug naar die plek waar die rumoerige bende van je zit, maar je blijft daar, onder bewaking. Als je ervandoor gaat, kom ik je terughalen, en verzet jij je, dan vliegen overal kogels, en een paar daarvan gaan door jou heen. Heb je dat begrepen?'

Een politieman nam hem bij de arm en zei stil: 'Kalm maar, maat. Wat je daar zei gebeurt niet, dat weet je heel goed.'

'Bedankt, sergeant-majoor,' zei Nicola. 'Als de foto's in de bladen niet staan waar ze dienen te staan, zal het niet aan mij liggen.'

De Amerikaan beval de politieman de handboeien los te maken. Nicola pakte Ilja bij de arm en nam hem mee naar haar auto.

'Voor ze van mening veranderen,' zei ze.

Ze hielp hem instappen en reed met hem de oase uit. Ilja zat met dichtgeklemde vuisten naast haar.

'Punk,' zei hij gesmoord. 'Punk! Muziek als gerammel van ijzer, kettingen, ringen, doodskoppen en daarbij een hartje dat je zou doorgeven aan een klein meisje.'

'Godverdomme,' zei Ilja dof.

Ze reden een tijd in stilte.

'Punk heeft nooit iets over Irak gezegd,' zei hij. 'Mijn leven voor Irak, Irak vrij... Daar een fa kruis en geen fa, en de mi kruis, en die een kwart van een toon verlagen tot álles vals klonk, dat kon je met hem bespreken.'

'Een mi kruis bestaat niet,' zei Nicola.

13

Ia had voor hen gekookt. Ze had pepermuntthee en ze maakte ook nog koffie. Daarna zat ze op de schoot bij Nicola. Dat ergerde Ilja. Hij wilde naar de slaapkamer. Over het hoofd van Ia heen, gebaarde hij Nicola dat ze met hem mee moest gaan. Het leek Nicola dat Ia dat begreep. Ze houdt me gevangen, dacht ze. Ze geeft me niet aan die manskerel van haar. Ze kuste het kleine meisje in haar haren. Ilja liep naar de slaapkamer. Nicola hoorde hem van daar naar haar roepen.

Waarom ga ik niet, dacht ze. Ik houd van hem. Misschien ben ik wel voor hem naar Bagdad gekomen. Voor de zelfmoordrijders, ja, wat daarachter steekt, maar dat onderzoek had ik ook in Pakistan kunnen voeren.

Het was waar dat ze in het voorbije jaar naar Ilja had verlangd. Om bij hem te zijn, dat zeker, zijn liefde, zijn tederheid, zijn geweld. Dat bedwelmde haar dan, maar ook om te weten hoe het nu eigenlijk tussen hen was, of dat definitieve totstandgekomen was, of zij voorgoed verenigd waren. Het maakte haar ongelukkig dat ze dat niet zeker wist. Ja, maar dat komt door hem, argumenteerde ze soms. Bijna iedere keer was hij het die wegging, of die niet bleef, of die vergat terug te komen, of die dit of die dat. Over hem moest ze het dan hebben, maar was dat wel waar? Waren aan haar kant de dingen wel zeker? Wilde zij echt die hartstochtelijke, Slavische speelvogel? De bergrivier had zich onstuimig in de stille beek gestort. Dat schuimde, dat spatte, dat glinsterde, maar wat werd het dan met die bredere rivier in de vallei, zou die storten? Zou die vloeien? Die twijfel kwelde haar.

Ze kon het niet verdragen dat ze aan Rao begon te denken. Nog minder beviel het haar dat ze daar zekerheid meende te zien. Een grote, rustige macht, die beheerste hem, die straalde op haar over.

Weer riep Ilja haar, maar de gedachten aan Rao wilden niet uit haar weggaan. Ik kan geen twee mannen tegelijk hebben, dacht ze angstig. Ze was blij dat het tijd was om naar haar hotel te gaan voor het artikel dat ze wilde doorsturen naar haar bureau in Brussel. In het hotel had ze afgesproken dat er tijdens die middaguren, die in de warme landen rustiger waren, altijd een lijn voor haar vrijgehouden zou worden, waarlangs ze niet alleen Brussel, maar ook Londen en New York kon bereiken. Die tijd was wel beperkt, bovendien was hij betaald, hij moest dus gebruikt worden, hij moest opbrengen.

Ilja probeerde haar tegen te houden. Dat werd even een worstelpartij, wat haar weer vrolijk stemde.

In haar hotelkamer vond ze boodschappen met vragen. Ze kon die beantwoorden na enkele snelle telefoongesprekken. Toen plugde ze haar laptop in, typte haar artikel over de identificatie van het 'ondier' en stuurde het door, samen met de foto's die ze gemaakt had in de vlakte tussen de stad en de countryclub.

Haar baas vond het niet zo'n geweldige scoop, maar hij was er toch blij mee. Blijer dan hij liet blijken, had ze de indruk. Ze verschafte nog bijzonderheden, wetend dat die het deden in dergelijke verhalen, het vervallen boerderijtje, het stro in de hoek, het zakmes, de ketting waarmee de jeansbroek opgehouden werd, de doodskopjes, de vreemde tegenstelling tussen zijn vreedzame leven in Bagdad Palace, waar ze verder niets over zei, en de verschrikkelijke woestheid van de aanslag. Over het jonge broertje sprak ze, en over het oude besje dat hij nog bezocht had.

De zelfbeheersing van haar baas begaf het.

'Bravo,' seinde hij haar terug, netjes in hoofdletters.

Ze had de hoteltelefoon in haar kamer uitgeschakeld terwijl ze werkte. Toen ze die weer inplugde, rinkelde hij meteen.

'Allerliefste meisje,' zei de rustige zware stem die ze meteen herkende. 'Ik heb gehoord wat er daar bij jullie gebeurd is,' zei hij. 'Is de kalmte er teruggekeerd?'

'Nee,' zei ze.

'Nu ja, twee zelfmoordrijders, het is niet niks.'

'Het zijn er drie.' Ze vertelde over Karim. 'Ze hadden die jongens daar in hun midden zonder dat ze er iets van wisten. Dan zit je met twee vragen: hoe kwamen die daar? En hoeveel anderen zitten er nog? De tweede vraag kun je nu in het Midden-Oosten bijna overal stellen, eigenlijk ook de eerste. Bagdad Palace strijdt tégen het terrorisme,' zei ze. 'Dat oedeem, zegt Ilja, je zou dat toch eerder verwachten uit een milieu dat affiniteiten met hen heeft, een koranschool bijvoorbeeld, een moskee, niet Bagdad Palace! Die sluipmoordenaars, zegt hij, ten onrechte, vind ik, want er zitten zeker ook idealisten tussen. Zelfmoordenaars in Bagdad Palace, dat is absurd.'

'Vallen ze uw vriend lastig?'

'Momenteel niet. Maar hij zal natuurlijk nog verhoren moeten ondergaan. Daar is hij niet voor geschikt. Hij flapt het er allemaal uit. Wat hij voelt, dat zegt hij. Helemaal eerlijk. Wat je moet doen om een strijd te verliezen. Helemaal eerlijk zijn.'

'Sta je nu of zit je?'

'Wat zei je?'

'Of je staat of zit? Om je beter voor me te kunnen zien.'

'Ik zit,' zei ze glimlachend.

'Voor je laptop?'

'Ja. Ik doe hem nu dicht.'

'Liggen je knieën over elkaar?'

'Hoe moet ik me jou voorstellen?' vroeg ze kregelig. 'Sta je op je hoofd?'

'Een momentje,' zei hij. Ze hoorde allerlei geluiden. 'Nu. Nu sta ik op mijn hoofd. Er is een kussen tussen mijn hoofd en de plaveistenen van het terras en ik leun met de rug tegen een palmboom, ik beken het. Mag ik weer op mijn ligstoel nu?' Weer hoorde ze allerlei geluidjes. 'Oef,' hoorde ze hem zeggen. 'Er is een tijd geweest dat dat me vlotter afging. Waar zou dat aan liggen? Aan het klimaat, zal ik maar zeggen. Ik zie je toch niet lachen.'

Tweehonderd veertien, had hij geantwoord toen ze hem eens had gevraagd hoeveel bedrijven hij bezat. Nee, had hij geantwoord op de vraag of hij dan niet altijd in de zenuwen zat. Hoe hij dat klaarspeelde? Door overal heel goede, heel duur betaalde medewerkers te plaatsen die de zorgen van hem weghielden.

'Ik heb uit Parijs oesters, foie gras en chateaubriand laten komen. Ook *zuppa inglese*, wat geen soep is, zoals je weet, maar de naam van een verrukkelijk, romig, Italiaans dessert. In de chambreerkamer staat een fles Pomerol, in de ijskast een fles Chablis en een fles Sauternes. Er is ook oude port, voor na de koffie, tijdens het bekijken van de heel mooie gravures.'

'Rao,' zei ze, 'in Europa is er iets met het bekijken van gravures in de late avond. Vroeger, toen meisjes nog niet in hun eentje in studio's woonden en een man niet met een meisje in een hotel binnen mocht als hij niet met haar getrouwd was, was dat de gewone manier om de meisjes toch naar een een discrete plaats te verlokken. De mannen, die wel een pied-à-terre hadden, zoals dat heette, vertelden de meisjes dat ze daar heel mooie gravures hadden. Nu wonen meisjes wel in studio's en in hotels mogen zelfs sultans met zeven vrouwen binnen.'

'Nee, niet meer dan vier,' zei hij. 'Bijzitten zoveel je maar wilt,' voegde hij er toegeeflijk aan toe.

'Als man van de wereld weet je dat allemaal. Ik denk dat jij echt mooie gravures hebt. Ik kom die dus bekijken. Heel graag. Maar ik ga wel niet met je naar bed.'

Hij hoeft niet luid te lachen, dacht ze terwijl ze rood werd.

'Die zalige, mooi gestileerde tijd van vroeger,' hoorde ze hem zeggen, monkelend, zo meende ze opgelucht tehoren. 'De meisjes hadden een chaperonne, de heren een hoge hoed en een dunne wandelstok met een zilveren knop. En alles gebeurde met briefjes, die gebracht moesten worden met een koets of een heel trage auto, daar tussen in dagen en dagen van ondraaglijke onrust en daarna bedwelmend geluk. Ik ging bijna zeggen, laat mij ook eens vier dagen wachten, dan zal mijn geluk nog groter zijn.'

Wat zeg ik nu, dacht ze nerveus, maar hij sprak alweer. Hij vroeg of de auto om acht uur mocht voorrijden. Ze hoefde zich niet ongerust te maken, hij bezat alle avondpassen.

'Wat die kerel van bij jullie betreft, van bij Doelin bedoel ik, die punker...' Weer viel het haar op dat hij Doelin zei, niet Ilja. 'Pieker er niet te veel over hoe het die richting is kunnen uitgaan. Er is vraag naar zelfmoordrijders. Ze worden gezocht. Ze worden geronseld, zoals de betaalde huursoldaten voor Napoleon. Heiligen voor Allah, wordt dan gezegd, dat laat men die jonge stakkers ook weleens geloven, maar zo goed als altijd heeft Allah er niets mee te maken.'

'Betaalde huursoldaten? Hoe zeg je dat toch? Voor geld verniel je toch jezelf niet. Wat ben je met geld als je dood bent?'

'Macht gaat door voor een grote schat.'

'Niet na je dood. Wat moet je met macht in je graf?'

'Naïeve mensen kun je veel wijsmaken. Je bent daar wel degelijk intens mee bezig. Voor de Amerikanen zijn de zelfmoordenaars een soort van roversbende die ergens een hol heeft. Ze hebben er in Spanje weer eens drie gepakt, zeggen ze dan. In Londen zitten er een paar in de gevangenis. In Afghanistan waren er opleidingscentra voor die jongelui en Israël, steeds volgens Bush, krioelt daarvan. Dat hoopje gekken moet je uitroeien zoals je een wespennest uitrookt. Maar dat is niet zo. Het gaat hier niet om een bende of om verschillende bendes. Ga niets doen of laten omdat ik wat zeg. Doe je speurwerk. Ga na waar jongelui die plotselinge razernij vandaan hebben en voor wie ze werken. Maar zoek niet naar een bende. Die is er niet. De jongelui die met Boeings de torens in Manhattan omver ramden, zijn niet dezelfden als de lui die in Tel Aviv in een Israëlische bus gaan zitten en die dan laten ontploffen. Ze doen hetzelfde, maar niet om dezelfde reden, zo goed als zeker ook niet voor dezelfde opdrachtgever. De jongelui destijds in de voorsteden van Algiers, dat is weer wat anders. De Tsjetsjenen in dat theater in Moskou, dat is nog wat anders. De jonge boeddhistische monniken die op een plein gingen zitten, benzine over zich heen goten en zich dan in brand staken, dat is weer eens wat anders. Het heeft niets te maken met de gevangenissen in Noord-Ierland, waar jongelui in hongerstaking gingen en stierven. En er is geen enkel verband tussen hen en de fakirs, die ik goed ken en die je in het Himalaya-gebergte op een rotstafel kunt zien zitten, maandenlang, tot het lijkt of daar in de regen een stenen man zit. Na een tijd is daar alleen nog een skelet in een huid, dat zit rechtop en daarna valt dat om. Bij de fakirs schijn je niet meer van een doel te kunnen spreken. Wat zij doen, doen ze in hun eentje, helemaal afgezonderd van de wereld, maar toch doen ze het. Iets in hen drijft ze daartoe, zeggen wij dan, maar een vraagje daarbij: staat het vast dat het iets *in* hen is? Het kan evengoed iets buiten hen zijn. Dat zit volgens mij zelfs dichter bij de waarheid. Het is maar een mening. Wij zijn allemaal heel hard aan het leven gehecht. Ze moeten wat met ons doen eer we dat laten varen, waarmee we dan weer bij ons uitgangspunt zitten, bij jouw uitgangspunt: die "ze", wie zijn dat en wat doen die met ons? Je ziet dat je maar naar mij moet luisteren, dan geraak je pas vooruit.'

Dreunend declameerde hij:

'Habe nun, ach, Philosophie,
und leider auch Theologie,
Juristerei und Medizin
durchaus studiert mit heissem Bem.h'n.
Da stehe ich nun, ich, armer Tor,
und bin so klug als wie zuvor.'

'Zeg!' zei ze verrast. 'Je kent Duits. Goethe nog wel. En wat een accent!'

'Ik heb een jaar in Heidelberg gestudeerd,' zei hij.

'Daar ook al? Engeland en Amerika, dat wist ik al. Je wou het blijkbaar allemaal weten.'

'Heel juist. Domme mensen vinden alle andere mensen dom, zij blijven het dus ook. Als je daarentegen de anderen voor heel verstandig houdt, en jij dan nog een schepje erbij, dan valt de macht in je schoot.'

'Ik ben blij dat ik daar geen geld hoorde rinkelen. Toch had ik in de plaats van macht wijsheid kunnen horen.'

'Wijsheid is een zeldzaam geluid, macht galmt over de aarde. Je hebt daarnet dat gebons toch gehoord en de verborgen honger. Die verborgen honger, je vermeldt hem. Je had die dus in je. Die heb ik altijd in me. Dat bonst in mij, wanneer ik op een bergtop sta, de mond gesloten, galmen de valleien. Ik zal je eens vertellen waarom ik wat weet van bonzende hoofden. In mijn jeugd, in Noord-India, waren er ook jezuïeten, die hadden een kerkje en in die kerk hingen twee klokken, een gewone klok en een zware voor de hoogmis 's zondags en als er iemand van hen doodgegaan was, klonken de twee klokken tegelijk. Ik mocht als knaap met een zekere pater Shelley mee de kerk in en ik mocht ook al eens de klok luiden, hij de kleine en ik de grote. Het bracht mij zo in vervoering dat ik het touw vastgreep toen het op zijn laagste punt was. Die machtige klok rukte mij mee de hoogte in, ik bonsde met mijn hoofd tegen het gewelf van die zijkapel en stuikte half bewusteloos naar beneden. Misschien zou ik wel dood geweest zijn als die pater Shelley mij niet had opgevangen. Ik beweer nog steeds dat mijn hoofd toen een volle week geluid heeft.'

'Rao, zou jij een martelaar gebruiken als je dan opeens tien bedrijven meer had?'

'Tien niet, honderd wel.'

'Nee, ernstig.'

'Dat was ernstig.'

'Ik kan het niet goed geloven.'

'Doe het toch maar. Het maakt van mij geen boosaardige man.'

'Dat betwijfel ik.'

'Ik ben anders dan je vrienden in Bagdad Palace. Je sympathieke vrienden in het sympathieke Bagdad Palace. Zij gaan uit van de mensheid zoals die zou moeten zijn, ik ga uit van de mensheid zoals die is.'

'Ik wil niet klinken als een dominee, maar je kunt de mensheid toch beter maken?'

'Volgens mij niet. Je kunt de mens gezonder maken, je kunt hem leren lezen en schrijven zodat hij in boeken kan kijken en zien wat daarin staat. Je kunt zijn leven ordelijker maken en daardoor veiliger. Je kunt hem leren dat niet één tijgerachtig wezen op een troon regels moet opleggen, maar dat je met zijn allen daarover afspraken kunt maken. Je kunt hem leren wat vrijheid is en hoe je over die heel aangename toestand kunt waken. Maar veranderen kun je hem alleen door in hem te snijden. Genen eruit halen, andere erin planten. Dat werd al eens gedaan. De zogenaamd verkeerde soort uitroeien om de zogenaamd betere soort over de wereld te laten heersen, ook dat werd al eens gedaan. Met dergelijke dingen moet men heel voorzichtig omspringen.'

'Opvoeden, daar geloof je niet in?'

'Wat het ordelijk samenleven betreft wel. Verder gaat dat niet. Ook de politiek gaat niet verder. Maar als we nu eens ophielden elk op zijn stoel te blijven zitten met half Bagdad ertussen, we zouden ook bij elkaar kunnen zitten in mijn fauteuils, of jij in een fauteuil en ik op een kussen aan je voeten, tegen je knie aan geleund, of ik in een fauteuil en jij op een kussen, tegen mijn knie aan geleund, dan zou dat de gelukkigste knie van de wereld zijn.'

'De knie niet, dat spreken we zo af. Of werd van op de troon daarover een ander decreet uitgevaardigd?'

'Vroeger waren de vrouwen bescheiden en matig ontwikkeld. Je kwam de vrouwen tegen in de kerk, in de keuken en in de kinderkamers. Waarom hebben ze hen daar niet gehouden?' vroeg hij zuchtend.

14

Was hij nu een hedendaagse, op zijn Amerikaans geschoolde zakenman of nog steeds in het geheim een autoritaire oosterling met neigingen tot onbetrouwbaarheid en corruptie? Nicola vroeg het zich af terwijl ze zich nog even monsterde in de spiegel in het halletje van haar hotelkamer.

'Meid, je hebt wéér je beste plunje aangetrokken,' zei ze tegen het meisje voor wie de smalle rechtopstaande spiegel net hoog genoeg reikte.

Haar vingertoppen gleden even over het roomkleurige mantelpakje en de zijden bloes. Ze keek naar de hoge hakken, waarmee zij nu de grootste zou zijn, besefte ze genoeglijk. Ze schudde even haar wuivende haren door elkaar.

Ik heb dit niet tegen Ilja gezegd, dacht ze. Ze merkte een begin van weemoed en een vleugje onrust in haar blik. Ik ga naar hem omdat hij veel weet, omdat hij de stad goed kent, zei ze tegen het meisje in de spiegel. Dat is waar, dacht ze kregelig in de lift. Overigens hoeft dat niet waar te zijn, overwoog ze terwijl ze door de hal stapte. Die Rus aan wie ik altijd maar wil denken is verleden jaar twee keer een afspraak vergeten. Twee keer ben ik toen toch naar hem toe gegaan.

Een Sikh, dacht ze verrast toen ze tussen de oleanders van het hotelpark de Bentley zag staan en bij het open portier een stevig gebouwde man in wit chauffeurspak, met daarboven een volle zwarte baard en een volumineuze witte tulband. De sterke mannen van India, met wat meer ontwikkeling en een wat lossere godsdienst, de technici, de soldaten, de politiemannen, de treinbestuurders, de taxichauffeurs. De dikke bundels gitzwarte haren onder hun tulband waren een symbool van hun kracht. Om de pols droegen zij vroeger een duimdikke massieve ijzeren ring. Door een stulpende beweging van de arm kwam die in hun handpalm terecht en werd een gevaarlijk slagwapen. Nog steeds, als ze hun hemdsmouw omhoogduwden, zag je daar een sierlijk dun metalen armbandje.

'Ja, mevrouw, ik ben een Sikh,' zei de chauffeur glimlachend nadat Nicola het hem gevraagd had.

'Dan ken ik ook al het laatste deel van uw naam,' zei Nicola.

'Mijn naam is Indar Jeet...'

'... Singh.

'Dat klopt. U weet dan zonder twijfel ook dat *singh* leeuw betekent. U loopt in het geheim te glimlachen om onze mannelijke ijdelheid.'

Ze vertelde dat ze opgegroeid was in het grensgebied tussen Pakistan en India, niet ver van de stad Amritsar, en dat jonge Sikhs haar speelkameraadjes geweest waren.

Toen ze ingestapt was, zei ze dat ze nog altijd een beetje Urdu kende, maar niet veel. Aandachtig haar woorden zoekend zei ze in die taal dat Bagdad 's nachts als de maan scheen, bijna even blauw was als wit.

'Ik heb het begrepen,' zei Indar genoeglijk.

'Die taalleraar sloeg met de lat op onze knokkels als we het verkeerd schreven en op ons hoofd als we het verkeerd zeiden.'

'Het is oppassen geblazen met Sikhs,' zei Indar. 'Ze slaan erop los.'

'Ben je ook een beetje de lijfwacht van Rao?'

'Ja mevrouw,' zei Indar ernstig.

Je kon in het donker niet goed zien waar gebouwen in puin lagen. De weidse blauwigheid en daarin hoog en ver de spectaculaire goudkleurige maansikkel bekoorde Nicola. Indar trok even de schouders op toen schuin links voor hen in de verte geweerschoten weerklonken. Hij deed dat weer toen rechts van hen doffe slagen galmden en toen een rood schijnsel boven de verre huizen zichtbaar werd.

Hij had al enkele keren in de achteruitkijkspiegel gekeken toen hij op een pleintje stopte.

'Niets te vrezen,' zei hij. 'De auto is geblindeerd. Ik moet iets doen. Beter maar hier, dan in een steeg.'

Een motorrijder, het hoofd omzwachteld met een doek, reed voorbij en bleef voor hun auto staan. Op de duozit zat een man met een geweer, ook zijn hoofd was helemaal omzwachteld. Ze sprongen van de motor en kwamen naar hen toe gelopen, maar hielden geschrokken halt toen Indar uitgestapt was en een stengun voor hen ophield.

'Achteruit,' zei Indar. 'Komaan, komaan. Nog verder. Voorbij de motor. Nog verder.'

Indar volgde hen tot hij bij de motor kwam en was toen even in de weer met iets onder aan het cilinderblok. Hij maakte iets los, naar het Nicola leek, en schopte vervolgens iets krom. 'Nu naar de andere kant van het plein,' zei hij tegen de twee kerels. 'Daar, bij dat stukgeschoten huis gaan staan. Vooruit, snel wat of je krijgt wat in een dij en dan kun je ernaartoe hinken.'

Hij vuurde een kogel af die afketste op de straatstenen naast hen. Ze sloegen op de vlucht.

'Jij hebt dat al eens eerder gedaan,' zei Nicola bewonderend nadat Indar weer ingestapt was en ze weggereden waren.

'Twee of drie, dat is geen probleem,' zei Indar. 'Zeven of acht, dan kan het wat anders worden.'

'Je haalt er geen politie bij.'

'Misschien was het de politie wel. Overal zijn er groepen of groepjes, ze vechten allemaal tegen de Amerikanen, maar ook tegen elkaar. Ze bezetten een wijk, maar daarna komen er anderen en die pakken hen die wijk af of een deel ervan. Je bent opstandeling, daarna speel je voor politieman en daarna ben je weer opstandeling.'

'Godsdienst?'

'Ook al. De sjiieten mogen de Amerikanen niet, maar ook niet de soennieten. De soennieten mogen de Amerikanen niet, maar ook niet de sjiieten. Maar vooral heb je te maken met vrijheidsbewegingen, mensen die hun land terugwillen. En dan zijn er de gewezen ministers, de gewezen gouverneurs, de gewezen kolonels, de gewezen politiehoofden. Aan de toekomst denken. Er op tijd bij zijn. Aanhang verwerven. Wapens bemachtigen. In de buurt van de geldpot komen. Ik denk dat in Bagdad iedere nacht wel op tien plaatsen gevochten wordt. De meesten weten niets van elkaar. Wie slaan er het hardst? De moslimfanaten of de vrijheidsstrijders? De vrijheidsstrijders, zonder enige twijfel. Irak is al heel lang een lekenstaat. Je mag er moslim zijn, maar je moet het niet. De meerderheid van de mensen kent niet het verschil tussen sjiieten en soennieten. God is hier een vage notie. Zoals op de meeste andere plaatsen, denk ik. Ik heb in Marseille en in Londen gewoond, ik heb daar nooit iemand het woord God horen gebruiken. Ik ben eens met vakantie geweest in Spanje, daar spreken ze over Real Madrid, niet over Jezus Christus. Wij, Sikhs, maken drukte over cricket en polospelers. En u, in Brussel?'

'De mannen over Club Brugge, de meisjes over Rock Werchter en Axelle Red.'

'Wie is Axelle Red?'

'Een jong meisje met rosse haren, zo dun als een grasspriet. Ze maakt heel mooie muziek. Ze is een schatje. Ze begeleidt zichzelf. Het lijkt dan alsof er een vogeltje aan die vleugelpiano zit.'

'Kent u haar?'

'Ja, heel goed. Ik zal haar vragen eens een plaatje naar u te sturen.'

'Toch niet zo'n getjingeltjangel met elektrische gitaren? Daar word ik ziek van.'

'Zeg, wij worden wel ziek van jullie getjingeltjangel met citers en rieten fluiten en de helft van halve tonen.'

Ze lachten allebei vrolijk.

Waarom ben ik zo opgewekt, vroeg ze zich af. Waarom zit ik hier geamuseerd met deze man te kletsen?

Hij is niet half zo cynisch als hij zich voordoet, dacht ze. Haar hart sloeg even over bij het besef dat ze overgeschakeld was op de andere hij. De Hindoe, die ook een Californiër, een Londenaar of een Heidelberger kon zijn, die niet de wereld wilde verbeteren en die dat met onthutsende, bijna vrijpostige openhartigheid bekende.

Hij is geen boze man, dacht ze. Hij poseert een beetje, zoals wij allemaal, maar de essentie van wat hij zegt is waar. Het lukt hem in vrede te leven met de onaangename waarheid dat de mens niet veel waard is. Wat verschilt hij daarin van Wood, de arme Britse geleerde! Die kon wiskundig bewijzen dat de mens niets waard was, maar hij kon er niet mee leven. Dat vernederende inzicht verschroeide hem. Hij leefde in ballingschap in een door hemzelf gefundeerde zekerheid. Hij kon niet eens verachting voelen, en zeker geen haat voor een mensheid die zichzelf niet wilde kennen en protserig paradeerde, behangen met nepdecoraties. Het schouwspel griefde hem. Beschaamd zat hij daarover in boeken te lezen. Soms wees hij een titel aan in een krant. Nog een aap met zijn roedel, zei hij, wanneer ergens een nieuwe premier of president zijn ambtstermijn begonnen was. Maar Rao kende de driften en de passies. Het hijgen en stoten, het krijsen, het ratelen. De geweldige, stokoude, ondoelmatige machine. De raderen en drijfstangen, de vunzigheid van olievlekken overal, het stof daarin dat vuilnis werd. Hij fungeerde in die wanorde zonder zin. Hij manipuleerde die. En vulde zijn zakken. Waarom niet, zei hij dan, bijna radeloos. Waarom zou ik de Amerikanen moeten verbieden al die pakken dollars in mijn koffer te stoppen? Wie heeft de mensheid ooit geleerd hoe ze moet leven? Wie heeft daar regels voor opgesteld? De bewoners van Mars misschien, een miljard jaar geleden, dan een beetje verder van de zon, ijzige koude opeens, grote droogte en iedereen dood. Dat kleine rode vlekje, waar wij duizend jaar door onze telescopen naar gekeken hebben, dat we nu opeens zien, dankzij een schattig speeltuigje dat daar geland is. Zitten de grote regels in die ruige bergruggen en kloven? Hadden die niet eerst aan ons doorgegeven kunnen worden zodat wij ten minste iets wisten? Ze had Wood dat allemaal eens horen zeggen. Een hele nacht lang had hij gepraat, terwijl Ilja onderaan tegen een muur op kussens op de grond lag te slapen. Wood leek dan iemand die met prikkeldraad zijn eigen huid aan flarden wilde scheuren. Ilja werd dan een oppervlakkige nitwit met het beste hart van de wereld.

'Zei u wat mevrouw?' vroeg Indar.

'Nee, nee, ik praat soms in mezelf,' zei ze haastig. 'Het is een slechte gewoonte.'

'Au, au, wat daar aankomt is minder goed,' zei Indar. 'Als u uw veiligheidsriem niet om heeft, houd u dan goed vast aan de stang achter mijn rug. Het kan tot horten en stoten komen.'

Een kleine menigte kwam hen in de brede straat tegemoet, haveloze jongelui met een doek voor hun gezicht. Velen hadden een knuppel in de hand, sommigen een geweer. Het waren er wel twintig, misschien wel dertig, dacht Nicola. Een paar hadden fakkels. De jongens die een geweer droegen, kwamen vooruitgestormd en richtten de loop op hen. Enkelen vooraan in de menigte maakten grote gebaren dat ze moesten stoppen. Indar drukte op het gaspedaal en raasde op hen toe.

'Nee, pas toch op!' riep Nicola. 'U zult hen nog overrijden. Kijk, ze versperren ons de weg!'

'Ik ben bang, maar zij zijn nog banger, denk ik,' riep Indar.

Hij raasde door. IJlings stoof de menigte uit elkaar. Bons bons, klonk het links en rechts. Nicola zag jongelui de grond op tuimelen.

'Nee, ze krasselen weer overeind,' riep ze blij, achterom-kijkend.

Kogels werden op hen afgevuurd en knalden tegen hun auto. 'Wees niet bang, die gaan er niet door!' riep Indar.

Met een slipzwaai ging hij een hoek om en reed dan, rusti-ger weer, over een laan met palmen.

'Indar, wat deed u daar toch?' vroeg Nicola.

'Het verliep zoals ik zei. Ze waren banger dan ik,' zei Indar met een stram glimlachje.

Ze sloegen rechts af, reden door een overwelfde dubbele poort die voor hen openging en achter hen weer gesloten werd door twee gewapende bewakers. Er volgde nog een tweede poort, daarna reden ze over een houten brug die opgehaald kon worden naar Indar zei, en toen kwamen ze in een park met grasvelden en bloemperken en daar stond, op de oever van de Tigris, een weidse witte woning, gebouwd in de trend van een Florentijns renaissancepaleis.

'Ik heb eens een foto van deze plaats gezien,' zei Nicola. 'Is het een van de paleizen van Saddam?'

'Ja,' zei Indar.

Ze zag Rao al van ver. Hij kwam van de bovenste trede van de terrastrap naar beneden gelopen. De auto stopte zo dicht bij hem dat hij meteen het portier voor haar kon openen. Hij hielp haar bij het uitstappen en gaf haar een kus op haar wang, dicht bij haar mond. Het bracht haar in de war, maar hij had het zo natuurlijk gedaan dat je het voor een gewone handel-wijze scheen te mogen houden.

'Wees welkom,' zei hij. 'Dit grote prachtige huis, deze weidse oester heeft nu zijn parel.'

Ze vertelde hem wat er gebeurd was. Hij ging de achterkant van de auto bekijken. Dat onderzoek viel duidelijk mee. Toen stond hij voor Indar. 'Sakkerse Leeuw,' zei hij terwijl hij hem met zijn vuist een stootje tegen de schouder gaf.

Hij hield haar bij de arm terwijl ze de trappen beklommen. Verstoord keek hij naar haar om. 'Hoe komt het dat je nu groter bent dan ik?' Hij keek naar haar schoenen. 'Hoge hakken!' riep hij. Toen lachte hij beschaamd. 'Sorry,' zei hij. 'Als je mij niet uur na uur bewaakt, staat die macho in mij op.'

Maar terwijl hij haar het ene weelderige vertrek na het andere toonde, merkte ze dat hij nog steeds met gefronst voorhoofd van opzij naar haar opkeek. Het ging over toen ze met hem in het verrassend moderne, kleine salon naast de eetkamer zat. Ze vertelde ook over de motorrijders en het geweer.

'Toen ze Saddam nog hadden, was het hier veel rustiger,' zei hij. 'Het leek soms alsof ze het aan hem overlieten om wat tegen de Amerikanen te doen. De schrik zat er ook nog in. Iets doen wat Saddam misschien op een andere manier gedaan zou hebben? De stad leek te wachten. Nu barst het overal uit.'

'Je draagt het hindoepak van de belangrijke meneren,' zei ze. 'Helemaal in het zwart, zijige stof, smalle broek, halflange jas, opstaande boord, lange rij knoopjes. Je zou Nehru kunnen zijn, of die zoon van Indira Gandhi, die piloot die het land moest gaan besturen. Je had ook een pak van Karl Lagerfeld kunnen dragen. Waarom dat hindoepak?'

'Je hebt me eens gezegd dat wij Hindoes de elegantste mannenkleren van de wereld hebben. Je bedoelde daar natuurlijk niet de *dhoti* mee, die grote vormeloze luier die afzakt tussen de knieën waar hij dan hangt te waggelen onder een hemd met slippen. Je bedoelde de stadskleding. Het verbeterde radjapak, zei je, niet meer het witte brokaat met veel goud en zilver en pluimen en edelstenen.'

'Ik heb niet over pluimen gesproken.'

'Goed, niet over pluimen, maar toch over kerstboomversieringen, op de tulband bijvoorbeeld. En robijnen en smaragden en turkooizen, maar effen donkergrijs, of lichtgrijs, of zwart.'

'Ja, dat vind ik allemaal nog steeds. Je staat daar denderend elegant. Maar ik denk niet dat je het daarom hebt gedaan.'

'Waarom dan wel, pienter, vrijuit pratend meisje?'

'Gewoon om jezelf te zijn. Een Hindoe die het gemaakt heeft. Een brahmaan die het zichzelf en zijn lot verplicht was om te slagen.'

'Dat verplichte slagen zit je dwars, nietwaar? Dat verplichte verdrukken, dat verplichte uitbuiten, dat totaal immorele. Dat anders morele dan dat van jullie.'

'Ik heb er begrip voor.'

'Zoals je begrip hebt voor brandnetels? En de gier en de valk?'

'Dat zijn heel mooie vogels,' zei ze.

'Elegante, zoals ik.'

Ze glimlachte.

'Maar ze grijpen zwaluwen, houden die tussen hun klauwen en trekken ze met hun gekromde bek aan stukken.'

'*Homo homini lupus,* voor de medemens is de mens een wolf, zei al iemand in het oude Rome.'

'Met schokkende uitspraken paradeer je zoals met schokkend dure pakken.'

'De mens is een roofdier! Nog een klontje ijs in mijn bourbon, Bannie,' zei hij tegen een helemaal in het wit geklede bediende die hun drankjes gebracht had. 'Is de sherry koel genoeg?' vroeg hij.

15

'Je kunt hier de pracht en de praal zien, de illusies waarmee wij, mensen, ons omringen,' zei hij wat later, toen hij haar naar de eetkamer had gebracht.

Van daar uit konden ze de Tigris zien, en daarachter de woestijn.

Tweeëntwintig personen bewaakten het paleis, zei hij. Heel wat friezen en frontons en zuiltjes waren slechts schijnbaar marmer. Hij tokte er met de knokkels op om de holle klank te laten horen. Een aantal zogenaamd echte schilderijen waren slechts foto's in vergulde lijsten van piepschuim. Er waren ook grote, zogenaamd Chinese vazen. Die bestonden uit plastic, met daaroverheen beschilderd papier. Meubels uit zogenaamd kostbaar hout, versierd met intarsiawerk, bestonden uit vederlicht wit hout beplakt met afbeeldingen van intarsiawerk.

'Maar het is heel goed gedaan,' zei hij. 'De binnenhuisarchitect die hier gewerkt heeft, is een meester-illusionist. Alleen als je het onderzoekt kun je te weten komen dat het bedrog is. Die grote tapijten, daar, kijk, je zou ze zo in Versailles leggen, wel, het is katoen. Je merkt niets als je voorzichtig stapt, maar je kunt de lappen van hier naar ginder schoppen.'

'Waarom woon je hier dan?' vroeg Nicola.

'Omdat dit de aarde is waarop wij leven. Nep. Bedrog, zei ik vroeger dikwijls. Ik was dan boos. Maar dat is voorbij. Bijna alle mij bekende geestelijke leiders die ons vertellen dat de aarde zinvol is en ons leven daarop nog meer, weten niet beter. Ze hebben het van anderen gehoord, doorgaans van personen van wie ze houden en die ze eerbiedigen, hun ouders, hun leraars, hun vrienden. Gehoorzaam, braaf stappen ze mee in het stoetje. Ze hebben gelijk. Ze doen wat ze menen dat juist is. Zij die wel beter weten en de schijn gebruiken om macht of rijkdom te verwerven, hebben ook gelijk. Zij doen wat zij menen dat juist is. Ze hebben veel betere bewijzen voor hun gelijk dan de eersten. Zij hebben veel betere getuigen.'

'Wat zo vreemd voor me is, Rao, is dat je zo rustig bent,' zei Nicola. 'Je spreekt over al die afschuwelijke dingen alsof je bezig bent met zaken doen.'

'Zo is het ook. De kneep van het zaken doen, de grote truc, is iets weten wat de anderen niet weten. Die moet je altijd toepassen. Dan word je steenrijk.'

'Het is bedrog.'

'Natuurlijk. Maar jij kunt er toch niet aan doen dat de ander dom is? Dat is toch niet jouw schuld? Je moet uit goedhartigheid niet ook dom gaan zijn.'

'Ik geef het op,' zei Nicola ongelukkig. 'Ik ga niet akkoord met je.'

'Is het onjuist wat ik zeg?'

'Euh... Nee, niet echt.'

'Is het slecht?'

'Als ik dat zeg, zul je wel vragen wat goed is en waar ik dat vandaan heb, wie dat tegen ons gezegd heeft. Laten we niet meer redeneren, toe. Laat mij nog een beetje ongelukkig zijn en wees jij maar gelukkig.'

In de grote praalbibliotheek had ze kasten gezien waar alleen maar de ruggen van boeken zaten en niets daarachter, maar op de roomkleurige rekken, in de eveneens heel moderne eetkamer waar ze nu zaten, waren het echte boeken, Franse literatuur, Engelse romans, Russische romans, Duitse poëzie. Ze keuvelden daarover terwijl ze aten. Het verraste haar dat hij van dezelfde boeken hield als zij. Door glazen tussendeuren zag ze dat er ook een grote, pralerige eetkamer was, met porselein en zilver en vergulde kasten in allerlei Franse stijlen. Daar kwam hij nooit, zei hij. Koffie dronken ze in een gezellig vertrek, weer met boeken, waar je je in een scheepskajuit waande. Daarna zaten ze met glaasjes port op een halfrond balkon boven een erker, met aan hun voeten een kronkel van de legendarische woestijnrivier die er al was van voor de bijbel. Ze wisselden herinneringen uit over het noordelijke deel van India, dat ze beiden goed kenden, over Parijs, over Londen, over het rebelse, kunstzinnige Berlijn van voor de Tweede Wereldoorlog, over het nieuwe Berlijn dat weer mooi werd en waar opnieuw kunstenaars woonden. In New York bleken ze allebei eens verbleven te hebben in hetzelfde kleine hotel op het pleintje van de Village, nota bene rond hetzelfde tijdstip. Ze kenden beiden heel goed het beroemde restaurant Bologna in San Francisco. Nicola leerde hem enkele Nederlandse zinnen. Hij vroeg haar die om te zetten in het Brusselse dialect waar ze het over hadden gehad. Het lukte hem zo goed dat accent na te bootsen dat ze het uitschaterde. Hij leerde haar hoe je Urdu sprak met een Bengaals accent. Ook hij was hoogst tevreden over zijn studente.

Hij citeerde verzen van Yeats. Zij haalde een bundel gedichten van Elizabeth Barrett Browning uit een rek.

'Haar sonnetten behoren tot de mooiste die ooit in het Engels geschreven zijn,' zei ze.

Zij las:

> *'If thou must love me, let it be for nought*
> *Except for love's sake only. Do not say*
> *"I love her for her smile... her look... her way*
> *Of speaking gently,... for a trick of thought*
> *That falls in well with mine, and certes brought*
> *A sense of pleasant ease on such a day" –*
> *For these things in themselves, Beloved, may*
> *Be changed, or change for thee, – and love, so wrought,*
> *May be unwrought so.'*

Hij zei: 'Wat deze lieve dichteres schrijft, is zo waar dat ik haar in mijn armen zou willen sluiten. Ik ken ook nog enkele verzen van haar.'

Met gesloten ogen reciteerde hij:

> *'How do I love thee? Let me count the ways.*
> *I love thee...'*

Snel bladerend vond hij het gedicht. Hij las:

> *'I love thee to the depth and breadth and height*
> *My soul can reach, when feeling out of sight*
> *For the ends of Being and ideal Grace.*
> *I love thee to the level of every day's*
> *Most quiet need, by sun and candlelight.*
> *I love thee freely, as men strive for Right;*
> *I love thee purely, as they turn from Praise.*
> *I love thee with the passion put to use*
> *In my old griefs, and with my childhood's faith.*
> *I love thee with a love I seemed to lose*
> *With my lost saints, – I love thee with the breath,*
> *Smiles, tears, of all my life...'*

Hij legde het boek omgekeerd op zijn knie en voltooide uit het hoofd:

'... – and, if God choose,
I shall but love thee better after death.'

'Bravo,' zei ze stilletjes.
'Wat daar staat, zei ik tegen jou,' zei hij.
'Het zou mooi zijn als Elizabeth dit kon horen.'
Ze vroeg of hij iets had van Omar Khayyam.
'Ik denk dat ik alles heb van Omar Khayyam,' zei hij.
Hij zocht in de rekken en haalde er een klein, in leer gebonden bandje uit. Hij opende het bij een klein, geel papiertje dat erin stak.
'Iets wat ik vroeger mooi gevonden moet hebben, want kijk, hier zit iets. Eens kijken of ik het nog steeds mooi vind.'
Hij las:

'The Moving Finger writes; and, having writ,
Moves on: nor all you Piety nor Wit
Shall lure it back to cancel half a line,
Nor all your Tears wash out a Word of it.'

'Heel mooi, heel droevig,' zei Nicola. 'Is het ook waar? Voor de Arabier is alles wat het is, alles blijft zoals het is. Dat is soms goed, soms niet, vindt dit kleine westerlingetje.'
Hij las verder:

'YESTERDAY This Day's Madness did prepare;
TO-MORROW's Silence, Triumph, or Despair:
Drink! for you know not whence you
came, nor why:
Drink! for you know not why you go, nor
where.'

Nicola zei: 'Niet alleen is alles wat het is en blijft het zo, maar we weten zelfs niet waarom het zo is, we weten ook niet waar wij vandaan komen en waar wij heen gaan.'

'Grote waarheid,' zei Rao.

'Grote, treurige waarheid,' zei Nicola. 'De Arabische denkwereld zal voor mij altijd gesloten blijven. Dat alles vooruit beslist zou zijn, ook ons leven, en dat we daar niets aan kunnen veranderen, daar zal ik nooit mee instemmen. Zo zou ik niet kunnen leven. De dichter is ook niet gelukkig, zo lijkt het me. Als hij hier zou bedoelen: drinken uit vrolijkheid, dan is hij naïef, bijna dom. Natuurlijk bedoelt hij: drink en doe de ogen dicht en slaap.'

Ze hadden allebei Franse vrienden, zij hield van de hare, hij minder van de zijne. Hij vond de Fransen arrogant, aanmatigend, hoogmoedig. Zij zei dat ze zo spraken, ook weleens handelden, maar dat ze niet zo waren. Het was hun manier van doen. In hun binnenste waren de Fransen huiselijk en gezellig, weinig avontuurlijk en een beetje lui.

'Zijn zij de heel bekwame *latin lovers* waar ze voor doorgaan?'

'Nee,' zei ze. 'Ze willen een lange en lekkere maaltijd met drie flessen wijn en daarna hun pantoffels.'

'En wat doen dan de meisjes?'

'Die zuchten: *"Ah, les hommes."*'

'Zijn zij de beste maîtresses van de wereld?'

'Nee, zij vertroetelen hun loebas en dwepen met hun kinderen. Ze roepen naar hun spruiten dat ze hun *une bonne paire de claques* zullen geven als ze zoveel lawaai blijven maken, maar ze doen dat dan niet en dan maken die kinderen nog meer lawaai.'

Hij mocht de Zweden. 'Ze zeggen maar elk halfuur wat,' zei hij. 'Ze doen daarbij hun mond niet open, zodat je bijna niets hoort van wat ze zeggen, maar het klinkt hartelijk. Ze zijn heel goede vrienden. Trouwe zakenpartners. Het verloopt allemaal wel wat langzaam.'

Hij kende Chinese gedichtjes uit het hoofd. Ze lazen er meer uit een boek dat hij ging halen. Wel een uur lang bekeken ze wonderbaarlijk mooie Chinese prenten, die betoverende lijntjes in Chinese inkt, die wazigheid van de verten, die bekoorlijke lettertekens.

'Doe je zaken met hen?' vroeg Nicola.

Dat bleek gevoelig te zijn.

'Ja, ja, zeker doe ik zaken met hen,' zei hij toen ze aandrong, 'maar er zijn dingen waar ik moeite mee heb. Ik kan die geest van hen volgen. Die gaat hierheen, die gaat daarheen. Uiteindelijk stralen ze en knikken overvloedig, maar dan weet je alleen dat ze gestraald en overvloedig geknikt hebben.'

Het leek haar dat hij niet tegen hen opgewassen was. Hij ontkende het te snel toen ze hem dat vroeg. Hij glimlachte nerveus.

'Maar laten we zeggen dat China en India niet met elkaar uitgepraat zijn,' zei hij.

'Moeten een paar oude mannetjes daar nog naar een bejaardentehuis gebracht worden?' vroeg ze.

'Heel juist!' zei hij tevreden. 'Dat zal voor hen veel beter zijn. Of het ook voor mij beter zal zijn, weet ik niet.'

De map met de gravures kwam uit een la. Ze waren verrukkelijk. Hij had er van Dürer en een van Rembrandt.

'Zeldzaam dus kostbaar,' zei ze. 'Heel kostbaar.'

Hij vestigde haar aandacht op subtiele lichtspiegelingen, op water rond een oud Hollands stadje.

Ze dansten op muziek van Serge Gainsbourg. Ze voelde zijn kleren. De zachtheid van zijn vingertoppen beviel haar, terwijl hij haar hand vasthield tot ze weer op haar stoel zat. Ze luisterden naar Paolo Conte. Ze dansten opnieuw, bijna ter plaatse, terwijl Yves Montand *Les feuilles mortes* zong. Hij sprak enthousiast over Jacques Brel. Hij had op een vliegveld eens ontbeten met Mick Jagger. 'Een brave stouterd,' zei hij.

Ze spraken over de Indische filmindustrie. 'Honderden films maken wij per jaar,' zei hij droevig zuchtend. 'Allemaal over smachtende liefde. Opsluitingen en ontvoeringen. Wanhoop, daarna volmaakt geluk. We kunnen er niet genoeg van krijgen. Ik zal je eens een staaltje tonen.'

In een naburige kamer trok hij een wit scherm omlaag dat opgerold tegen de zoldering zat. Hij plaatste een rol op een camera, bracht die aan het draaien en knipte de lichten uit. Ze zaten te schateren bij een heel romantische scène en daarna opnieuw bij een nog veel meer romantische scène. Daarna vertoonde hij haar een stukje van een klucht.

'Nog, nog,' vroeg ze.

Maar hij wilde er niet mee doorgaan.

'Je moet niet denken dat ik er ook zo eentje ben,' zei hij.

'Nee, nee, jij bent een heel moderne, cynische dandy.'

Ze liepen terug naar het kamertje dat eruitzag als een scheepskajuit. Hij kwam op zijn knieën op een kussen bij haar zitten en nam haar handen in de zijne.

'Ik hou van je,' zei hij. 'Nicola Fransse, wil je met mij trouwen?'

'Trouwen met een heel moderne, cynische dandy? Nooit!' zei Nicola.

Hij vroeg het een tweede maal.

'Nee,' herhaalde Nicola.

Hij tastte in zijn zak en legde iets op haar knie.

'Dit is een cheque,' zei hij. 'Tien miljoen dollar. Een geschenkje van mij voor jou.'

'Zo zeker niet,' riep Nicola boos.

Ze greep de cheque, scheurde hem in stukken en wierp hem op de grond. Hij werd bloedrood en stond haastig op.

'Nu heb ik iets verkeerds gedaan,' zei hij ontredderd. 'Bij ons is het de gewoonte dat de man iets meebrengt wanneer hij zijn aanzoek doet. Vergeef het mij alsjeblieft. Er zat geen bedoeling achter. Ik wilde je graag wat geven.'

Ze liep naar de andere kant van het balkon en bleef daar bij de borstwering staan, de rug naar hem toe gekeerd.

Hij kwam achter haar staan.

'Zeg me wat ik moet doen om het weer goed te maken,' smeekte hij.

Ze liep terug tot bij het tafeltje. Ze keek op haar horloge. 'Het is erg laat. Ik moet maar eens opstappen,' zei ze. 'Indar hoeft mij niet naar het hotel te brengen. Ik zal wel een taxi vragen.'

'Nee, ga niet weg. Niet zo. Gewoontes verschillen. Dat stelt niets voor.'

Ze hoorden een ontploffing in de verte, wat later een veel zwaardere, dichterbij naar het leek. En dan een geweldig zware, nog dichterbij, die de ruiten aan het rinkelen bracht.

'Niet nog eens dichterbij,' gromde hij.

Hij liep door het huis om aan de andere kant te gaan kijken. Nicola volgde hem. Ze zagen vlammen en rook in de verte, op drie plaatsen.

'Geweld,' zei hij. 'Opstand. Het is niet waar dat het afneemt, het groeit aan. Niet alleen in Bagdad, overal laait het. Bush voelt zich sterker nu hij herkozen is. Hij gaat erop los, met legerafdelingen reeds. Ook de groepen van de milities worden groter. Tijdens de betogingen zie je wapens in de vuisten. Oorlog!' Op de plaats van de laatste ontploffing zagen ze steeds meer vlammen. Ze hoorden sirenes.

'Daar is een Amerikaanse legeropslagplaats,' zei hij. 'Geen wapens. Tenten, kleren.'

'De boel in brand steken is niet de goede manier om aan jassen en laarzen te raken,' zei Nicola.

'Er is daar ook een kazernegebouw,' zei Rao. 'Soldaten, vooral Iraakse, maar ook Amerikaanse. Ook kleine legerwagens bevinden zich daar, voor het snelle vervoer van troepen.'

Een paar maanden geleden was hij van plan geweest te verhuizen, zei hij. Op een Arabische satellietzender was gezegd dat de paleizen van Saddam nu bewoond waren door Amerikanen. Als je het goed aanpakte, had de reporter gezegd, kon je in één keer op tien, twaalf plaatsen tegelijk brokken wegschieten uit de Amerikaanse macht. Zo had hij het gezegd, brokken wegschieten uit de Amerikaanse macht.

'Ik vroeg me af of ik niet moest uitkijken naar een betere plek. Ik had het misschien moeten doen.'

Weer was er een zware ontploffing, maar niet dichtbij.

'Het onweer trekt weg,' zei hij glimlachend.

Hij pakte haar heftig bij de arm en zei: 'Liefje, je bent niet echt boos op me. Ik bedoelde niets verkeerds met dat geld. Ik bega weleens fouten. Ik herinner me opeens iets waar ik vroeger aan had moeten terugdenken. Een mooi, verfijnd, bejaard dametje in Parijs. Ze zei: "Als je een te klein cadeau geeft ben je een vrek; als je een te groot cadeau geeft ben je een pummel." Laat het maar weer de brahmaan in mij zijn, maar het zou ook best de gehaaide geldman in mij kunnen zijn. Die soort gaat weleens denken dat geld de toverspreuk is. Als je me nu zegt dat jij hier graag in mijn plaats zou willen wonen, dan ga ik morgen weg en je mag mijn personeel houden.'

Met een klein rimpeltje boven haar ogen zei ze: 'Was het echt tien miljoen?'

'Ja, dat was het.'

'Tien miljoen dollar?'

'Ja, tien miljoen dollar.' Met grote ronde ogen zei hij: 'Ik wil graag een nieuwe cheque schrijven.'

'Nee, nee, in geen geval.'

'Waarom begin je er dan over?' vroeg hij aarzelend.

'Een meisje wil misschien weleens horen wat er voor haar geboden wordt.'

'Je bent niet boos!' riep hij, opnieuw stralend.

Hij sloeg de armen om haar heen. Dat werd een dans. Daarna weer een.

'Ik heb je daarstraks met gepaste tact niet de bovenverdieping getoond. Dat lijkt me nu goed te kunnen.'

Hij leidde haar rond in de acht slaapkamers, de acht badkamers en de vier salons die zich boven bevonden.

'Iedere slaapkamer een badkamer, dat begrijp ik wel,' zei hij, 'maar er is telkens ook één salon voor twee slaapkamers, die zich aan weerszijden ervan bevinden, een rechts en een links. Hoe dat functioneert, weet ik niet,' zei hij, weer met dat aantrekkelijke opgewekte jongensgezicht.

Ze bleven staan keuvelen op een van de balkons. Daarna liepen ze weer naar beneden. Ze kuierden het park in tot bij het uitgestrekte zwembad.

'Hoe groot is dat wel?' vroeg ze.

'Zestien meter op acht,' zei hij. 'Je kunt je hier bekaf zwemmen.'

'Maar hoeveel huur betaal je hier eigenlijk?' vroeg ze. 'Onderhoud en personeel inbegrepen, bedoel ik.'

'Twaalf dollar per maand,' zei hij.

'Geen gekheid.'

'Ik durf geen groter bedrag meer te noemen,' zei hij.

Ze hurkte neer en stak haar hand in het water.

'Het is warm,' zei ze verrast.

'Ja, wat had je gedacht?'

'Ook de lucht is warm. Overdag heet, 's nachts lekker warm. Ik heb altijd van Bagdad gehouden. Zwemmen jullie misschien 's nachts?'

'Bij voorkeur,' zei hij.

Weer liet ze haar hand heen en weer gaan in het water.

'Doen we het?' vroeg hij.

Altijd weer dat mooie, vrolijke gezicht, dacht ze.

'Je hebt trek, ik zie het wel. Daar, dat is het poolhouse voor de meisjes. Dat daar aan de andere kant is voor de jongens. Goed ver van elkaar, zoals het past in een land van Mohammed. Bij jullie, in dat verloederde christendom, loopt het allemaal door elkaar. Je bent nergens meer veilig. Ik heb vier badpakken voor je gekocht, een wit, een zwart, een citroengeel en een amandelgroen. Ze liggen daar klaar, met bijbehorende handdoeken.'

'Wij doen soms *bain de minuit* in de Middellandse Zee,' zei ze. 'Dat is dan van bibberdebibber.'

'En elkaar met grote handdoeken warm wrijven,' zei hij.

'Dat hoeft hier dus niet,' zei ze.

Ze koos het amandelgroene badpakje.

Op verschillende plaatsen naast het zwembad leken kleine camera's te liggen. Overal nam hij foto's van haar. Ook onder water bleek gefotografeerd te kunnen worden. Ze zwommen crawl naast elkaar. Ze zwommen sneller, de volgende lengte nog sneller, daarna nog.

Ik denk dat ik hem kan kloppen, dacht ze. Vijf lengtes hadden ze gezegd. Om het lekkere van de uitputting te voelen.

Ongeveer naast elkaar, hij even voorop, vingen ze de laatste lengte aan. Ze zwommen uit alle macht. Ze kwam naast hem, helemaal naast hem. Het suisde in haar slapen terwijl ze gaf wat ze kon. Haar hoofd was even voor, daarna even het zijne, daarna weer het hare. Hijgend grepen ze de boordsteen.

'Wie was het?' vroeg ze. 'Wie?'

'Ik weet het niet,' zei hij. 'Jij, denk ik.'

'Nee,' zei ze. 'Tot daar wel, maar hier niet meer. Echt gelijk? Echt onbeslist?' vroeg ze. 'Je hebt je toch niet ingehouden?'

'Zie je dan niet hoe ik hier hang te hijgen?'

'Het was heerlijk.'

'Moeten we dus een andere keer nog eens doen,' zei hij.

Ze hing met de beide voorarmen over de boord gehaakt, daarop de kin, de ogen gesloten, nog steeds happend naar lucht.

Langzaam, naast elkaar, op de rug, zwommen ze naar de andere kant. Zo zwommen ze ook langs de randen het hele zwembad rond.

Daarna, steeds op de rug, snel roffelend met de benen, zijn handen om haar kin, nam hij haar mee naar de andere kant. Daar haakte hij zijn handen met gekruiste vingers in elkaar, liet haar daar op stappen en tilde haar met een zwaai op de kant.

'Dit was het allermooiste uur van mijn hele leven,' zei hij.

Ze raakte even zijn voorhoofd aan met de tip van haar voet.

'Rao, ik raak niet uit mijn vragen,' zei ze daarna, ongelukkig. 'Je vindt de Amerikanen schoeljes, maar je heult met hen.'

'Geef mij één reden waarom ik dat niet zou doen. Eén enkele, een kleintje.'

'Doe niet met een ander wat de anderen niet met jou mogen doen?'

'Dat is geen reden,' zei hij. 'Dat is zoals je hand terugtrekken van iets heets. Dat is geen mensengedoe. Je moet de mieren zien koersen als ze te dicht bij de barbecue komen. Overigens, als we allemaal goed voor elkaar gaan zijn, als we elkaar genezen en lang in leven houden, ook de niet ontwikkelde volken, dan zijn we in een mum van tijd met tien miljard en wat later met honderden miljarden. Dan vreten we elkaar weer op. Maar zoals ik je al zei, ik ben geen filosoof, ik ben een hebzuchtige domoor die in paleizen wil wonen.'

Was dat waar, was dat niet waar? Nicola stond hem ongelukkig na te kijken terwijl hij snel crawlend naar het poolhouse aan de overzijde zwom.

In het poolhouse vond ze een haardroger en ook allerlei kappersbenodigdheden. Er was ook stroom. Terwijl ze daarmee bezig was, gekleed in de witte badmantel die ook had klaar gehangen, rinkelde de telefoon. Ze vond die tussen flesjes parfum. Hij was het. Hij vroeg of hij haar mocht komen kappen. Hij kon dat, zei hij.

Hij kwam, gekleed in een donkerblauwe badmantel. Hij bleek heel goed haar te kunnen kappen. Ze monsterde zich behaaglijk in de spiegel.

Opeens weerklonken luide alarmbellen, overal, in het huis, in het park, zelfs buiten, naar het haar leek.

Er klonk rumoer bij de overwelfde toegangspoort. Gestalten holden door het park. Er klonken geweerschoten, ook een zwaardere knal.

Rao stelde haar gerust. Het had niets te betekenen, zei hij. Het gebeurde geregeld.

'Waarom zouden ze niet proberen hier binnen te breken?' vroeg hij een beetje droevig. 'Het kunnen best de kereltjes zijn die Indar uit elkaar gereden heeft. Ze hebben niet genoeg te eten, veel huizen hebben geen dak meer, ze hebben geen verwanten meer en vreemde bezetters doorkruisen hun stad.'

Indar kwam vertellen dat het wel degelijk het groepje gewapende jongelui was dat geprobeerd had hun auto tegen te houden. Weer hoorden ze geweerschoten. Op verschillende plaatsen in het park zag Nicola bewakers met stenguns.

Een poosje nadat het weer rustig geworden was zag Nicola dat twee haveloos geklede, slap neerhangende lichamen binnengedragen werden in het tuinhuis naast de ingang, en daarna nog twee gekwetsten die krampachtig bewogen.

Nicola vroeg: 'Zou dat allemaal gebeurd zijn als de Amerikanen dit land niet waren komen binnendonderen?'

'Nee,' zei Rao stil. 'Saddam was niet de grote zegen, maar dat had op een andere manier behandeld kunnen worden. In alle andere landen in deze buurt en ook buiten de buurt zit er een heerser die niet de grote zegen is.'

'Ben je er echt tegen gekant dat de Amerikanen dit land binnengevallen zijn?'

'Heel zeker. Het is niet hun land. Dan moet je daar je handen van af houden.'

'Je vindt het wel goed dat die Iraki's met geweld proberen de Amerikanen eruit te gooien?'

'Wat ik zei. Wat niet van jou is, daar moet je je handen van af houden.'

'Je vindt geweld goed.'

'Kijk, daar hebben we het weer. Wat is goed? Wat is kwaad? Ik weet wat nuttig is.'

'Je gelooft niet in God, of wel?'

'Ik ben geen godloochenaar. Ik ben een agnost. Iemand die het niet weet en die dus zwijgt. Je mag volgens mij alleen spreken over dingen die je weet.'

'Je bent er eentje uit de koude.'

'Ja, als je wilt. En iedereen wil het warm hebben. Dus hunkeren en dromen we maar. Ben jij gelovig, Nicola?'

'Nee, maar ik voel niet de behoefte om dat te beklemtonen. Ik ben daar niet blij mee. Ik ben daar niet trots op. Ik zou graag wel geloven, maar ik kan mezelf daar toch niet toe dwingen. Ik heb in Japan eens tussen shintobelijders gestaan. Dan klap je in de handen om de geesten van de voorvaderen op te roepen. Hallo, opa, hallo oma, wij zijn hier, hoor. Zijn jullie er ook? Ik moest daarheen om er reportages over te schrijven. Ik vond het heel aangenaam. Je komt ergens vandaan, je gaat ergens heen, je weet waarom je leeft, je bent met zijn allen verenigd en later zul je verenigd zijn met al degenen die al gestorven zijn, je kinderen en kleinkinderen komen later ook bij jou, je bent met zijn allen samen gelukkig. Je ondergaat dat. Je voelt die warmte. Altijd alles tegelijk,' zei ze verdrietig. 'Goed, kwaad, eeuwigheid, vergankelijkheid, het is zo verwarrend. Jij kunt ermee leven, nietwaar bekwame kerel? Ik denk zelfs dat je goed slaapt en je wordt er ook nog schatrijk mee. Ik ben er een van het soort dat wakker ligt. Ik wil altijd maar vinden dat ik de mensen moet helpen, maar ik kan niet eens mezelf helpen. Ik heb als heel klein meisje mijn overgrootmoeder nog gekend. Ik heb onthouden wat die zei: "Je mag niemand zeer doen." Wanneer ik daar later over nadacht, vond ik het alvast een goed begin. Je staat natuurlijk al klaar om mij te antwoorden dat die bullebakken het graag zullen horen.'

Hij stelde haar voor dat ze in het paleis zou blijven slapen.

'De buurt is onrustig,' zei hij. 'Ze hebben het niet op jou gemunt, maar Bush had het ook niet gemunt op de twintigduizend vrouwen en kinderen van Bagdad. In de ochtenduren heb je niets te vrezen. Dan zijn de helden weer moe en eenzaam in hun huis dat er geen meer is.'

Hij bracht haar weer naar binnen. Daar stonden warme broodjes met honing en kaneelkoekjes klaar. Ze constateerde verrast dat ze honger had.

'Na het zwemmen,' zei hij.

Ze wilde pepermuntthee vragen, maar ook die was er al.

'Weet je wat, schatrijke brahmaan,' zei ze. 'Tussen het bommenwerpen en poenrapen door ben jij best een aardige kerel.'

Hij liet haar een slaapkamer kiezen. Ze stond te twijfelen bij een groot rond 'pluimenbed', zoals hij het beschreef. Alleen maar pluimen. Slapen als een zeester, ze herinnerde zich die glorie uit haar jongemeisjesjaren, maar ze koos toch een wat kleiner hemelbed in een duidelijk door Italië geïnspireerde kamer met witte muren, een granaatrood tapijt op een donkerbruine houten vloer en eveneens donkerbruine balkjes in de zoldering.

'Ik zou morgen een aantal plaatsen willen zien waar je Bagdad aan het heropbouwen bent,' zei ze. 'Ik zou ook met jonge gevangenen willen praten. Kun je dat regelen?'

'Zeker.'

Ze stapte uit haar schoenen, zodat haar ogen net onder de zijne waren.

'Soms lijkt het me dat ik je helemaal ken,' zei ze, 'en dan weer helemaal niet.'

Ze gaf hem een kusje op zijn wang. Hij wees een witte drukknop aan.

'Het kamermeisje,' zei hij. Toen wees hij een rode drukknop aan, een eindje verder op een nachttafeltje. 'De bicepsen van dienst,' zei hij.

Weer waren er die blinkende ogen en dat mooie gebit.

16

Zeven achttien meter hoge gebouwen voor kantoorflats en zeven voor appartementen, liet hij haar de volgende dag bekijken. Ook twee ziekenhuizen, vier onderwijsinrichtingen, vijftig kilometer asfaltweg, verspreid over acht bouwwerven en een eerste pakket van honderd twintig kleine Arabische woningen met een binnenplaatsje. Zes Iraakse bouwondernemingen had hij daarvoor aan het werk gezet, samen met nog tien andere die hij had geïmporteerd uit Saoedi-Arabië.

'Maken de vele nullen in je boekhouding je niet duizelig?'

'Het zijn de komma's waar je goed op moet letten,' zei hij.

Van op enige afstand konden ze een deel van de bovenrand van Bagdad Palace zien.

'Eén woord en ik geef hun daar vier gebouwen in een vierkant,' zei hij.

'Met Amerikaans geld dat hier en daar tussen de komma's valt,' zei ze. 'Dan collaboreren we allemaal.'

Het leek alsof ze zouden gaan kibbelen. Even begon het, maar ze brak het af.

'Pardon,' zei ze. 'We zien er allebei wat bleekjes uit. Waarschijnlijk brengt het daglicht dat teweeg na het schemerdonker van de nacht.'

Hij bracht haar tot bij de ingang van de gevangenis, een groot betonnen gebouw dat de bombardementen overleefd had. Hij gaf haar een papiertje met vier namen.

'De eerste is de persoon naar wie je moet vragen,' zei hij. 'Het is een Amerikaan. Een Poolse naam, maar de Amerikaanse telefoonboeken staan daar vol mee. Je moet luitenant tegen hem zeggen. Hij is het nog maar pas. De volgende drie zijn jongens die gearresteerd zijn als terrorist, betrapt of zwaar verdacht.'

'Kun je ook toveren?' vroeg ze geërgerd. 'Kun je met een stok ook water tevoorschijn doen komen uit die betonnen muur?'

'We zijn allebei wat moe,' zei hij zacht.

'Nee, jij bent niet moe, ik ben moe,' zei ze. 'Ik ben maar een gewoon meisje dat overdag werkt en 's nachts slaapt, en de helft van wat ik onderneem mislukt. Zeg niet wat je voor de volgende dagen voorzien hebt, ik kom niet.'

Waarom ben ik zo kregelig, dacht ze terwijl ze uitstapte. Wat neem ik hem eigenlijk kwalijk?

Ja, wat, dacht ze terwijl ze voor luitenant Wojinski stond, die van zijn stoel opgeveerd was en driemaal na elkaar snel 'yes' zei, toen ze hem gezegd had van wie ze hem de groeten bracht.

Het was een kleine, schemerdonkere spreekkamer, in twee helften verdeeld door een traliehek tot tegen het plafond. Ze mocht met de gevangenen spreken zonder getuigen erbij, had de luitenant gezegd, een kwartier met elk. Er werd wel meegeluisterd, zei hij, duidelijk teleurgesteld. Het stond zo goed als vast dat de eerste twee zelfmoordrijders waren, zei hij. Bewezen was het niet, maar het was wel zeker. Ze hadden niets met elkaar te maken verder. Hun opleiding hadden ze gehad, helemaal, dacht hij.

'Klaargestoomd. U weet wel wat ik bedoel.'

De andere drie waren helpers. Hij wees een grote koperen bel aan op het tafeltje aan haar kant van het hek.

'Voor als er wat gebeurt. Je weet maar nooit,' zei hij.

Daarop liet hij haar alleen. Uit een smalle ijzeren deur aan de andere kant van het hek kwam een jongeman naar binnen, het bovenlijf naakt onder een slordige, grijswit gestreepte boernoes, de schedel kaalgeschoren. Hij ging op de stoel zitten bij het tafeltje aan zijn kant. Hij hield het hoofd schuin gebogen en gluurde naar haar. Opeens stak hij de armen in de hoogte en schreeuwde: 'Mijn leven voor Irak! Irak vrij!' Daarna zat hij daar weer met gebogen hoofd naar haar op te gluren.

Nicola zei zacht: 'Allahou akbar el rachman el rahim.'

De jonge man richtte zich met een ruk op. Hij vroeg haar in het Arabisch waarom ze dat zei.

'Bent u een moslim?' vroeg hij.

'Niet meer dan wat anders, ook niet minder,' zei Nicola, nog steeds in het Arabisch.

'Niet meer of niet minder, wat betekent dat?' vroeg de jongeman nors. 'Wat u belijdt, is waar of niet waar.'

'Ik weet niet zeker of God bestaat,' zei Nicola. 'Misschien wel, maar ik ken niet zijn naam. Wel is hij dan zeker groot, almachtig en barmhartig, anders is het niet de moeite. Klein, zelfzuchtig en zwak zijn we immers allemaal.'

Vanuit het donkerte onder zijn wenkbrauwen zat de jongen naar haar te staren. Opeens gingen zijn armen weer de hoogte in en hij schreeuwde: 'Mijn leven voor Irak! Irak vrij!'

'Maar wat is er dan?' vroeg Nicola. 'Waarvoor doe je het? Voor Allah of voor Irak? In je stem hoor ik Irak, maar in je ogen zie ik Allah. Zou je het mij willen uitleggen?'

'Irak! Irak!' tierde de jongeman.

'Hoe heet je leermeester?' vroeg Nicola.

'Geen naam! Geen naam!' zei de jongeman.

'Is hij een imam of een sergeant van het leger?'

De jongeman schudde nors van nee.

'Je opleiding, was dat buiten of binnen? Dat kun je toch zeggen,' zei Nicola. 'Binnen en buiten hebben geen namen. Was het buiten, met geschreeuw?'

De jongeman schudde van nee.

'Amerika heeft ons leger vernietigd.'

'Onderdelen van het Iraakse leger bestaan opnieuw,' zei Nicola. 'Ze zijn nog onvolledig, maar ze bestaan en ze doen wat. Er zijn ook nieuwe groepen gevormd. Milities. Die gaan 's nachts naar een bepaalde plaats en doen daar wat. De volgende dag zijn ze daar niet meer, dan gaan ze naar een andere plaats en dan doen ze daar wat. De dag nadien zijn ze ook daar niet meer. Ben jij opgeleid in een onvolledige eenheid van het leger of in een militie?'

'Nee,' gromde de jongeman.

Snel vroeg Nicola: 'Ben je door één imam opgeleid of door twee? Ik vraag geen namen.'

Weer zat hij haar met die zwarte ogen te begluren. Nicola herhaalde haar vraag. De jongen schreeuwde dat hij niets gezegd had over imams.

'Geen antwoord. Geen antwoord,' zei hij.

Maar je hebt het gegeven, jongen, dacht ze. Het speet haar dat ze hem beduveld had. Ze verdreef de verwarring. Krachtig zei ze: *'Allahou akbar el rachman el rahim.'*

Zijn zwarte ogen gloeiden. De jongen greep de tralies en schudde ermee, met zoveel geweld dat er gerammel weerklonk. Nicola hoorde de deur achter haar opengaan, daarna haastige voetstappen. De luitenant kwam bij haar staan en vroeg gedempt: 'Gaat het?'

'Ja, niets aan de hand,' zei Nicola.

'Gaat u verder met hem?'

'Graag, ja.'

Toen de luitenant weer weggegaan was, vroeg Nicola de jongeman hoe zijn vader heette.

'Geen vader,' antwoordde hij.

'Is hij dood?'

'Geen vader!' herhaalde hij.

'Ja, maar vroeger had je een vader.'

'Geen vader!' schreeuwde de jongeman.

'Wie was je moeder?' vroeg Nicola.

'Geen moeder.'

'Toch wel een zuster?'

'Geen zuster,' zei hij.

'Maar broers wel. Je hebt broers,' zei Nicola krachtig.

'Ik heb vier broers,' zei hij.

'Krijgers voor Allah,' zei Nicola, terwijl ze vuistjes vormde.

Weer greep de jongeman de tralies vast en schreeuwde dat ze de duivels zouden doden. Plots stak hij weer de armen in de lucht en riep: 'Mijn leven voor Irak! Irak vrij!'

Ze belde. Toen de luitenant gekomen was, zei ze hem dat ze de volgende wilde spreken. De luitenant bleef even bij haar staan.

'Hoe was het?' vroeg hij, de ogen ernstig onderzoekend op haar gericht.

'Als ik ooit twee dingen tegelijk gezien heb, dan nu,' zei Nicola.

'Twee dingen?'

'Wat hij zegt is voor Irak, wat hij doet is voor Allah. Zo hebben ze het hem geleerd.'

'Wij hebben er wat langer over gedaan om dat aan te voelen,' zei de luitenant. 'Maar we denken inderdaad dat het zo is, ja. U hebt al eens vaker terroristen ondervraagd, zo lijkt het mij,' zei hij.

'Ze verstoppen Allah achter Irak,' zei Nicola. 'Waarom doen ze dat? Als het waar is dat ze dat doen... Lijken is maar lijken natuurlijk. Lijken is schijn.'

'Waarschijnlijk mag het niet waar zijn dat de islam de wereld wil veroveren.'

'Volgens mij is dat ook niet waar,' zei Nicola somber, bitter. 'Is het volgens u waar?'

'Ja, volgens mij wel,' zei de luitenant. 'Het is ons altijd zo gezegd,' voegde hij eraan toe.

'Kunt u daar een naam bij noemen?' vroeg Nicola. 'De persoon die de Amerikanen inlicht over de islam?'

'De legerleiding,' zei de luitenant. 'Onze president, onze regering, onze bladen, onze televisie, mijn vader, mijn moeder, mijn buren, mijn vrienden. De terroristen zijn de vijanden van Amerika. De terroristen, dat is de islam. Volgens u dus niet?' vroeg hij, duidelijk echt nieuwsgierig.

'Het zou dan wel een grote, duidelijke vijand zijn,' zei Nicola. 'Het is praktisch om een grote, duidelijke vijand te hebben.'

'Is het dan volgens u een minder grote, minder duidelijke vijand?' vroeg de luitenant.

'Ik vraag het me al een tijdje af,' zei Nicola. 'Het zou minder goed zijn voor jullie president en voor Tony Blair, maar voor mij, voor ons, voor ons mensen bedoel ik dan, zou het beter zijn. Het is dan wat vuns gekonkel om petroleum, niet weer eens een godsdienst die de wereld wil overheersen, indien jullie het gaan verliezen, bedoel ik dan even. Een godsdienst is irrationeel, passioneel. We hebben dat in Europa al eens gehad in de Middeleeuwen. Naast iedere keizer stond de paus, naast iedere koning stond een bisschop. En eerst zeiden de paus en de bisschoppen wat en dan pas spraken de keizers en de koningen.'

'"Als jullie het verliezen", zei u, maar het is niet de bedoeling dat wij het gaan verliezen. Mag ik u ook wat vragen? Als het niet de extremistische islam is die wij bestrijden, die van de afgehakte handen en de gestenigde vrouwen bedoel ik dan, tegen wie strijden wij dan wel? Wie vecht tegen ons? Maar daarvoor bent u waarschijnlijk hier, om dat uit te zoeken. Wij hebben allemaal onze vragen, natuurlijk, maar helemaal fout zit onze president toch niet, denk ik.'

De tweede jongeman die binnengelaten werd aan de andere kant van het traliehek, was groot en had brede schouders. Hij had ook die kale schedel en die donkere, starre ogen die ze eerder al bij de eerste jongeman had gezien. Hij wilde niet antwoorden op de vragen van Nicola. Hij schudde steeds van neen.
'Wat maakt het uit hoe oud ik ben!' riep hij opeens luid.
'Waarom vraagt u dat?'
'Omdat ik journaliste ben. Omdat er dikwijls dwalingen in omloop zijn. Journalisten proberen dan uit te maken wat er precies aan de hand is.'
'Voor wie maakt het nu wat uit of ik tweeëntwintig of tweeëntwintig en een half jaar ben?'
'Voor mij niet veel,' zei Nicola. 'Het zal ook wel voor niet velen een verschil maken of ik achtentwintig of achtentwintig en een half ben, maar ik weet nu dat jij kunt praten. Ik zou willen weten voor wie je vecht.'
'Ik vecht niet *voor* iemand, ik vecht *tegen* iemand.'
'Ja, dat weten we wel, maar voor wie doe je het? Wie heeft het je gevraagd?'
'Niemand heeft mij wat gevraagd. Hebben ze u gevraagd om journalist te worden?'
'Euh… Nee, daar heb je een punt. Ik ben eraan begonnen omdat ik dat zelf zo wilde.'
'Kan ik ook niet aan iets begonnen zijn omdat ik dat zelf zo wilde?'
'Ja, heel zeker, maar dan heb je ook geantwoord op mijn vraag. Je doet het voor jezelf. Beste dank. Wanneer christenen aan iets beginnen zeggen ze eerst "in de naam van de Vader, van de Zoon en van de Heilige Geest, amen". De moslims zeggen *"Allahou akbar el rachman el rahim"*. Wat zeg jij?'
Steek je armen in de lucht en zeg wat over Irak, dan weet ik al wat meer, dacht ze hoopvol.

Zijn vuisten gingen de hoogte in en de jongeman schreeuw-de: 'Mijn leven voor Irak! Irak vrij!'

'Als je leven hier weggaat, waar gaat het dan heen? Naar Allah?'

'Naar de hemel.' Boos riep hij: 'Spreek niet over Allah met uw heidense mond.'

'Jij mag van mij over andere goden spreken. Dat wordt je niet verboden.'

'Er zijn geen andere goden. Er is één God. Die is groot, die is machtig, die is barmhartig.'

'Wat gebeurt er met iemand die zijn leven geeft voor Allah?'

'Die wordt heilig.'

Hij zat daar met opengesperde ogen, als in vervoering.

'Dan wordt je foto in de woonkamer van je familie tegen de muur gehangen, met bloemen eromheen, en knielen ze met zijn allen erbij neer.'

Zijn ogen veranderden plotseling. Hij zag haar weer.

'Waarom spreekt u over mijn foto?' vroeg hij.

Hij sprong op, holde naar de smalle ijzeren deur en begon er met zijn vuisten op te slaan. Hij riep dat hij weg wilde. Toen ze hem weggehaald hadden, kwam de luitenant weer bij haar staan.

'Vertoning iets minder overtuigend dan die van de eerste,' zei hij. 'Hij is verstandig, heel levenskrachtig. Hij overtreft daarin de eerste, maar weer hebt u geen geluk. Ook hij verstopt Allah. Ook hier is er dus wat met Allah, niet met Irak, minder met Irak.'

'Waarom doen ze dat?' vroeg Nicola bevreemd. 'Waarom mag het niet waar zijn dat de zelfmoordenaars voor Allah rij-den? Waarom moeten ze voor Irak rijden? Ik geloof er niets van dat ze dat doen. Zelfmoord plegen voor een land waar je dan meteen als dode uit vertrekt, dat heeft geen zin. Zelfmoord ple-gen voor Allah, bij wie je dan meteen als heilige aankomt, dat heeft wel zin, maar klaarblijkelijk mogen ze dat niet zeggen. Dat wordt ze in gedrild. Dat zou krijgskunde kunnen zijn,' zei ze peinzend.

'Krijgskunde?' vroeg de Amerikaanse luitenant.

'De dingen moeilijker maken voor de anderen. Voor jullie. Als ze in het daglicht gaan staan als de krijgers van Allah, heeft Bush gelijk. Dan is daar die grote vijand die hem de heerschappij over de wereld wil ontnemen. De Grote Terrorist, aan wie dan ook Amerika onderworpen zal zijn. Dan krijgt Bush zijn miljarden. Dan krijgt hij dat grotere leger. Dan wint hij de oorlog. De vijand ondermijnen dus door hem een kleinere, onbenullige vijand te geven. Een lokaal potentaatje dat niet eens wapens voor massavernietiging bezat. Het grote islamcomplot.'

'Gelooft u daar niet in?' vroeg de luitenant.

'Niet echt, nee,' zei Nicola. 'Wie zou dat wereldrijk moeten besturen? Wie zou het in stand moeten houden? Ik heb ongeveer alle kleine islamlanden bekeken. Ik heb grote sympathie voor hun cultuur, maar wat zie je daar? Woestijnherders en landarbeiders, en waar olie zit een aantal operettepotentaten die vooral operettepotentaat schijnen te willen zijn. Torens laten instorten en bommen leggen in treinen, daar hoor je van, dat kunnen ze, maar wat kunnen ze nog? Wat kunnen ze na nog eens wat torens en nog eens wat treinen en opgeblazen countryclubs en vernielde poorten van politieposten? Met wie in 's hemelsnaam moet Allah de wereld gaan overheersen? Een jaarlijkse bedevaarthype in Mekka, maar wat nog? De moskeeën zijn even leeg als de christelijke kerken. Het stemt me verdrietig dat ze de islam zulke gore plannen toeschrijven. Ik mag de islam. Het is een zuiver, eenvoudig geloof. Een hoeveelheid oude, bloederige rommel moet eruit, maar die is er al uit bij de verstandige moslims, net zoals de oude rommel van de dominicanen en de calvinisten ook al weg is uit de verstandige christenen. De christenen willen altijd maar zingen, ook de joden. Het doet mij denken aan de jeugdbewegingen. Jongens met een korte broek en een stok met een vaantje aan. Dat blijft voortduren onder de volwassenen. De moslims zijn stil, helemaal stil. Ze zitten geknield te mijmeren. Soms buigen ze diep, tot het voorhoofd de grond raakt. Ze hoeven niet te luisteren naar de imam. Heel dikwijls is die er gewoon niet. Ook de Hindoes zijn stil. Ze hebben de lelijkste godenbeelden van de wereld, je waant je in een schietkraam, maar de gelovigen staan ervoor met een jasmijnkrans om hun hals en blije ogen. De islam veroordelen op grond van middeleeuwse dingen die je in alle godsdiensten vindt, is niet fair. Moslims definiëren als hysterische, moordlustige robotten is nog veel minder fair. "Mijn leven voor Irak," hoor ik liever. Je kunt het symbolisch opvatten. En "Irak vrij" is een heel mooie leuze. Woodrow, een verbitterde Britse vriend van me, zegt: "vrijheid is de enige aantrekkelijke karaktertrek van de mens; als je die wegneemt, houd je niets over." Het zal wel overdreven zijn, zoals alle goed klinkende dingen, maar er zit toch wat waars in ook. Hier wordt dat dan schijn. Schemerdonker waarin smerigheid wordt verdoezeld. Wat is waar, luitenant? Wat is niet waar? Wat is goed? Wat is niet goed?'

De derde jongen die binnengebracht werd, was heel jong. Nicola vroeg hem of hij al zestien was. Hij wilde niet spreken.

'Veertien of vijftien, nietwaar?'

Nicola zei een Arabische korantekst voor hem op. Die bracht niets teweeg. De jongen bleef gewoon staan wachten. Een aantal vragen wilde hij niet beantwoorden. Toen zei hij: 'Dit is ons land. Wij zouden het graag terugwillen.'

Het klonk rustig en beschaafd. Hij zei het ook in haast klassiek Arabisch. Op Nicola's vraag of hij Engels verstond antwoordde hij: *'Yes, madam.'*

Nicola vroeg hem in het Frans of hij ook Frans kende.

'Un petit peu, madame,' zei de jongen.

'Ik zou je nog wat willen vragen,' zei Nicola. 'Ik weet niet waarom je hier gevangen zit?'

'Omdat ik een aanslag gepleegd heb,' zei de jongen.

'O… Wel… Ja, daarover wilde ik het hebben. Bij aanslagen vallen er ook bijna altijd onschuldige doden.'

'Bij de Amerikaanse bombardementen op Bagdad ook,' zei de jongen.

'Daar ben ik het met je eens,' zei Nicola.

'Bovendien zijn de Amerikanen hier in een land dat hun niet toebehoort.'

'Ben ik het ook mee eens,' zei Nicola.

De jongen wachtte.

'Je schijnt te zeggen dat jullie aanslagen plegen omdat ook de Amerikanen het doen.'

'Zo is het, ja.'

'Jullie mogen het doen omdat jullie in je eigen land zijn?'

'We mogen ons verdedigen,' zei de jongen.

'Wanneer de aanvaller volgens bijzonder bloedige methodes werkt, dan mag de verdediger dat ook doen?'

'Niet zomaar. Niet altijd. Wel als het niet anders kan. Volgens mij, mevrouw.'

'Als het kon volgens minder bloederige methodes, dan zou je dat doen?'

'Ik ben nog te jong om dergelijke beslissingen te nemen, maar ik denk wel dat het is zoals u het zegt.'

'Niet oog om oog.'

'Wat bedoelt u daarmee, mevrouw?'

'Iemand doodt een man in jouw familie, jij gaat dan een man doden in zijn familie.'

'Nee,' zei de jongen.

'Hoe los je dat dan op?'

'Het gerecht moet dat doen.'

'Ben je van mening dat het nu, hier, niet kan zonder dat er ook onschuldige slachtoffers vallen?'

'Dat is mijn mening. Het is de mening van mijn vader, maar ik denk dat hij gelijk heeft.'

'Jullie zien het als een tijdelijke toestand?'

'Juist, ja.'

'Wanneer de Amerikanen vertrokken zijn, houdt het doden van onschuldigen op?'

'Ja.'

'Is het volgens jou waar dat de Amerikanen Irak een democratische regering willen geven?'

'Nee. Zij geven ons regeerders die doen wat goed is voor Amerika.'

'Hoe oud ben je?'

'Zestien, mevrouw.'

'Toch,' zei ze. 'Ik dacht eerst dat je jonger was. Wil je me niet zeggen hoe je heet? Ik heet Nicola.'

De jongen keek verrast op.

'Mijn moeder heet Nicoletta,' zei hij.

'Kleine Nicola...'

De jongen glimlachte even.

'Ze is niet groot,' zei hij.

Nicola wachtte even.

'Ik heet Haroen,' zei de jongen.

Het leek Nicola dat hij er nog wat wilde aan toevoegen.

'Op school maakten ze er Harry van,' zei hij.

'Mooi. In Amerika hebben ze eens een president gehad die Harry heette.'

'Harry Truman,' zei de jongen.

'O! Weet je dat ook al?'

'Ik mocht naar school gaan,' zei de jongen. 'Dat is een groot voordeel.'

'Wat doet je vader?'

'Hij was docent in de natuurwetenschappen.'

'Was?'

'Hij is neergeschoten tijdens een rel. Hij vond die niet goed. Hij deed er toch aan mee om zijn vrienden niet ongelukkig te maken. Zij vonden wel dat de rel nodig was.'

'Heb jij deelgenomen aan de aanslag?' vroeg Nicola. 'Of was die nog in voorbereiding en vond jij, zoals je vader, dat men dat beter niet kon doen? En vielen ze daar toen binnen?'

'Ik was daar,' zei de jongen.

'En ze hebben jullie allemaal meegenomen?'

De jongen haalde de schouders op.

'Is het zo?' vroeg Nicola opnieuw.

'Ja, zo is het.'

'De aanslag waar jullie mee bezig waren, was daar een zelf-doder bij?'

'Ja.'

'Was die toen bij jullie?'

'Ja, het is de eerste jongen met wie u gesproken hebt.'

'Kende je hem al van vroeger?'

'Nee. Hij was maar de dag tevoren bij ons aangekomen.'

'Maar je hebt misschien met hem gepraat?'

'Nee, dat kon niet.'

'Hoezo, dat kon niet?'

'Ik ben niet bij Oerman geweest.'

'Oerman van Bagdad Palace?' vroeg Nicola bevreemd.

'Nee, niet Oerman R&B,' zei de jongen, haast lachend. 'Oerman Arhab, bedoel ik natuurlijk.'

'R&B, wordt daar hier rhythm & blues mee bedoeld?'

'Vanzelfsprekend,' zei hij. 'Heeft het ook nog een andere betekenis?'

'Euh… Nee, niet dat ik weet,' zei Nicola.

'Oerman R&B is de eerste imam die danst. Van dat slag had Allah er nog geen, zegt hij.'

'Maar hopen dat Allah toen geen appelen aan het eten was,' zei Nicola.

'En een stuk in zijn keel van het schrikken, zeker?' vroeg de jongen, nu helemaal vrolijk.

Hij stond haar te bekijken en zei: 'U hebt iets van mijn tante. Zij zegt ook dat soort dingen. Grootvader begint al te knorren als hij haar ziet komen. Ze is een beetje Frans van afkomst.'

'Oerman Arhab,' zei Nicola. 'Is hij de persoon bij wie je geweest moet zijn voor je met een zelfdoder mag praten?'

'Dat wordt zo gezegd,' zei de jongen, weer ernstig. 'Maar ik weet daar niet veel van. Het was een van de redenen waarom ik tegen de aanslag gekant was. Oerman Arhab is een imam. Hij heeft een koranschool bij een moskeetje. In die school is ergens een deur. Achter die deur gebeuren andere dingen, met grotere jongens. Wat precies weet ik niet.'

'Die deur, worden daarachter aanslagen voorbereid?'

'Nee, de aanslagen niet, geloof ik. Ze bereiden jongens voor die daaraan zullen deelnemen. Die moeten eerst op vragen antwoorden om na te gaan of zij geschikt zijn voor het plegen van aanslagen. Maar die ondervragingen, dat is in een ander huis, een groot huis, geloof ik. Maar ik weet niet waar dat staat.'

'Duurt zo'n voorbereiding in dat grote huis lang?'

'Ja, enkele maanden toch, geloof ik.'

'Woon je dan daar?'

'Ja, je blijft daar.'

'En die plaats van die Oerman Arhab, blijven de jongens ook daar lang?'

'Ja, ik geloof het wel. Hoe lang weet ik niet, toch een heel tijdje meen ik begrepen te hebben.'

'Heeft dat koranschooltje een naam?'

'Misschien wel, ik weet het niet.'

'Die kleine moskee, heeft die een naam?'

'Ja, maar ik kan me die niet herinneren. Het is echt waar dat ik me die niet kan herinneren.'

'Ik geloof je, Haroen,' zei Nicola. 'Mag ik nog eens vragen of je weet waar dat grote huis staat waar de jongens eerst naartoe gaan? Of je je dat misschien toch herinnert? De naam van de straat misschien? Of de persoon die daar woont?'

De blik van de jongen stond aandachtig op haar gevestigd. Hij bleef zo naar haar kijken. Hij zegt me wat, dacht Nicola. Snel haalde ze een briefje en een balpen uit haar tasje en stak hem die toe door het traliehek. Hij nam het papiertje aan, schreef er wat op en schoof haar de dingen terug toe door het hek. Nicola borg het papiertje dadelijk op in haar tas.

'Hoelang zit je al in deze gevangenis?' vroeg ze.

'Vijf dagen,' zei de jongen.

'Ben je al ondervraagd?'

'Nee.'

'Dan is er een fout begaan,' zei ze. 'Ze hadden je moeten ondervragen, nagaan of het wel nodig was om je op te sluiten. Ik ken iemand van wie je zou denken dat hij kan toveren,' zei ze.

'Dat zal wel niet waar zijn.'

'Toch maar eens even nagaan,' zei ze.

Ze nam haar telefoontje en belde Rao op. Ze vertelde hem over haar laatste ondervraging. Nadat ze even geluisterd had, vroeg ze de jongen: 'Haroen en wat nog?'

'Haroen Elballan, of Harry Balan, zo was het op school.'

Ze gaf de namen door. Weer luisterde ze even. Toen glimlachte ze.

'Dan sta ik bij je in de schuld,' zei ze. Ze keerde zich naar de jongen toe en zei: 'Verstandige, zachtmoedige kleine man, ik heb goed nieuws voor je. Je mag eruit.'

De jongen schudde snel van neen.

'Dat is zeker niet waar. U zegt maar wat.'

'De tovenaar kan het,' zei Nicola.

'Met u mee? Nu?'

De kleine gestalte werd even nevelig in haar blik. Ze maakte de deur van de spreekkamer open. Bij de tafel waar de wachters zaten, stond de luitenant te telefoneren. Hij knikte en legde de hoorn daarna neer. Hij kwam de spreekkamer in en zei glimlachend tegen de jongen: 'Boeltje inpakken maar.'

'Ik heb geen boeltje,' zei de jongen.

'Dan maar meteen,' zei de luitenant.

Hij haalde een bos sleutels tevoorschijn en opende de traliedeur waardoor je van de ene helft van de spreekkamer in de andere kon. De jongen bleef staan opkijken naar Nicola. Die gaf hem een smakkerd op zijn wang.

17

Nicola ging in haar hotel een jeanspakje aantrekken en reed vervolgens naar Bagdad Palace. Die plaats had vijf en als je wilde zes of zeven toegangen, aan drie verschillende kanten, maar daar werd tijdens de drukke daguren bijna altijd de weg voor je versperd door groepen jongelui die naar een andere plaats moesten, of door sjouwers met meubelen die ze ergens in de stad gevonden hadden, of door metselaars en grondwerkers die naar buiten moesten met steenpuin, of door kletsende, of zingende, nodeloos veel stof opdrijvende vloervegers.

Nicola verkoos de achterkant, waar het huisje van Ilja was. Ze vroeg Ia wat het vele lawaai betekende dat ze op het binnenplein hoorde.

'Rep en roer! Altijd rep en roer!' maakte Ia duidelijk met kreten en gebaren, terwijl ze met haar stompjes wapperde.

'Wat voor rep en roer? Ik hoor muziek, die is niet altijd welluidend.'

De twee grote jongens die binnenkwamen, zeiden: 'We zijn

aan instrumenten geraakt, een heel minibusje vol, de meeste zijn wel kapot of gedeukt.'

Ze zeiden dat ze de instrumenten gevonden hadden in de muziekschool die geen muziekschool meer was. Het oude busje met de instrumenten erin had daar half onder het puin gezeten. Ze hadden het daar onderuit gehaald. Na wat trekken en hameren reed het busje zelfs. Ze hadden geprobeerd mensen te vinden die vroeger met de muziekschool te maken hadden gehad. Een zo'n persoon vonden ze in het gemeentehuis van hun buurt. Die had hen echter naar buiten gedreven met de dringende mededeling dat ze het busje en de instrumenten mochten houden. Ze mochten er vooral niet mee naar het gemeentehuis komen. De man was over zijn toeren geweest, zei een van de jongens. Een luie pennenlikker, die nu waarschijnlijk een beetje moest werken, zei de andere.

'We zijn aan het oefenen,' zei de eerste jongeman. 'We gaan een fanfare oprichten. Nu spelen we de hele dag, maar morgen al wat minder,' zei de jongen grinnikend nadat er weer een vlaag verwarde koperensemblemuziek naar hen toegewaaid was.

Langs een zaaltje waar een twintigtal knapen met houten hamers en beitels op koperen platen zaten te meppen en een tweede waar grotere jongens proefondervindelijk mochten leren hoe je poten onder een tafel zet, kwam Nicola in een 'luisterlokaal', waar Ilja, nors, driftig, niet zo vriendelijk als gewoonlijk, zo vond Nicola, iets aan het uitleggen was aan wel veertig grote jongens die zich om hem heen verdrongen.

Nicola werd begroet met vrolijke fluitsignaaltjes. Een van de jongens zei haar dat Ilja het over seks had.

'Met voortplanting of zonder voortplanting,' voegde hij er grinnikend aan toe. 'Daarom is er zoveel volk,' zei hij, nog luider grinnikend.

Over de hoofden heen gaf Ilja haar met een ongeduldig gebaar te kennen dat hij haar nu niet kon spreken.

'Straks, straks,' riep hij.

Ik kan me maar beter uit de voeten maken, dacht Nicola.

Op het binnenplein woelden en worstelden jongelui om ook

eens op een van de instrumenten te kunnen blazen. Soms ging er een aan de haal met een instrument dat hij bemachtigd had. Hij werd dan achtervolgd en ingesloten.

Oerman, de jonge imam, stond te midden van hen. Je zag altijd al van ver zijn lange, uitstaande haren, zijn losse mantel, altijd één schouder bloot, zodat hij leek op een jonge apostel, die ook een zeerover kon zijn. Oerman kende duidelijk wat van koperinstrumenten. Hij demonstreerde hoe je bepaalde klanken kon voorbrengen, maar hij liet de lawaaierige bende in de steek toen hij Nicola zag.

Hij zei: 'Eerst vonden we het jammer dat Punk er niet meer is, maar dan zou het zonder twijfel een punkband geworden zijn. Dat is ook niet de grote zaligheid.'

Hij monsterde Nicola van dichtbij en vroeg: 'Wat gaat er om in het hartje van deze mooie meid die de avond heeft doorgebracht bij de Grote Hindoe en die in zijn paleis is blijven slapen?'

'Niet in zijn bed,' zei ze snel.

'Je moet dat dan maar eens gauw zeggen tegen de momenteel wat kleinere Rus,' zei hij. 'Hij is nerveus. Hij heeft daarstraks gesnauwd.'

Au, dacht ze verslagen.

'Ik zal met hem praten,' zei ze zenuwachtig tegen Oerman.

Ze zei hem dat het rumoerig was in de buurt waar ze de nacht had doorgebracht. Ze vertelde over de bende die de auto had willen tegenhouden en die dan later geprobeerd had binnen te breken.

'Oerman, luister eens,' zei ze. 'Er is nog een tweede Oerman, Oerman Arhab. Ken je die?'

'Ik heb zijn naam al weleens gehoord,' zei Oerman met een stem vol misprijzen. 'Ze spreken over hem zoals je spreekt over schorpioenen en hoornadders en giftige reuzenspinnen. Tussen dat ongedierte leven ook een zowat honderdjarige Khadour, een honderdtwintigjarige Slimane en een tweehonderdtwintigjarige Boujane. Die boa's liggen in donkere hoeken. Hun wurggreep houdt slachtoffers omsloten. Wat later stappen zinneloze dombo's uit de weerzinwekkende kronkels.'

'Oerman, spreek eens gewone mensentaal,' zei Nicola.
'Ik heb het over opleiders. Zogenaamde trainers. Opvoeders, noemen ze hen. Maar het zijn hersenspoelers! Ze vangen jongelui en breken hun wil. Voor bijzondere opdrachten, heet dat dan. Ik weet niet wat ze daarmee bedoelen. Ik weet ook niet waar die lui zitten. In Iran, in de stad Qom, hoorde ik eens zeggen. Ook in de omgeving van de Azaar-universiteit in Caïro. Er zouden er werkzaam zijn in Karachi, ook in Noord-Pakistan. En er zouden er ook gezeten hebben in een gebergte nabij Kaboel in Afghanistan, maar die zijn daar nu zeker weg.'
'Ik zoek dat soort van lui. Ik denk namelijk dat die hier in Bagdad, niet ver van deze plaats, aan het werk zijn geweest. Ik denk dat we een paar onbegrijpelijke dingen toch zouden begrijpen als we daar wat meer over zouden weten. Die wilde moordpartijen, bedoel ik. Jongelui gaan niet zomaar uit moorden. Dat komt in hen niet op. Dat ligt niet in hun aard. Jongelui lopen te zingen of te toeteren op tuba's.'
'Heel juist,' zei Oerman. 'Moorden? Daar moet je een jongeman voor knijpen tot zijn ogen uitpuilen. Ook zijn geest puilt dan uit. Dan doodt hij ook weleens zichzelf. Dan verbrijzelt hij zichzelf zoals je met een knuppel een adder verbrijzelt.'
Oerman dweepte met de Arabische dichtkunst. Hij hield van die bloemrijke beeldspraak en imiteerde die.
'Maar dan hebben we het, denk ik, dacht ik, over bejaarde mollahs met een verkalkt brein en bijziende ogen,' zei hij. 'De islam kan hen missen. O hemel, zoals de islam hen kan missen! Over de horizonnen heen hoor je hun schetterende oudemannenstem. En de media maar luisteren! Alsof daar de Grote Waarheid te vinden is. Wapperende perkamenten en daarop hun wetten uit de twaalfde eeuw. Daar heb je eens de dingen waarmee je de eenentwintigste eeuw kunt organiseren.'
'Die Oerman Arhab zou een koranschool hebben,' zei Nicola.
'Ja, nog zoiets,' zei Oerman. 'Ze noemen zo'n ding een school, maar of het er werkelijk een is? Kinderen die in rijen of in nissen koranverzen uit het hoofd zitten te leren en die afratelen tot je er hoorndol van wordt. Je hoort hun tanden klapperen. Maar weten wat ze zeggen, is nog wat anders.'

'In die koranschool zou er ook een deur zijn waarachter wat anders gebeurt, met grote jongens.'

'Is dat zo?' vroeg Oerman, de blik star op haar gevestigd.

Nicola vertelde over Haroen, Harry, met wie ze in de spreekkamer van de gevangenis gesproken had en die ze terug naar huis had gebracht.

'Heeft de Hindoe dat voor je gedaan?' vroeg Oerman.

'Ja. Hij heeft invloed.'

'Dat is een heel zwak woord voor wat hij heeft,' zei Oerman. 'Wij hebben daar andere woorden voor. Ga het niet meteen vertellen tegen die Rus van jou,' gromde hij.

'Rus van mij, Rus van mij,' zei ze wrevelig. 'Ilja Doelin is niet van mij.'

Ze toonde hem het papiertje waar de jongen wat op geschreven had. 'Bethel-Dar,' stond daar. Ze wees het woord aan en zei: 'Als het is zoals ik denk, dan is dat de plaats waar die mollah, Oerman Arhab, dingen doet.'

Oerman stond met donkere ogen naar de naam op het papiertje te kijken.

Hij zei: 'Dan zijn er daar dikke muren, waar geschreeuw of geklaag niet doorheen kan.'

'Wat zeg je allemaal, Oerman?' vroeg Nicola nerveus.

'Soms moet iets de donkerte in, onder de grond of onder een gewelf eer het wil groeien.

'Zou dit de plaats kunnen zijn waar die mollah martelaars opleidt?' vroeg Nicola.

'Opleidt! Opleidt! Wat een lief woord. Je bent de hoffelijkheid in persoon.'

'Maar is het die plaats?' vroeg Nicola.

'Je zou het moeten geloven. In Bethel-Dar staat een buurtmoskeetje. Dat ken ik, er is daar een langwerpige binnenplaats. Daar bevindt zich de koranschool. En dan is er nog een poort die altijd dicht is.'

Nicola stond onrustig naar hem te kijken.

'Zou het dan daar zijn dat ze…'

'Ik meen me een laag, overwelfd vertrek te herinneren,' zei Oerman, 'schemerdonker. Een opening in de zoldering waar licht doorheen viel. Ergens ook glazen tegels. Sommige van die kleine moskeeën zijn ooit geheime bidplaatsen geweest in tijden van oorlog of van vervolging. De joden hadden ook zulke plaatsen, overal in de wereld. Ze zaten daar in het geheim bij elkaar, wat zingen, wat klagen, wat grappen vertellen en maar wachten op betere tijden. Nu hebben ze die betere tijden in hun zogenaamde vaderland. Hun kolonie!' riep hij woedend. 'Daaromheen zitten de Palestijnen nu in sloppen en tentenkampen bij elkaar.'

'Maak je niet zo boos, Oerman,' zei Nicola. 'Kan die plaats, Bethel-Dar, bekeken worden?'

'Ja, ik zal eens een kijkje gaan nemen. Die dingen, ik zal er wel achter komen. Boeboe, kom eens hier!' riep hij naar een jongen.

Hij ondervroeg hem over de plaats Bethel-Dar. Hij vroeg of het in de buurt van dat kleine moskeetje was.

'Dat koranschooltje,' zei hij.

'Niet in de buurt,' zei de jongen lachend. 'Die moskee en dat schooltje, dat is Bethel-Dar.'

'Zie je wel,' zei Oerman. 'Ik heb het mij goed herinnerd.

'Je loopt tot aan die oude wal met die gracht die er geen meer is,' zei de jongen. 'Je moet om een paar sloppen heen, achter de Harb-fontein door.'

'Ja ja, ik weet het al,' zei Oerman ongeduldig.

'Moet ik u de weg tonen?' vroeg de jongen. 'Dan vergeet ik dat ik nu al honger heb.

'Jij hebt geen honger,' zei Oerman lachend. 'Jij hebt een dikke buik die altijd wel wat te eten wil krijgen.'

Hij klauwde in de buik van de jongen tot die gierend op de vlucht sloeg.

Oerman nam Nicola bij de hand en nam haar mee naar het kleine huisje tussen de puinhopen waar hij met zijn vrouw en zijn drie kleine kinderen woonde. Nicola begroette zijn vrouw, een mooi, helemaal in het donkerblauw gekleed woestijnmeisje met een kleuter op de arm. Zij maakte pepermuntthee voor hen. Ilja kwam naar binnen.

'Ik moet met je praten,' zei hij boos tegen Nicola.
'Straks, straks,' zei Nicola. 'Zachtjes. Ik zal het je allemaal
uitleggen. Niet boos zijn. Je hebt er geen reden toe.'
Ze gaf hem een kus en nog een. De eerste onderging hij
onwillig, de tweede verliep al beter. Nicola vertelde hem over
de jongelui die ze ontmoet had in de gevangenis, over Haroen
die ze Harry noemden en die haar gesproken had over wat
weleens de opleiding van zelfmoordrijders zou kunnen zijn.
'Wat zeg je daar?' riep Ilja. 'Sta je daar te bazelen?'
'Nee, nee.'
'Wist hij daar wat over?'
'Weten is een groot woord, maar hij kent een plaats, hij heeft
de naam van die plaats opgeschreven en wij weten nu waar die
is. Oerman kent ze.'
Ze legde hem alles uit.
'Dan gaan we daar nu onmiddellijk die geheimzinnige deur
openrukken,' zei Ilja. 'Er zijn vroeger al eens rare dingen verteld over Bethel-Dar. Een kerel in een krocht zou daar dingen
doen die beter niet zouden gebeuren.'
'Dat klopt!' riep Oerman.
'De eerste twee met wie ik in de gevangenis gesproken heb,
hadden wilde ogen,' zei Nicola. 'Zij waren klaargemaakt, gedrild!'
'Zoals Punk,' zei Oerman. 'En onze kleine Emiel,' voegde
hij er met vertedering aan toe. 'Bethel-Dar is minder dan vijfhonderd meter van hier. We hebben ons na Punk afgevraagd of
ze ook bij ons kwamen ronselen.'
Ilja gaf Nicola humeurig te kennen dat hij met haar wilde
spreken en dat ze met hem mee naar buiten moest gaan. Hij
nam haar een eindje mee, van het huis weg.
'Die Hindoe in zijn paleis,' zei hij. 'Die kompaan van Bush…'
'Rao is geen kompaan van Bush,' zei Nicola. 'Hij vindt het
niet goed wat de Amerikanen hier doen.'
'Dat zal dan bij gelegenheid moeten blijken,' zei hij. 'In afwachting laat hij zich rijkelijk door hen betalen.'
'Ze hebben hem, en ook nog een paar anderen, gevraagd
de wederopbouw van Bagdad voor hen te regelen. Hij vraagt of
hij die heel goede klant aan anderen moet doorgeven.'

'Die redenering kennen we,' zei Ilja. 'Op een nacht is ergens een voordeur blijven openstaan, gauw gauw dat huis gaan leegstelen, anders komt er wel een andere dief.'

'Zo is het ook weer niet,' zei Nicola.

'Waarom ben je bij hem blijven slapen?'

'Niet bij hem! In zijn huis. Het was erg onrustig in die buurt. Er werd overal geschoten. Ze hebben geprobeerd met een bende bij hem binnen te breken. Ilja, ik heb jou de vorige keer eens gevonden in het huis van een Griekse ontwikkelingshelpster. Zij was daar ook. Het was een klein huis. Die vrouw was jong. Ze had mooie benen. Je hebt me dat gezegd.'

'Daar is niets gebeurd,' gromde hij.

'Maar er heerste geen onrust in die buurt. Er werd niet geschoten. Er werd niet geprobeerd binnen te breken. Het was heel laat.'

'Vroege ochtend al,' zei hij knorrig. 'Sorry,' zei hij goedig. 'Ik moet je geen bevelen geven. Ik moet je geen verhoor afnemen, maar vanavond ga je toch weer niet ergens anders slapen?'

18

Het kostte Oerman geen moeite om de kleine koranschool terug te vinden. Het was wel degelijk die van Oerman Arhab, hoorde hij van mensen uit de buurt. Was hij ook de imam van de kleine moskee? Bij die vraag haalden ze twijfelend de schouders op. In de moskee werd niet meer opgeroepen voor het gebed. Mensen gingen er niet bidden. Oerman Arhab was er om de kinderen te onderwijzen. Als de kinderen er niet waren, was hij er ook niet.

Ze hoorden het eentonige, ritmische gekakel van de kinderstemmen. Bij de koranschool aangekomen zagen ze de langwerpige binnenplaats. Overal in de muren eromheen zaten nissen, met in elk daarvan een rijtje van vier knapen die als kleermakertjes met gekruiste benen naast elkaar op een verhoging zaten. Op hun knieën hielden ze een plankje, met daarop het vers van de koran dat ze uit het hoofd leerden.

Twee helpers, volwassen jongelui, die een lange stok bij zich hadden, liepen rond en controleerden of al de knapen meededen. Wanneer de jongens het vers goed konden opzeggen, kregen ze een ander plankje.

Dat was net wat Nicola níét goed vond. Het automatische opdreunen van woorden, *die* woorden, in *die* volgorde, zonder dat ze daar bij nadachten. Als het waar was dat de woorden van belang waren, als je die niet mocht veranderen, dan ging je vanzelf ook geloven dat aan de inhoud niets veranderd mocht worden, dat die niet aangepast mocht worden, niet geïnterpreteerd in functie van deze of gene tijd. Dan bleef je dieven de handen afhakken, overspelige vrouwen stenigen en verraders onthoofden. Bloed om bloed. Wraak nemen. Alle oude godsdiensten hadden dat. Omdat de toen nog nauwelijks geciviliseerde mens zo nog was. Je vond die barbaarsheid dus in die oude woorden, maar je zou die daar niet in gevonden hebben als die godsdienst in latere tijden ontstaan was. Jehova zou niet om wraak geschreeuwd hebben in de twintigste eeuw. Mohammed zou de bedriegers een gevangenisstraf opgelegd hebben met de mogelijkheid tot wederopvoeding.

Ze zagen de bewakers met hun lange stok heen en weer stappen. De knapen wiegden langzaam heen en weer. Het ritme moest het geheugen ondersteunen.

'Hondjes zijn het die daar zitten,' mompelde Oerman treurig. 'Makke, onwetende hondjes die ze in de maat leren blaffen. Daar gaan ze de eenentwintigste eeuw mee in. Daar gaan ze Amerika mee buiten houden als het groot en plomp komt aanstappen tussen computergestuurde tanks.'

Boven de koranschool verrees de kleine minaret.

'Daar, kijk,' zei Oerman. 'Die oude vestingmuur naast de minaret, dat is de wal. Vroeger bevond zich daar een soort van versterking. Delen van de stad waren op die manier van elkaar gescheiden. Als je de stad helemaal wilde bezitten, moest je die dus ook helemaal veroveren, deel na deel. Die onderaardse kazemat, met de luchtkoker in het dak, maakte deel uit van de vesting, dat oude verdedigingssysteem.'

Ze liepen om de sloppen en de fontein die hun aangewezen was heen en kwamen bij heel oude huisjes die tegen de vestingmuur aan gebouwd waren. Twee ervan hadden geen venster, en evenmin een deur. Oerman vestigde er de aandacht van Nicola op. Hij sprong naar de bovenrand van de muurtjes en trok zich gezwind op. In een oogwenk zat ook Ilja daarboven met hem, neergehurkt op het platte dak. Hij gebaarde Nicola dat ze haar handen naar hem moest opsteken. Hij greep die en trok haar op. Ze hurkte naast hem neer.

Oerman wees naar een plek schuin voor hen.

'Raam,' fluisterde hij.

Ze zagen de aan elkaar gemetselde glazen stenen. Ernaast stond een klein, overdekt schoorsteentje.

'De luchtkoker,' fluisterde Oerman.

Hij ging plat op zijn buik op het dak liggen en bracht zijn oor bij de opening. Hij knikte. Hij gaf Nicola en Ilja een wenk dat ze moesten komen luisteren. Nicola hoorde een scherpe, hese stem die bevelen gaf. Daarna hoorden ze verschillende stemmen tegelijk. Soms klonken de stemmen verward door elkaar, de bevelende stem schreeuwde dan wat en dan leek het of ze een spreekkoor hoorden. Ze knikten elkaar toe.

'Opleiding,' fluisterde Ilja. 'Training. Dril.'

'Dan huist daar een spook uit de zevende eeuw, een dode die blijft doorspreken,' zei Oerman.

Hij gaf hun te kennen dat ze daar weg moesten. Ilja sprong omlaag en ving Nicola op die neergelaten werd door Oerman. Met een wip belandde ook Oerman op de begane grond.

'We kunnen hier nu niet blijven,' zei Oerman. 'Het is hier niet druk bewoond, maar er zouden toch mensen kunnen komen, kinderen. Maar straks als het donker is, komen we terug. Om te luisteren. Langdurig.'

Nicola toonde het dictafoontje dat ze in haar tas had zitten.

'Ja, heel goed,' zei Oerman.

Hij was opgewonden. Het was de eerste keer dat hij bij een dergelijke plaats stond, zei hij. Het waren tot dan toe altijd alleen maar woorden geweest.

'We wisten dat zelfmoordrijders een bijzondere training

ondergingen,' zei hij. 'We wisten dat die training ergens plaatsvond, er waren aanwijzingen, veronderstellingen, maar telkens
weer was het toch niet de echte plek, of het was waarschijnlijk
de echte plek, maar we konden er niet bij.'

Van waar ze stonden konden ze een stukje kerkhof zien, met
daarnaast een wat scheefgezakt vierkant gebouwtje met een
koepeldak.

'Daar zal in de loop der tijden ooit wel een maraboet gele-
gen hebben,' zei Oerman, 'een heilige, met aanhangers die bij
hem kwamen zitten bidden. Hij zal voor hen wel mirakelen verricht hebben.'

Verder was er een schamel, oud woonwijkje, dat al eerder
vervallen moest zijn geweest, zo leek het Nicola, en dat nu op
veel plaatsen verwoest, zo goed als onbewoond was. Wat verderop bemerkten ze nog een overblijfsel van de oude vestingmuur.

Oerman en Ilja waren enthousiast. Ze waren ervan overtuigd
dat ze daar heel goed zouden kunnen werken. Terwijl ze terug
naar de fontein liepen en vandaar weer naar de binnenstad,
werkte Oerman een plan uit. Hij vroeg Nicola of ze dat dictafoontje aan een touw konden laten zakken, in de luchtkoker
onder dat schouwtje, zodat hij zou kunnen registreren wat er
beneden gezegd en gedaan werd, wat precies. Ja, dat kon, zei
Nicola, tenminste, als vlak onder de luchtkoker niets plaatsvond.
In dat geval liepen ze immers het gevaar dat het dictafoontje
van beneden gezien zou worden. Ze moesten proberen in de
luchtkoker te kijken, misschien met een kleine spiegel, en hopen dat daar niets te zien zou zijn. Was er wel wat te zien, dan
moest het luisterwerk van op het dak gebeuren.

'Het allerbeste zou natuurlijk zijn dat we foto's konden maken van wat daar beneden gebeurt, met een heel kleine camera,
ik heb er zo een. Dat zal zeker wel niet lukken, maar dat luisterwerk wél,' zei Nicola. 'Als we echt kunnen horen dat daar martelaars klaargestoomd worden, als we zo'n geluidsbandje de
wereld in kunnen sturen, dan veranderen er misschien dingen.
Een demonstratie van de manier waarop een brein veranderd
wordt in een ander brein. Zoals die jongelui van Manhattan.

Die woonden in Hamburg en in New York, als schijnbaar gewone mensen, maar ze hadden een nieuw brein. Dat brein liep naar de bakker. En het liep naar een vliegschool om te leren hoe je een Boeing bestuurt. Er moest niet gevreesd worden dat het zou terugkrabbelen. Het oude brein, dat dat wel gedaan zou hebben, was er immers niet meer. Het nieuwe brein kaapte een vliegtuig, richtte het op de torens en bam!'

'Wel mag er in hun nabijheid niet met Allah gespot worden, zo hoor ik zeggen,' zei Ilja.

'Heb jij daar iets van gemerkt, Nicola, tijdens je gesprek met die eerste twee jongelui?' vroeg Oerman.

'Ja. Dat zou kloppen, dat zou helemaal kloppen,' zei ze ernstig, onrustig. 'Zodra ik het over Allah had, gingen hun ogen gloeien. Die werden star. Hun vuisten werden gebald. Ze schenen aan het beuken te willen gaan.'

'Precies. Het mechanisme kwam in werking,' zei Ilja opgewonden.

'Laten we nog eens teruggaan naar de koranschool,' zei Nicola. 'Misschien krijgen we die Arhab wel te zien.'

Oerman vond het een goed idee, maar Ilja zei: 'Zonder mij maar, ik moet terug naar het Palace.'

Hij gaf Nicola een kus. Nerveus, niet helemaal vriendelijk voegde hij eraan toe: 'Ik moet nog verder met je praten.'

Toen hij weggegaan was, zei Oerman: 'De poort van de school staat open. We zullen bij die poort blijven staan praten. Een man en een vrouw die op straat met elkaar staan redetwisten, dat wekt geen achterdocht. Tenzij er iemand zou struikelen over de mogelijke losbandigheid, die school in de aanwezigheid van een imam bij de verrukkelijkste vrouw uit het hele noorden, die niet zijn echtgenote is.'

Nicola vroeg: 'Wat voor vrouw uit het noorden was dat, Oerman?'

'De verrukkelijkste, de aantrekkelijkste, de bekoorlijkste.'

'Je bent een schavuit,' zei Nicola. 'Ik zal het tegen je vrouwtje zeggen.'

'Ach,' zei Oerman treurig.

'Loop je te lachen?' vroeg Nicola wrevelig.

'Heb je mij ooit al eens zien lachen, lieve Nicola?'

'Euh... Nee, niet veel.'

'Het derde van mijn kindjes is niet van mij,' zei hij. 'Geen ogenblik is er een verlangen in mij geweest om mijn vrouw de keel over te snijden, maar dat ik met brio de tolerantie beleef die ik in mijn toespraken verheerlijk, is ook niet waar.'

Het viel tegen. Ze kregen de mollah niet te zien.

Ilja was nog niet in Bagdad Palace, toen ze daar aankwamen. Oerman nodigde Nicola uit om met hem en zijn familie te komen eten. Dat deed ze met genoegen. Toen na de koffie de kinderen weer bij hen kwamen zat ze aandachtig, bevreemd naar het kleinste te kijken, een jongetje met sluike, bruine haren en een weemoedig Slavisch gezicht.

'Oerman, hoe oud zijn je kinderen?' vroeg ze.

'Zes, vijf en drie,' zei hij.

Geschrokken keek hij naar haar om. Hij stuurde de kinderen weg.

'Dacht je eraan hoelang je Ilja al kent?' vroeg hij.

'Ja.'

'En hoelang is dat?'

'Twee jaar.'

Hij haalde de schouders op.

'Dan kan het geen kwaad,' zei hij.

'Oerman, zeg je nu...'

'Hij lijkt op hem,' zei Oerman. 'Iedereen ziet dat. Daar kan niemand wat aan doen. Gelukkig wordt er in deze streken niet veel naar kleine kinderen gekeken. Die zitten bij hun moeder en hun moeders zitten ergens om de hoek.'

Ilja kwam over het binnenplein aanstappen. Nicola liep dadelijk naar hem toe.

'Ilja, mag ik eens iets vragen?' zei ze.

'Ja, vooruit maar. Daar heb je mijn toelating toch niet voor nodig?'

'Dat kleine zoontje van Oerman, met zijn sluike, bruine haren, en zijn melancholische gezichtje, is dat er eentje van jou?'

'Ja,' zei Ilja ongelukkig, terwijl zijn schouders rollende bewegingen leken te willen maken. 'Het is van voor ik jou kende,' voegde hij er snel aan toe.

'Dat gebeurde eens.'

'Ja.'

'En dan nog eens? En nog eens? En nog eens?'

'Ja. Ik kan er misschien bij zeggen dat Oerman wel aan troost geraakt. Meer dan een echtgenote en nog een bijzit, of meer bijzitten, dat mag voor imams. Maar dat verandert niets aan de zaak. Tina, de vrouw van Oerman, is een heel modern meisje. Misschien wel moderner dan hij weet.'

'Hij is ook aan de moderne kant,' zei Nicola.

'Een modern Midden-Oosten is een paradijs voor seksuele krachtpatsers,' zei hij. 'Alles mag en je hebt altijd gelijk. Ik had een term gereed, maar ik zal hem maar inhouden.'

Hij liep mee terug naar het huisje van Oerman. Daar aangekomen zei hij dat ze niet hoefde mee te doen aan het spioneeren luisterwerk op het dak van het kleine huisje bij de oude wal. Dat deden hij en Oerman wel, met een paar van hun grotere jongens. Als er toch voorbijgangers opdaagden, konden ze doen of ze reparatiewerk uitvoerden. Oerman was het daar helemaal mee eens.

Voor zij aan dat gevaarlijke werkje begonnen moesten zij, zo vond Ilja, zeker weten dat er in die achterkamertjes van de kleine moskee iets gebeurde.

'Je kunt daar niet zomaar binnenstappen,' zei Oerman. 'Dat opgevijzelde volkje is gevoelig.'

'Ik denk dat we daar wel kunnen binnenstappen,' zei Ilja. 'Luister,' zei hij ongeduldig toen Oerman hem wilde onderbreken. 'In Bagdad zijn duizend dingen kapot, ook ziekenhuizen, ook scholen. Die moeten heropgebouwd worden. In zo'n geval komt er een inspecteur langs die de plaats onderzoekt, in aanwezigheid van de belangrijke ambtenaar die beslist over het al dan niet geven van subsidies. Overal zitten ze te wachten op die twee heren. Wel, wij zullen vandaag eens die heerschappen zijn, jij de snuffelende inspecteur,' zei hij tegen Oerman, 'ik de gewichtige ambtenaar. In *The Washington Post* heeft eens een beschrijving van het verwoeste Bagdad gestaan. "De Schandvlek" was de titel van het stuk. Het had Bush nerveus gemaakt. Aan het werk dus. Kijken wat er is en niet meer is. De rolverdeling onthouden: jij,' hij wees naar Oerman, 'inspecteur voor onderwijszaken; ik ambtenaar voor het toezicht en jij,' hij wees naar Nicola, 'verantwoordelijk voor de subsidies. Met een beetje geluk en veel bluf raken we daar wel binnen.'

Nicola vond het een heel goed plan. Ook Oerman was ermee in zijn nopjes.

'Voor bluf moet je bij mij zijn. Ik zal mijn mantel laten fladderen. Dan zie ik eruit als een arend.'

Ilja had één goed, donkergrijs pak met bijbehorend overhemd en een das. Hij ging dat aantrekken in zijn huisje.

'Ze moeten mij niet voor jullie autowasser houden,' zei hij.

Nicola was met hem meegelopen naar zijn huisje, maar toen ze mee de slaapkamer in wilde, wierp hij de deur voor haar dicht.

Ze floot bewonderend toen ze hem in zijn bankierspak zag verschijnen, maar hij liep alweer naar buiten. Ze moest achter hem aanhollen.

'Ilja, wat heb je?' vroeg ze. 'Je bent boos op me.'

'Waarom zou ik boos op je zijn?' morde hij. 'Echt niet,' zei hij zachter. 'Ter verduidelijking: als je graag goede maatjes wilt zijn met die Hindoe, dan moet je dat doen. Wie ben ik dat ik je daarin zou mogen tegenhouden?'

'Nog altijd dat?' vroeg Nicola. 'Ilja, ik ben daar echt alleen maar blijven slapen omdat de buurt onrustig was. Omdat Indar, de chauffeur van de Bentley, op die bende jongelui ingereden was. Die bende kwam terug en probeerde met geweld binnen te dringen in het huis van Rao.'

'Huis? Zeg maar paleis.'

'Rao is een bijzondere man, dat zal ik niet verstoppen,' zei Nicola. 'Hij is ongelooflijk intelligent, hij doet zich voor als cynisch, misschien is hij het wel, maar dan niet half zo erg als het lijkt. Hij heeft die jongen, Haroen, Harry, uit de gevangenis geholpen. Hij heeft jou eruit geholpen.'

'Zonder twijfel en daarvoor moet hij beloond worden. Het past dat hij daarvoor beloond wordt.'

'Ilja, je bent onrechtvaardig.'

'Ach, luister maar niet naar mij,' zei hij toen ze weer op het binnenplein bij de jongelui kwamen. 'Ik ben nerveus, omdat hier dingen gebeuren waar ik niet van houd. Dit is een plaats... Ik wil niet dat deze plaats verandert. Wij, ik bedoel daar ook de jongelui van Bagdad Palace mee, vinden de Amerikanen pummels, maar wij schieten hen niet dood. Wij verzoeken hun weg te gaan uit dit land, maar we slaan niet hun schedel in. Wij willen graag weten hoe de dingen in elkaar zitten, maar om dat te weten te komen duwen wij geen pinnen onder hun vingernagels. Wij regelen het niet zo dat mensen de hele tijd met hun hoofden tegen betonnen wanden tuimelen. Wij vinden dat mensen vrij moeten zijn. Om dat te bekomen sluiten wij andere mensen niet op. Wij vinden dat mensen de zaken met elkaar moeten bespreken, niet al diegenen die er anders over denken de deur uit jagen. Allah mag, maar moet niet. Krishna mag, maar moet niet. Honkbal mag, maar voetbal mag ook. Wodka, maar pilsjes ook. Vrijen is goed, trouwen is nog beter en trouwen met Ilja Doelin is het allerbeste.'

Ze gaf hem een kus.

'Die nacht,' zei hij stil. 'Die glorie waar geen eind aan kwam. Ik dacht dat wij getrouwd waren.'

'Toe, Ilja. Je hebt nou al wel tien keer gezegd dat trouwboekjes niet meetellen. Trouwboekjes zijn papiertjes. Daar staan de handtekeningen van pennenlikkers op, zei je. Of die wat te maken hadden met ons grote geluk?'

'Was je toen niét gelukkig?' vroeg hij. 'Die nacht die ik over honderd jaar nog niet vergeten zal zijn als ik zo lang leef?'

'Jawel, ik was gelukkig,' zei ze zachtjes. 'Dat moet je toch wel weten. Maar je wilt het allemaal zo heel gauw, zo holderdebolder, en veertien dagen later vergeet je het weer. Zeg niet dat ik nu wat verzin.'

Hij zei: 'Als ik je nu vroeg: ga je met mij mee naar Australië, nu, zo dadelijk? Doe je dat dan?'

'Nee, heel zeker niet.'

Hij stond daar verbouwereerd.

'Jij en ik,' zei hij, 'dat is toch goed.'

'Met daaromheen overal kangoeroes,' zei ze.

Hij glimlachte.

'Ja, dat is ook weer waar,' zei hij.

Hij werd weer wrevelig.

'Ze dringen hier binnen,' zei hij. 'Ze zijn Punk hier komen halen.'

'En die lieve, zachte Emiel,' zei Nicola. 'En de jongen die de poort van die politiepost ging rammen en die jij nog probeerde te redden.'

'Ik wil die Oerman Arhab horen,' zei Ilja. 'We gaan daar kijken.'

Daar was Oerman. Hij kwam in zijn wijde, fladderende mantel en zwarte tulband van zijn puinhoop gesprongen. Ook hij was onder de indruk van het elegant geklede heerschap dat naast Nicola kwam aanstappen.

Ilja vroeg Nicola of zij hen met haar auto naar de koranschool kon brengen.

'Jazeker,' zei Nicola.

'Wij kunnen daar niet te voet aankomen. Wij zijn het gezag, dat is labiel en corrupt, maar er is er geen beter nu. Jij,' zei hij tegen Oerman, 'stapt daar binnen alsof het allemaal van jou is. Niets is zoals het hoort. De vloer is smerig. Er is te weinig licht. Er is onvoldoende verluchting. En in de achterkamer, of in de achterkamertjes is er geen verluchting. Je laat dat horen. Loop er ten minste een omver.'

Hij speelt weer circus. Hij is in zijn element, dacht Nicola.

'Wij gedragen ons hooghartig,' zei hij tegen Nicola. 'Van ons moet het geld komen. En dat komt niet zomaar.'

19

In de auto had Ilja het weer over de opstand in Irak. Hij was er, dat was al goed. Hij groeide zelfs, dat was al beter. Maar niet op welke manier ook.

'Als ze me komen zeggen dat ze vrij willen zijn en dat ze

daarom de Buffalo Bills eruit willen, dan luister ik naar hen,'
zei hij. 'Als ze zeggen dat het niet altijd de groten moeten zijn
die over de wereld regeren, dat de kleinen dat ook kunnen, dat
ze best de wacht eens mogen gaan aflossen, heel goed, vooruit
maar. Ook stoelen voor de kleinen aan de conferentietafels.
Niet één grote vent met één grote hamer! Niet één groot kanon! Niet één grote klok met één grote klepel en één grote
vuist om daaraan te rukken.'
Nicola had zitten monkelen om zijn exuberante, Slavische
welsprekendheid.
'Ze maken de jongelui ongerust,' zei hij. 'Ze wekken wroe-
ging in hen. Ze brengen het besef in hen dat hun manier van
leven waardeloos is, dat hun manier van leven waardeloos wordt
als ze niet af en toe verdiensten kunnen voorleggen. De on-
dankbare mens. De onwillige mens. De nalatige mens. De hoogmoedige mens. De zelfzuchtige mens. De zondige mens. Misschien dus maar gauw terug naar de warme kudde, lijf tegen
lijf, en vooraan, in de verte, de beveiligende herder met zijn
staf. Ik heb het een waanzinnige ayatollah eens horen zeggen:
maak zondaars van hen. En sla hen dan met de zweep.'
Vrolijke rekels waren onbruikbaar, zei hij. Die losbollen rooi-
den het alleen. Ze vierden hun vrijheid. Ook de voorbeeldige
zonen konden niet dienen. Zelfs in gehavende families, zelfs
ten koste van lijden en ontberingen volbrachten die moedig
hun saaie plicht.
'Maar de twijfelaars, de hunkeraars, de dromers, nu eens
onversaagd, dan weer hulpeloos, *himmelhoch jauchzend,* maar
's morgens vroeg *zum Tode betrübt.* Dingen die ik goed ken, je
moet ervoor bij ons zijn. Overal goede kerels, in hen dat warme
lillende leven, dat ze kennen noch beheersen, maar dat hen
vervult, dat hen opwindt, dat hen rechtop doet lopen.'
Met de voorarmen op het stuur klapte Nicola in de handen.
'Ja, lach me maar uit,' zei hij bitter.
'Rechtsaf hier! Ben je het al vergeten?' riep Oerman.
'In het midden van de straat blijven staan,' zei Ilja. 'Pal voor
de open poort!'
Het was pauze. De twee bewakers staken met hun forse ont-

blote schouder en kale schedel boven de stoeiende knapen uit. Ze stapten ontspannen pratend, hun lange stok onder de arm, over de speelplaats.

'Inspectie!' schreeuwde Oerman.

Wijdbeens stapte hij voor Ilja en Nicola uit het speelplein op. De bewakers sprongen in de houding, de stok als een geweer aan hun voet.

'Leerlingen in de klassen!' riep Oerman. 'Alstublieft.'

'Zeker, edelachtbare,' zei een van de bewakers.

Ook de andere zei dat. Toen klapten ze in de handen en dreven de kinderen terug naar de nissen waar hun leesplankjes lagen. Oerman schreed krachtig stappend door het geharrewar. Hij duwde woest met zijn voet tegen bosjes onkruid die daar groeiden. Hij schopte tegen proppen papier of flarden plastic die daar lagen.

'Onderhoud erbarmelijk!' schreeuwde hij. 'Zindelijkheid nul!'

Vuilnis dat bijeengewaaid was onder de overdekte galerijen waar de studeernissen zich bevonden, veegde hij met zijn voet uit de hoeken en verspreidde hij over de binnenplaats.

Onder de minaret bevond zich een kleine, groene, gedeeltelijk afgebladderde en vermolmde deur. Ernaast, in de achterwand, waar de moskee tegen de oude wal aan gebouwd stond, was er een tweede, grotere deur, eveneens groen, ook afgebladderd en vermolmd, maar duidelijk zwaarder en sterker, met een groot smeedijzeren slot. De scharnieren waren dikke ijzeren banden die over de volle breedte van de deur liepen. Die deur werd met geweld van binnenuit opengeworpen en een struise man in een groezelige grijze mantel, met op het hoofd een geweldige zwarte tulband, kwam tevoorschijn.

'Wat gaat hier om?' schreeuwde hij. 'Wie zijn jullie? Nee, u kunt daar niet binnen,' riep hij tegen Oerman, toen die langs hem heen wilde lopen.

De twee bewakers kwamen aangehold, duwden met een knal de deur weer dicht en gingen ervoor staan.

'Bent u de imam van deze moskee?' vroeg Ilja.

'De vraag is niet wie ik ben, de vraag is wie jullie zijn. Ik zal mij bij de overheid beklagen.'

'De overheid, dat zijn wij,' zei Oerman. 'En als jij weerstand biedt en geweld pleegt, dan zullen wij ons beklagen.'

De ogen onder de zwarte tulband stonden strak op Nicola gericht.

Waarom heeft hij geen baard, dacht ze. Alle imams die ik ken, hebben een baard. Hij is ook niet zo oud als mij gezegd werd, niet half zo oud, maar misschien was dat haar ook niet gezegd, misschien had ze het alleen maar gemeend. Ilja had het gezegd, maar voor hem was alles wat traditioneel was ook stokoud.

Het was Oerman duidelijk bekend dat je tegen de imam van een moskee geen lichamelijk geweld mocht gebruiken. Een kleine omweg dus, zo zou hij later uitleggen. Hij greep een van de bewakers bij de schouder en rukte hem van de deur weg. De man tuimelde tegen de imam aan. Die moest opgevangen worden door Ilja. Oerman gaf de andere bewaker een krachtige duw en rukte de zware deur open. De imam trok zich los uit de armen van Ilja en ging achter Oerman aan. Die keerde zich om en stond met geheven armen in de deuropening.

'Subsidies!' riep hij luid. 'De scholen in Bagdad zijn in nood. Ze moeten geholpen worden. Ze krijgen dan steungeld. Als er voor deze school een bedrag moet worden ingeschreven op onze lijsten, moet nu het onderzoek verdergezet en afgewerkt worden.'

'Even plaatsmaken graag,' zei Ilja.

Hij pakte Nicola bij de arm en liep met haar achter Oerman aan. Eerst was er een stenen trapje, dat drie treden omlaag leidde. Ze kwamen in een donkere, lage, overwelfde ruimte. Aan één kant, waar het gewelf een koepel vormde, viel licht op een muur. In de muur bevond zich een nis, waar een boek in lag. Op twee plaatsen in de lange muur ernaast waren hoge, smalle openingen geweest, maar die waren ruw dichtgemetseld.

'Schietgaten,' zei Nicola gedempt. 'Dit is wel degelijk een kazemat van een oude vesting.'

Ook aan de andere kant was er schemerlicht. Daar bleek er een kokervormige opening in het gewelf te zijn. In de hoogte, buiten, zagen ze het hen al bekende schouwtje, een bescherming tegen stof en stortregens tijdens onweer. Er was een kant waar het gewelf zo laag was dat ze gebukt moesten lopen. Steeds dieper moesten ze zich bukken.

'Zeg, gaan jullie maar,' zei Nicola nerveus, terwijl ze plaatsmaakte voor Ilja en Oerman.

'Ergens moeten ze zitten. We hebben hen gehoord,' zei Oerman. 'Dat rommelige spreekkoor.'

'Daar zijn ogen!' riep Nicola gesmoord. 'Die hoek, daar zijn ogen! En daar! En daar!'

Ze grabbelde gejaagd in haar tas. Haar vingers vonden het minuscule zaklampje. In het zwakke lichtstraaltje zagen ze in het donker jongens neergehurkt zitten, veel kaalgeschoren schedels, dicht bij elkaar. Tien, misschien wel vijftien, dacht ze. Ze zag de schouders, de ruggen en de knieën. Schichtig bewegende ogen zag ze ook.

De imam kwam gebukt achter hen aan gehold. Hij zei dat er in elke school leerlingen waren die zich slecht gedroegen. Ze waren ongehoorzaam, ze spraken onbeschoft. Dat moest hun afgeleerd worden.

'Kerel!' schreeuwde Oerman. 'Als dat uw idee is om mensen wat af te leren, hen opsluiten in een donkere kelder die stinkt naar de urine, dan moet er wat gedaan worden om u een en ander af te leren. Iedereen kan zien dat het daarbuiten kinderen zijn en hier grote jongens. Dat verschil zul je me eens moeten uitleggen. Eruit, jullie!' riep hij tegen de jongelui die in de donkerte onder het lage gewelf diep gebukt dicht bij elkaar zaten. 'Daar, die kant op, waar we jullie beter kunnen zien.'

Ze bleken met zijn achttienen te zijn, achttien haveloze, ongewassen jongelui, die het hoofd introkken zodra er een beweging in hun richting gemaakt werd.

'Nu ja,' zei Ilja tegen de imam, nadat hij de jongens bekeken had. 'Orde moet er zijn. Een school zonder orde, dat gaat niet. Lucht is er hier wel weinig. En licht is er geen, zo goed als geen. Dat moet in onze boeken.'

Hij ging weer onder de luchtkoker staan en keek omhoog.

'Hoe dik is dat gewelf wel? Een halve meter? Meer.'

'Het is een dik gewelf,' zei de imam onzeker.

'Is er niets anders voor de verluchting buiten deze ene koker?'

'De koker is breed,' zei de imam, 'misschien wel dertig centimeter.'

'Vijfentwintig, niet meer,' zei Oerman. 'Is er geen andere opening?'

'De deur kan openstaan. Die staat dikwijls open,' zei de imam.

'En hoe dikwijls wordt hier de vloer geveegd?' vroeg Oerman. 'Om de twee jaar? En plassen mag zeker ook in de hoeken?'

'Op twee plaatsen is er een putje,' zei de imam.

'Indrukwekkend,' zei Oerman.

'U was hier bij hen toen we aankwamen,' zei Ilja. 'Wat was u met de jongens aan het doen?'

'Hen ondervragen. Lessen overhoren. Hun betere manieren leren.'

In een hoek waar het gewelf zo laag was dat je er op de knieën had moeten kruipen, bemerkte Nicola een houten luik in de vloer.

'Ilja, kom eens!' riep ze.

Ze wees naar het luik. Hij kroop ernaartoe en opende het. Nicola kwam er moeizaam kruipend bij. Ze zagen tralies. Een vunze lucht steeg op.

'Wat is dat?' riep Ilja naar de imam. 'Dat luik hier? Leidt dat ergens heen?'

'Nee, nee,' zei de imam. 'Doe dat luik dicht. Ga daar weg.'

Nicola liet haar zaklampje tussen de tralies in de diepte schijnen.

'Daar zitten er nog,' zei ze geschrokken. 'Twee, drie, vier, ze kijken omhoog.'

'Ach, maak toch niet zoveel moeilijkheden,' zei de imam. 'Jullie schijnen niet veel te weten van opvoeding en van jeugd. Als je er nu hebt die echt wat moeten voelen eer ze wat willen horen...'

'Hoe diep is dat daar?' vroeg Oerman, die over de schouders van Ilja heen kwam meekijken. 'Een meter of vier?'

'Vijf,' zei de imam. 'Het zal vroeger wel de waterput geweest zijn, onder naïeve lui dan die niet veel weten van woestijnen. Een of ander stel Britten misschien. Lui die geloven dat het overal regent omdat het bij hen altijd overal regent.'

'Die vier kunnen daar zitten, niet liggen,' concludeerde Nicola.

'Hoe komen ze daar uit?' vroeg Oerman.

De imam greep in de donkerte naast hen en toonde een dik touw waar op geregelde afstand knopen in zaten. Het touw zat vast aan een ijzeren ring in het gewelf.

'Misschien eens laten zien hoe het werkt,' zei Oerman.

'Alleen boeven gaan daarin,' zei de imam. 'Zij weten niet meer wat buigen is.'

'Dus barsten,' zei Oerman.

'Meneer de imam,' zei Ilja, 'als het echt boeven zijn die daar zitten, hoe kwamen ze dan in deze koranschool terecht? Volgens mijn gegevens gaan boeven naar bordelen en louche bars.'

'Open en eruit,' beval Oerman.

Nurks tilde de imam het tralieluik op en liet het touw in de put zakken.

'Komen,' gromde hij.

Een jongen kwam omhooggeklauterd. Toen hij al half uit de opening was, hield de imam hem tegen. Hij vroeg aan Oerman: 'Houd jij hem in het oog of ik?'

Hij schreeuwde iets naar de twee bewakers, die meegekomen waren in het overwelfde vertrek. Een van hen ging postvatten bij de deur. Ilja gaf de jongen een wenk dat hij uit de opening moest komen en wat verder moest gaan staan, waar het gewelf wat hoger was. Een tweede jongen kwam omhooggeklauterd. Toen hij uit de opening kwam, keek hij geschrokken op naar Ilja. Snel begon hij weer af te dalen.

'Eruit,' beval Oerman.

Aarzelend kwam de jongen weer omhoog. Zijn blik stond angstig op Ilja gevestigd. Hij keek ook schuw om naar Oerman.

Nicola fluisterde in het oor van Ilja: 'Een van bij jullie?'

Ilja knikte somber. Ook de derde was er een van hen.

Nicola kneep in zijn arm en bleef die vasthouden.

De vierde had een beroepsworstelaar kunnen zijn. Hij had een ring in zijn oor en tatoeages op zijn beide armen. Oerman liet de vier jongelui op een rij naast elkaar gaan staan. Hij vroeg de eerste waarom hij in die put zat.

'Omdat ik opstandig geweest ben,' riep de imam met zijn schetterende stem.

'Omdat ik opstandig geweest ben,' zei de jongen.

Oerman vroeg hetzelfde aan de tweede.

'Omdat ik opstandig geweest ben,' zei die.

Dat zei ook de derde.

'En jij, jongen?' vroeg Oerman aan de worstelaar.

'Omdat ik opstandig geweest ben,' zei ook die.

'Eén ding moet alvast over u gezegd worden, imam,' zei Oerman. 'U weet hoe u ze tot andere inzichten moet brengen.'

'Tot betere inzichten,' zei de imam blij, instemmend. 'Is dat niet het doel van de opvoeding, de jeugd tot beter inzicht te brengen?'

'Die vier gaan daar niet terug in,' zei Oerman.

Hij liet het traliehek en daarna het luik dichtvallen.

'Deze opvoedkundige procedure wordt afgeschaft. Hebt u dat gehoord, imam? Als ik nog eens langsloop en ik kom onverhoeds kijken en ik vind daar weer jongelui, dan komen die daar uit en dan gaat u in hun plaats de dieperik in.'

Hij legde een heel grote steen op het luik.

'Het is goed, het is goed,' knorde de imam. 'Aangezien ze hun fout hebben ingezien...'

Nicola leidde Ilja bij de arm een eindje weg van de imam.

'Daar verstopt er zich een,' zei ze. 'Daar, die tamelijk dikke met wat langere haren.'

'Gatverdamme, dat is Lakh,' zei Ilja.

'Sst, stiller, de imam moet het niet horen,' zei Nicola.

'Lakh is bijna een jaar lang onze bakker geweest. En toen opeens was er geen Lakh meer. Veel bloem, veel hout voor de oven, maar geen bakker.'

Ze liepen terug naar de groep. Op de vraag van Ilja waarom die jongens in de grote donkere ruimte moesten zitten, en niet zoals de knapen buiten, in nissen, of op de grond aan de voet van een zuil, zoals in haast alle scholen, antwoordde de imam dat er na het instuderen van de tekst nagedacht moest worden. De inhoud van de gememoriseerde korantekst moest verwerkt worden. Stilte en schemerdonker waren daar beter voor dan het geklessebes van die knapen, die soms als de bewakers aan de andere kant waren ook andere dingen opdreunden dan de koranverzen. Je kon dan dat stomme geschater horen. Hij vroeg of ze een arbeider mochten aanwerven. Voor poetsbeurten. Of ze nieuwe plankjes konden krijgen voor het opschrijven van de koranverzen. Of ze tafels en stoelen konden bekomen voor vergaderwerk.

Ilja kon met de hand het gewelf betasten.

'Ik denk dat het wel een meter dik is,' zei hij. 'Meer?' vroeg hij aan de imam na even een blik met Nicola gewisseld te hebben.

'Nee, niet meer, iets minder. Een zwaar gewelf is goed. Dik overwelfde plaatsen zijn hier de enige waar je in de zomer koelte en in de winter warmte hebt. En je hebt altijd stilte. Als die dikke poort toe is, bestaat de buitenwereld niet meer. Dat is het wat Mohammed deed, als ze in de woestijn bij een bron kampeerden en er was daar een *koebba*, dikke muren, dik koepelgewelf, dan waren ze hem voor de rest van de avond kwijt. Een van zijn krijgers die hem eens uit zo'n *koebba* zag komen, zei tegen hem: "Profeet, daar heb je zeker niet gevonden wat je zocht." Hij stond te lachen. De Profeet zei: "Ja, toch wel." "Wat dan?" vroeg de krijger, nog steeds lachend. "God," zei de Profeet.'

Ilja zei: 'Imam, we hebben wel aanmerkingen bij wat we hier allemaal gezien en meegemaakt hebben. Die grote jongens worden te brutaal behandeld. Dat moet verminderen.'

'Jazeker. Goed. U mag daar op rekenen.'

'Als straf die put in, dat mag nooit meer gebeuren. Hebt u dat goed gehoord? Als er nog iemand die put in gaat, dan laat ik hier de boel sluiten en dan gaat u misschien wel ergens een put in, ik bedoel daarmee een cel natuurlijk.'

'Ik zal alles doen wat u zegt. Ik laat mij soms weleens meeslepen door mijn temperament. Dat is niet goed. Ik zal het niet meer doen.'

20

De knapen in de nissen op de binnenplaats waren duidelijk overgeschakeld op een hogere snelheid.

'Het lijkt wel of ze daar allemaal met machinegeweren zitten te schieten,' zei Ilja.

'We weten veel,' zei Nicola tevreden toen ze weer in de auto zaten. 'We weten dat die imam zonder baard in een donker overwelfd vertrek met grote jongens werkt en we weten dat er een put is.'

'Waarom zeg je imam zonder baard?' vroeg Ilja.

'Ik weet het niet zo goed. Als ik aan een mollah of ayatollah denk, dan zie ik een baard, maar bij hem zie ik er geen. Baarden moeten niet, dat weet ik wel. Ook gevouwen handen moeten niet voor een pastoor als er gebeden wordt. Neergeslagen ogen evenmin. Maar als honderd pastoors met gevouwen handen en neergeslagen ogen bidden en één niet, dan vraag ik mij af of dat wel een pastoor is. En nog iets: een normale, gezonde imam of mollah heeft geen put.'

'Ook geen donkere kamer,' zei Ilja.

'Het gebed leiden, dat is het wat een imam doet. Dat gebed hoor je niet. Er worden geen teksten gereciteerd in een moskee, er wordt niet gezongen. De imam mag wat zeggen, maar jij ook. Een punt voor ons beiden dus,' zei Nicola. 'Er is wat met die mollah daarbinnen. We lijken te mogen vragen of we daar wel een normale, gezonde mollah hebben. We mogen misschien zelfs vragen of we daar wel een mollah hebben. Ilja, je hebt een paar keer naar de luchtkoker staan kijken. Kunnen we daar wat mee doen? Dat dictafoontje van mij neemt op wat er onder het gewelf gebeurt, maar kunnen we het van op het dak een eindje in die koker omlaag laten, laag genoeg om het geluid op te vangen, en hoog genoeg om niet gezien te worden?'

'Iets minder dan een meter is het gewelf dik, volgens die imam, die er misschien geen is. Zeventig, tachtig centimeter kunnen we het wel laten zakken, denk ik. We kunnen dat kabeltje meten en een tekentje aanbrengen.'

'Prachtig. Dan lukt het.'

'Is de afstand niet te groot voor die kleine micro?'

'Nee, nee, die dingetjes hebben veel betere oren dan wij. Ik ga met genoegen mee dat dak op.'

'In geen geval,' zei Ilja. 'Een meisje op een dak naast een minaret, dan komt half Bagdad kijken. Ik zal dat wel doen,' zei Ilja.

'En ik,' zei Oerman.

'Nee, jij niet.'

'Waarom niet?' vroeg Oerman boos.

'Omdat je altijd voor Zorro speelt, en dan komt half Bagdad dáárnaar kijken. Ik zal het doen, in mijn gewone dagelijkse plunje, mijn werkplunje, met een paar van onze grote jongens. Dan lijkt het alsof daar een dakwerker bezig is, met een paar van zijn gasten, om barsten of gaten te stoppen. Dat doen ze de hele tijd als het gestortregend heeft. Dat is al een poos geleden nu, maar dat wil niet zeggen dat alle gaten en barsten dicht zijn, die zijn hier nooit allemaal dicht.'

Zijn boze humeur was niet voorbij. Nicola kon het horen. Dan was alles slecht en nooit werd iets beter.

'Die kleine bakker,' zei Ilja nurks, terwijl ze door de stad reden. 'Die was altijd opgewekt. Als je hem tegenkwam, zag je Janneke Maan. En nu zit hij daar. Waarom?' vroeg hij. 'WAAR-OM?' vroeg hij nog bozer.

Wat had die monsterachtige ommekeer teweeggebracht? Wie had dat teweeggebracht? Leven voor je genoegen, leven voor je plezier en dan opeens dood willen gaan. Jezelf behangen met dynamiet en dan in stukken vliegen.

'Helemaal zeker weten we nog niet dat ze dat daar doen,' zei Oerman. 'We weten het wel ongeveer, maar niet zeker.'

'Als dit zijn werk gedaan heeft,' zei Nicola, terwijl ze haar dictafoontje toonde, 'dan weten we het zeker.'

'Ik weet het nu al,' zei Ilja. 'Heb jij dat bakkertje ooit op de grond zien liggen, met zijn gezicht tegen de vloertegels en zijn kont omhoog?'

'Kont had je ook anders kunnen formuleren,' gromde Oerman.

'Zijn achterdeel omhoog,' zei Ilja. 'Heb jij het ooit gezien?'
'Nee, ik geef het toe. Hij kon heel goed brood bakken, maar godsvruchtig was hij niet.'
'En een vurig vaderlander, was hij dat?'
'Nee, ook dat was hij niet,' zei Oerman lachend. 'Ik heb hem toch nooit over Irak horen spreken. Wel over een meid ergens met tieten waar geen eind aan kwam. Pardon, lieve Nicola. Ik ben dus ook niet de godsvrucht in persoon. Als hij dus ergens een papier of een T-shirt achterlaat met "Mijn leven voor Irak! Irak vrij", dan zal dat geen boodschap van hem zijn. Maar van wie dan wel? En wie dat bakkertje is komen vangen en hoe dat is verlopen, weten we na al ons gemekker ook nog niet.'

'Wat is daar aan de hand?' vroeg Nicola toen ze Bagdad Palace naderden.
Over de puinhopen heen hoorden ze verward stemmenrumoer op het binnenplein, geschreeuw, een fluitjesconcert. Weer geschreeuw. Ruzie ergens in een hoek, daar waren ze aan gewend. Ook van een vechtpartij lagen ze niet wakker, maar de vuistschermers moesten geen aanhang krijgen. Geen veldslagen, daar werd de hand aan gehouden.
Niet krachtig genoeg, zo leek het nu. In de nabijheid van de puinhoop waar Oerman gewoonlijk zijn toespraken hield, was een tiental jongelui aan het vechten in een kring van jouwende toeschouwers.
'Is er weer eens een of andere onkiese uitspraak gedaan over de levenswandel van een of andere dochter of zuster of moeder?' vroeg Ilja.
Oerman stormde vooruit en zette de vechters uit elkaar terwijl hij links en rechts baffers uitdeelde van het soort waar blijkbaar rekening mee werd gehouden.
'Nee, jij niet, jij ook niet en jij ook niet,' zei hij tegen jongens die zich schreeuwend om hem verdrongen. Hij wees een andere aan. 'Vertel me wat er gebeurd is.'
Het was niet eenvoudig om de jongen zijn verhaal te laten doen op zo'n manier dat je kon horen waar het over ging. Ze

bleken nu ook sjiieten te hebben, die afstammelingen van een neventak van de familie van de Profeet, met een klein verschil in de overleveringen en een ander accent hier en daar wat de levenswandel betrof. Je vond ze vooral in het zuiden van het land, waar ze hun heilige stad hadden met een heilig graf en een bijzondere moskee. Je vond er ook in de hoofdstad, die vooral soennitisch was, maar daar hielden ze zich doorgaans op de achtergrond. Ilja verwachtte al lang dat ze op een dag ook bij hem eens zouden opduiken. En daar waren ze dus. De spil van de scheurlijst, zoals Woodrow hem noemde, was een lange, magere, duidelijk dweepzuchtige jongeman. Hij riep dat ze zich niet de les zouden laten lezen door ketters. Oerman zei hem goedig dat hij zo niet moest spreken.

'We hebben allemaal onze ketter,' zei hij. 'Die heeft ongelijk, met een slag hebben wij dan gelijk. We laden ook alle andere gebreken en zonden op hem en dan blijven wij over als de Zalige Zuiveren. Ik ken negen uitverkoren volkeren in de wereld. Dat hebben zij allemaal zelf zo beslist. Dat noem ik nog eens democratie.'

'Wij zijn het die de Amerikanen hier weg willen,' zei de jongeman.

'Zie je wel,' zei Oerman.

'Zie je wat?'

'Weer een uitverkoren volk meer.'

'Die daar prijst de Amerikanen!' riep de sjiiet uit.

De aangewezen jongen protesteerde. 'Ik heb enkel gezegd dat ik graag Coca-Cola drink,' zei hij.

'En die daar!' riep de sjiiet.

Ook die jongen protesteerde. 'Ik heb gewoon gezegd dat ik graag Amerikaanse films zie,' zei hij.

'Kunnen we die niet missen?' riep de sjiiet. 'Kunnen wij niet leven zonder die platte verzinsels?'

'Ach, kunnen leven,' zei Oerman. 'Ik kan leven zonder schoenen, maar altijd keien onder mijn voetzolen is ook niet je dat. Ik kan het uithouden zonder schaduw. Mijn voorouders in de woestijn hebben het duizend jaar uitgehouden zonder schaduw, maar met een handjevol vrienden zitten kletsen op een tapijtje tussen de palmbomen, graag. Ook dadels en vijgen en granaatappels kan ik missen, maar laat die toch maar komen, twee handen vol. Een radiootje kan ik missen, maar wie zal dan voor ons zingen? Ik beter niet, want dan verhuizen jullie allemaal naar Jemen. Televisie móét ik niet hebben, maar hoe zou ik dan weten dat Bush niet alleen stom is, maar er ook stom uitziet? En als jullie ooit een Amerikaanse auto voor mij hebben, laat die dan toch maar komen. Jullie mogen er dan ook in en we rijden toeterend en schreeuwend door de stad tot de Amerikanen hun oren dichtstoppen en misschien wel naar huis gaan.'

De jonge sjiiet zei: 'Ik weet niet goed wat ik moet denken als ik u hoor. Bent u hier de imam? De mijne kunt u dan niet zijn.'

Oerman richtte zich tot de menigte die hem omringde.

'Vinger opsteken al die vinden dat ik en ik alleen hun imam ben.'

Het geschater dat overal weerklonk bracht de jongen nog meer van streek. Maar hij gaf zich nog niet gewonnen. 'Waar bidden wij dan?' vroeg hij. 'Wij, bedoel ik.'

'Dat heeft de Profeet gezegd,' zei Oerman zachter. 'Hij zei: "Waar de mens tot God bidt, is God bij hem." In de grote moskee van Mekka, daar zeker; in de kleinste moskee van Bagdad, ook daar; op dit binnenplein, te midden van puin, ook hier. En weet je wat Mohammed antwoordde toen men hem vroeg: "Profeet, waar bidden wij wanneer de vijand ons achtervolgt?" De Profeet antwoordde: "In het zadel van ons galopperend paard." Dat zei hij echt, de rekel. Niet een afstammeling van de Profeet zei dat, maar hij, de Profeet zelf zei het. Ik zal je maar niet vragen of jij wel goed je koran kent, want dan vraag jij dat misschien wel aan mij en dan val ik door de mand. Een boze volgeling die ervan langs gekregen had, vroeg de Profeet eens of hij wel goed de koran kende. De Profeet antwoordde: "Dat laat weleens te wensen over." "En wat doet u dan om te weten wat u moet doen?" vroeg de boze volgeling. "Dan kijk ik in mijn hart," zei de Profeet.'

Tot slot zei Oerman dat ze nu niet uit elkaar moesten lopen, ieder aan zijn kant, maar dat ze integendeel bij elkaar moesten blijven en kwekken.

'Kwekken?' vroeg de jonge sjiiet achterdochtig.

Oerman knikte. Hij zei: 'Daarom gaat het niet meer zo goed in de wereld. De mensen kwekken niet meer.'

Nicola keek glimlachend om naar Oerman.

'Bravo,' zei ze stil. Daarna vroeg ze: 'Wat je daar zei over bidden in het zadel van een galopperend paard, dat was toch niet waar?'

'Toch wel, ja, dat was heel zeker waar. Het staat in de koran. Tienduizend regels heeft de Profeet volgeschreven over beminnen en barmhartig zijn, tien over bloedig straffen, wat iedereen toen deed, ook de lui van het Oude Testament. Iedereen heeft vandaag de mond vol over de koran, maar niemand leest hem.'

'Ik heb hem uitgelezen,' zei Nicola.

'Diagonaal zeker, van de linker bovenhoek naar de rechter benedenhoek.'

'Hier en daar wel,' gaf ze toe. 'De Profeet kan ook zeuren en vijf keer hetzelfde zeggen.'

Ilja besliste dat ze niet meteen zouden beginnen met het afluisterwerk in de luchtkoker boven de donkere kazemat van Oerman Arhab. Ze konden het stof daar beter wat laten bezinken en er pas de volgende dag mee beginnen. Ze zouden het toestel plaatsen tijdens de hete middaguren, wanneer de weinigen die dan nog buiten waren, lagen te slapen.

Nicola stelde voor om het dictafoontje toch niet omlaag te laten zakken. Het ritselen van het bandje zou gehoord kunnen worden. Ze zou een grotere, sterkere dictafoon gebruiken en die op het dak naast de schoorsteen tussen steenbrokken verbergen. In de luchtkoker zouden ze dan enkel een micro aan een kabel neer laten zakken. Micro's maakten helemaal geen geluid en het kon dan ook een wat grotere, nog betere micro zijn dan die van het kleine ding in haar handtas. Zij had zo'n grote dictafoon met losse micro en ze zou zorgen voor veel bandjes. Ze had er die tweehonderd veertig minuten liepen. Ze zou er meer van dat soort kopen of lenen van collega's in het perscentrum.

Ze vonden het een heel goed plan.

Ilja zou met enkelen van zijn jongens het toestel plaatsen en de bandjes recupereren.

Het kostte Nicola in het perscentrum enige moeite om op een discrete manier aan grotere bandjes te geraken. Altijd leek er iemand achter of naast haar te staan, dicht genoeg bij haar om te kunnen horen wat ze zei. Meer dan eens was het een Amerikaan. Toen het twee keer dezelfde was en Nicola hem vroeg wat hij wilde, wapperde hij glimlachend met de handen en deed alsof hij in papieren stond te bladeren. Een Iraki aan wie ze hetzelfde vroeg, lachte alleen maar zijn bruine tanden bloot. Toen ze haar vraag herhaalde, deed hij op de onnatuurlijkst denkbare manier alsof hij geen Engels verstond. Maar ze kreeg haar bandjes bij elkaar. Ze vond ook twee heel grote banden waarop kleinere overgetapt konden worden, maar die liet ze liggen nadat ze gehoord had dat het overbrengen daar ter plaatse moest gebeuren.

21

In het hotel gaf de jongeman achter de balie haar een bosje viooltjes in een vaasje met water. Er zat een kaartje bij: 'Van Harry en mama.' Ze drukte een kusje in de kleine ruiker.

Rao had haar al drie keer gebeld die dag, hoorde ze van de jongeman. Ze belde hem op van in haar kamer.

'Ik heb een bloemetje gekregen van Harry,' zei ze. 'Dat moet ik eigenlijk aan jou doorgeven. Ik denk niet dat je Harry kent.'

'Nee.'

'Je weet niet waarom hij in de gevangenis zat?'

'Nee.'

'Je had dat kunnen vragen. We moeten niet de verkeerde uit de gevangenis halen.'

'Maar jij wou hem eruit,' zei hij.

Dat was dus voldoende, dacht ze, terwijl het even moeilijk was in haar keel.

'Gaan we samen eten?' vroeg hij.

'Ja,' zei ze blij. 'Maar niet in dat paleis van jou. Ik hoop dat je nou niet boos wordt. Ik had het gevoel dat ik daar tussen de bladzijden van een cursusboek over supermanagement zat.'

Ze hoorde hem lachen.

'Ik zou je dag en nacht willen horen praten,' zei hij. 'Mijn hele leven lang. Als we dat eens deden.'

'Laten we gewoon uit eten gaan,' zei ze. 'Op een koel plekje, de maan in een palmboom en nog één krekel. En niet zeggen dat Saddam zo'n hele oase bezat met personeel en voorraadkelders erbij, en dat dat nu allemaal van jou is. Een plekje waar niets van jou is. Alles van ons allemaal, zoals de zee en de bergen.'

'Ik ken zo'n plek,' zei hij. 'Aït-Assan. Het is een oase waar witgemantelde boeren gerst en dadels telen, vroeger voor bedoeïenen uit de woestijn, aan wie zij onderworpen waren, nu voor zichzelf. Er groeien palmbomen, er is koel water waar visjes in zwemmen, er is ook een kleine, heel mooie moskee met een schooltje eraan en een heel gezellige herberg.'

'Ik ging alweer ja roepen, maar visjes in de woestijn, daar geloof ik niet veel van.'

'Een kus per visje dat we vinden?'

'Per levend visje dat we zien zwemmen?'

'Ja, dat bedoel ik.'

'Afgesproken, maar met een redelijke limiet,' zei ze terwijl ze zich afvroeg of het meisje dat redelijkheid wenste daar wel redelijk praatte.

'Geen avondjurk aantrekken,' zei hij. 'Jeans, polo en joggers. Zo hoeven we geen omweg te maken als we in de woestijn een leeuw tegenkomen.'

Hij kwam haar halen in een zandkleurige Land Rover, hoog op forse wielen die duidelijk al wat meegemaakt hadden, en met een motor zo luid dat ze naar elkaar moesten roepen. Het ging beter buiten de stad nadat de zesde versnelling was ingeschakeld. Ze vertelde dat ze dankzij een list en enig geweld hadden kunnen binnendringen op een plaats waar naar zij meende, maar zeker was het nog niet, zelfmoordrijders opgeleid werden. Ze hadden een middel gevonden om daar afluisterwerk te verrichten. Het was nu al duidelijk dat op die plek behoorlijk wat dwang op de jongelui uitgeoefend werd. Ze hoopten te weten te komen hoe en waarom die jongelui daar aan die opleiding begonnen waren.

'Rao, bestaan er jongeren die uit eigen beweging naar zo'n plaats gaan en zeggen: "Maak nu van mij een zelfmoordrijder"?'

'Het komt zeker wel voor in extreem fundamentalistische families, in een extreem fundamentalistisch milieu.'

'Maar dan verschuif je het probleem. Dan zeg je dat de dwang al eerder werd uitgeoefend, tijdens de kinderjaren. Bestaan er ouders, zo waanzinnig dat ze zulke dingen met hun kinderen doen?'

'Ja, die bestaan.'

'Je zegt dat zonder aarzelen.'

'Ik ken families die zulke dingen doen.'

'Tot en met de dood?'

'Tot en met de dood.'

'Ik ken families waar ze het doen tot bijna aan de dood. In het katholicisme sterft het uit. Vroeger had je heel wat katholieke families waar ze de kinderen in zo'n richting stuurden. Die kinderen werden dan priester, of kloosterling, kartuizer bijvoorbeeld, trappist, en leefden dan in helemaal van de wereld afgezonderde, hoog ommuurde, bijna versterkte kloosters waarin je vrijwillig honger en kou leed in een harige pij, waar je weinig mocht slapen, waar je nauwelijks mocht eten. Om drie uur 's nachts stond je op om in een niet verwarmde, in de winter dus ijskoude kerk, urenlang psalmen te zingen. Een eentonig, obstinaat gedreun dat je brein afstompte, tot je zo'n naamloze, hersenloze dreuner werd die niet mocht spreken en in de tuin zijn eigen graf moest graven. Ik heb dergelijke monniken gekend. Ze hadden roodomrande ogen. Ze beefden. Er zaten zinnelozen tussen. Er waren er zeker ook wel bij bij wie het niet zo ver ging, maar bij anderen ging het wel zo ver. In de Amerikaanse staat Utah heb ik met jonge mormonen gepraat, die duidelijk van kindsbeen af dezelfde bewerking hadden ondergaan. Zij droegen geen harige pij, ze liepen niet rond op blote voeten. Ze droegen een elegant maatpak, maar ze hadden diezelfde roodomrande ogen, diezelfde wazige starre blik. Daarmee moesten ze aan voordeuren aankloppen en aan de mensen vragen of ze niet mee wilden opstappen naar God. Ik heb calvinisten gekend die elkaar met gloeiende ogen beloerden. Ze wilden weten of de ander geen zonden bedreef, openbare of geheime, of er geen duivels in de buurt waren. In Tibet was er een tijd dat de boeddhistische kloosters uitpuilden en die monniken in oranje gewaad, met blote schouder, kale schedel en beaat glimlachend gezicht, overal te zien waren, in de huizen, in de straten, in de tempels. Overal zag je hen zitten, in rijen en rijen. Ze wiegden de romp heen en weer. Ze sloegen op een gong en zongen eentonig van 'ooom ooom ooom', tot het gedreun hen helemaal vervulde en door hen niet meer onderscheiden kon worden van het gesuis van de wind. Met verdraaide ogen liepen ze ook door de straten. In hun kinderjaren ondergingen ze reeds die opgelegde, eenzijdige verschrompeling van hun geest, die verdorring. Het was bijna de glimlach van mummies die je bij hen te zien kreeg. Dat werd minder toen China hun land in beslag nam en andere regels voorschreef, maar nu zijn die nieuwe regels in China zelf in verval geraakt en naar ik hoor, als het waar is, ik hoop dat het niet waar is, zie je in Tibet opnieuw overal die star glimlachende gestalten van mensen die weg willen uit het leven. In sommige sekten, in Amerika en Europa, wordt de verwijdering uit het leven op een andere manier nagestreefd: de leden slaan zichzelf. Ze mishandelen zichzelf. Ze geselen zichzelf. Ze dragen ijzerdraad met punten om hun dijen. Ze overschrijden hun weerstandsvermogen. Die schimmen zitten om hun open graf heen. Sidderende zieken met nauwelijks nog zintuigen. Maar zichzelf doden doen ze niet. Die laatste stap zetten ze niet. Het open graf is de poort naar God, maar ze wachten daar. Alleen de martelaars van Allah, als het al de martelaars van Allah zijn, zijn anders. Zij wachten niet. Zij springen in de put. Weters en willers zijn het. Aan het einde van de Tweede Wereldoorlog waren er de kamikazes, die zelfmoordpiloten van Mikado, die keizer die ook God was. Of die piloten dat vrijwillig deden, weet ik niet, volgens mij niet, maar ik heb er geen aanwijzingen voor. Over de martelaars van Allah zeggen sommigen dat zij het wél vrijwillig doen. Die vreemde, angstwekkende jongelui die komen aanstormen, die vrouwen en kinderen doden, die zouden dan vrijwillig, uit eigen beweging, die griezelige vernietiging op zichzelf toepassen? Monsters worden om toegelaten te worden in Gods nabijheid? Dat kan toch niet. Dan blijft er niets meer over van de menselijke rede die wij zo hoog prijzen. Is de islam dan iets helemaal anders? Dat wordt op veel plaatsen gezegd, dat wordt er graag gezegd. De islam als bedreiging van onze zuivere, westerse beschaving. Het gevaar waar Bush niet over uitgepraat raakt en waarvoor hij deze mooie oude stad tot puin heeft geschoten. Ik kan het niet geloven.'

'Je mag de islam, nietwaar?' vroeg Rao. 'Dat heb ik al eerder opgemerkt.'

'Ja, ik mag de islam.'

'De islam mag geen godsdienst van moordenaars zijn.'

'De islam *is* geen godsdienst van moordenaars. Ik geef toe dat ik niet van het echte atheïstentype ben. Met zekerheid verkondigen dat God niet bestaat? Het is me te koud. Ik geloof niet in God, maar ik denk ook niet van mezelf dat ik alwetend ben. Ik luister graag naar andere mensen. Zij weten meer dan ik, zeg ik altijd maar. Dat is heel zeker waar. De kans dat alles me duidelijk zal worden, is niet heel groot. Hitler en Stalin en Pinochet, mensen die verminkt geboren worden en kinderen die moeten lijden, en aids waar men geen geneesmiddelen tegen vindt, en Engeland dat de Chinezen opium leerde roken om daar veel geld mee te verdienen, en Zuid-Azië vol met mensen die wij voor ons laten werken voor één euro of twee euro's per dag en die met z'n tweehonderdduizenden tegelijk, terwijl wij er bijstaan, verzwolgen worden door zeewater en modder, zo'n macabere knoeiboel en daar God dan bij als de grote Schepper en Oppermeester? Dan heeft het voor mij nog minder zin dan zonder God. Maar tegelijkertijd blijf ik hunkeren naar een beetje warmte. Met velen bij elkaar zijn en wat dromen, en wat zingen en naar mooie zinnetjes van op de preekstoel luisteren,

ik kan het eigenlijk niet missen. Jij wel, nietwaar, koele tycoon?
Jij rooit het in je eentje. Ik benijd je, maar ik benijd nog meer
de vrouwtjes die in Napels weesgegroetjes zitten te prevelen voor
het oude Mariabeeldje dat ze elk jaar echte tranen zien storten.
Toe, zeg me nu eens echt wat je denkt over die zelfmoordterroristen. Je bent een Aziaat, hoe meer ze dus Amerika treite-
ren, hoe liever je het hebt. Je bent ook een kosmopoliet. Je
bewoont de wereld. Zelfmoordterroristen zijn niet beter of slechter dan kanonnen, heb je eens gezegd. In de krijgskunst is dat
zeker waar, maar je herleidt de mens dan tot de loop van een
kanon of een obus vol kromme nagels of de kop van een raket.'
Hij vroeg waarom ze dat allemaal wilde weten. Om een goede
reportage te schrijven? Of om gelukkig te zijn?
'Zeker het eerste, maar ook het tweede, denk ik,' zei ze.
Ze vroeg of de zelfmoordterrorist een wapen van de islam
was en of de islam daarmee de wereld wilde veroveren.
'Nee op beide vragen,' zei hij. 'De zelfmoordterrorist is niet
een wapen van de islam en de islam wil niet de wereld veroveren. Vragen of de islam de wereld zal veroveren is ongeveer
hetzelfde als vragen of Denemarken ooit eens Europa zal veroveren. Bijna zei ik "het islammetje". Bedoeïenen in konings-
kleren boven een grot vol goud.'
Hij nam haar hand en drukte er een kusje op.

Van de kleine oases waar ze langs reden konden ze in het inval-
lende duister alleen nog de witte boerderijtjes onderscheiden.
'Je bent van richting veranderd,' zei ze na een blik op het
kompas.
'Links van ons bevond zich een stuk woestijn met nogal wat
drijfzand en duinen. En ik moet je ook wat tonen.'
Ze konden in de verte de schijnwerpers van het vliegveld
zien. Ze reden een eindje terug naar de stad en daar, op een
heuveltop, leek het of ze heel Bagdad konden zien.
Daar waar al die lichtjes wemelden, hadden teams van hem
puin geruimd, wegen aangelegd, pijlers gebouwd en ondergrondse elektrische geleidingen aangelegd. Dat was er allemaal
nog maar sinds enkele dagen.

'En kijk nu naar links,' zei hij.

Ze zag een heel brede laan, aan weerszijden afgeboord met witte, gedeeltelijk voltooide kantoorgebouwen, rechts een moskee met een minaret, links een kerk met een koepel en daarop een kruis, verderop nog meer witte kantoorgebouwen en ten slotte op de hoogste heuvel aan het uiteinde een majestueus wit gebouwencomplex, grote gebouwen in een vierkant, in het midden overheerst door witte zuilen in een cirkel en daarboven nog zuilen en daarboven nog zuilen en daaroverheen een koepel die nog in aanbouw was.

'Waar denk je aan als je dat ziet? Bij de eerste aanblik, wat komt het eerst in je op? Wijde lanen, links en rechts die witte gebouwen, dat grote vierkante blok overheerst door een koepel op witte zuilen?'

'Washington, het Capitool,' zei ze.

'Precies,' zei hij. 'Administratie, regeringsgebouwen en in het midden, onder de koepel, het parlement. De stem van het volk. Niet alleen in Washington heb je dat, je hebt het in elke Amerikaanse staat. In elke hoofdstad heb je zo'n Capitool, dat je van ver ziet, sommige zijn groot, sommige zijn minder groot. De macht van Amerika.'

'Alle mensen, ja,' zei Nicola. 'Maar hoefde dat hier?'

'Het was eerst niet voorzien dat het er allemaal zo Amerikaans zou uitzien,' zei hij. 'De eerste ontwerpen waren meer plaatselijk, regionaal, een beetje Kasba, een beetje tempel en banale rijen vensters op zijn sovjets, banale, kitscherige torengebouwen. Maar toen heb ik hun dit plan voorgelegd. Meisje, je had die Amerikanen moeten zien stralen.'

'Is dat plan daar van jou?'

'Jazeker. Is het niet mooi?'

'Ja, heel mooi. Maar hoe Amerikaans!'

'Ik wist dat ik hen daarmee zou platwalsen,' zei hij.

'Je doet de raadselachtigste dingen,' zei ze wrevelig. 'Je noemt de Amerikanen brutale rovers en kijk nu wat je daar voor hen doet. Is het nodig hen zo te vleien?'

'Als die gebouwen ingehuldigd worden, zullen de generaals er dan niet potsierlijk bij staan?' vroeg hij.

'Ja, in mijn ogen zeker,' zei Nicola. 'Maar de Iraki's, de volks-vertegenwoordigers, de regeerders, zullen zij gelukkig zijn met die pompeuze Amerikaanse mise-en-scène?'

'Zij,' zei hij, 'zullen dan kunnen tonen wat ze waard zijn. Als ze er tenminste de tijd voor krijgen.'

'Je tekent die plannen toch niet zelf?'

'Nee, nee, natuurlijk niet. Niet de tienduizend kleine lijn-tjes, daar heb ik mijn architecten voor en een geniale jonge Chinese urbanist.'

'Wel de twintig grote lijnen?'

'Mijn handen beschrijven die. Links en rechts van mij zit dan een architect en achter mij staat de urbanist. Wanneer ik klaar ben met mijn gebaren, zijn de architecten klaar met hun grote lijnen en dan schuift de urbanist die in elkaar, soms wordt er van ja geknikt, soms van nee geschud. De twee grote schet-sen worden er een.'

'Haalt uiteindelijk jouw vinger het?'

'Nee, die van de urbanist. We kunnen allemaal lijnen laten golven voor een fuga, maar als een van de lijnentrekkers Bach is, mag die de noten schrijven. Elegante zuilen, drie cirkels bo-ven elkaar, een koepel zo machtig dat het lijkt alsof God daar woont, wat dat in decimeters voorstelt, weet ik niet.'

'Indien Michelangelo nog leefde?'

'Dan moesten we hém hebben.'

'Voor heel veel geld.'

'Dat zou hij zelf mogen beslissen.'

'Ja? Zou hij geen misbruik maken?'

'Best mogelijk, maar hij zou dan wel helemaal tevreden zijn en misschien altijd voor mij willen werken, voor mij alleen, en dan zou ik al dat geld allemaal terugwinnen.'

'Rijk worden lijkt zo makkelijk. Volgens mij is het moeilijk.'

Het hele complex was omheind. Links, in de verte, was er een ingang die de vorm had van een kleine triomfboog.

'Capitol Hill in Washington is groots en prachtig. Dit is klei-ner, maar niet klein. Ook dit is prachtig.'

Ze reden tot bij de kleine triomfboog. Uit een deur in de monumentale linker zuil kwam een man op hen toegelopen, schreeuwend, met de armen zwaaiend. Het was een Hindoe, in Europese kledij.

'Mister Rao!' riep hij. 'O mister Rao! Wat een genoegen u hier te zien, zo laat op de dag nog. We zullen de slagboom openmaken voor u. U zult nauwelijks moeten wachten.' Hij verdween door een andere deur en meteen ging de lange zware slagboom in de opening van de triomfboog omhoog.

'Een werkleider,' zei Rao.

Even voorbij de slagboom zat rechts een jonge Iraki achter een tafel. De Hindoe die de slagboom geopend had stormde op hem toe en schreeuwde terwijl zijn handen wapperden: 'Kun je niet opstaan wanneer mister Rao hier aankomt? Ben je daar te lui voor? Of misschien ben je er te dom voor.'

De Iraki sprong op van zijn stoel. Rao drukte de Hindoe de hand. De jonge Iraki kwam naderbij, ook hem drukte Rao de hand. Hij keuvelde gemoedelijk met de twee mannen. Ze bespraken wat de arbeiders die dag gedaan hadden. Daarna reed Rao met Nicola tussen bergen bouwmaterialen naar boven, tot bij het massieve voetstuk waar de zuilen op gebouwd waren. Ze stapten uit en klauterden verder tot ze tussen de onderste zuilen stonden. De twee zuilencirkels erboven waren nog niet voltooid. Door het gebinte van het koepeldak konden ze de lucht nog zien. Aan hun voeten lag de hoofdstad van Irak. Daar gingen steeds meer lichten aan. Het leek alsof de stad zich uitstrekte tot aan de horizon.

'Zo staan die machtige, verkozen kerels daar ook in Washington,' zei Rao. 'De presidenten, de senatoren, met aan hun voeten Amerika. Al de gouverneurs staan zo tussen de zuilen van hun plaatselijke Capitool, met aan hun voeten hun staat. Clinton stond daar eens, en Reagan, en nu een zekere Schwarzenegger. Toen Algerië in opstand gekomen was tegen Frankrijk en een onafhankelijk land ging worden, kwamen Franse generaals daartegen in verzet. Ook zij stonden op een balkon tussen hoge witte gebouwen, met overal jubelende mensen en aan hun voeten een land, hun land, korte tijd zelfs helemaal hun land, denk ik, terwijl Frankrijk heel ver was. Steden en volkeren aan je voeten doen dat met je. Nero werd er waanzinnig van en stak gek van de pret de stad in brand. Napoleon op de piramiden van Egypte. De onderkoning van India onder een verheven baldakijn, met aan zijn voeten de maharadja's en de nizams van Brits India in brokaat bezaaid met edelstenen.'

'Zal Bush hier op een dag staan?'

'Reken maar.'

'Met aan zijn voeten de woestijnkoningen van het Midden-Oosten...'

Rao stond glimlachend in de verte te kijken.

'Is het waar dat je de spot met hen drijft?' vroeg Nicola nerveus. 'Het lijkt dat je voor hen zorgt. Dat is toch niet waar?'

'Correctie,' zei hij. 'Rao Mohan Surendranath zorgt voor Rao Mohan Surendranath. Wie hem daarbij wil helpen, is welkom.'

'De wereldgeschiedenis is voortaan een schelmenroman. De rovers komen zegevierend thuis met hun buit. Feesten. De gouden bekers staan al op de tafel, maar er moet nog een ogenblikje gewacht worden. Ze wassen nog even het bloed van hun handen. Je lacht me uit, nietwaar?'

'Nee, heel zeker niet, je bent een ingoed meisje.'

Ze klauterden weer naar beneden. De slagboom was al geheven toen ze de triomfboog bereikten. De Hindoe en de Iraki stonden naast elkaar en brachten met een stralend gezicht de militaire groet.

Nicola zei: 'Ik ken een ondernemer die vriendelijk is voor zijn arbeiders omdat ze dan goed werken en hij zo meer geld verdient, maar ik denk dat jij echt vriendelijk voor hen bent.'

'Het zijn goede kerels en ze doen hun best. Wie zou er onvriendelijk tegen ze willen zijn?'

'De blaaskaken.'

Ze hield van de glimlach in zijn ogen.

Terwijl ze wegreden vroeg Rao: 'Nicola, het leek daarnet alsof je ging huilen. Ik lach je echt niet uit.'

'Je mag toch proberen om goed te zijn?' vroeg Nicola met een zwak stemmetje. 'Of mag dat niet?'

'Ja, heel zeker mag je dat.'

Weer was er het gevoel dat ze zou gaan huilen. Het maakte

haar boos. Hij mag toch van mij denken wat hij wil, dacht ze. Ik denk ook van hem dat hij... dat hij... Ja, wat denk ik eigenlijk van hem, vroeg ze zich af. Voor een komediant heb ik hem al eens gehouden, voor iemand die helemaal tevreden is over zichzelf, een beetje een praalhans, maar dan van het vrolijke soort. Ze overwoog dat even. Als hij dat allemaal was, hoe raakte hij dan aan dat vele geld? Ze vroeg hem of hij er nooit aan gedacht had om filmacteur te worden.

'Toen je twintig was, bedoel ik. In dat land van jou waar alle weken films uitkomen. De charmante verleider spelen te midden van donkerogige Hindoemeisjes in sari's.'

'Ik heb het gedaan,' zei hij, weer met die vrolijke ogen. 'Een week lang was het ongelooflijk plezierig, daarna werd het ongelooflijk vervelend, altijd maar wachten, daar altijd maar zitten terwijl de regisseur en de technici hun gewichtige besprekingen voeren. Je moest dan een centimeter meer naar rechts gaan staan of een centimeter meer met die andere mondhoek glimlachen terwijl dit of dat straaltje van dit of dat lampje niet op je moest vallen of net wel op je moest vallen. Vaarwel carrière van de filmster.'

'Ik heb ook een neef die acteur is,' zei Nicola. 'Die praat ook zo. Ik moet wel zeggen dat hij geblaseerd is. Eén keer mocht hij eens niet meedoen, jongens toch, het heelal was een absurd fenomeen. De filmproducer in kwestie bestempelde hij als een Australische aboriginal.'

22

Ze reden om de noordkant van de stad heen en daarna oostwaarts in het groeiende donker de woestijn in. Hij had pas een nieuw satellietkompas laten installeren. Hij toonde haar hoe het werkte.

'Dat blauwige wijzertje,' zei hij, 'die naald moet op drie staan, dan komen wij aan in Aït-Assan.'

'Zelfs als daar in die donkerte ginder ver voor ons rotsen en kloven zouden zijn?'

'Die zijn er niet,' zei hij, 'maar als ze er zouden zijn, ja, dan zou dat ding ons eromheen of erdoor leiden. Hoop ik toch,' zei hij. 'Woestijnen laten zich weleens opmerken door magnetische storingen.'

'En wat dan?'

'Dan gaan we in een oase couscous eten bij een gerstboer. Ik koop een schaap van hem en we roosteren dat. Daarna dansen we op blote voeten op liedjes van Abba uit dat wonderdoosje daar en nog later slapen we in het zand naast elkaar, elk in een deken gewikkeld.'

'Liggen er twee dekens in de wagen?' vroeg ze.

'Vier,' zei hij. 'Het kan hier koud zijn 's nachts.'

'Je moet misschien lang zoeken naar liedjes van Abba te midden van die Arabische posten, of zit er een cd-speler in?'

Hij wees het knopje aan. Ze drukte het in. 'Chiquitita,' zongen de twee meisjes op de daverende muziek van de twee jongens. Ze duwde het knopje weer in. Het werd zo donker dat de koplampen aan moesten. Hij sloot de kap van de Land Rover.

'De vleermuizen moeten zich niet vergissen,' zei hij.

Ze zaten naast elkaar, het schijnsel van het dashboard op hun knieën.

Wat ben ik aan het doen, vroeg ze zich af. Wat zal ik doen op het verre plekje waar dat cijfer drie ons heen leidt? Ik zou ten minste een beetje onrustig moeten zijn, vond ze. Of weemoedig. Die knakker naast mij doet al wat ik niet doe, dacht ze. Hij doet wat hij volgens mij niet zou moeten doen. Ik moet er natuurlijk wel aan denken dat hij een brahmaan is. Ik ging er aan toevoegen dat ik van hem houd, dacht ze, nu toch even minder rustig. Het leek haar dat ze zich op de proef stelde. Dat ze naging of de laatste stelling juist was. Die is juist, dacht ze terwijl haar hart begon te hameren. Ik houd van hem. Ik drijf geen handeltje in liefde-op-voorwaarde. Nu verdedig je hem tegen jezelf, dacht ze.

Dat bracht de opgewektheid terug. Hem verdedigen! Alsof hij dat nodig had! Zijn vitaliteit overrompelde haar. Ze mocht zijn roekeloosheid. Ze kon zijn overmoed lijden. Haar opgeruimdheid nam haar helemaal in beslag.

Ze hoorden ontploffingen in de donkerte ver achter hen, drie kort na elkaar.

'Daar heb je ze weer,' zei Nicola verdrietig. 'Hoe is ooit iemand op het idee gekomen dat je als een razende zelfmoordrijder in de hemel van Allah terecht kon komen? Je lijkt om het even wat met mensen te kunnen doen.'

'Het is niet half zo nieuw als het overal voorgesteld wordt,' zei hij. 'De voorgeprogrammeerde heldendood van soldaten. Alle oorlogen hebben dat als grondplan. De Eerste Wereldoorlog, de loopgraven, soms slechts honderd meter van elkaar, die moesten worden ingenomen op een plaats waar het het best kon volgens een strategisch genie. De soldaten met geweren en daarop een bajonet moesten dan uit de loopgraven. Ze droegen laarzen, een dikke lange mantel en een helm. Ze moesten naar de loopgraaf van de vijand. Ze strompelden meer dan ze holden en dan werden ze neergemaaid en dan moest er een volgende rij komen en een volgende en een volgende. De zesde of de zevende of de twaalfde kwam eraan. Ze sprongen in de loopgraaf bovenop de soldaten in een ander uniform en staken of hakten ze dood. Dat eindje loopgraaf werd ingenomen. De strateeg in zijn veilige kazemat werd gefeliciteerd, maar die eerste rijen strompelaars waren dood, die lagen in het slijk en werden na een tijd in de grond gestopt. Hun dood was geprogrammeerd. De veldheer wist dat, de soldaten wisten het ook. Maar de veldheer gaf het bevel en de soldaten klauterden uit die loopgraven, de kogels tegemoet. Van kindsbeen af was hun ingeprent dat het vaderland gediend moest worden, dat men zijn leven daarvoor veil moest hebben. Later kwam de militaire tucht en ten slotte de bedreiging van de krijgsraad. Werd daar vastgesteld dat je gevlucht was voor je vaderlandse plicht, dan was je een deserteur. Dan kon je gefusilleerd worden, die doodstraffen werden uitgevoerd. De lijsten daarvan kunnen ingekeken worden in de archieven. Vandaag is de doodstraf minder populair, maar de krijgsraden bestaan nog. Onder morele en fysieke dwang jongelui de dood insturen, voor een land, wat is daar anders aan dan wat er gedaan wordt met de martelaars, de zogenaamde zelfmoordrijders? Je zou bijna kunnen zeggen dat voor de zelfmoordrijders beter gezorgd is. Zo goed als zeker werden zij gehersenspoeld. Ze werden verdoofd. Met flonkerende ogen stormen zij naar die muur, of die poort, of die bus, of die trein. Alle andere gevoelens of gedachten werden uit hen weggehaald. Niet zo met de soldaten in de loopgraaf. Die klauterden daar krom, bleek, met ontstelde maag uit tevoorschijn. Velen braakten. Dat is bekend. Er zijn er toen zeker wel twee of drie geweest die met opgericht hoofd en met flonkerende ogen uit de loopgraaf gesprongen zijn, maar twee of drie miljoen anderen deden dat niet. De hersenspoeling van de zelfmoordenaars werd afgewerkt, die van de loopgraafsoldaten niet. Die stakkers liet men aan hun lot over. Het strompelwerk moesten ze op eigen krachten doen. Een tweede klein verschil zit in de inkleding. De zelfmoordenaars, de zeldzame uitzonderingen laat ik weg, worden gepakt, zij worden, denk ik, onder bedrieglijke voorwendsels ergens naartoe gebracht en daar worden ze in het geheim behandeld.'

'Is dat zo?' vroeg Nicola.

'Zeker? Ja, ik denk het wel,' zei Rao.

'Wéét je het?'

Even bleef het stil.

'Weten? Ja, denk ik. Maar jij zult daar binnenkort meer over weten, Nicola. Je moet het mij dan maar eens vertellen. De loopgraafsoldaten krijgen hun eerste hersenspoeling thuis, bij hun eerbiedwaardige ouders, hun tweede bij hun eerbiedwaardige leraars, hun derde in hun eerbiedwaardige leger. Zelfs het vermoorden of schandvlekken van de deserteurs wordt eerbiedwaardig gemaakt, het wordt overgelaten aan een rechtbank. In Latijns-Amerika namen de katholieke generaals het moordwerk op zich, in het Zuid-Afrika van de apartheid waren het de protestantse presidenten. Alles hoogst eerbiedwaardig. Maar Ossama Bin Laden wordt een onmens genoemd en toen Yasser Arafat nog leefde, vroeg men de Palestijnen steeds weer wanneer ze eindelijk eens een voorzitter zouden kiezen met wie men als fatsoenlijk mens kon praten.'

'Zeg eens, wat hoor ik daar?' vroeg Nicola verwonderd. 'Je zit daar met sympathie over personages uit de islam te praten. Ik leek mijzelf te horen.'

'Ik meen wat ik zeg,' zei hij ernstig, rustig. 'Ik wilde maar zeggen dat de dingen vandaag zo in elkaar verstrengeld zitten dat je niet altijd kunt onderscheiden wie waar zit en welke vorm en welke kleur al die dingen hebben. Wat ik natuurlijk tegen me heb, is dat ik zo rijk ben. Ik heb voordeel bij alles wat ik zeg. Ik durf zelfs te denken, maar dan ga ik wel ver...'

'Zeg het?' vroeg ze, toen hij aarzelde. 'Wat durf je zelfs te denken?'

'Dat je me zou geloven als ik een metselaar was. Of een dagloner op een akkertje in een oase.'

'Maar ik geloof je,' zei ze zacht. 'Ik geloof je echt. Die verwarring waar je het over hebt, dat onduidelijke, ik heb daar ook wat van in mij.'

'Wij hebben het altijd maar over de nieuwe moordenaars. Over de oude moordenaars zwijgen we. Ik heb in mijn studentenjaren eens een seminariewerk gemaakt en verdedigd over de grote Engelse koningin Elisabeth, het was de tijd van de zeerovers. Je gelooft je ogen niet als je in de archieven gaat nakijken wat dat mens toen allemaal uitgehaald heeft. Ze werkte met huurmoordenaars zoals wij met gevelschilders en loodgieters. Ze vertelde haar zeerovers dat er op die dag, op die plaats zoveel schepen met zoveel goud uit Amerika naar Spanje zouden varen. Ze beval hun die schepen te gaan overvallen en de bemanning in de pan te hakken en de goudschat naar haar te brengen. Die kerels met een houten been en een haak in de plaats van een linkerhand deden dat. In Londen staan monumenten ter ere van deze bloeddorstige dievegge. In de scholen moeten kinderen opstellen maken over deze bijzondere moeder des vaderlands. En Corsica was te klein voor Napoleon, en daarna was ook Frankrijk voor hem te klein. Hij wierf menigten en menigten huursoldaten aan, trok met hen landen binnen die hem niet toebehoorden, voedde de huursoldaten met wat hij daar stal in de dorpen die hij plunderde, lijfde dat land dan bij Frankrijk in en zette zijn broer, of zijn neef, of een goede vriend van hem op de troon als koning. Dat deed hij overal in Europa. Zelfs in Egypte vond je hem.'

'Zelfs bij ons in België,' zei Nicola. 'Hij deelde ons gewoon mee dat wij van toen af allemaal Fransen waren. De jongelui moesten in zijn leger dienen. De jonge boeren deden dat niet, ze trokken zich terug in de bossen en verzamelden zich daar. Zij streden tegen Napoleon. Natuurlijk verloren ze de strijd, weinig wapens en geen ervaring, wat wil je. Napoleon verpletterde hen en vermoordde de leiders. Ook jongelui die weigerden bij hem soldaat te worden vermoordde hij. In onze steden staan monumenten om hulde te brengen aan die jongelui die van vrijheid hielden. Het is een bekende episode in onze vaderlandse geschiedenis. De boerenkrijg. Ik heb ooit in Franse schoolboeken nagekeken of daar wat over die dingen gezegd wordt. De boerenkrijg komt er niet in voor.'

'Maar wiens praalgraf is het grootste, weelderigste, monumentaalste van heel Frankrijk? Napoleon. In stoeten leiden ze de jongelui ernaartoe en dan moeten die knapen en meisjes opstellen maken over de grote Vader des Vaderlands. Ik weet nog wat over mijn land, het grote Voor-Indië, toen ze het nog niet in twee helften gesneden hadden, aan de ene kant Pakistan, aan de andere kant India, mijn grote vaderland, en blijkbaar ook enigszins het jouwe.'

'Toevallig,' zei Nicola. 'Maar een deel van mijn hart is daar gebleven.'

'Hindoes en moslims leefden daar vreedzaam samen. In elk dorp had je ze. Ook Sikhs, en jina's, en op een bepaald ogenblik ook heel veel boeddhisten. Maar toen kwamen de Britten aan op hun schepen. Met hun legers. Om dat grote land van ons te kunnen overheersen stookten zij ruzie tussen ons. Tegen de Hindoes zeiden ze dat de moslims gevaarlijke kerels waren. En tegen de moslims zeiden ze dat de Hindoes gevaarlijke kerels waren. Ze bouwden gescheiden woonbuurten voor hen. Ze richtten voetbalploegen op voor Hindoes en voetbalploegen voor moslims. Scholen voor Hindoes en scholen voor moslims. Bepaalde beroepen behielden ze het liefst voor voor Hindoes, andere het liefst voor moslims en nog andere het liefst voor Sikhs. Dat deden ze ook met de maharadja's en de radja's en de nizams, de hoofden van de kleine staten. Ze joegen die tegen elkaar in het harnas. Wij kregen het zo druk met ruzie maken onder elkaar dat wij vergaten ruzie te maken met de Britten. Eeuwenlang hebben ze ons op die manier overheerst. De afkeer die zij verwekt hadden tussen de moslims en de Hindoes, werd haat. Uiteindelijk kwam er zelfs een oorlog van. Tijdens die oorlog, in stromen bloed, werden Pakistan en India twee landen. Nog jaren nadien gingen de moordpartijen door. De laatste onderkoning van Voor-Indië, Lord Mountbatten, de vader van de huidige Britse prins-gemaal, liet zich bij wijze van afscheid met pracht en praal de militaire eer bewijzen, op een verhoog onder een baldakijn, met aan zijn voeten dat onmetelijke, verbrijzelde land.'

Hij zat enkele ogenblikken te peinzen.

'De oude moordenaars,' zei hij. 'Hoe veilig liggen ze in hun luisterrijke marmeren graven.'

'En kijk eens hoe koloniaal ik nog denk. Ik ben echt verwonderd omdat je meer weet dan dat die Indische Rama, zo heet hij geloof ik, apenbenden aanwierf om een oorlog te winnen. Rao, is er een groot verschil tussen de gedachten van jouw vader en die van jou?'

'Nee, dacht ik vroeger. Hij is er eentje zoals ik, zei ik dikwijls bij mezelf, maar het is toch niet waar. Hij vindt het niet belangrijk wat mensen met elkaar doen. Ze zijn wat ze zijn en hoe je je ook inspant, ze doen wat ze willen doen. Maar dat we mensen zijn en wat dat dan voorstelt, dat houdt hem bezig. Als ik eens kon weten waarom wij hier zijn, zei hij.'

'Je zei dat we naar Aït-Assan rijden, wat is dat voor een plaats?'

'Een karavanserai in een prachtige oase op het kruispunt van drie karavaansporen. Er is een heel goede, heel diepe bron. Een put met een ophaalsysteem dat echt werkt. Veel palmbomen met dadels, goudgele trossen zoveel je maar wilt. Daaronder gerstakkertjes, een marktplein waar je de nieuwtjes kunt horen die de karavanen hebben meegebracht. Tussen de palmen het kleine meertje, nee, niet een meertje, een vijver, niet eens een hele grote, met de visjes die we dus gaan tellen.' Hij raakte met de rug van zijn hand even haar wang aan. 'De omheinde pleisterplaats voor de karavanen is nu een landelijk hotel geworden, heel gezellig om een binnenplaats heen, met een heel goede kok ook. Het struisvogelpark is er niet meer.'

'Struisvogelpark? In een woestijn? Wat zeg je nu?'

'Ik moet iets zeggen wat niet geschikt is voor de oren van een meisje. Karavanen, dat zijn heel veel mannen, stevige, forse mannen, jonge mannen. Een goed omsloten huis dus, twee rijen kamertjes met witte gordijnen, daarachter een soort van bar, wat groter, waar meisjes zich komen vertonen, je kunt kiezen. De meisjes dansen daar ook. En als je dat wilt, gaan ze mee naar een van die kamertjes. Dat is het struisvogelpark. Op die wijze kunnen op een eerbare manier inlichtingen doorgegeven worden: karavaanserai, goede pleisterplaats, marktplein, struisvogelpark. Dat laatste is weg nu. Vrachtwagens vervangen nu de karavanen, en die rijden over andere wegen, asfaltwegen.'

'Komen er geen karavanen meer in Aït-Assan?'

'Geen echte, neen. Handelskaravanen bedoel ik. Kleine nog wel. Lui die met hun kamelen en geiten en hun hele bezit naar een andere streek trekken. Zes of zeven kamelen, twintig geiten, dat is al heel wat. Deze reizen vinden plaats in familieverband,' zei hij glimlachend. 'Er is ook wat plaatselijk autoverkeer. Maar ook die chauffeurs hebben niet meer de behoefte van vroeger. Auto's leggen afstanden af in een aanzienlijk kortere tijd. Aït-Assan is nu een heel vreedzame, heel eerbare plaats, gezellig, boeiend. En wees maar niet bang dat we te laat zullen aankomen en dat het overal donker zal zijn. Dat durft weleens waar te zijn op het platteland, maar niet op het kruispunt van woestijnsporen, met een goede waterput, een marktplein, een gezellige *auberge*, enkele winkels met voorraden, en bij de *auberge* een betrouwbare generator die voor elektriciteit zorgt, dus ook een ijskast en een diepvrieskist, waardoor je als je 's avonds laat op zo'n plaats strandt van een uitgehongerd, dorstig, doodvermoeid, slechtgehumeurd landloper opeens weer een gelukkige opgewekte medemens wordt.'

Hij vertelde dat hij ooit eens een nacht had doorgebracht op een plaats waar je alleen warm bier te drinken kreeg.

'Kun je het je voorstellen? Warm bier. Ik sidder nog steeds van walging. Nu we het daar toch over hebben, ik heb in de *auberge* een kamer besproken met een badkamer waarin we gegarandeerd koel water zullen vinden. Ik had twee kamers gevraagd, maar er was er maar een vrij. We zullen er ongestoord om de beurt onze handen kunnen gaan wassen. Je mag bij de waard navragen of het waar is dat er maar één kamer was.'

'Ik geloof je, Rao. Ik geloof je,' zei ze, glimlachend.

Ze bleef zo lang naar hem kijken dat hij naar haar omkeek.

'Ik voel me niet bedreigd,' zei ze.

Heftig, gesmoord zei hij: 'Nicola Fransse, als jij níét mijn vrouw wordt, nu niet en later niet, zal ik met vier vrouwen trouwen en zes maanden later met nog vier andere, en zo altijd maar door, om jou te vergeten. Dat kan bij ons. Dat heb ik je al eens verteld. Sorry voor de woeste toon', zei hij zachter. 'Ik ben geen woeste man. Ik heb woeste buien, maar die gaan over, en daarna heb ik zoveel spijt dat ik dáárdoor ongenietbaar word.'

Dat had ik al in de gaten, dacht ze genoeglijk.

Ze reden in stilte door de blauwe donkerte. Plots stopte hij, schijnbaar zonder reden. Verlegen glimlachend, terwijl zijn handen zenuwachtig bewogen, zei hij: 'Ik weet zeker dat er visjes zijn in dat water. Zou ik niet één voorschotje kunnen krijgen? Eentje?'

Ze boog zich naar hem toe, haar arm om zijn hals. Hij greep haar met zijn beide armen en kuste haar, zo heftig, zo langdurig dat ze duizelig werd. De heftigheid ging in haar over.

'Wacht even,' kreunde ze. 'Rao, luister eens...'

Maar hij greep haar opnieuw. Zijn hand vond haar borst. Tussen de knoopjes van zijn polohemd voelde ze de warmte van zijn huid onder zijn arm.

Hij rukte aan hendels, de rugleuningen achter hen kantelden achterover. Achter in de ruime auto lagen dekens, ook truien en een mantel.

'Ja, ik houd van je,' stamelde ze.

'Nog eens,' smeekte hij gesmoord. 'Zeg het nog eens.'

'Ik houd van je. Ik houd van je.'

Even flitste de gedachte door haar heen dat de auto midden in het woestijnspoor stond, de grote lampen aan.

Ze wist niet hoeveel tijd er voorbijgegaan was toen ze dacht: ik ben niet bewusteloos geweest. Ik word niet bewusteloos.

Veel later was er luid, langdurig getoeter. Ze hoorden vrolijke stemmen.

'Ga weg!' riep Rao. 'Ga weg!'

Hij trok een deken over hen heen. De auto, een grote vrachtwagen, met daarin twee schaterende zwarten, reed weg.

'Wat doe ik je nu toch aan?' jammerde hij. 'Ik zal het me nooit vergeven.'

'Werden we betrapt?' vroeg ze vrolijk. Ze pakte hem met haar beide handen bij zijn haren en trok zijn gezicht dicht bij het hare. 'Werden we betrapt?'

'Vind je dat zo leuk?' vroeg hij nors. 'Ik vind het verschrikkelijk. Die onbeschaamde kerels.'

'Ze hebben eindelijk eens wat gezien,' zei ze. 'In een woestijn waar je nooit wat ziet.'

'Ik begrijp niet dat je daar zo over kunt praten,' zei hij.

Een ogenblik lang dacht ze dat hij preuts was. Voor een stuk was hij dat ook, dacht ze nog, wat haar nog meer amuseerde.

'Ze zullen ons staan op te wachten, ginder ver in de oase,' zei hij.

'Ja, dat zou best kunnen.'

'Je hebt weer die ogen,' zei hij. 'Het lijkt wel alsof je het gaat uitschateren.'

'Ik moet me een beetje inspannen om het niet te doen,' zei ze. 'Je bent een beetje verlegen, is het niet, grote tycoon?'

Hij probeerde zich eruit te redden met de uitleg dat India een discreet land was, vurig, maar graag geen vertoon. Ook de Indische films waren discreet.

'Naar de kamers voor de actie,' zei ze. Weer ergerde hij zich aan die manier van spreken. 'Er was een kamer voorzien, maar er werd niet gewacht.'

Hij gaf zich gewonnen.

'Mijn schuld,' zei hij. 'Helemaal mijn schuld.'

'Houd me nog eens in je armen,' smeekte ze. 'Nog eens helemaal, voor we doorrijden. Dan weet ik dat ik dit niet gedroomd heb.'

Dat deed hij.

'Waarom vraag je me niet dit hele land?' vroeg hij in haar

hals. 'Ik zal het je geven. Vraag me het hele Midden-Oosten. Ik zal het voor je veroveren en het je geven.'

Een onwaarschijnlijk mooie, iets meer dan halfvolle maanschijf was boven de horizon uitgeklommen. Het gouden schijnsel vervulde de donkerblauwe weidsheid.

'Geen wonder dat je zoveel manen tegenkomt in de Arabische poëzie,' zei Rao. 'Ze kunnen het ook niet over een grot hebben of in een hoek flonkert ergens goud.'

Ze lag met gesloten ogen tegen hem aan. Haar wang tegen zijn schouder. Haar handen om zijn arm.

'Ken je een Arabisch versje met een maan in?' vroeg ze.

'Ik ken er twee,' zei hij.

'Nu komt zijn toorn op zwarte paarden,
dacht zij, maar zie, geschrokken
staan zij steigerend voor een stroom van goud.'

Voor het tweede moest hij even nadenken.

'De droeve dichter zonk
reeds diep in donker water.
Zo was het goed. Maar wacht...
O... O... Wie giet daar goud?'

Er heerste zo'n grote drukte in de oase, met zoveel lampen tussen de bomen, ook in de kruinen, en zoveel opgewekt pratende mensen bij de bron, op de markt en bij de herberg, dat Nicola vroeg of het daar feest was. Verheugd bevestigde hij dat.

'Wat voor een feest?' vroeg ze.

'Dat van de oaseboeren,' zei hij, 'die vijgen, dadels, gerstemeel en broden kunnen verkopen; dat van de marktkramers die met de reizigers discussiëren over de prijzen van hun zilveren ringen, hun koperen schalen en hun kruiden; dat van de hotelhouder die zijn huis vol gasten heeft; dat van de tevredenheid om het werk dat tijdens de dag werd gedaan; dat van de vriendschap, dat van het warme gezelschap; dat van de koelte na de hitte van de woestijn; dat van de veiligheid, dat van de vrede, dat van de mensen, dat van het leven.'

'Geen oorlog?'

'Ach, ja, die is er natuurlijk wel, maar niet nu, niet hier. Hier mogen we elkaar. Deze wonderbaarlijke plaats doet dat met ons.'

Ze zagen weer de twee Afrikanen die in hun vrachtwagen bij hen gestopt waren in het woestijnspoor. Ze stonden weer te gieren. Het leek alsof ze naderbij zouden komen, maar Rao riep: 'Ga weg, schobbejakken!'

Hij was niet meer boos. Terwijl ze de herberg in liepen zei hij: 'Hun voorouders waren zeker slaven, hier ooit eens ingevoerd in voorbije eeuwen. Nu rijden ze met een vrachtwagen en aan hun buik te zien hebben ze niets te kort.'

'Ik mag de Afrikanen wel,' zei Nicola. 'De zwarten bezitten het minst van de hele mensheid, maar ze beleven er het meest plezier aan. Als ik ooit mijn geld uitdeel, dan in zo'n huttendorp, in Tanzania of zo.'

Isham, de waard, een glunderende, dikke Armeniër met een witte muts en met meel bestoven schort, hij was ook de kok, kwam Rao met een stralende glimlach begroeten. Nicola gaf hij een handkus. Hij kondigde trots aan dat hij toch twee kamers gevonden had. Hij zou hen er onmiddellijk naartoe brengen.

Rao zei: 'Ja... Nee... Nee... Ja...'

Isham bleef korzelig staan en vroeg wat 'ja nee nee ja' betekende.

'Het heeft geen belang,' zei Rao terwijl Nicola zich min of meer verborgen hield achter de rug van de waard.

'Geen belang? Geen belang? Wat is dat nu?' zei die. 'Toen ik maar één kamer had, wilden jullie er absoluut twee hebben, nu ik er twee heb, willen jullie er één hebben. Ik heb voor jullie een kerel de deur uit gegooid, een niet te best gelukte Syriër, ik zal het er maar bij zeggen en ik zal ook maar bekennen dat ik hem al lang kwijt wilde, maar...'

Hij stond aan de voet van de trap opeens pal onbeweeglijk, vlak voor hen en in zijn blozende bolle gezicht gingen flonkerende ogen snel heen en weer.

'Misschien,' zei hij. 'Misschien moet ik... Misschien mag ik... Misschien kan ik... Misschien zal ik... Misschien staat hier voor jullie een helemaal goedgelukte, slecht opgevoede, tactloze schaapskop en misschien moet die een trap onder zijn broek krijgen en weer verdwijnen in zijn keuken.'

Hij duwde Nicola en Rao de trap op en riep: 'Nummer acht. Nummer negen stop ik wel weer vol.'

23

Zoals in alle woestijnherbergen uit een vroeger tijdvak had de kamer een koepel als plafond, daarin molenwiekte een ventilator. Voor de vensters, weinig breder dan een schietgat, zat geen glas, alleen maar muggengaas. Over het heel brede bed, zo groot dat er wel vier personen in hadden kunnen liggen, soms twee volwassenen en vier of vijf kinderen, naar Rao Nicola later zou vertellen, hing een tent van gaas. In een hoek, de vloer was er wat lager, maar verder was er geen afsluiting, was er een douche, en op de vloer lagen prachtige tapijten, die geweven waren door naburige woestijnstammen en die je van de waard kon kopen.

Ze stonden met z'n tweeën onder de douche tussen de bruine muren, tegen elkaar aan, de armen om elkaar geklemd in de ruisende waterzuil. Later lagen ze zo in het bed onder het gaas.

Hij en ik en warmte en bedwelming, dacht ze. Op de vloer was er de pracht van de tapijten. Ook de opgewekte drukte van de oase was er, maar tegelijkertijd was die er ook niet. Soms zag ze de koepel boven haar, soms niet.

De grote, oude ventilator begon te piepen, daarna te krijsen en nog later viel hij stil.

Pas later keuvelden ze daarover.

'Het is altijd zo,' zei hij. 'De tuigen doen wat ze kunnen, en daarna begeven ze het. De volgende ochtend doet iemand daar wat aan. Hij heeft een helemaal bevuild oliebusje met een lange tuit, waaruit hij olie laat neerdruppelen op de as van de ventilator en dan is het weer goed voor een volgende avond.'

Wat de waard zelden toestond, gebeurde toch. Hun maaltijd werd naar boven gebracht door een opgeschoten guit die zijn gezicht verborg en altijd op zijn onderlip moest bijten om het niet uit te proesten. Ze kregen pastilla, een gesloten gebak van bladerdeeg, gevuld met brokjes gevogelte en uitjes in een romige, zacht gepeperde saus. Daarop volgde een druipende schapenbout op couscous, waar Nicola alleen nog maar enkele snippers van at, maar ze klauwde behaaglijk enkele grotere stukken van het bot en stopte die Rao in de mond. Een tweede, wittere couscous met melk volgde nog, met daarop een krans van konijnenbilletjes. Daarna was er schapen- en geitenkaas. En dan gebakjes, bestrooid met kaneel. Tot besluit koffie in duimgrote kopjes, waarin de guit druppels rozenwater liet tinkelen. Ze hadden wijn uit Jordanië gedronken en na de koffie, met de waard, die zich kwam laten bewieroken om de hoge kwaliteit van zijn maaltijd, een zoet likeurtje uit de oase zelf.

De vingers in elkaar gehaakt kuierden ze over het marktplein. Hij kocht turkooisblauwe kralen voor haar en hing die om haar hals. Hij kocht ook een zilveren, geciseleerd ringetje voor haar en stak het aan haar pink.

Hij zei: 'Dat doe je alleen met iemand die je bij wilt houden.'

Nicola stond naar het doosje te kijken waar nog verschillende andere ringen in lagen. Ze haalde er een ring uit en probeerde die om zijn pink te schuiven. Hij paste niet. Ze kocht een grotere en stak die aan zijn pink.

'Ik wil mijn hele leven voor je zorgen,' zei hij. 'Ik wil je zo gelukkig maken dat 's morgens bij het wakker worden je ogen meteen beginnen te glanzen. Ik kan snel denken. Dat is een groot geschenk, dat ik niet verdiend heb. Daardoor word ik ongeduldig wanneer ergens langzamer gedacht wordt. Dan schreeuw ik, dan brul ik, dan blaf ik. Wanneer ik dat met jou doe, zal het mij al berouwen wanneer ik er nog mee bezig ben. Pijn zal mij verscheuren. Houd er geen rekening mee. Gooi mij de deur uit. En stel mij voorwaarden voor je me opnieuw binnenlaat. Ik zal opletten zodat ik het kan merken als je hoofdpijn hebt en dan zachter praten. Je hebt me gezegd dat je tegen alle klimaten in toch koude voeten hebt. Ik zal die dan in mijn handen warmen. Van de schilder Salvador Dalí zei iedereen dat hij gek was. Hij liet zijn vrouw, die hij vereerde, toe in al zijn woningen, maar hij gaf er haar een en zei: "Hier zal ik alleen maar binnenkomen als jij me uitnodigt." Ik voer die regel in voor jou en mij. Ik zal je mijn woningen tonen en je er een laten kiezen. Of je neemt een nieuwe die ik dan voor je zal bouwen of kopen. Ik zal niet tegen je zeuren over het internationale geldverkeer. Ik zal jou niet laten boeten als beurswaarden, waarvan ik alles verwacht had, niets hebben opgeleverd. Ik zal geen zachter geluk kennen dan jouw hoofd te zien op een kussen, je ogen gesloten. Tortels zijn je kameraadjes, heb je me gezegd. Ik zal er honderd kopen en ze in onze tuin zoveel scheppen graan geven dat ze nooit meer weggaan. Ik zal er ook vijgenbomen planten omdat je gezegd hebt dat het heerlijk is onder de zomerzon vijgen te plukken en die uit de hand op te eten. Ik zal Daniel Berenboim inviteren om voor jou de Partita's van Bach te spelen. Als je droevig bent zal ik op mijn hoofd voor je gaan staan en zo blijven staan tot ik omver tuimel in een tumult van brekende glazen en schalen. Als ik in Berlijn in een conferentiezaal zit en jij belt me op dat ik al te lang ben weggebleven zal ik midden in een zin van Gerhard Schröder opstaan en naar jou toe komen.'

'Houd toch op,' zei ze klaaglijk. 'Je bent stapelgek.'

Ze kuste hem tot hij zweeg.

In het flakkerende schijnsel van een olielamp zaten ze te luisteren naar een verteller. Rao kocht kleine opaaltjes voor haar.

'Wat doe je daarmee?' vroeg ze.

'Je legt ze ergens neer. Ze zijn mooi.'

Vervolgens kocht hij een schrijnwerkerstang voor haar.

'Waar moet die voor dienen?' vroeg ze.

'Deze hoektand,' wees hij, 'kwelt mij steeds weer. Dan zanik ik daarover. Als je vindt dat het te lang duurt, pak je die tang en breekt de tand eruit.'

'Griezel, griezel,' zei ze.

Ze kwamen bij het poeltje met helder water. Ze zagen de vissen zwemmen. Achttien telden ze er. Hij werd daarvoor vergoed. Na de achttiende kus eiste hij er nog twee.

'Geen betaling zonder rente,' zei hij. 'Wet van het zakenleven.'

Ze liepen met de armen om elkaars lenden. Ze kwamen bij de kleine, mooie moskee, met ranke zuilen en een elegante hoefijzerboog. Goedgeklede jongelui liepen er rond. Enkelen droegen een Europees pak.

'Zijn er ook elitaire moskeeën?' vroeg Nicola verwonderd.

'Dat zijn geen oasebewoners die je daar ziet. Er worden hier bijeenkomsten georganiseerd voor stedelingen, een soort van seminaries met bekende imams. Toelagen uit Saoedi-Arabië, hoor je zeggen. Dat zou waar kunnen zijn. De Saoedi's hebben dergelijke plaatsen, ook op andere plekken in de wereld. Propaganda voor hun wahabitische islam. Die is strak, erg formalistisch. Ze nemen de dingen nog letterlijk op. Erg traditioneel dus, heel streng. De propaganda durft ook weleens een politiek karakter te hebben. Een discreet gekleurd soort van ontwikkelingshulp. Religie uit Mekka met politiek uit Riad. Er waren ook twee of drie zulke steunpunten in Bagdad, maar die zijn vernield. Ik heb voorstellen voor de wederopbouw ervan gedaan, maar ik werd daarbij niet aangemoedigd. Een beetje vreemd. Hoewel… de Amerikanen en de Saoedi's, dat is al lang niet meer de grote liefde. Het grootste deel van de olie van het Midden-Oosten zit in Saoedi-Arabië. Een tweede, wat kleiner, niet veel kleiner, zit in Irak. Het is geen toeval dat de Amerikanen Irak zijn komen pakken. Een poot in het Midden-Oosten, vlak naast die andere grote poot. Het moet je al opgevallen zijn dat er in Riad grote stilte heerst sinds de oorlog in Irak begonnen is. Die zogenaamd westersgezinde woestijnprinsen doen hun mond niet open.'

'Hebben de Saoedi's steunpunten in Amerika?'

'Niet bij mijn weten. Geheime misschien? Ik geloof van niet. In Afrika zoveel je maar wilt, wat ook weer klopt, voor de Amerikanen bestaat Afrika niet.'

Op een boerderij verkocht een man onder de palmkruinen dadels aan reizigers. Zijn vrouw waste aardewerk en wel zeven of acht kinderen stoeiden op de binnenplaats.

'Moeten die niet gaan slapen?' vroeg Nicola.

'Dat zullen ze morgen wel doen, terwijl het heet is,' zei Rao.

Jongelui, sommigen op zijn Europees, anderen op zijn Arabisch gekleed, stonden bij een van de winkels busjes cola te drinken. Gedempte rockmuziek weerklonk.

'Opzettelijk gedempt?' vroeg Nicola.

'Ach, best maar,' zei Rao. 'Misschien zijn er ook wel die er anders over denken. Die mogen dat dan blijkbaar doen.'

Er waren ook meisjes die op zijn Europees gekleed gingen. Onder luid gegiechel moesten ze op de vlucht.

'Kijk, ze komen terug, de trienen,' zei Nicola. 'Kwamen ze ook terug naar jou, prachtige Hindoe? In je jeugd? In de oase op de grens tussen Pakistan en India?'

'Ik kon ze niet van me weghouden,' zei Rao.

Onder een luifel achter een boerderij, waar het naar hooi rook, dook Rao het duister in en rukte haar mee.

'Maar wacht even,' zei ze klaaglijk.

'Sst, ze liggen op het dak te slapen,' zei hij.

Hij drukte zijn hand voor haar mond.

Weer werd ze omgeven door die gloed, die haar overweldigde.

'Zeg, word jij nooit moe?' kreunde ze later.

Er kwam geen antwoord. Hij lag ook helemaal stil.

'Zeg eens wat, beuker.'

Toen hoorde ze hem snurken. Haar zoekende hand vond een plank, maar ze liet die weer los. Ze lag glimlachend bij hem. Haar rakker was hij al geweest. Nu was hij haar baby.

Toen ze in de herberg alles geregeld hadden, zwijmelde hij bij het openmaken van de Land Rover. Hij viel met zijn hoofd tegen het portier.

'Oei,' zuchtte hij. 'Zouden we hier niet beter blijven slapen?'

'Ik zal rijden,' zei ze. 'Als je dat satellietding op het juiste nummer zet.'

'Nee, nee, ik zal het wel doen.'

Kregelig vroeg hij: 'Ben jij dan níét moe?'

'Een beetje toch wel,' zei ze. 'Ik zal binnenkort weleens een dag of twee na elkaar slapen, maar het hoeft nu niet meteen.'

Ze duwde hem achter in de wagen op de dekens. Het was heerlijk dat hij daar bleef liggen en dat ze hem kon toedekken. Nu was hij een jeugdvriend, een medestudent, op trektocht.

Hij sliep al toen ze nog maar nauwelijks de oase verlaten hadden. Het stemde haar vrolijk. Dat geluk bleef haar vervullen. Pas toen ze in de hoofdstad waren begon hij te bewegen. Toen ze het plein bereikt hadden waar het grote standbeeld van Saddam gestaan had, richtte hij zich op en riep verbaasd: 'Bagdad! Heb ik al die tijd geslapen?'

'Ja,' zei ze.

'Dat kan ik niet geloven.'

'Ik kan het met zekerheid bevestigen,' zei ze. 'Ik heb het je zien doen, horen doen, bedoel ik.'

'Ook dat nog,' jammerde hij. 'Ik ben doodbeschaamd. Geef mij eens een kusje. Hier, achter mijn oor.'

Hij sloeg zijn armen om haar heen en drukte zijn wang tegen haar aan.

'Lieveling... Lieveling...'

Op twee plaatsen werd er in de verte geschoten.

'Dat is al een poosje zo,' zei ze. 'Het is ver van hier.'

Een ontploffing volgde.

'Dat is nog verder,' zei ze.

Toen ze bij haar hotel aankwamen zag ze ontsteld dat Ilja daar zat, op de grond, in elkaar gezakt, zijn hoofd schuin tegen de marmeren deurstijl.

Bijna raakte de auto een zuil toen ze ijlings naar links uitweek om de inrit te vermijden.

'Zeg, je rijdt verkeerd,' zei Rao. 'Dat was de inrit voor jouw hotel.'

'Ik ga daar niet slapen,' zei ze. 'Ik merk net dat het al halfvier is. Dat is geen uur om in een hotel binnen te komen. Ik rijd naar Bagdad Palace. Je weet wel, die jongelui. Ik heb een afspraak met hen. Dat afluisterwerk, je weet wel.'

'Maar is er daar een plaats voor je om te slapen?'

'Jazeker.'

'Ilja Doelin,' zei hij. 'Het is met hem dat je die afspraak hebt, nietwaar?'

'Met hem en met Oerman, de imam, en een paar jongelui die zullen doen alsof ze dakherstellers zijn.'

'Ga daar niet heen,' zei hij. 'Ga naar je hotel of kom met mij mee. Je kunt dan in de ochtend naar Bagdad Palace rijden.'

In de straat waar het huisje van Ilja stond, vroeg hij somber: 'Is hij daar? Ligt hij daar te slapen?'

'Nee, hij is er niet,' zei ze.

Ze aarzelde. Toen vertelde ze dat hij bij het hotel op haar zat te wachten. 'De man die daar naast de ingang op de grond zat.'

'Die slaper? Was hij dat? Een bedelaar, dacht ik.'

'Het was Ilja. Ik wilde daar niet stoppen. Ik zou niet geweten hebben wat ik moest zeggen.'

'Je moet met hem praten,' zei hij.

'Dat zal ik doen. Natuurlijk zal ik dat doen. Ik was het van plan. Maar ik was er niet op voorbereid.'

'Ik denk dat je een klare toestand moet scheppen,' zei hij.

'Ja, dat zal wel, maar een klare toestand, wat is dat dan? Wil je mij dan weleens zeggen wat er allemaal zo klaar is voor mij?'

Ze stapte uit. Hij wilde mee naar binnen, maar dat liet ze niet toe. Ze legde haar hand op zijn wang.

'Ik zal het regelen,' zei ze zacht. 'Ik zal het regelen. Vrijer. Stormachtige bonzer. Jij snurkt als een kerkorgel,' zei ze zogezegd boos.

'Ja, lach me maar uit,' zei hij nerveus.

'Bel je me op? Bel je me gauw op?'

'Ik beloof het, ja.'

Ia kwam aangefladderd op de grond. Op een paar passen van Nicola kwam ze tot stilstand.

'Wat nu? Wat nu? Jij hier? Hij niet?' maakte Nicola op uit haar gebaren en klanken.

'Hij komt, hij komt,' zei Nicola. 'Ik laat, hij nog later.'

Ia giechelde.

'Thee, koffie?' vroegen haar wijzende handjes.

'Nee, nee, niets, dankjewel.'

'Slapen, denk ik,' vertelden twee gevouwen handjes naast een bruin wangetje.

'Juist. Slapen.'

24

Er heerste al drukte in Bagdad Palace, gerinkel en gekletter in de eetzaal, druk gepraat op het binnenplein, toen Nicola uit haar slaap opgeschrikt werd door een groot rumoer. Het leek alsof ze nog maar net de ogen had dichtgedaan.

Ilja stond voor haar, groot, donker, woedend.

'Daar!' riep hij. Hij wees met de vinger naar de hoek waar Ia in elkaar gedoken zat als een hoopje stoffige kleren. 'Zij zegt dat ze niet weet wanneer jij hier aangekomen bent. Heb jij haar dat bevel gegeven, niet te zeggen wanneer je aangekomen bent?'

'Ik ben om halfvier aangekomen,' zei Nicola.

Hij keek haar verbouwereerd aan.

'Waarom wilde ze dat niet zeggen?' vroeg hij. Hij vergat het en vroeg Nicola waarom ze zo laat aangekomen was. 'Was je weer ergens met die...? Met die...?'

Oerman kwam opgewekt naar binnen stormen.

'Wel?' vroeg hij. 'Beginnen we aan ons werk? Gaan we dat dak op? Waar zijn de dictafoons en de bandjes?'

Bevreemd keek hij naar Nicola, die opgericht in het bed van Ilja zat.

'Wat doe jij in dat bed?' vroeg hij. 'En waarom staat hij daar rechtop als een slaperige dakloze?'

Ook Woodrow, hun altijd neerslachtige Brit, verscheen in de deuropening, gevolgd door twee jongelui. Ze kwamen allemaal de slaapkamer in.

'Ik ben nog niet klaar,' zei Nicola ongelukkig. 'Ik ben nog niet klaar. Willen jullie allemaal eens maken dat jullie wegkomen?'

'Je zit hier in mijn bed,' zei Ilja boos.

'En jij zat voor mijn hotel om mij vragen te stellen en dat wilde ik liever niet,' zei Nicola.

'Heb je me daar gezien?' vroeg Ilja verwezen.

'Alsjeblieft, ga weg allemaal,' zei Nicola.

Onder het uitbrengen van gilletjes terwijl ze ook aan broekspijpen rukte dreef Ia het manvolk de kamer uit.

Ilja bleef nog even in de deuropening staan en zei: 'Ik moet met je praten.'

'Dat kan, Ilja. Dat kan,' zei Nicola goedig. 'Over twee minuten.'

'Nee, langer mag ook,' zei hij korzelig.

Toen hij weg was en de deur achter zich dichtgetrokken had, zat Nicola even met de handen voor het gezicht. Wat nu, dacht ze. Wat nu? Hoe zeg ik hem dat?

Ze stonden allemaal in de tamelijk brede gang die het huisje verbond met de eetzaal. Ze gaf Ilja een wenk dat hij moest komen. Onrustig, schoorvoetend kwam hij het huisje in. Ze nam hem mee naar de slaapkamer en deed de deur dicht.

'Ilja, ik moet je wat zeggen,' zei ze. 'Het valt me heel moeilijk, maar ik moet het doen. Ik wil het doen.'

'Je wilt me niet meer hebben, nietwaar?' zei hij. 'Je wilt die Hindoe, is het niet, die dezelfde auto heeft als de koningin van Engeland en ook een Land Rover en een vliegtuig?'

'Een vliegtuig niet,' zei ze aarzelend.

'Dat dacht je maar. Je hebt met hem geslapen, nietwaar? Je hebt met hem geslapen.'

'Ilja, je mag me niet op die manier ondervragen. Ik moet je wat zeggen. Dat ben ik je verschuldigd. Maar niet zo.'

Heftig herhaalde hij: 'Heb je met hem geslapen?'

Met overslaande stem vroeg hij het nog eens.

'Ja,' zei ze vermoeid, treurig.

Hij schreeuwde het uit alsof hij een lichamelijke marteling onderging.

'Alsjeblieft, wees rustig, Ilja,' vroeg ze. 'Wij mochten elkaar. Ik mag je nog steeds.'

'Ik houd van jou!' schreeuwde hij.

'Ja, goed,' zei ze.

'Ook jij sprak zo. Of is dat niet waar misschien?'

'Ach ja, waarschijnlijk wel,' zei ze.

'Maar het was dus niet waar.'

'Toen zonder twijfel wel. Niet letterlijk misschien.'

'Moet je dat tegenwoordig aan een meisje vragen als ze zegt dat ze van je houdt, of het letterlijk of figuurlijk bedoeld is?'

'Ilja, ook voor jou zijn de dingen niet altijd zo duidelijk.'

'Ik ben soms verstrooid,' zei hij. 'Ik ben onbedachtzaam. Ik denk niet altijd even goed na. Ik ben een lichtzinnige klootzak. Maar ik hield toen van jou en ik houd nu van jou.'

'Laten we daar niet over redetwisten,' zei ze. 'Laten we goede kameraden blijven. Dat is iets dat vaststaat, dat we heel goede kameraden waren en dat ik wil dat dat zou voortduren.'

'De beroemde troost,' zei hij schamper. 'We moeten goede vrienden blijven. De deur uit, de straat op, maar goede vrienden blijven. Een schop onder de broek, maar goede vrienden blijven.'

'Ilja, we zijn moe. Kunnen we het daar nu niet bij laten? We zullen straks nog eens opnieuw met elkaar spreken.'

'Waar is dat dan goed voor?'

Hij liep nurks de deur uit.

Nicola vond Woodrow en Oerman in de woonkamer.

'Wereldoorlog III?' vroeg Woodrow met opgetrokken wenkbrauwen.

Nicola zei dat ze het afluisterwerk beter de volgende dag konden beginnen. Ilja hoorde dat in de buitendeur.

'Niets van,' gromde hij. 'Het gebeurt vandaag. Ik wil weten wat die godvruchtige boef daar uitspookt. Wat hij met die jongens doet en hoe ze daar gekomen zijn, dát wil ik weten. Ik wil het nu weten.'

'Alles ligt klaar,' zei Nicola. 'Als iemand met mij meegaat, zal ik het met hem meegeven.'

Het had er even de schijn van dat Ilja dat zou doen, maar hij trok zich hoofdschuddend terug.

'Ik zal meegaan,' zei Woodrow. 'Het is rustig in mijn Klas van de Wedergeboorte. Er zijn er weer drie vandoor. Ik zal maar weer eens zeggen dat ik ze doorgespeeld heb naar die grimmige imam en jullie zullen me maar weer eens niet geloven.'

'Woodrow, dat liedje hebben we nu al dikwijls genoeg gehoord,' zei Oerman. 'Je wilt met alle geweld een booswicht zijn. Goed, je bent er een. Zo zwart als Satan. Het leven is wiskundig zinloos, dus maar zinloze dingen doen om de theorie te bewijzen.'

Woodrow hief even gelaten de handen.

'Het vriendelijke bakkertje met zijn blozende gezicht was er eentje van mij,' zei hij. 'Die is nu daar. Binnenkort is hij nergens meer.'

'Mijn auto staat bij het hotel,' zei Nicola. 'Ik wil wel een taxi vragen. Of gaan we te voet?'

'Heel graag te voet,' zei Woodrow, 'maar misschien wil jij liever niet gezien worden met een onguur individu.'

Ik zal het gevoel hebben dat ik op wandel ben met mijn poes, dacht Nicola.

'Je glimlach is mooi,' zei Woodrow. 'Die zal verstarren wanneer Bakkertje een holte gebeukt heeft in Amerika.'

Ilja had eens bezorgd geopperd dat er misschien wel wat was met Woodrow. De dingen waren misschien wel een beetje in de war geraakt in dat rare sympathieke hoofd van hem. In plaats van hem verder te laten zorgen voor de jongelui zouden ze misschien eerst een beetje voor hem moeten zorgen. Oerman had eens radeloos met de armen in de lucht gevraagd of ze er wel zeker van waren dat Woodrow niet van lotje getikt was.

Terwijl ze door de drukke straten van de binnenstad liepen, te midden van verwoeste en beschadigde gebouwen, banale Europese woningen en banale Europese warenhuizen, dacht ze met heimwee terug aan het oude Bagdad, met zijn moskeeën en paleizen, kasba's en z'n lage huizen met blinde muurtjes om een binnenplaatsje heen, alles vervallen en stoffig, maar mooi. En nu: geen pleintjes meer waar nog zakken op een dromedaris geladen werden, geen stegen waar je je tegen de muur moest aandrukken om een ezeltje met waterzakken door te laten, geen terrassen of banken onder een pergola waar studenten met elkaar zaten te keuvelen, in de plaats daarvan logge, loeiende vrachtwagens, oude motors, oude auto's, oude fietsen, armoedige winkels met onfrisse koopwaar, vervallen scholen, dromerige besluiteloze oude mannen op de hoeken van de straat, groepjes slenteraars, doelloos om zich heen kijkende lanterfanters. Oerman had het eens samengevat: twintig jaar dictatuur met folterkamers, twee oorlogen, tien jaar boycot, en een Amerikaans bezettingsleger, zo maak je een haveloos, bang armemensenland.

'Woodrow, waarom noemen ze jouw klas de Klas van de Wedergeboorte?' vroeg Nicola.

'De met bloemen versierde weg naar het gelukkig weergeboren worden, heet het helemaal. We zijn hier in de Arabische cultuur, alles wordt dus bloemrijk overdreven.'

'Opnieuw geboren worden, wat is dat?'

'Er verloren bijlopen. Het gewicht van een schuld niet meer kunnen verdragen. Niet meer bekwaam zijn om die schuld te omschrijven. Geen achting meer hebben voor die waardeloosheid en dan een zweepslag krijgen, woedend uitvaren en strijden.'

'Tegen wie?'

'Tegen de nikser. Tegen de doler. Tegen de schuld in hen. Dat knaagdier. Die slaven snokken hun ketting stuk. Ze springen brullend op dat podium. De vanen wapperen. Het geweld raast. Het verbrijzelt de muren.'

'Nee, Woodrow, niet zo,' zei Nicola klaaglijk. 'Je speelt je rolletje. Het is niet waar dat jij van je jongelui vernielers maakt. Je geeft hun weer moed, denk ik. Je leert hun dat je niet alles moet hebben. Het totale goed is niet te vinden, maar je leert hun dat ook het totale kwaad niet bestaat en dat er tussen die donkerte in die ene verte en die flakkering in de andere verte goed leven mogelijk is in een aangename warmte en in helder licht. Dat water uit een diepe bron lekker is. Dat ook moed lekker is. Ook mirabellen. Ook durf. Ook roekeloosheid. Ook vervoering. Streel met die vingers. Beuk met die vuisten. Ram de lamheid aan flarden. Maar dat wou ik je even vragen, Woodrow, dat rammen, dat beuken, wat bedoel je daar precies mee? En die lamheid, wat is dat?'

'Welke lamheid?'

'De eigen zwakheid, denk ik. De eigen moedeloosheid. Toegeven. Blijven zitten. Jezelf beklagen. Medelijden hebben met de kleine zondaar. Dat dwalertje. De dingen aanpakken. Opnieuw geboren worden. Een man worden, nietwaar? Het is dat wat je bedoelt. Je maakt geen terroristen van hen. Je speelt dat spelletje.'

'Mis.'

'Niet mis. Je bent een lieverd.'

'Juist.'

'Je wilt een nieuw leven voor die jongelui. Je geeft hun weer moed. Op die manier help je hen daarbij.'

'Nee, ik leer hun poorten rammen en bussen en treinen verpulveren. Het lieverdje vindt troost bij zijn rammers en beukers. Hij is het die opnieuw geboren wordt. Triomfantelijk leven. Telkens weer als die grote knapen in zijn armen zijn beland, van daar de kelder in bij de grimmige Arhab, en dan weer een raket in een helikopter waar weldoorvoede Amerikaanse lijven uit neertuimelen...'

'Ik geef het op,' zei Nicola hoofdschuddend.

In het hotel gaf ze hem de microfoon die neergelaten kon worden in de luchtkoker. Ze legde hem de werking uit van de grotere dictafoon, die niet neergelaten moest worden, maar waarmee op het dak naast de koker alles geregistreerd kon worden. Ze gaf hem een pak cassettes en dan nog de kleine dictafoon die ze konden gebruiken in geval van nood. Ze voegde er touwen, ijzerdraad en haken bij.

'Oude steenbrokken waartussen je de dingen op het dak kunt verbergen zullen jullie daar ter plaatse wel vinden, denk ik,' zei ze. 'Woodrow, wat gebeurt er volgens jou in die oude kazemat? Waarom zaten die vier jongens in die put?'

'Die jongelui worden daar door gif gehaald,' zei Woodrow, 'zodat hun breinen verschrompelen. Je houdt dan adders over.'

'Steeds de Arabische poëzie en beeldspraak,' zei Nicola. 'Het merendeel daarvan is nog nooit vertaald, dus onbekend in het westen. Ik vraag me af of ze dat niet beter zo zouden houden. Woodrow, mag ik je iets persoonlijks vragen?'

'Ja, je mag mij iets persoonlijks vragen.'

'Ben je ooit getrouwd geweest?'

'Nee.'

'Heb je het nooit aan een meisje gevraagd?'

'Ja.'

'En?'

'Nee, ze wilde niet.'

218

'Heb je het daarna nog aan iemand anders gevraagd?'
'Nee, dat durfde ik niet.'
'Maar je vrijt toch met meisjes?'
'Ja en neen.'
'Wat is dat, ja en neen?'
'Eerst deed ik het met... Ik ging bijna zeggen met echte
meisjes, gewone meisjes, die ik niet moest betalen. Maar dat
ging niet goed. Ze moeten mij helpen bij het vrijen, anders
gaat het niet. Dat wilden zij niet doen.'
'En nu?'
'Nu doe ik het met meisjes die me wel helpen.'
'Die meiden die je niet wilden helpen verdienden een pan-
doering. Je moet dat tegen die meisjes zeggen,' zei Nicola. 'Meisjes weten niet zomaar alles.'
'Ze waren beledigd,' zei hij. 'Ze vroegen of ze misschien niet
goed genoeg waren.'
'Jij was zenuwachtig. Iedereen is zenuwachtig de eerste keren. En als je zenuwachtig bent gaat er niets. Zoiets kun je uitleggen aan die meisjes. Dan weten ze alvast dat het niet aan
hen ligt. Dan zijn ze gewilliger. En met een beetje geluk komt
het dan wel voor elkaar. Bij meisjes verloopt het ook niet altijd
vlot. Als die kerel dan wat uitleg krijgt en als hij echt wat om dat
meisje geeft, komt ook dat voor elkaar.'
Hij stond daar verwezen te kijken.
'Je doet nu alsof het je wat kan schelen wat er met mij gebeurt,' zei hij.
'Dat kan me wat schelen. Ik vind je een toffe kerel. Je houdt
me wel voor de gek, je speelt voor bloedhond, maar waarom
zou dat niet mogen?'
'Ik houd je niet voor de gek,' zei hij.
'Ja, toe zwijg maar, niet opnieuw.'
Hij sloot zijn ogen, weer met die grappige uitdrukking van
hulpeloosheid.
'Niemand gelooft mij,' zuchtte hij. Na wat aarzelen zei hij:
'Ik ken een meisje. Ze heeft wat te maken met de Belgische
ambassade, van ver.'
Nicola meende hoop te zien in zijn ogen.

'Babbelen jullie samen?' vroeg ze.
'Ja.'
'Heeft dat al eens wat geduurd?'
'Ja. Maar ik denk dan dat ik haar verveel en dan wil ik het niet te lang laten duren en dan ga ik weg.'
'Ik zou eens niet weggaan,' zei ze.
'En dan?'
'Haar vingers eens aanraken of zo.'
'Jij bent me er eentje,' zei hij.
'En dan zal je wat weten,' zei ze.
'Hoezo?'
'Als ze die vingers niet terugtrekt, is het oké.'
'Ze noemen mij weleens dokter Woodrow omdat ik voor de jongens zorg, maar jij bent nu voor mij dokter Nicola.'
'Hoe heet dat meisje?'
'Cindy.'
'Cindy en hoe nog?'
'Cindy Lesage. Zij ondertekent papieren die wij moeten invullen in verband met de jongens. Waarom vraag je dat? Je gaat toch niet met haar praten?'
'Ik zou weleens kunnen nagaan wat er gebeurt als ik jouw naam noem. Hoe ze dan kijkt, bijvoorbeeld. Doe je dan eerst eens dat met de vingers?'
'Dat kan vandaag al,' zei hij.
Hij keek op zijn horloge.
'Bel je me dan eens op hoe het gegaan is?'
Hij schokte met zijn schouders.
'Doe je het?' vroeg ze.
'Ja dan maar,' zei hij.
'Woodrow, wat leer je die jongens? Zeg het mij eens.'
'Dat ze wat waard zijn,' zei hij.
'Dat is heel goed. Wat nog? Dat ze meppen mogen uitdelen?'
'Ja. Dat zal wel heel slecht zijn.'
'Niet meteen.'
'Meppen uitdelen mag niet, staat overal in alle boeken,' zei Woodrow.

'Staat het in jouw boek?'

'Nee.'

'In het mijne eigenlijk wel, maar ik doe dingen weleens anders dan het in mijn boek staat.'

'Is Ilja je kwijt?'

'Au,' zei ze stilletjes.

'Dan is hij het allerhoogste, het meest kostbare van de wereld kwijt.'

'Zeg eens, zeg eens. Lieve goeierd, praat zo eens tegen Cindy. Dan zal zij bij mij komen vragen om eens een goed woordje te doen bij jou. Dat ze wat waard zijn en dat ze meppen mogen uitdelen, wat nog?'

'Dat het nergens geschreven staat dat de kleine man de grote man moet gehoorzamen.'

'Heel goed.'

'Dat windrichtingen niet meetellen.'

'Wat wil dat zeggen?'

'Dat het westen niet altijd moet regeren over het oosten, het noorden ook niet altijd over het zuiden.'

'Nog steeds heel goed.'

'Dat je niet in iemands huis kunt gaan staan en zeggen: "Nu kom ik hier wonen, ik kan beter voor huizen zorgen."'

'Steeds beter.'

'Dat je die kerel dan mag verzoeken het huis te verlaten.'

'Ja. En als hij niet weggaat?'

'Daar heb jij eens iets over gezegd. Jij zou dan kerels met stokken verzamelen en hem eruit ranselen.' Na enige stilte vroeg hij: 'Zeg je dat nog steeds? Zeg je dat dat goed is?'

'Nee.'

'Zou je het doen?'

'Ja, vrees ik.'

Even was er een streepje waardoor je zijn bruine tanden zag.

'Zeg jij dat het goed is, Woodrow?' vroeg Nicola.

'Ja,' zei hij. 'Dat het mag, zeg ik. Of het goed is, dat weet ik niet.'

'Schiet je als stokken niet helpen?'

'Ja.'

'Mensen, bedoel ik, schieten ze in jouw verhalen mensen dood?'

'Ja.'

'Schiet je er tien dood om de ene die je niet wil missen zeker te treffen?'

'Ja.'

'Zeg je dat tegen de jongelui?'

'Ja.'

Ze kon zijn raadselachtige gezicht niet doorgronden.

'Doden mag niet volgens jou?' vroeg hij.

'Nee,' zei ze na enig nadenken.

'Dan worden de dingen niet afgewerkt. Dan blijft de ellende duren.'

'Dat wordt misschien te gauw gezegd.'

'Wat later dan? Na nog eens praten? En nog eens? En nog eens?'

'Dood is totale vernietiging,' zei ze. 'Is dat dan beter? Leven is wat je bent. Je haalt iemand dan uit het zijn. Dat is gruwelijk.'

'Zonder enige twijfel,' zei hij. 'Maar zo staat het in ons boek. Zo besturen wij ons bedrijf.'

'Wij mensen, bedoel je toch niet?'

'Ja, toch wel.'

'Spreek je echt zo tegen die jongelui? Zeg je dat soort dingen tegen ze? Dat zou Ilja niet willen. Het is in strijd met al wat hij wil.'

'Je hoeft niet bang te zijn. Ik spreek zo niet tegen de jongelui. Ik ga niet verder dan de stokken. Dat wij moordenaars zijn, houd ik voor hen geheim.'

'Wat zeg je toch verschrikkelijke dingen. Als moorden mag, zit dat bleke spook tussen ons. Tijdelijk geweld, zegt men weleens, maar Stalin en zijn lui trokken het zeventig jaar. Het leven wordt zo klein als moorden mag. Is het dan nog de moeite om geboren te worden en te beginnen aan dat lugubere, ingewikkelde bestaan? Hoor je al het besluit waar je dan toe komt? Als de dood mag hoeft het leven niet meer. Dat zeg ik niet, maar jij toch ook niet, Woodrow? Je beweert dat niet echt. Kunnen we het nog eens over Cindy hebben?'

'Ja, dat is beter.'

25

Ze bracht Woodrow terug naar Bagdad Palace, maar ging niet mee naar binnen. Ze keerde terug naar haar hotel en werkte de hele verdere dag in haar kamer aan een artikel over Aït-Assan. Ze prees het kleine paradijs 'waar Bush zou kunnen leren hoe Irak leeft'.

Aansluitend bij wat ze vroeger al eens over Bagdad Palace geschreven had, bracht ze verslag uit van haar gesprek met Woodrow. Ze behield de dialoogvorm. Daarna schreef ze een stukje over de vraag hoe jongens vanuit Bagdad Palace terwijl hun opvoeders erbij stonden, 'terwijl wij allen erbij stonden', terecht konden komen in geheime opleidingscentra voor terroristen. Ze gaf een beschrijving van de donkere kazemat en van de put waar die vier jongelui in zaten. Ze beloofde daarover spoedig meer te zullen melden. Ze schreef een verslag over haar bezoek aan het nieuwe Capitool van Bagdad, dat ze uitvoerig beschreef. Ze belde andere journalisten op die ze in het perscentrum al ontmoet had en vroeg hun wat zij over dat grote, witte bouwwerk dachten.

Ze wilde Rao niet opbellen. Ze verbood het zich. Ik moet eerst beter weten waar ik mee bezig ben, dacht ze. Ik moet daar wat van begrijpen. Ik ben er zo goed als zeker van dat hij is zoals Woodrow, ging het door haar heen. De koude wet van de doeltreffendheid. Zou hij doden, vroeg ze zich onrustig af. Als ze het aan hem overlieten, zou hij het dan doen? Hij zou aarzelen, zonder twijfel, maar zou hij het uiteindelijk doen? Nee, dacht ze heftig, dat soort van dingen zeggen, dat kan iedereen, dat overwegen, dat erbij nemen als een optie, maar het doen? De trekker van een geweer ook echt overhalen? Een handtekening plaatsen? Op de rode knop drukken? Er werd al eens op zo'n rode knop gedrukt. Driehonderdduizend doden in Japan. Daarna werd er nog eens op gedrukt. Er was al eens eerder een briefje ondertekend: dertigduizend doden in Dresden. Of hoeveel waren het er weer? In China werden de landheren in grote putten bij elkaar gebracht, geknield, geboeid en dan kwamen de dorpelingen die hen daar levend in begroeven. Kortstondig geweld om daarna langdurig een betere wereld te hebben. Woestheid om goedheid te verwekken. Bloed vergieten om te tonen dat men dat niet moet doen.

Ze wou dat Ilja bij haar was. Ze verlangde er vurig naar om met hem te praten. Driemaal begon ze zijn nummer in te tikken, maar ze voltooide het niet.

Ze werkte uren aan haar laptop. Toen werd haar van aan de balie beneden gemeld dat daar een zekere meneer Doelin voor haar stond.

'Ja, goed,' zei ze nerveus, blij. 'Stuur hem maar naar boven.'

'Nee, dat wil hij niet,' zei de man beneden. 'U moet komen.'

Ze liep naar de lift. In de hal zag ze hem meteen staan, de slonzige, mooie, lange gestalte met sluike blonde haren die van geen kapselmodel wilden weten, de grijze parka die hij niet wilde afdanken en waar nu stofvegen en pleisterplekken op zaten.

Al voor ze bij hem was wenkte ze hem toe.

'Toe, kom naar boven,' zei ze.

'Ik dacht dat je dat misschien niet zou willen,' zei hij.

Ze aarzelde of ze hem een kus op de wang zou geven. Dat merkte hij duidelijk. Hij keerde het hoofd af, maar liep wel met haar mee.

In de lift wisten ze een ogenblik niet wat te zeggen.

'Heb je wat gevonden?' vroeg ze. 'Heb je al wat kunnen horen in die krocht van Arhab?'

'En hoe,' gromde hij. 'Verwacht maar niet dat het je zal aanstaan.'

Boven, toen ze uit de lift stapten, zei ze: 'Ilja, dingen zijn verward. Dingen zijn gebeurd. Maar we moeten toch niet van elkaar weglopen. We moeten niet met de rug naar elkaar gaan staan.'

'Maar natuurlijk niet,' gromde hij.

'Nee, blijf hier,' smeekte ze toen hij zich met een ruk van haar afkeerde.

Ze bleef zijn arm vasthouden. Toen gaf ze hem toch een kus op zijn wang.

Hij monsterde haar werktafel, waar haar open laptop stond tussen een aantal andere computerspullen. 'Een hele uitrusting,' zei hij. 'Heb je dat allemaal meegebracht?'

'Nee, nee. Tegenwoordig hebben de hotels dat. Je kunt het huren. Je kunt het gebruiken, gewoon. Ik hoef er niet voor te betalen. De computerbedrijven doen dat allemaal. Ze zien er promotie in, denk ik. Ik heb daar CNN en BBC World en al die Arabische zenders.'

'Ook internet?' vroeg hij.

'Ja, natuurlijk.'

Ze duwde op enkele toetsen en daar floepten al beelden binnen.

'Ik betaal alleen maar de telefoonverbindingen. Of beter, mijn baas betaalt die. Ik zal eens kijken of jullie te vinden zijn, Bagdad Palace.' Ze typte de naam in. 'Ja, hier!' Ze haalde een en ander wat dichterbij en las: 'Internationaal opvangcentrum voor jonge Iraki's. Opgroeiende jongens die door omstandigheden losgeraakt zijn van hun familie worden er opgeleid tot allerlei beroepen. Het wordt geleid door de vroegere Russische diplomaat... Zeg eens, zeg eens, Ilja Doelin en door de Brit Woodrow Hill en de jonge imam Oerman ben Shalah, die afkomstig is uit Iran.'

'Gevlucht uit Iran,' bromde Ilja. 'Op de loop gegaan, terwijl kogels om zijn oren vlogen.'

'Steun van internationale organisaties, bij elkaar gebracht door de Nederlandse Nel Roos. Maaltijden. Logies. De positieve bijdrage van de jongelui zelf bestaat erin dat zij zich laten inschrijven voor een vormingsprogramma met het oog op een bepaald beroep en dat zij geregeld lessen en praktische activiteiten in werkgroepen volgen. Het voorbije regime van Saddam Hoessein wordt afgekeurd, maar ook de oorlog die de Verenigde Staten zijn komen voeren om een einde te maken aan dat regime wordt verkeerd genoemd. Het tehuis protesteert tegen de bezetting van het land door de Amerikaanse troepen.

Het vredelievende karakter van dit protest wordt beklemtoond. De bestuurders willen geen daden van terreur. Zelfmoordacties worden krachtig veroordeeld. De rol van het islamitische fundamentalisme in het verzet wordt gerelativeerd. Gewelddadige godsdienstige twisten en misdadige rellen worden afgewezen. Jonge, vrije mensen streven er een toekomst na in een hedendaagse, naar alle kanten openstaande maatschappij. Hier, kijk, je foto staat erbij,' zei Nicola. 'Wat een mooie foto! Woodrow ook al en daar is Oerman, de Zwarte Adelaar. En hier nog het banknummer van Nel Roos.'

'Ik dacht wel dat we dat ook zouden krijgen, als je Nel kent,' zei Ilja tevreden. 'Maar hier is iets anders, iets helemaal anders,' zei hij nors.

Met een klap legde hij een geluidsbandje op de tafel.

'Heb je het al kunnen doen?' vroeg Nicola verheugd. 'Opnamen maken in die luchtkoker, bedoel ik. Is dat gelukt?'

'Natuurlijk,' zei hij knorrig, met enig zelfbehagen. 'Terwijl jij hier je teksten zat te schrijven, hebben wij zogezegd kleine herstellingswerken uitgevoerd aan dat platte dak. We hebben de bandopnemer verstopt tussen steenbrokken bij de luchtkoker en toen hebben we de micro een eindje omlaag laten zakken. We hebben eerst enkele kleine proeven gedaan, die vielen goed mee. Je werkt duidelijk met uistekend materiaal.'

Hij wierp een blik op het scherm waar ze de plaats vertoonden, niet ver van Bagdad Palace, waar vroeger een groot café geweest was.

'Ik ken die plek,' zei hij. 'Ik heb die vroeger gezien. De terrassen zaten altijd vol met studenten van de naburige faculteit. Die is nu verwoest door de oorlog. Oudere mannen zaten er ook. Zij rookten de nargileh. Weet je wat dat is?'

'Een waterpijp?' vroeg Nicola.

'Ja. Die staat naast je op de grond. Je zuigt de rook op door een potje met water zodat die koel en lekker, volgens hen, in je mond en je neusgaten aankomt. Getater hoorde je daar de hele avond. Er werd ook wel geruzied, maar dat eindigde in geschater. Nel Roos zei eens dat ze graag zo'n pijp zou hebben,' zei Ilja. 'We hebben er haar een bezorgd. Toen stond ze daar met tranen in de ogen, dat dikke mens, dat propvol energie zit.'

Nicola liep op hem toe en omarmde hem. Ook zij huilde.

'Toe, wees niet zo boos op mij,' zei ze.

Het leek dat ook hij zijn armen om haar heen zou slaan, maar hij deed het niet.

'Je gaat straks zeker weer bij hem slapen?' vroeg hij. 'Of komt hij hierheen?' Hij keek naar het hotelbed. 'Wat sta ik hier eigenlijk te doen?' vroeg hij woedend. 'Ik sta me hier compleet belachelijk te maken. Wil je dat bandje horen of niet?'

'Jazeker, Ilja, natuurlijk.'

'Die snijdende stem is die van Arhab, de imam,' zei hij. 'Hij schreeuwt tegen de jongelui. Hij tiranniseert hen. Hij brult. Hij snauwt hen af. Je hoort de jongelui soms huilen. Ze roepen om hulp. Hij leest hun een tekst voor en dan moeten ze die samen met hem uit het hoofd leren. Ik denk niet dat het een tekst uit de koran is, maar een uit die boeken over het leven van de Profeet waarin ook allerlei predikaties voorkomen van leerlingen van hem. Ik heb een heel stel van die boeken in onze bibliotheek. Er zijn jongelui die daar rustig van worden, anderen krijgen het ervan op de heupen.'

Nicola hoorde de harde, onwelluidende stem.

'Die klinkt vijandig,' zei ze bevreemd. 'Ik had verwacht dat ze eerder verleidend zou klinken.'

De tekst die de imam las luidde: 'Achter hen op de horizon flakkerde het vuur in de stad van de ongetrouwen. De godloochenaars hadden hun straf ontvangen. Hun gehuil was hoorbaar geweest tot ver buiten de muren. Yakoub had de wraak van de Oppermachtige over hen uitgeroepen. Zijn stem was in de hemel gehoord. Vanuit de hoogte was de wrake van de Heer over hen neergekomen door de armen van zijn getrouwen.'

'Van de schuld in de boete, dat ken ik,' zei Nicola. 'Wordt dat ze ingehamerd? Ik denk dat ik wel vijf sekten ken waar het zo gebeurt.'

'Helemaal juist,' zei Ilja. 'Luister maar eens.'

De imam schreeuwde zijn gehoor toe dat ze moesten openstaan voor het vervaarlijke woord van de vergelding. Dat moest in hen doordringen en daarna nooit meer uit hen weggaan.

De tekst was opgesteld in het statige klassieke Arabisch. De imam daarentegen sprak het Arabisch van de straat. Het leek Nicola dat hij de vulgariteit van bepaalde klanken aandikte wanneer hij over de zonden sprak en de straf die daarvoor ondergaan moest worden. Als ijzeren pinnen moesten die inzichten in hun vlees geslagen worden. Hij zou de zinnen in stukjes hakken en hun die een voor een laten nazeggen. Daarna twee stukjes onmiddellijk na elkaar, daarna vier, daarna de hele zin, tot ze die helemaal juist konden nazeggen. Daarna, om hen te doordringen van de waarheid die hij hun voorhield, zou hij de zinnen omdraaien en hun weer stukje na stukje, daarna twee stukjes tegelijk, daarna vier, en zo verder, de zinnen in omgekeerde volgorde laten nazeggen.

'Achter hen op de horizon...' schreeuwde de imam.

'Achter hen op de horizon...' schreeuwden de jongelui hem na.

Dat werd nog eens herhaald.

'... flakkerde het vuur...' riep de imam.

'... flakkerde het vuur...' riepen de jongelui hem na.

Weer de herhaling.

'... in de stad van de ongetrouwen.'

'... in de stad van de ongetrouwen.'

'Achter hen op de horizon flakkerde...'

'Achter hen op de horizon flakkerde...'

'... het vuur in de stad van de ongetrouwen.'

'... het vuur in de stad van de ongetrouwen.'

'Achter hen op de horizon flakkerde het vuur in de stad van de ongetrouwen.'

'Achter hen op de horizon flakkerde het vuur in de stad van de ongetrouwen.'

Viermaal werd dat nog herhaald.

De imam schreeuwde dat ze nu dubbel aandachtig moeten zijn.

'Ongetrouwen de van stad...' schreeuwde hij.

Een verwarde kakofonie weerklonk.

'Ongetrouwen de van stad...' schreeuwde de imam nog eens.

'Ongetrouwen de van stad...' riepen de jongelui met hier en daar nog enige verwarring.

Twee herhalingen volgden nog.

'... de in vuur het...' volgde daarna.

Dat werd tweemaal herhaald.

'Ongetrouwen de van stad de in vuur het...' riep de imam.

Vier herhalingen waren nodig.

Toen schreeuwden de jongelui: 'Ongetrouwen de van stad de in vuur het...'

Dat werd tweemaal herhaald.

'... flakkerde horizon de op...' riep de imam.

Duidelijk hadden de jongelui enig inzicht verworven en het antwoord kwam bijna goed.

'... flakkerde horizon de op...' schreeuwden de jongelui.

'... hen achter,' riep de imam.

'... hen achter,' riepen de jongelui.

'Ongetrouwen de van stad de in vuur het flakkerde horizon de op hen achter.'

Zes herhalingen waren nodig eer het helemaal goed klonk. De imam schold hen uit. Hij zei dat ze lui en dom waren. Ze hadden nog niets goeds gedaan in hun leven. Hij schreeuwde zoals een machinegeweer ratelt.

'Ongetrouwen de van stad de in vuur het flakkerde horizon de op hen achter.'

De jongelui riepen het stuntelig na, met overal fouten. De imam herhaalde het luider. Na nog twee keren kwam de zin. Die werd viermaal herhaald. Daarna werd hij sneller uitgesproken, weer viermaal, daarna nog sneller, weer viermaal.

Zonder zijn gehoor een ogenblik rust te gunnen riep de imam: 'De godloochenaars hadden hun straf ondergaan.'

De jongelui riepen het hem na zonder enige aarzeling.

'Ondergaan straf hun...' riep de imam.

Dat moest herhaald worden. De imam riep: 'Ondergaan straf hun hadden godloochenaars de.'

Drie beurten eer het goed was. Tweemaal sneller dan en dan nog tweemaal heel snel. Meteen volgden nu de zinnen in één adem.

'Achter hen op de horizon flakkerde het vuur in de stad van de ongetrouwen. De godloochenaars hadden hun straf ondergaan.'

Pas na twee herhalingen kwam het antwoord zoals het hoorde. Tweemaal kwamen de zinnen in versneld tempo, nog tweemaal in nog meer versneld tempo.

De imam schreeuwde: 'Ondergaan straf hun hadden godloochenaars de. Ongetrouwen de van stad de in vuur het flakkerde horizon de op hen achter.'

Dat werd een totale mislukking. Na veelvuldige herhaling van kleine en dan weer grote stukjes kwam de tekst er helemaal goed uit. Zesmaal werd hij herhaald. Daarna zesmaal sneller. Daarna zesmaal heel snel.

'Hier had ik verwacht dat er een woordje van lof zou komen,' zei Ilja. 'Of toch ten minste dat ze even zouden mogen rusten. Maar nee, luister.'

'Hun gehuil was hoorbaar geweest tot ver buiten de muren,' schreeuwde de imam.

Na twee herhalingen kreeg hij reeds het goede antwoord. Hopeloos gebrabbel ontstond weer toen hij riep: 'Muren de buiten ver tot geweest hoorbaar was gehuil hun.'

Met een overslaande stem schreeuwde hij de jongelui toe dat ze kinkels waren. Ze waren zo dom dat ze net goed genoeg waren om begraven te worden. Hij deed het weer in stukjes.

'Muren de buiten ver…' Nog eens opnieuw: 'Muren de buiten ver…' Daarna: '… tot geweest hoorbaar was gehuil hun.' En vervolgens na weer snelle herhalingen het geheel: 'Muren de buiten ver tot geweest hoorbaar was gehuil hun.' Daarna sneller en nog sneller. Daarna hamerend, schreeuwend, steeds weer herhalend tot ze de twee delen van de tekst als één geheel konden opzeggen. 'Muren de buiten ver tot geweest hoorbaar was gehuil hun. Ondergaan straf hun hadden godloochenaars de. Ongetrouwen de van stad de in vuur het flakkerde horizon de op hen achter.' Dat werd herhaald. En nog eens en nog eens en dan weer sneller en nog sneller.

Toen moesten ze bidden: *'Allahou akbar el rachman el rahim.'* Tienmaal herhaalden ze dat. Zonder verpozen ging het daarna door.

'Yakoub had de wraak van de Oppermachtige over hen uitgeroepen. Zijn stem was in de hemel gehoord.'

Ze konden de jongens horen hijgen toen na veelvuldige herhalingen zonder haperen de omgekeerde versie ten gehore werd gebracht.

'Gehoord hemel de in was stem zijn. Uitgeroepen hen over Oppermachtige de van wraak de had Yakoub.'

Ze hoorden gehuil en gekreun toen de jongelui erin geslaagd waren ook het laatste deel te laten horen.

'Vanuit de hoogte was de wrake van de Heer over hen neergekomen door de armen van zijn getrouwen. Getrouwen zijn van armen de door neergekomen hen over Heer de van wrake de was hoogte de vanuit.'

'Allemachtig,' zei Nicola. Ze legde de band stil. 'Zo verpletter je iemands brein. Zo breek je mensen.'

'Voor mij is dit nieuw,' zei Ilja. 'Ik kende dat niet. Jij wel, nietwaar? Je bent dergelijke dingen al eerder tegengekomen. Maar een paar van die jongelui komen van bij mij. Bij mij hoorden ze precies het tegenovergestelde. Bij mij waren ze ontspannen. Ze liepen te schateren en nu zitten ze daar en doen ze dat soort dingen. Waarom zijn ze daar? Waarom doen ze dat? Waarom zijn ze van mij naar die Arhab gegaan? Weet je daar ook wat van?'

'Ik denk niet dat ze naar hem gegaan zijn, ik denk eerder dat ze gehaald zijn,' zei Nicola. 'Sekten pakken jongelui. Ergens zijn er handen die hen grijpen.'

'Waar dan?' vroeg Ilja. Zijn ogen flonkerden. 'Waar zijn die handen? Wiens handen zijn het?'

'Zij zullen het ons niet zeggen,' zei Nicola. 'Maar we zullen er misschien iets over te horen krijgen. Er zal er misschien weleens een zijn die wat zegt. Dat zijn plaatsen waar niet meegeluisterd wordt. Dat weten zij. Maar nu wordt er toch meegeluisterd. Dankzij jou, Ilja. Je bewijst me hier een grote dienst. En misschien bewijs je hun óók een grote dienst. Misschien, wie weet, halen we hen daar wel uit.'

'Waarom ben je zo zenuwachtig?' vroeg hij. 'Je kunt je handen haast niet stilhouden. Er is iets wat je dwarszit.'

'Dat is zo, ja. Wat we daar op dat bandje gehoord hebben, is afschuwelijk. Maar op een bepaalde manier, om een bepaalde reden ben ik er ook blij om.'

'Blij?' vroeg hij ongelovig.

'Wat we daar op die band gehoord hebben is niet goed, maar iets anders zou nog erger geweest zijn, dat bedoel ik.'

'Kan iets nog erger zijn dan dat?'

'Nee, zo moeten we het niet vergelijken, maar er is iets wat ik zou willen weten. Er is iets wat mij kwelt. Ik dacht, ik vreesde, ik scheen te moeten geloven dat jongelui vrijwillig tot zelfmoord-acties overgingen, opgezweept wel, allicht een beetje bedwelmd daardoor, maar toch vrijwillig. Dat ze het wilden, dat ze het deden omdat ze vonden dat het zo goed was, dat het zo hoorde, dingen van godsdienstige of politieke of welke andere aard ook. Maar wat we daar op dat bandje horen, is iets helemaal anders. Ik bedoel, het is minder erg dat jongelui gedwongen worden om dergelijke dingen te doen dan dat ze die vrijwillig zelf on-dernemen, dan is de mens niet zo'n monster, dan wordt er een monster gefabriceerd. Een leeg brein waarin een horloge ge-plaatst wordt, de wijzers op een bepaald uur. Zo zat die punker van jullie in dat oude minibusje. Begrijp me niet verkeerd, als-jeblieft, ik ben niet blij dat dergelijke dingen aan het gebeuren zijn daar in die kazemat, maar op een manier waar ik me ramp-zalig bij voel een beetje toch wel.'

De telefoon rinkelde. Het was Woodrow.

'Ze trok haar hand niet terug,' zei hij.

'Goed Woodrow! Goed Woodrow!' zei Nicola blij.

'Ik kan haar telefoonnummer geven,' zei hij.

'Ja, doe dat.' Ze grabbelde nerveus naar een stukje papier en een potlood. Toen ze het nummer opgeschreven had, zei ze: 'Ik zal eens een marktonderzoek doen.'

'Wat heeft het met een markt te maken?' vroeg Woodrow.

'Woodrow, er zijn jongensdingen en meisjesdingen. Je moet niet alles in de wereld willen veranderen. Ik laat je wat weten.'

'Was dat Wood?' vroeg Ilja. 'Gaat er iets om tussen Wood en jou? Over wat voor marktonderzoek had je het daar?'

Ze weerde het lachend met wapperende vingers af en zette het geluidsbandje weer aan. De imam begon met het indrillen van een tweede tekst uit de islamliteratuur. Dat ging door op de B-kant van het bandje. Onverhoeds brak hij het af om iets te doen als het overhoren van een les. Hij wilde dat de jongelui hem achtendertig eigenschappen van Allah zouden opzeggen in een bepaalde volgorde. Het was duidelijk dat hij daarbij jongens aanwees. De eerste zeven of acht eigenschappen kwamen zonder aarzelen. De volgende jongens vergisten zich. De imam snauwde hen af. Een andere jongen gaf het juiste antwoord. Na nog twee vergissingen bereikten ze eigenschap nummer achtendertig. De imam liet hun de eerste tien opdreunen, daarna de volgende tien en de volgende tien en daarna de laatste acht. Daarna moesten in een adem de eerste twintig gegeven worden en daarna de laatste achttien. Drie keer liep het mis. De imam schold hen uit. Toen wilde hij in één trek de volledige reeks van achtendertig horen. Nog tien minuten duurde het voor dat lukte. Hij liet hun steeds sneller en sneller de adjectieven afratelen. Toen zou hij tien jongens ondervragen. Zij zouden de achtendertig eigenschappen moeten opzeggen. De vierde mislukte. Hij werd naar de put verwezen. Nicola en Ilja hoorden het bonzen van het luik.

'Hij doet het nog steeds, die put, we hadden het hem nochtans verboden. Hij beloofde dat hij het niet meer zou doen, maar hoor, hij doet het wel.'

Ook de negende jongen mislukte. Hij moest eveneens naar de put. De jongen huilde en smeekte om er niet in te moeten. Hij zou de hele nacht opblijven, zei hij, en de les leren, maar de imam legde hem met een schreeuw het zwijgen op en voerde de straf uit. Toen begon hij met het indrillen van de eigenschappen in de omgekeerde volgorde.

Nicola schudde van neen en zette de band af.

'Ik kan het niet meer verdragen,' zei ze. 'Ilja, dat hebben ze dus ook met dat bakkertje van jou gedaan. Ze hebben het met die stevige Punk gedaan. Wie brengt die verandering teweeg? Bij jou lopen ze opgewekt vrij in en uit, daar liggen ze gevangen in een onderaardse krocht. Ze slaan hen niet murw, ze dragen die jongens daar niet naartoe. Die jongens zijn daar. Ze blijven daar. Gisteren werden die akelige dingen met hen gedaan, vandaag weer, morgen weer. Ze liggen niet aan kettingen. Die jongelui braken niet uit toen wij daar waren. Ze sloegen niet op de vlucht. Iets verandert. Iemand doet dat. Maar hoe en waar?'

'Ik wil dat ook weten,' zei Ilja.

'Woodrow zegt dat er vanmorgen bij hem drie jongens verdwenen zijn.'

'Verdwenen? Verdwenen, wat is verdwenen? Drie verdwijnen en drie anderen komen.'

'Nee, ik denk niet dat hij dat bedoelde. Hij had het over jongelui van wie hij dat niet verwacht had.'

Ilja haalde zijn telefoontje uit zijn zak en belde Woodrow op. Hij ondervroeg hem met korte barse zinnen. Opeens vroeg hij: 'Pico? Is Pico weg?'

Hij vloekte en brak het telefoongesprek af.

'Wie is Pico?' vroeg Nicola.

'Ach, hoe kan ik dat zeggen en daarna een rustig redelijk mens blijven? Hij is afkomstig uit Beiroet. Er is een Italiaan in zijn familie. Hij heeft als kind piano leren spelen. Hij speelt geen noten, hij speelt gevoelens. Hij heeft het absolute gehoor, hij zou een virtuoos kunnen worden. Ik was daarmee bezig. Een studiebeurs en daarna naar Parijs. Niet meteen voor morgen,' zei hij wrevelig. 'Maar wel voor overmorgen, als je begrijpt wat ik bedoel.'

'Ja, ik weet wat je bedoelt, Ilja,' zei Nicola zacht. 'Is het zeker dat hij weg is? Echt weg, bedoel ik?'

'Het is zeker. Hij is nog nooit weg geweest.'

'We gaan toch niet onmiddellijk denken dat iemand hem gepakt heeft?' vroeg Nicola. 'Verlokt? Verleid? Wat anderen van zijn soort al overkomen is? Begaafde jongens met wie wat te doen is. Met wie heel speciale dingen te doen zijn. Zo wordt het gezegd, het zijn de begaafde jongelui die geschikt zijn voor het finale werk, met wilskracht om op die lijn door te gaan. De karakterlozen begeven het. Ze gaan op de loop. Mensen met de grootste wilskracht kun je het best hypnotiseren. Met onbekommerde nietsnutten kun je niets uitrichten, die staan erbij te lachen, zeggen ze. Schrijven ze. Uiteindelijk valt het me toch tegen,' zei Nicola. 'Ik verkondig dat de terroristen niet uit de islam stammen. Ik verkondig dat de islam geen terroristische godsdienst is, dat fanatisme niet specifiek dat merkteken draagt. Iemand die op het ultieme moment *"Allahou akbar"* schreeuwt, maar het gedoe wordt minder islamitisch als de kerel uit een kelder komt waar een zogenaamde imam hem de achtendertig eigenschappen van Allah heeft leren opsommen van voren naar achteren en van achteren naar voren.

'De islam wil de wereld niet veroveren,' zei Ilja somber. 'Hij heeft eens zijn kruistochten gehad zoals het christendom, maar dat is lang voorbij. Wat zouden zij met de wereld moeten doen zonder technologie, zonder economie, zonder onderwijs, zonder wetenschap? Geld rente laten opbrengen is immoreel. Ze houden zich niet eens bezig met parochiewerk. Ze hebben een boek, dat hebben ze, ja. Een boek dat meer dan tien eeuwen oud is. En daar staat het allemaal in. Dat is heel praktisch. Geen problemen. Geen hoofdpijn. De islam is een best aangename godsdienst als je gelooft dat de engel Gabriël op bezoek is geweest bij Mohammed,' zei Ilja bitter.

'Ja, dat is natuurlijk waar,' zei Nicola.

'Zo kun je ook zeggen dat ze het in Afrika allemaal goed weten. Daar vereren ze hun opa's en oma's en de oma's en de opa's van die oma's en opa's. Na hun dood gaan ze daar allemaal weer naartoe en terwijl je nog leeft is er de tovenaar. Die verdrijft de duivels en geeft je amuletten tegen de buikpijn.' Hij wees naar het geluidsbandje. 'We gaan daarmee door. Nog meer bandjes. We zullen die maken. Als je het goed vindt.'

'Heel goed.'

'Je zult er zeker over schrijven?'

'Zeker, vanavond al. Geef Ia een kusje van mij.'

Hij keerde zich met een ruk om en liep de kamer uit.

26

Nicola werkte de hele avond en een stuk van de nacht, terwijl ze de telefoons had afgesloten. Rond middernacht kon ze het niet meer uithouden. Ze belde Rao op.

'Heb je met je vriend gepraat?'
'Ja.'
Het bleef stil.
'Ik houd van je,' zei ze.
'Ik houd ook van je,' zei hij.
Weer was er die stilte. Ze waren ver van elkaar, maar ook heel dicht. Het leek haar dat ze zijn adem kon horen.
'Laten we niet meteen grote beslissingen nemen,' zei ze. 'Ik bedoel niet dat ik twijfel,' voegde ze er haastig aan toe. 'Wees geduldig. Ik heb een vriendin voor wie alles meteen duidelijk is, maar bij mij werkt dat zo niet. Geef me wat tijd.'
'Zeker, allerliefste meisje.'
'Wat heb je allemaal gedaan vandaag? Waarom lach je? Ik hoor je lachen.'
'Als ik je dat vertelde, zou je nog meer lachen.'
'Vertel het maar.'
'Ik heb drie goede, grote bedrijven vervangen door achttien heel goede kleine. Input plus vier, output plus negen. Productiviteit plus vierenveertig. Je zit te lachen, ik kan het niet horen, maar ik kan het zien.'
'Noem eens een van die heel goede achttien kleine bedrijven.'
'Billiards International. Snookertafels.'
'Ken je dat bedrijf?' vroeg ze.
'Op papier.'
'Weet je het bedrijf staan?'
'Ja. In Hongarije.'
'Spelen ze daar ook snooker?'
'Meisje, dat heeft er niets mee te maken. Ze maken snookertafels, heel goede zelfs, en ze maken ze goedkoop.'
'Het blijft toch virtuele kennis,' zei Nicola. 'Kent niemand het echte bedrijf?'
'Ja, toch wel. Iemand…' begon hij te zeggen.
'… van wie jij weet dat hij weet dat jij weet, enzovoort.'
'Heel juist. Ik ben een behoorlijk snookerspeler.'
'Dat hoef je me niet te zeggen. Je bent behoorlijk in alles wat er bestaat. Ik weet wel zeker dat je ook polo speelt, te paard, bedoel ik.'

'Ja, maar dat is dagelijkse kost voor iemand die in India woont.'

'Nog een ander bedrijf?'

'Borden, kopjes, glazen en tafelgerei voor cateringbedrijven.'

'Waar staat dat?'

'In Tsjechië, maar de oprichters waren Zweden en het bedrijf wordt gerund vanuit Malta.'

'Heb je ook bedrijven in islamlanden?'

'Niet echt. Een paar in Egypte, maar die tellen niet mee.'

'Heb je er in Afrika?'

'Geen enkel. Om een heel concrete reden. Je weet dat ik een boontje heb voor de Afrikanen.'

'Zoals ik!'

'Omdat ze levenslustig zijn. Omdat ze als opgroeiende knapen al met de meisjes stoeien.'

'Omdat ze stoppen om te kijken hoe de zon ondergaat boven de savanne,' zei ze vrolijk. 'Omdat ze 's avonds als de maan schijnt rond een vuur gaan zitten en glorierijke verhalen vertellen waar niets van waar is.'

'Omdat ze in die kerken van het Amerikaanse zuiden met zijn honderden in drie stemmen psalmen kunnen zingen zonder te repeteren.'

'Omdat ze met tederheid over hun oud moedertje spreken, ook als ze minister geworden zijn.'

'Omdat ze van hun fiets vallen als er opeens een heel mooie meid voorbijkomt.'

'Omdat ze allemaal zes broers en acht zusters en honderd vijftig neven en nichtjes hebben en omdat ze die schreeuwend van blijdschap groeten en niet naar hun werk gaan wanneer ze die onverwacht tegenkomen. Heel goed, heel goed,' zei hij uitbundig lachend. 'Maar… Maar!' zei hij luid. 'Als ze het in de politiek gemaakt hebben stoppen ze hun ministerie of hun ambassade vol met hun verwanten. Ook als ze een bedrijf hebben geven ze daar al hun verwanten een baan. Je moet hun ook de hele tijd fooien, procenten en relatiegeschenken geven want daarmee verhogen zij de macht en de rijkdom van hun familie en van hun stam. Dat is niet alleen goed, er is niets beters. Ze sluiten drie dagen hun bedrijf als een voetballer uit hun stam opgenomen wordt in de ploeg van Marseille en daar met een magistrale kopstoot een doelpunt aantekent waardoor Marseille kampioen wordt. Ze vergeten naar vergaderingen te komen. Ze houden bij gelegenheid eens een hele week lang hun boekhouding niet bij. Als jij in de put zit en al diegenen die voor jou meetellen laten zich horen noch zien waardoor je echt in de put geraakt, staan zij daar opeens met een bos bloemen zo groot als zijzelf en ze leggen daar ook een bomvolle portefeuille naast. In Afrika geloven nog maar weinig mensen dat er echt helden bestaan hebben die reusachtige apenbrood- bomen met de handen konden uitrukken, maar nog eeuwen- lang zullen hun pittoreske, aandoenlijke, ergerlijke gewoon- ten blijven bestaan. En die zijn, economisch gezien, verlies- latend. Voor mij hoeft dat niet te veranderen. Soms volg ik zelfs met onverholen genoegen de evolutie daarvan in de boekhou- ding van de concurrentie.'

'Je bent een fielt,' zei ze. 'Wat voor hemd heb je aan?'

'Beige met lichtgroene strepen. Wat heb jij aan?'

'Beter niet kijken,' zei ze.

'Ik wil het toch weten.'

'De dunne, katoenen slobbertrui waarin ik heel goed kan werken.'

'Dan zal ik die mee vereren en er een kus op drukken als ik daar voorbijkom en ik zie hem hangen.'

'Rao, wij zijn soms helemaal verwant, maar we zijn ook hele- maal verschillend. Ik kan aan jou denken als aan een rakker. Ik wil dan je haar kammen en schoenen voor je kopen. Maar op andere ogenblikken ben ik bang voor je. Ik lijk dan ogen te zien die ik niet ken. Kunnen wij echt doen wat we maar willen, als mens bedoel ik? En dan bedoel ik kunnen als mogen.'

'Ik denk dat mogen een kunstmatig machtsbegrip is. Alle profeten, in alle werelddelen, beginnen ermee hun toehoor- ders te herleiden tot gepeupel. Hoogmoedige, hebzuchtige zondaars, in het beste geval waardeloze zwakkelingen. Klap- lopers en straatschuimers krijgen te horen wat ze verkeerd doen. Daarna wordt uitgelegd hoe het allemaal beter gedaan kan worden. Een lijst van voorschriften. Wetten. Met bijbehorende straffen. Zo bevestigt de profeet zijn macht. De tiran volgt zijn voorbeeld. Regeren over ondermensen is niet moeilijk. Uit hun tuin verdreven bannelingen zullen smeken om er weer binnen te mogen. Maar zoals ik zei, dat is allemaal fictief. Ook de profeet is een nietsnut en de tiran is een straatschuimer. Zowel de onderwereld waarin wij worden neergeploft als de bovenwereld naar waar wij moeten opstijgen, is verzonnen. De machthebber had geen macht, hij pakte die. De wetgever had geen wetten, hij maakte die. Een kleurloos volkje dat niet weet wat het daar doet, dat is de mensheid. Onder hen bevinden zich verleiders met zachte ogen en bullebakken met knuppels. Het gaat ze goed, dan weer niet en dan weer wel. Dan opeens, zonder overgang, is het allemaal gedaan.'

'Niet doen, Rao. Niet doen.'

'Op een andere ster dan, een miljard jaar later of zo, plenst de regen op de ondiepe baaien. Een ster staat te gloeien. De bliksem slaat daar in en grote moleculen vallen uit elkaar. Die wemelen, die kruipen, die zwemmen. Die slepen zich aan land. Die draven. Die richten zich op. Die kijken. Die staan vol haren en hebben een staart en daarna hebben ze geen haren meer en geen staart, maar een hoofd vol verwarde gedachten, en onder hen bevinden zich weer de verleiders en de bullebakken. En heelals verder, op de kolossale regenboog, zijn voeten afhangend, de verstrooide, niet erg snuggere opperbaas.'

'Van wie heb je dat allemaal?' vroeg ze kregelig. 'Wie zegt dat tegen jou?'

'Mijn vader,' zei hij. 'En hier is een groot verschil tussen hem en mij. Hij leed daaronder. "Waarom zeggen ze het mij niet?" vroeg hij. "Waarom leggen ze mij niet uit hoe ik moet leven?" Het klonk smartelijk. Ik lijd er helemaal niet onder. Ik schaam mij daar voor. Maar ik moet toch eerlijk zijn en de dingen zeggen zoals ik ze aanvoel. Mijn vader had ook zijn goede dagen, dan peroreerde hij er duchtig op los en eindigde met de woorden: "Ik heb gezegd." Een laatste kopje thee nog en hij dan terug naar zijn boeken en wij naar onze tennisballen of naar onze pony. Ik moet je nog iets belangrijks vragen.'

'Ja, doe maar.'

'Mijn moeder vindt je een buitengewoon meisje. Ze zegt dat je huilt om de juiste dingen.'

'Wat vertel je daar? Je moeder kent mij niet.'

'Zeg maar geen ondoordachte dingen. Ik heb eens drie uur lang met haar over jou getelefoneerd.'

'Waar woont je moeder?'

'In Bombay nu. Ze bereidt haar vertrek naar Benares voor. Wij gaan sterven aan de Ganges, dat weet je wel. De zon die oprijst boven die stroom, dan krijgen wij de grote zegening.'

'Ik zou ook wel een grote zegening kunnen gebruiken. Er zijn dingen waarover ik moet nadenken. Er zijn vragen waar ik geen antwoord op weet.'

'Weet je wat mijn moeder zou zeggen als ze dat hoorde? Ze zou zeggen: "Oef, wat een geluk. Eindelijk eens iemand die het niet allemaal weet." Ik moet toegeven dat mijn vader wel wat afgezeurd heeft.'

'Ik moet nu gaan slapen, maar ik kan geen afscheid van je nemen. Ik ga je nog vijf kusjes geven en daarna moet jij het gesprek afbreken. Wil je dat doen?'

'Ik doe al wat je me vraagt.'

Ze gaf hem snel de vijf kusjes. Klik, deed de telefoon.

Heftig herhaald gebons op de kamerdeur maakte haar wakker. Ze had langer geslapen dan ze voorzien had. Ze was in de war, ze wist even niet waar ze was.

'Ja, ik kom!' riep ze. 'Wie is het?'

'Ik ben het, Ilja,' hoorde ze hem zeggen met een luide, woedende stem. 'Ze willen mij weer naar beneden drijven, maar ik ga hier niet weg. Laat me binnen.'

Ze trok in allerijl een kamerjas aan en opende de deur. Ilja kwam de kamer binnenstormen.

'Pico is daar bij hen,' zei hij.

Nicola gaf het kamermeisje in de open deur te kennen dat het in orde was, dat ze mocht weggaan. Ze moest het nog eens zeggen en bemoedigend met het hoofd knikken voor de vrouw dat wilde doen.

'Wat bedoel je met Pico?' vroeg ze. 'Wie is…?'

'Je weet toch nog wel wie Pico is?' vroeg hij boos. 'Ik heb je dat gezegd. Die begaafde jongen, afkomstig uit Libanon, een Italiaan onder zijn voorouders, muzikaal begaafd, groot talent, mogelijkheid op een studiebeurs in Londen.'

'Ja, ja, ik herinner het mij,' zei Nicola. 'Die was verdwenen uit de klas van Wood. Jullie hoopten dat hij zou terugkomen.'

'Precies, maar daar valt nu niet meer op te hopen.'

'Jullie wisten niet waar Pico naartoe gegaan was?'

'Nee, maar we weten waar hij nu is. Hij zit in die kazemat van Arhab. Hij zit mee te loeien als een rund te midden van dat geëxalteerd rapaille.'

'O nee…' zei Nicola ongelukkig.

'O ja… O ja…' zei Ilja, haar toon imiterend. 'En we weten intussen ook wat meer over wat ze daar met dat rapaille doen, pardon toch maar voor de term. Wij hebben nu de bandjes van zes uren onafgebroken dril. Daar wordt niet gerust. Daar wordt geschreeuwd, als er een achterblijft of niet meer meedoet in het gedreun. Zit er een niet meer rechtop, dan moet hij rechtop gaan staan. In die zes uur zit geen pauze.'

'Die jongelui krijgen toch wel te eten?'

'Aan het einde van het vijfde uur komt er iemand binnen met een mand of zo, onder rauw geschreeuw van de jongelui dat enthousiasme moet vertolken. Dingen worden hun toe-gegooid, hompen brood, denk ik. Je hoort allerlei gestommel, daarna kan je ook het kauwen en hijgen horen en vervolgens na niet meer dan zes of zeven minuten gaat de imam weer door met z'n dril. Hier, luister. Luister. Ik zal het je laten horen. On-geveer halverwege dit bandje hier.'

Nicola plaatste de cassette in de bandopnemer en liet de band lopen, daarna nog wat verder en nog wat verder. Ze hoor-den wild rumoer.

'Ze krijgen niets te drinken,' riep Nicola. 'Hoor maar, hoor maar. Ze smeken om water.'

Daar kwam snijdend, snauwend het bevel van de imam. Ze hoorden gehoest en gekuch, duidelijk afkomstig van jongelui die nog haastig stukken brood in hun mond duwden.

'Twaalf!' schreeuwde de imam.

Prompt, alsof er een geschreeuw opsteeg van onder de gewelven reciteerden de jongelui de gevraagde tekst: 'De morgenklaarte verlichtte de vlakte. Gezwind stapte het leger van de getrouwen voorwaarts. De God verloochenende lafaards wachtten dood en vernieling.'

Omdat er haperingen en hier en daar fouten geweest waren eiste de imam een tweede beurt, daarna een derde, vervolgens twee snellere en dan nog twee heel snelle.

'Keer om!' schreeuwde hij daarna.

De rauwe stemmen begonnen de tekst in omgekeerde volgorde af te dreunen: 'Vernieling en dood wachtten lafaards verloochenende God de.'

Er werden zoveel vergissingen begaan dat de imam hun de ene verwensing na de andere toeschreeuwde. De vierde maal lukte het. Twee snellere beurten en twee heel snelle volgden.

'Ga door!' riep de imam.

'Voorwaarts getrouwen de van leger het stapte gezwind.'

Viermaal, dan tweemaal sneller, dan tweemaal heel snel.

'Doorgaan.'

'Vlakte de verlichtte morgenklaarte de.'

Viermaal, plus twee en nog eens twee.

'Helemaal.'

Zoveel fouten hoorden ze, zoveel geschreeuw ook en gejammer van de jongelui dat het daar toch leek te zullen eindigen. Nee. Minuten en nog meer minuten en nog meer en nog meer dreef de imam zijn wil door, tot hij zonder fouten hoorde: 'Vernieling en dood wachtten lafaards verloochenende God de. Voorwaarts getrouwen de van leger het stapte gezwind. Vlakte de verlichtte morgenklaarte de.'

Viermaal moest de tekst gezegd worden, daarna tweemaal sneller en tweemaal nog sneller.

'Nu komt er dan toch rust?' zei Nicola. 'Ze zijn uitgeput, je kunt het horen.'

De imam beval: 'Een drie vijf.'

'Dat zit ook op de andere bandjes,' zei Ilja. 'Ze moeten nu het eerste woord zeggen, daarna het derde, het vijfde, het zevende en zo verder.'

De imam had blijkbaar een jongen aangewezen. Nerveus, duidelijk diep peinzend zei die: 'De verlichtte vlakte stapte leger van...'

'Nee!' schreeuwde de imam.

De jongeman begon opnieuw. Hij wachtte even bij leger en zei: '... de voorwaarts God lafaards dood vernieling.'

In plaats van een woordje van goedkeuring kreeg de jongeman het bevel dat hij de tekst nog eens moest zeggen en daarna nog eens. Zes beurten waren er nodig eer hij de tekst twee keer na elkaar correct kon reciteren. Een andere jongen kwam toen aan de beurt, daarna een andere en dan nog een andere. Daarna moesten ze met zijn allen die hinkende tekst opzeggen. Zeven beurten waren er nodig.

Onwillekeurig klapte Nicola in de handen toen het helemaal gelukt was.

'Nu zal hij toch ook zeker weleens zeggen dat het goed is.'

Maar de imam schreeuwde: 'Omkeren! Een drie vijf!'

Hij wees een jongen aan en die begon aan het hinken van achteren naar voren.

'Vernieling dood lafaards God voorwaarts de leger het...'

'Nee!' schreeuwde de imam.

Nicola keek op haar horloge. Veertien minuten waren er nodig eer de tekst vlot kwam.

'Vernieling dood lafaards God voorwaarts de leger stapte vlakte verlichtte de.'

Viermaal, tweemaal plus tweemaal.

Terwijl de laatste woorden nog weerklonken riep Ilja met opgestoken vinger: 'Luister nu.'

'Twee vier zes,' schreeuwde de imam.

'Nee! Nee!' riep Nicola.

'Ja, ja. Zeker wel,' zei Ilja. 'Nu het tweede woord, dan het vierde, het zesde en zo altijd voort. Eerst in de goede volgorde en dan van achteren naar voren.'

'Ik kan er niet meer naar luisteren,' jammerde Nicola.

Ze schakelde het toestel uit.

'Zie je het systeem?' zei Ilja. 'Uitputten. Hun wil breken. Hun weerstand breken. De volle aandacht eist het telkens. Die rare opsommingen, je moet daarbij denken, met je volle concentratie. Niet rusten. Niet drinken, weinig eten. Ook heel weinig slapen. Dat zal blijken uit de volgende banden. Tot het overal breekt. Tot die stakkers alleen nog ja kunnen knikken. Zitten wachten op bevelen. Die dan uitvoeren zoals je een steen zou opnemen en die dan neerleggen. Niets in hun binnenste reageert daar nog op. Er is daar niets meer in hun binnenste.'

Ze zouden ermee doorgaan, zei Ilja, en daarna een montage van de banden maken.

'Zeg Ilja, maar hoe weet je dat die Pico, je grote vriendje, erbij is, daar in die kazemat? Hoe kan je daar zeker van zijn?'

'Ze hebben hem bij zijn naam genoemd. Hij is daar vandaag aangekomen. Hij werd begroet en hij antwoordde. Ik heb zijn naam gehoord en zijn stem. Ik kan die stem uit twintig andere herkennen. Van bij mij is Pico naar Sidi Omar gegaan, ook die naam is genoemd. Je zult het horen wanneer je de bandjes beluistert.'

'Wie is Sidi Omar?'

'Een personage in Bagdad, nu minder dan vroeger, veel minder dan vroeger, daarom ken jij hem niet waarschijnlijk. Een bijzondere imam, eerbiedwaardig, met een volle witte baard, welgesteld, heel goed gekleed. Hij had een instituut voor zelfstudie, geen traditioneel onderricht. Niet een meester achter een katheder en leerlingen in de banken. Nee, zelfstudie, echte zelfstudie, onder zijn leiding en met zijn hulp. De overgang van lager onderwijs naar secundair onderwijs, ook van secundair naar hoger onderwijs, dat soort dingen, daar was hij goed in. Hij kende veel scholen in de tijd toen die nog niet verwoest waren door de Amerikanen. Hij kende de directeuren die daar toen waren. Hij kon dus ook helpen en hij deed dat, een goed woordje voor je op de goede plaats, op het goede moment. Hij verdiende daar behoorlijk veel geld mee. Sidi Omar, meneer Omar, iedereen noemt hem zo.'

'Heb jij Sidi Omar ooit ontmoet? Heb je met hem gepraat?'

'Nee, nooit. Ik ken hem niet persoonlijk, maar ik heb vrienden die hem goed kennen. In onderwijs en in zaken is hij van de eenentwintigste eeuw, maar in godsdienstaangelegenheden zit hij nog in de achtste eeuw. De heldendaden van de veldheer Mohammed, de wonderdaden van heiligen, mirakelen die plaatsvinden opgraven, vandaag nog steeds en al wat ooit eens gezegd of geschreven is in die oude tijd, is voor hem vandaag nog altijd waar, helemaal waar, van de eerste letter tot de laatste. Hij kan zijn walging niet onderdrukken als hij het over heidenen heeft. Het liefst van al vormt hij jonge imams. Als die dan de wereld willen intrekken om het woord van Allah te verkondigen, is het helemaal goed. De Amerikanen zijn heidenen en het zijn vreemden. Ze zijn onzuiver. "Wanneer gaan die weg?" schijnt hij eens gezegd te hebben toen ze hier nog maar een paar weken waren. Dat Pico dus overging van bij ons naar hem, vond ik goed, voor zijn studie, bedoel ik. Oerman was er boos om, maar ik niet. De dweepzucht van Sidi Omar mag ik niet. Ik mag geen mensen die altijd maar het woord heilig in de mond hebben. Maar Pico was een opgewekte, intelligente jongen met heldere ogen. Ik dacht: hij zal die nevelige oude boel wel van zich afhouden. Maar zoals ik me daar vergist heb.'

Ook het bakkertje kon je op het bandje horen praten, zei hij.

'Je weet wel, de kleine dikkerd, je hebt hem gezien in de kelder.'

Dat actieve, extroverte kereltje, dat normaal alles tegen hen zei, was vertrokken zonder een woord. Het had Ilja gegriefd dat hij het van anderen had moeten horen. Ook in verband met Bakkertje had Arhab de naam Sidi Omar vermeld. Je scheen te moeten geloven dat ook Bakkertje diezelfde weg gevolgd was, van Bagdad Palace naar Sidi Omar en van Sidi Omar naar Oerman Arhab. Dat Bakkertje bij Sidi Omar beland was, kon je begrijpen. Sidi Omar wist ook wat van het beroepsonderwijs. Zoals de Profeet sprak hij met genegenheid over ambachtslieden.

Ilja stond daar met een donker gezicht.

'Van bij mij naar Sidi Omar, dat kan ik begrijpen. In de twee gevallen. Maar van het fraaie, grote huis van Sidi Omar naar die krocht van de schreeuwende imam Oerman Arhab, daar versta ik niets van. Wat gaan die jongelui daar doen? Hoe zijn ze daar gekomen? Wie heeft hen daar naartoe gebracht? Het zou nooit in mij opgekomen zijn dat Sidi Omar iets te maken had met zelfmoordterroristen. Hij is een godvruchtige, verschrikkelijk ouderwetse man. Hij zou een Acta Sanctorum van de islamitische wonderdoeners kunnen schrijven. Maar geweld? Terrorisme? Zelfmoordterrorisme? Nee, wat dat soort dingen betreft, zou ik nooit aan hem gedacht hebben.'

'Zou hij met mij willen praten? Bijvoorbeeld, als jij eens met mij meeging?'

'Ik hoef niet met je mee te gaan,' gromde Ilja. 'Ben je niet groot genoeg om alleen bij mensen op bezoek te gaan?'

Hij stond somber te zwijgen.

'Er gaan er te veel van Bagdad Palace naar die onderaardse krocht,' zei hij. 'Ik vraag me af of er niet een weg loopt, een onzichtbare, geheime weg, van hier naar Omar en van Omar naar Arhab, zoals tijdens de Tweede Wereldoorlog, toen Britse en Amerikaanse vliegeniers die boven West-Europa gevallen waren, ongezien door Frankrijk en Spanje en Portugal terug naar Engeland en eventueel naar Amerika gebracht werden.

'Als we in dat huis van Omar eens gingen kijken zoals we zijn gaan kijken in de kazemat van Arhab,' zei Nicola, 'de adviseur voor de onderwijszaken, de controleur van de financiën en het persoontje voor de hulpverlening in UNICEF-stijl. Mij heeft Sidi Omar nooit gezien, jou ook niet. Heeft hij Oerman al gezien?'

'Nee, dat denk ik niet,' zei Ilja.

'Doen we het?' vroeg ze. 'Toe, help mij.'

Het kostte hem zichtbaar moeite.

'Ja, goed, vooruit maar,' zei hij.

De man van goede wil, dacht ze verdrietig. Door de pijn heen. Even vroeg ze zich af of hij echt pijn voelde. Het was ook mogelijk dat alleen maar de man in hem beledigd was. De vraag bleef onbeantwoord.

27

Ilja nam haar mee in de kleine, aan de linkerkant wat ingedeukte Oost-Duitse terreinwagen die Nel Roos na de oorlog in een verlaten straat in beslag genomen had. Ze had hem eerst zelf een tijd gebruikt en hem nu doorgegeven nadat zijzelf 'een wat fatsoenlijker voertuig' had kunnen kopen dankzij een forse gift uit Nederland.

Het huis van Sidi Omar aan de rand van de universiteitswijk had aan de voorkant een Engels patriciërshuis kunnen zijn in een fraaie provinciestad van Essex of Sussex. Binnenin had je het kunnen houden voor een stukje van een moors wetenschappelijk instituut met een binnenplein, galerijtjes met zuilen, een bibliotheek en veel studeerkamers.

Een geluidloos langs de muur schuivende dienaar, uitgedost als een slaaf uit de tijd van de kaliefen, bracht hen door verschillende schemerdonkere vertrekken tot bij Sidi Omar. Die zat achter een tafel aan het einde van een langwerpig vertrek in een verhoogde nis. Alleen het deel waar de tafel en de stoel stonden was verhoogd, zodat de bezoeker altijd lager stond.

Oerman begon meteen zijn rol te spelen. Zonder acht te slaan op de dienaar keek hij in kasten, opende deuren, nam boeken op die op tafeltjes lagen. Zelfs een hoek van het tapijt lichtte hij op.

'*Salam aleikum*, Sidi Omar!' riep hij. 'Gegroet vanwege Abdellahi ben Youssef van de Directie voor Cultuurzaken, ook vanwege Faroek ben Brahim van Financiële Controle. En dit is mevrouw Fransse van het Belgisch-Nederlands-Luxemburgse Hulpfonds. Waar kunnen wij uw studenten ontmoeten, alstublieft?'

Sidi Omar stond op en maakte een buiging naar Nicola. Daarop ging hij weer zitten. Hij nam het boek weer op dat hij aan het lezen was en zei: 'De Directies voor Cultuurzaken en Financiële Controle zijn ongeveer een jaar geleden opgeschort. Ze zijn nog niet opnieuw georganiseerd. Westerse personages uit de Verenigde Staten hebben ondertussen tijdelijke dingen opgericht. Van wanneer af die rechtsgeldigheid zullen hebben is nog niet bekend.'

Ilja was duidelijk geïntimideerd. Niet Oerman. Hij trok zijn schouders achteruit en zei: 'Zelf even kijken dan maar.'

Hij liep het vertrek uit en begon overal in het huis deuren open te trekken. Ilja herpakte zich. Hij zei: 'Subsidies kunnen gevraagd worden. Het is uiteraard niet uitgesloten dat ze bekomen worden.'

Theatraal, met geheven hoofd, stapte ook hij het vertrek uit. Nicola stond benieuwd Sidi Omar te bekijken.

'U zit te glimlachen,' zei ze.

'U hebt me de paljassen meegebracht,' zei hij. 'Die eerste meneer is géén directeur van Cultuurzaken. Voor je directeur voor Cultuurzaken wordt, moet je eerst voor directeurs gekropen hebben. Deze man kruipt niet. Deze man staat op podiums. Hij steekt de armen in de hoogte. Is hij een acteur?'

Een heel goeie, dacht Nicola. Ze zweeg.

'Een slechte dan,' zei Sidi Omar. 'Hij kan alleen zijn eigen rol spelen. De tweede persoon is absoluut geen directeur van Financiële Controle. Hij is het nog minder dan de eerste directeur van Cultuurzaken zou zijn. De tweede is wel een heel goed man, denk ik.'

'Ja,' zei Nicola.

Ze schrok van haar eigen stem. Ze wenste dat ze het antwoord kon terugnemen.

Sidi Omar zat haar even te bekijken.

'U bent geen dame van een hulpfonds,' zei hij. 'Dames van hulpfondsen zijn er doorgaans van de categorie die je niet zonder handschoenen kunt aanpakken. Ik bedoel niet dat men u wel zonder handschoenen zou kunnen aanpakken, maar klauwen hebt u niet en u hebt de allermooiste tandjes die ik ooit gezien heb. Wat willen de heerschappen? Wat wilt u?'

Nicola vroeg: 'Werkt u samen met de imam Oerman Arhab van de kleine moskee in Bethel-Dar?'

Sidi Omar zat even helemaal stil. Ook zijn ogen, die op haar gericht waren, bewogen niet. Nicola trotseerde zijn blik.

'U bent journaliste, nietwaar? In uw handtas zitten andere dingen dan lipstick en een spiegeltje.'

Ze hoorden geschreeuw en gestommel. De dienaar kwam

aangelopen. Hij maakte allerlei gebaren met zijn armen, en ook met zijn hoofd en zijn ogen deed hij wat. Sidi Omar stond op, stapte van het verhoog en liep sneller dan Nicola verwacht had met de dienaar het vertrek uit. Nicola herkende van op een afstand de stem van Oerman. Er waren ook andere stemmen die verward door elkaar klonken.

Ze kwamen in een gang met verschillende deuren. Ilja en Oerman stonden met zijn tweeën in een deuropening. Die gaf toegang tot een heel klein vertrek, een dienstruimte, zo te zien. Wel twintig jongelui stonden daar opeengepakt. Ze droegen allemaal, dat viel op, een heel mooie, witte mantel. Ilja stond voor een van de jongens. Hij greep hem bij zijn schouder en rukte hem het vertrek uit. Oerman duwde enkele andere jongens opzij, pakte een stevige kerel bij de schouder beet en trok ook hem het vertrek uit.

'Wat doen jullie?' riep Sidi Omar woedend. 'Wie denk jij wel dat je bent, jij herrieschopper van het jaar nul? En jij!' riep hij tegen Ilja. 'Eén die misschien niet eens tot tienduizend kan tellen. Jij, opgedirkte Directeur van de Schooiersfinanciën.'

Hij probeerde de jongelui weer in het kamertje te duwen.

'Sidi Omar,' zei Ilja, 'deze twee jongelui waren tot gisteren in mijn opvangcentrum, het tehuis dat ze Bagdad Palace noemen. Het is niet een plaats waar bezadigde, op welvaart en wellevendheid gestelde mensen heen zouden komen om er een gezellige oude dag door te brengen, met goede volgens de regels van de kunst bereide maaltijden en zachte, brede bedden. De jongelui zijn daar niet aangebracht in Mercedessen. Ze stonden in de stegen met hun handen in lege broekzakken. De meesten hebben ook geen familie meer. Ze springen weg als iemand achter hen doorloopt. Ze hebben nachtmerries. Ze hebben hun kleine broertjes in stukken weggedragen. Ze hebben hun vader of moeder bij elkaar moeten zoeken. Er zijn er die wij opnieuw hebben moeten leren ademen. Hun huis is er niet meer, hun school is er niet meer en in hun stad stappen bullebakken heen en weer. Onder hen zijn er die een knuppel hebben die ze laten klinken op de stenen. Anderen razen voorbij in jeeps en vrachtwagens. Als er in de straat iemand is die wat uit zijn kleren haalt dat op een geweer lijkt, rijden ze hem omver. Als iemand met een pakje voorbij komt lopen, grijpen ze die en kleden hem uit. Ze verkondigden aan de wereld dat wij gifbommenmakers waren. Ze zeiden dat Bin Laden in onze kelders zat en dat wij zijn kornuiten waren. Ze logen tegen ons en ze bedrogen ons. De wereld weet nu dat wij geen gifbommen maken en dat Bin Laden er een van een andere soort en van een ander land is. Dat is allemaal nog niet voorbij. Overal in dit land wordt geschoten. Overal gooien ze bommen of schieten ze raketten af. Maar niet wij. Wij vragen vredelievend om vrij te mogen zijn. Leven zoals wij het graag doen. En de dingen die daarbij geregeld moeten worden onder elkaar bespreken. Maar jij, Sidi Omar, die ik voor een wel ouderwetse, maar toch wijze man hield, wilt het duidelijk anders. Jij kunt de oude eeuwen niet vergeten. Jij wilt erop los beuken zoals in de tijd van de grote veroveringen. Zelfs, ik wil het niet geloven, maar ik denk het, ik geloof het, heb jij gekozen voor dat heel bijzondere wapen. Wilde wandaden bedreven door heilige schurken. Moordenaars, ook van vrouwen en kinderen, die tegelijk zichzelf vermoorden. Van hieruit gaan jongelui naar plaatsen waar dwang op hen uitgeoefend wordt die gerekend mag worden tot de foltermethodes. Onder hen zijn er jongens die wij kennen. Zij hadden hoop en talent. Zij waren op weg naar een goed, vrij leven. Zij zijn niet vrijwillig naar zo'n donkere kelder gegaan waar ze mishandeld worden. Al een tijdje vragen wij ons af hoe die jongens daar beland zijn. Van jong en vrij zijn naar domme terreur. Is er ergens een soort van tussenstation, hebben wij ons afgevraagd. Een aantrekkelijke plaats waar hun dingen beloofd worden, waar hun dingen geschonken worden, waar ze heen gekomen zijn met geloof en vertrouwen, waar ze heen gelokt zijn, waar ze gevleid en bekoord worden, waar ze verleid worden, en waar ze dan opeens, zonder het te beseffen wat er met hen gebeurt, terechtkomen in een krocht waar ze gevangen gehouden worden en waar ze als mens vernietigd worden?'

'Is het nu genoeg?' vroeg Sidi Omar. 'Ben je uitgeraasd of ben je helemaal waanzinnig en volgt er nog een tweede toespraak waar een redelijk denkend mens kop noch staart aan kan krijgen? Jullie zijn hier onder bedrieglijke voorwendsels binnengedrongen. Jullie zijn helemaal niet de personen die jullie beweren te zijn. Jij,' zei hij tegen Ilja, 'bent een wazig welzijnswerkertje met je hoofd in de wind en je voeten niet op de grond. En jij,' zo sprak hij tegen Oerman, 'bent er zeker eentje die op vrijdag graag het woord neemt in de moskee en theatraal de mensen begraaft onder een welsprekendheid waar alleen maar lucht in zit. Wie is je baas op de dienst Cultuurzaken?'

'Mijn baas op de dienst Cultuurzaken,' zei Oerman prompt, 'is Lahcen ben Jari. Hij werkt er samen met zijn collega Mahmoud el Basra. Om verslag uit te brengen over hun activiteit en hun onderzoek gaan zij naar het uiteinde van de gang waar zij werken en daar is een dubbele deur. Daar zit Elijah ben Harja. Die heeft al meer voor onze cultuur gedaan dan honderd zogenaamde wijzen die in feite kwakzalvers zijn.'

Waar haalt hij die namen vandaan, vroeg Nicola zich vol bewondering af. Vindt hij die hier, nu uit?

'Deze twee jongens die ik nu op de schouders aanraak, zijn broers,' zei Oerman. 'De kleinere is de oudste. Ze zijn afkomstig uit Georgië, ze spreken Russisch. Jij,' zei hij tegen de kleinste, 'zeg eens in het Russisch tegen je broertje dat het waar is wat ik zeg.'

Sidi Omar kwam tussenbeide. Hij zei wrevelig dat volgens hem ondervragingen niet daar op de gang moesten gebeuren. Er waren helemaal geen ondervragingen nodig.

Nicola trad een pas dichterbij en zei: 'Sidi Omar, ik denk dat het beter is dit gesprek te laten doorgaan. Indien u het stellen van vragen niet toelaat, zal ik dat moeten schrijven. Ik ben journaliste, ja, bij het agentschap Reuter, dat in de wereld bekendstaat om zijn heel goede, correcte reportages.'

Ze toonde hem haar perskaart. Sidi Omar haalde geërgerd de schouders op.

'Vooruit dan maar.'

Hij gaf de ondervraagde jongen een teken dat hij mocht spreken. Aarzelend, beduusd, sprak de jongen enkele woorden in een taal die, naar Nicola meende, wel degelijk het Russisch was, of een sterk daarmee verwante streektaal.

Ilja sprak tegen hem in het Russisch. Meermaals, terwijl hij luisterde, knikte de jongen.

'*Da, da,*' zei hij enkele keren.

Nicola hoorde geritsel. Geschrokken zag zij dat vlak achter haar een jongeman stond, in het wit gekleed, op zijn Europees, met een keurig geperste broek en een elegant overhemd. Wat verder op de gang stonden nog drie jongelui, op gelijke wijze gekleed. Ook Ilja en Oerman zagen hen nu.

'Mijn leraars,' zei Sidi Omar.

Hij maakte hen met onwillige gebaren duidelijk dat ze zich niet met hen bezig moesten houden.

Ilja zei: 'Sidi Omar, deze jongeman zegt dat hij en zijn broer op straat aangesproken werden door een in het wit geklede jongeman.'

De jongen wees de mannen aan die verderop in de gang stonden en maakte een gebaar: die van links. Ilja riep die man toe: 'Kunt u eens even komen, meneer?'

De man keek vragend naar Sidi Omar. Die knikte nors van ja.

Ilja vroeg de man of het waar was dat hij de twee jongens op straat aangesproken had.

'Jazeker,' zei de man.

'U nodigde hen uit om eens naar "de club" te komen. Jonge studerenden werden daar geholpen, zei u. Dat was een dienst aangeboden door het ministerie voor Onderwijszaken.'

'Ministerie voor Onderwijszaken heb ik niet gezegd,' zei de man. 'Dienst heb ik gezegd, maar niet ministerie.'

'U vertelde de jongens ook dat er mogelijkheid was tot ontspanning. Er konden spelletjes gedaan worden. Je kon er films zien, kennismaken met andere jongens. De toekomst bespreken.'

'Vraag de jongens toch of ze hier goed behandeld werden,' zei Sidi Omar.

'Ja, wij werden hier goed behandeld,' zei de jongen. 'Heel goed. Goede kleren, goede maaltijden, een goed bed. We zagen heel plezierige films. We discussieerden over wat we allemaal zouden kunnen worden later.'

'Dit werk doe ik al vijfentwintig jaar,' zei Sidi Omar bars. 'Daar heeft nog nooit iemand zich over beklaagd. Studeren-den helpen is goed. Jongelui de weg wijzen naar een loopbaan die voor hen geschikt is. Ik zette hen niet alleen op weg, maar ik bleef hen volgen. Ik hielp hen aan een baan. Daarover zijn destijds meermaals reportages verschenen in de pers. Lovende reportages. In Europa!' zei hij met kracht.

'Nu stuurt u hen naar een andere soort van scholen,' zei Ilja.

'Veel dingen zijn nog onduidelijk,' zei Sidi Omar. 'Dingen moeten voorbereid worden. Dingen moeten uitgebouwd wor-den. Dat vraagt tijd.'

Ilja keerde zich weer naar de twee jongens toe.

'Pico,' zei hij. De jongens knikten. 'Bakkertje,' zei Ilja. Weer knikten de jongens. De jongste glimlachte. 'Jullie kenden de twee jongens die ik daar noemde,' zei Ilja.

'Ja, wij kenden hen,' zei de oudste.

'Ze waren hier, al wat vroeger dan jullie?'

'Ja.'

'Jullie hebben met hen gebabbeld en zij vertelden jullie wat ze allemaal al gedaan hadden? Ze hebben hier het hele pro-gramma afgewerkt?'

'Ja. Tot in de hemel,' zei de jongste, met een schuchter glim-lachje.

'Wat wordt er bedoeld met hemel, als ik vragen mag?' zei Oerman.

Sidi Omar riep de jongen toe dat hij geen onzin moest ver-tellen. Heilige woorden moesten niet oneerbiedig gebruikt worden. Als hij dat niet wist, dan wist hij heel weinig.

'Het spijt mij, Sidi Omar,' lispelde de jongen.

'Mag ons uitgelegd worden wat er met hemel bedoeld wordt?' vroeg Ilja.

'Het is nu genoeg,' zei Sidi Omar. 'Dit gesprek hoeft niet voortgezet te worden.'

28

Nicola meende aan het uiteinde van de gang twee meisjes te bemerken in de kier van een deur. Ze liep snel naar hen toe. Sidi Omar vroeg haar boos waar ze naartoe liep. De deur aan het uiteinde van de gang werd dichtgeklapt. Na enig duwen slaagde Nicola er toch in naar binnen te gaan. Het tamelijk grote vertrek waar ze binnenkwam was schemerig verlicht. Tegen de muur stonden rustbedden, bekleed met groene zijde. Daarop lagen met zilver bestikte kussens. De grond was bedekt met een prachtig tapijt.

Nicola hoorde gedempte Arabische muziek. De twee meisjes die Nicola in de deuropening bemerkt had, waren daar. Ze droegen modieuze kamerjassen die losjes dichtgeknoopt waren. Daaronder staken blote voeten uit met gelakte nageltjes. Voor hen hing een tussengordijn dat opengeschoven kon worden. Daarachter stonden banken die schuin opliepen zoals in een amfitheater. Nicola schoof het gordijn wat open en trok de aandacht van de meisjes op de opklimmende banken.

'Om goed te kunnen kijken?' vroeg ze.

De meisjes proestten het uit. Nicola betastte hun kamerjassen. Ze liet blijken dat ze die van een heel goede kwaliteit vond. De meisjes stemden daar duidelijk tevreden mee in.

'Ook daar mooi?' vroeg Nicola.

Ze wees met de vinger in het decolleté van een van de meisjes. Ze trok de kamerjas even open en zag daar weer duidelijk dure, overdadig kitscherige, volgens haar afschuwelijke lingerie.

'Mm, heel mooi,' zei ze moeizaam glimlachend.

Ook het andere meisje stelde even haar schatten tentoon.

''s Avonds ontspanning?' vroeg Nicola. 'Studenten moe, jullie dansen misschien?' vroeg ze in haar beste Arabisch.

De meisjes knikten van ja.

'Studenten kijken?'

Dat werd bevestigd.

'Alleen maar kijken?'

Er was enige aarzeling.

'Ook feest,' zei het tweede meisjes dat zelf haar kamerjas had losgeknoopt.

'Alle dagen?'

'Nee, nee,' zei het meisje.

'Aan het einde?'

'Ja.'

'Groot feest?'

'Ja.'

'Hemel?'

Weer proestten de meisjes het uit.

Twee van de jonge leraars kwamen naar binnen en stuurden de meisjes met een snauw weg.

'U moet nu weer bij Sidi Omar komen,' zei een van hen tegen Nicola. 'Ik bedoel, dat zou beter zijn,' voegde hij er wat zachter aan toe.

'Bent u judoka?' vroeg Nicola.

'Hoe weet u dat?' zei de man verwonderd.

Ze wees naar de lussen van zijn broek en zei: 'Daar zit geen riem, maar iets van zwarte zijde.'

'Goed opgemerkt,' zei de man glimlachend.

'Leren de jongens hier judo?'

'Ja, en veel andere dingen.'

'Wat ze graag doen?'

'Juist.'

Oerman bleek nog een tweede deur opengerukt te hebben. Ook daar vonden ze een tiental jongelui opeengepakt in het donker. Verder onderzoek achter nog drie andere deuren leverde niets meer op.

'U verstopt de dingen graag, Sidi Omar?' zei Nicola.

'Overal domme mensen,' zei Sidi Omar boos. 'Niets weten en toch veel kakelen.'

'Maar krenterig bent u niet.'

'Wat moet dat betekenen?'

'U beloont de deugd. De deugd leidt naar de hemel.'

'Jullie kennen niets van onze beschaving,' zei Sidi Omar.

'Jullie loven en prijzen al wat van jullie komt en wat niet van jullie komt moet bespottelijk gemaakt worden. Het is zoveel eenvoudiger om jullie een eind van ons weg te houden. Jullie komen dan aangelopen met het woord verstoppen.'

Ilja nam Nicola even apart en vroeg: 'Wat was dat van die hemel? Wat heb je daar zo lang gedaan, ginder ver in die hoek?'

'De hemel van Allah staat vol met rustbedden overtrokken met groene zijde. Daarop liggen prachtige meiden die nooit oud worden. Jij mag daarmee beuken zoveel je maar wilt. Het behoort tot de leer van Mohammed,' zei ze snel voor hij wat kon antwoorden. 'Daar in die hoek is ook zo'n hemel. In schemerlicht staan daar rustbedden overtrokken met groene zijde en er zijn twee van die meiden. Op gewone avonden dansen ze, er staan banken, de tweede hoger dan de eerste en de derde hoger dan de tweede, zodat iedereen alles goed kan zien, zeggen die meiden genoeglijk. Maar op het einde is er het grote feest. De hemel.'

'Is dat waar? Is daar zo'n plaats?'

Hij was zo woedend dat hij meteen op Sidi Omar wilde toestormen. Nicola kon hem maar met moeite tegenhouden. Oerman kwam weer aangehold.

'Waarom moeten de jongelui verstopt zitten in de bezemvertrekken?'

'Omdat je overal af te rekenen krijgt met bemoeiallen die het altijd beter weten. Waardevolle dingen houd je het best in de verborgenheid.'

'Ik heb nog nooit iemand in een bezemkast verstopt,' zei Oerman.

'Maar heb je ook al eens wat waardevols gedaan?' vroeg Sidi Omar.

Ilja sloeg met de vlakke hand op zijn voorhoofd.

'Er is een hemel, is er dan ook een hel?' zei hij.

'Wat bedoel je, Ilja?' vroeg Nicola.

Ilja stapte op Sidi Omar toe en zei: 'Jongelui die hier slagen, worden door u beloond.'

'Dat is in alle scholen zo,' zei Sidi Omar.

'U beloont hen met het hemelse schouwspel en daarna gaat u over tot de hemelse actie.'

'Weer die schampere taal! Je bent bekrompen, man. Je kent alleen maar je eigen kleine waarheidje.'

'Maar je doet meer. Je toont hun ook het kwaad. Om hun afschuw daarvoor te bekrachtigen toont u hun ook de hel. U laat hen, zonder twijfel onder vriendelijk, opgewekt gekeuvel, naar een of andere krocht brengen waar ze uitgeputte, hongerige, vervuilde jongelui aantreffen, sommigen op de grond, sommigen op een vunzige matras, sommigen in een put. Die jongeren hebben de ogen van waanzinnigen. Ze schreeuwen om hulp. De opgewekte, vriendelijke begeleiders brengen de uitverkorenen daar binnen *en laten hen daar dan achter en sluiten de deur.* Dat is de weg, nietwaar, Sidi Omar? Ook in Europa hebben wij zoiets. Kleine lugubere sekten die precies zo te werk gaan. In straten en op pleinen en bij jeugdtehuizen zoeken ze jongelui die geschikt lijken om totaal onderworpen te worden. Die brengen ze op een aangename plaats bij elkaar, onder het voorwendsel dat ze er geholpen zullen worden. Op die plek worden die jongeren dan geoefend in onderwerping, ze worden daarbij in het oog gehouden, er worden selecties doorgevoerd, de minder goeden worden geweerd, misschien krijgen ze hier of daar wel een baantje, zodat de schijn dat er hier geholpen wordt opgehouden kan worden, en de goeden, de best geschikten voor de totale gehoorzaamheid laat men eerst de hemel zien en daarna de hel, waaruit ze tevoorschijn zullen komen als doden. Schimmen zonder brein, die niet herkend worden onder de mensen, en die men pakken dynamiet om het lijf kan binden en naar een auto kan brengen. Dan razen zij daarmee naar een poort of een druk plein of een kazerne, naar legertenten, naar een school.'

'Ik wil met jullie mee teruggaan naar Bagdad Palace,' zei de jongste van de twee broers.

Hij kwam naast Ilja staan.

'Ja, ik ook,' zei zijn oudere broer.

Sidi Omar schreeuwde: 'Jullie zijn vrij om te komen en te gaan waar jullie willen. Ga! Ga toch! Jullie, praatjesmakers! Kletsmajoors!'

Drie andere jongens voegden zich snel bij hen. Ook zij wilden daar niet blijven, zeiden ze.

'Ga weg!' schreeuwde Sidi Omar. 'Jullie allen. Ga weg!'
Nog twee anderen schaarden zich achter Ilja.

'We gaan. We gaan,' zei Ilja toen Sidi Omar weer begon te schreeuwen.

Twee grote jongens kwamen bij Oerman.

'We kennen je,' zeiden ze. 'We luisteren naar je wanneer je spreekt. Is het waar wat hier gezegd wordt?'

'Het is waar,' zei Oerman.

'Dan gaan we ook met u mee.'

'We houden u in het oog, Omar, Sidi Omar,' zei Nicola. 'Wat hier omgaat, is niet mooi. Het behoort tot het lelijkste wat iemand kan doen. Jongens grijpen. Hen minder mens maken. Zodat ze zichzelf doden. Nu zeg ik dat alleen nog maar. Zodra ik het kan bewijzen, zal ik het ook schrijven. Dan zal ik je aanklagen bij het Internationale Gerechtshof. Er zal daar dan misschien wel een internationaal arrestatiebevel tegen je uitgevaardigd worden. Of misschien zal je wel vrijwillig daar naartoe gaan. Je vindt immers dat je gelijk hebt, is het niet? Je mag jongelui vriendelijk verleiden, om hen daarna over te brengen naar kelders waar ze mishandeld en mentaal verminkt worden.'

'Het Internationale Gerechtshof, zei je dat? Dat bespottelijke stel partijdige konkelaars die jullie eigen domme dingen daar in het westen proberen goed te praten?'

'Het spijt me heel erg dat we dit hier hebben moeten vinden,' zei Nicola. 'Wat je vroeger deed, jongelui op weg helpen naar ontwikkeling, dat was heel mooi. Ik vind het erg jammer dat je bent gaan mee heulen met die beschimmelde, oude, kleine minderheid in jouw godsdienst. Geweldplegers met hun bebloede handen. Wrekers. Stenigers. Een verborgen, hysterische, piepkleine sekte, die jullie godsdienst meer kwaad doet dan de Amerikanen.'

'Vooruit, vooruit,' zei Ilja.

Ze riep nog dat ze het onderzoek zou voortzetten, terwijl Ilja haar al meenam achter Oerman en de jongelui aan, de gang door, het huis uit.

'Gaan jullie allemaal mee naar Bagdad Palace?' vroeg Oerman.

'Ja! Ja!' riepen de jongelui.

'Zoveel kunnen er niet in deze auto,' zei Ilja korzelig.

'Als iedereen iemand op zijn schoot pakt wel,' zei Nicola.

'Ik jou dan!' riep Oerman.

Hij pakte haar vrolijk bij de hand, maar ze trok zich los, ging vooraan zitten en liet ook de twee kleinste jongelui daar bij haar plaatsnemen, een naast haar en een op haar knieën. Een van de jongelui vroeg onrustig: 'Zullen ze ons niet weer pakken en meenemen naar dat huis?'

Oerman zei: 'Dan zullen wij hen pakken en meenemen naar Bagdad Palace.'

Nog meer pret had hij toen hij hoorde wat Nicola gezien had aan het einde van de gang, met alle bijzonderheden ditmaal, het schemerig verlichte vertrek, de rustbanken bedekt met groene zijde, de twee meisjes, de losjes dichtgeknoopte kamerjassen, het ondergoed, de banken, de volgende altijd wat hoger dan de vorige, om er zeker van te zijn dat er niets gemist zou worden. Hij zat te schateren.

'Toont hij echt die hemel?' vroeg hij. 'Ik kan het niet geloven. Neuken jullie echt die meiden?' vroeg hij aan de jongelui in de auto. 'Echt, bedoel ik, niet zeggen, niet kijken, maar doen.'

'Wij nog niet,' zei een van de jongens nerveus.

'Maar later wel?'

'Ja, op het einde. En ook al eens eerder als je heel goed meewerkt.'

'Wat betekent dat, heel goed meewerken?'

'Goed luisteren. Alles doen wat ze zeggen. Instemmen. Gehoorzamen.'

De pret van Oerman verminderde.

'Je kunt eraan merken hoe ouderwets die Omar is,' zei hij. 'Die traditionalisten. Die extremisten. Dat fundamentalistisch gepeupel. Dat wil het altijd maar hebben over de dingen die niet meetellen. Je moet luisteren naar wat de Profeet gezegd heeft in zijn bezielde momenten. Of die bezieling de vorm had van een engel of van een duif, maakt voor mij niets uit. Hij had die gloed in zijn binnenste. Dat laaide. Dan zei hij prachtige dingen. Maar hij was ook een forse krijgsman, een gulle kameraad. Hij was er dol op te midden van vrolijke, weleens baldadige kompanen bij een vuur te zitten. Dan moedigde hij hen aan met visioenen over die hemelse vertrekken en die rustbedden en die mooie meiden die nooit oud werden. Zoals die vitale vechters geluisterd moeten hebben. En op andere ogenblikken, als de zaken wat minder goed verlopen waren overdag, als hij het niet meteen kon winnen van zijn vijanden, heeft hij zijn soldaten zeker toegeschreeuwd dat ze er maar op los moesten gaan. Oog om oog, tand om tand. Wraak nemen. Doodslaan. En geen genade voor afvalligen. Die zouden hem misschien herrie kunnen bezorgen in de steden die hij eerder onderworpen had. Schromelijk veralgemenend ging hij die allemaal godloochenaars noemen. Beledigers van de almacht, terwijl er zeker veel bij waren die alleen maar eens van mening veranderden. Wat ik de hele tijd doe. De wereld loopt vol met moslims die van hun godsdienst alleen nog maar enkele gewoonten overgehouden hebben. Echt geloven doen ze niet meer. Een beetje nog wel, zeggen velen, maar een beetje is hetzelfde als niets. Daar weten ze in het christendom ook over mee te praten, maar de oude nijdassen gaan ermee door.'

Tegen Ilja en Nicola zei hij: 'Khomeini veroordeelde Rushdie niet ter dood omdat hij ironisch, kritisch over de islam geschreven had, maar omdat hij in het openbaar gezegd had dat hij geen gelovig moslim meer was. Daarnet, in dat huis, hebben we ook een Khomeini aan het werk gezien. De profeet van de grote bezieling. Die blijft mijn vriend. Met hem ben ik in de moskee. Met de anderen wil ik weleens worstelen of bij een vuur zitten met een schapenbout en een fles wijn.'

'Wijn? Wijn? Wijn?' riepen de jongelui verrast door elkaar.

'Als je het maar niet voortzegt,' zei Oerman. 'Dat ligt niet aan mij, dat ligt aan de dingen. Er zijn dingen die je voortzegt en er zijn dingen die je niet voortzegt.'

Onder gelach van de jongelui trok hij een hoek van zijn mantel voor zijn gezicht. Ze kwamen aan in Bagdad Palace. Een menigte jongens verdrong zich om hen. Van op een puinblok vertelde Ilja hun wat ze gedaan hadden. Er waren er die juichten. Anderen stonden te lachen. Nog anderen waren ongerust en fluisterden onder elkaar. Ilja waarschuwde hen. Niet meegaan met onbekenden als die met hen kwamen praten en vriendelijk voorstelden dat zij hen bij hun studie of bij het zoeken naar een baan zouden helpen.

Twee blokken hoger hield Oerman een toespraak over het verschil tussen het geloof van verstandige mensen die konden denken en dat ook deden en het geloof van bekrompen extremisten die niet meer konden denken en dan ook wilden dat alle anderen daarmee zouden ophouden. Zo maakte hij de overgang naar de opleiding tot martelaar, zogenaamde martelaar. Ze waren een bende op het spoor gekomen die zich daarmee bezighield.

'Een gangsterbende!' riep hij.

De jongelui wilden daar meer bijzonderheden over vernemen, maar Oerman wilde niet ingaan op dat verzoek.

'Nog niet,' zei hij.

Ilja stemde ermee in dat ze de zaken stil moesten houden tot ze meer wisten. Terwijl ze samen zaten te eten zei Oerman tegen Nicola: 'Jij ziet er niet gelukkig uit.'

'Ik ben blij dat we die jongens hebben kunnen verlossen,' zei ze. 'Ik ben blij dat we de kelder van Arhab en het huis van Sidi Omar ontdekt hebben en het is heel goed dat jongelui gedwongen schijnen te moeten worden om aan het moorden te slaan en zichzelf daarbij om te brengen. Maar iedere keer komen we dan uit bij dat islamitisch fundamentalisme. Ouderwets sektegedoe. Als de opstanden en aanslagen in Irak en de beroering in andere moslimlanden en elders in de wereld alleen maar dat zijn, hysterie van ouderwetse domoren, godsdienst op zijn lelijkst, dan valt het mij tegen. Ik dacht dat er ook andere dingen in het spel waren. Verlangen naar vrijheid. Jong geweld dat genoeg heeft van het oude gekonkel. Dat hebben we nog niet te zien gekregen. Daar hebben we nog geen spoor van gevonden. Maar volgens mij moet er zo'n tweede spoor zijn. We moeten het hopen. Saddam deugde niet, ook Bush deugt niet, maar fundamentalistische domoren deugen evenmin. Als het allemaal daarop uit moet draaien, stap ik eruit.'

'We weten niet of het allemaal daarop uit zal draaien,' zei Ilja.

'Er is ook het gehakketak tussen de onderafdelingen, de zogenaamde soennieten en sjiieten, met ruzies en bloedige vechtpartijen, ook dat is het niet wat dit land nodig heeft. En wat teleurgestelde, plaatselijke potentaten en eerzuchtige politici allemaal uithalen, verward griezelig gedoe, daar ben ik nog meer tegen gekant. We konden daar in de pers beter over zwijgen.'

Ilja vroeg hun of ze niet meteen op de een of andere manier een inval moesten doen in de kelder van Arhab en, met hulp natuurlijk, de jongens die daar nu waren, die daar nu behandeld werden, daaruit halen en daarna via UNICEF of het Rode Kruis of een dergelijke organisatie voor hen zorgen, vragen dat artsen en psychologen zich met hen zouden bezighouden.

'Een tegenbehandeling,' zei hij. 'Een tegengif. De schade in hun brein herstellen.'

Dat kon, zei hij. Het was niet gemakkelijk, maar het kon.

'Ja,' zei Nicola. 'Ja, dat zou goed zijn.'

'We kunnen dan het gedoe daar wel niet verder beluisteren. Zo geraken we bewijsmateriaal kwijt. Maar we kunnen wél die jongens redden.'

Ze stonden voor een dilemma. Een tijdelijke onderbreking van het kwaad en misschien onvoldoende bewijsmateriaal of wat later een beter gedocumenteerde, misschien definitieve afbreking? Er waren heel zeker nog zulke plaatsen in Bagdad, zei hij. Die zoeken en intussen de plaats van Arhab uitschakelen? Dan mochten ze daar niet te lang mee wachten. Iedere dag zouden die jonge breinen meer van dat noodlottige geweld ondergaan. Voor sommige, gevoelige geesten zou het misschien onherstelbaar zijn. Zoals de zaken er nu voor stonden konden ze tegen die Sidi Omar niet veel doen, dachten ze. Hij voedde jongens op. Hij leerde hun vriendelijk, ordelijk en gehoorzaam zijn. Wie kon daar wat tegen inbrengen? Om hem te treffen zouden ze een sluitend verband moeten leggen tussen zijn activiteiten en die van de imam Oerman Arhab. Het leek mogelijk dat ze getuigenissen zouden kunnen verzamelen van jongens die de beide plaatsen uit ervaring kenden, jongens die bij Sidi Omar geweest waren en die nu behandeld werden bij Arhab.

'Pico,' zei Ilja.

'De kleine bakker,' zei Oerman.

Maar hoe was het met hen gesteld? Hoe diep was die 'behandeling' in hen doorgedrongen? Hoe functioneerde het brein van die jongens nu?

'Duistere dingen,' zei Ilja somber. 'We moeten daar meer over weten voor we erop gaan inhakken.'

Nicola vroeg hun of ze getuigenissen zouden kunnen opnemen, ondertekende verklaringen, van de jongens die ze meegebracht hadden van bij Sidi Omar, bijzonderheden over wat daar precies omging, namen van jongens die daar waren, namen van die leraars, de rol die die leraars speelden.

'Die leken me allemaal behoorlijk gespierd,' zei Nicola. 'Een ervan was een judoka. Judoka's zijn er niet om schaak te spelen of godsdienstlesjes te geven. Kleine voorbeeldjes van druk die ze uitoefenden op de jongens. Dwang van het zachtere soort, maar waarvoor toch gezwicht moest worden.'

'Ja, dat zullen we doen. Dat is een heel goed idee,' zei Oerman.

Ook Ilja stemde ermee in. Ze zouden ook het afluisterwerk intensifiëren. Nieuwe bandjes in de dictafoon plaatsen, ook 's nachts, om tijd te winnen.

Nicola zei dat ze de zaak zou aankaarten bij UNICEF en mogelijk nog andere hulporganisaties. Ze zou nog niet de details geven, wel nagaan hoe ze er tegenover stonden.

'Nel Roos?' vroeg ze met een blik op Ilja.

'Niet meteen haar,' zei Ilja snel, wrevelig.

'Vind ik ook,' zei Oerman. 'Anders gaat zij meteen met haar auto de deuren inbeuken bij Arhab.'

'Later wel,' zei Ilja. 'Voor het verdere verloop. Beukwerk om de zaak door te zetten, om die te voltooien.'

'Ik moet nu naar mijn hotel,' zei Nicola. 'Uren schrijfwerk.'

Ilja liep mee naar buiten.

'Is het uit tussen ons?' vroeg hij. 'Is dat beslist?'

'Toe, laten we daar niet over praten,' smeekte Nicola.

'Ik zou het toch wel willen weten.'

'Ik heb je om wat tijd gevraagd,' zei ze zacht. 'Toe, geef me die?'

'Ja, tijd kun je hebben,' zei hij. 'Ik mag dan aannemen dat het toch niet helemaal definitief is?'

'Maar meteen ben je er dan toch over aan het praten,' zei ze ongelukkig. 'Ik vroeg om dat niet te moeten doen.'

'Ja goed, zwijgen dan maar.'

Hij probeerde te verhinderen dat ze hem een kus op de wang gaf, maar zij won.

29

Toen ze aankwam bij het hotel zag ze daar, pal voor de ingang, een jeep van de Militaire Politie staan. Een soldaat zat aan het stuur, een tweede stond ernaast, gewapend met een hand-mitrailleur. Hij kwam op Nicola toe en zei: 'U moet met ons meekomen. Wij staan hier al twee uur op u te wachten.'

Hij liet blijken dat dat hem al een tijdje had tegengestaan.

'Mag ik vragen waar het over gaat?' vroeg Nicola.

'Nee,' zei de soldaat. 'Wilt u achterin plaatsnemen?'

'Ik moet even het hotel in,' zei ze. 'Naar mijn kamer.'

'Dat kan nu niet,' zei de politieman.

'Dat kan nu wel,' zei Nicola en stapte langs hem heen het hotel binnen.

De gewapende Amerikaan liep achter haar aan. Bij de lift keerde Nicola zich zo bruusk om dat hij bijna tegen haar aan-liep.

'U wacht hier,' zei ze. 'Ik loop niet weg. Ik ga met de lift naar boven en daarna kom ik weer naar beneden, hier bij u. Als u dat niet doet, betekent het dat u mij arresteert. Dan moet u mij meedelen waarom u dat doet. U moet mij een papier tonen waarop staat dat u dat mag doen. Dat is uw democratische plicht, ook in door Amerika bezette landen.'

Houd je mond, dacht ze. Verknoei de boel niet. Ze was gelukkig intussen al in de lift gestapt en had op de knop geduwd. De woede van de Amerikaan om haar woorden kwam te laat. Hij stond op dezelfde plaats toen ze weer beneden kwam. 'Die laatste woorden van u, wat wou u daarmee zeggen?' 'Sorry, kerel,' zei ze stiller. 'Doe nu maar alsof ik dat niet gezegd heb. Ik wenste dat ik het niet gezegd had. Ik wenste ook dat jullie hier niet waren, maar dat is wat anders. Dat is een niet-strafbaar gevoelen. Wil je mij echt niet zeggen waarom ik mee moet?'

Pas toen ze achter in de jeep zat, hij naast haar, met zijn wapen op zijn knie, zei hij: 'U bent bezig met het schrijven van dingen die wij wat vreemd vinden.'

'Ik heb u mijn artikelen nog niet laten lezen,' zei ze.

Ze zag het gezicht van de soldaat rood worden. Zo jong zag hij er daardoor uit dat ze zich afvroeg of hij wel ouder dan drieëntwintig was. Ze wilde het hem vragen.

'Hoe oud bent u, sergeant?' vroeg ze na een snelle blik op zijn uniform.

'Wat heeft mijn leeftijd hiermee te maken?'

'Ik denk dat u helemaal vooraan in de twintig bent,' zei ze.

'Hoe kunt u dat weten?' vroeg de soldaat.

'Omdat u anders niet rood geworden zou zijn. Bedankt omdat u censuur duidelijk een afkeurenswaardige praktijk vindt. Ik namelijk ook, maar ik ben al achtentwintig en dan verschiet je al wat minder gauw van kleur.'

'Wie spreekt van censuur?' vroeg de soldaat.

'Ach, ik en mijn woorden, altijd ik en mijn woorden.'

'Op de centrale persdienst is gebleken dat u duidelijk anti-Amerikaanse gevoelens uitspreekt in uw artikels.'

'Ook hier, als u het mij vraagt,' zei Nicola. 'Jullie zijn Irak binnengevallen om zogezegd naar gifbommen te zoeken terwijl jullie goed wisten dat die er niet waren. Daarna zeiden jullie dat het was om terroristen te bestrijden terwijl jullie goed wisten dat er hier niet meer zitten dan overal elders ter wereld. Ongeveer de hele wereld denkt daar hetzelfde over als ik.'

'Niet de coalitie!' zei de Amerikaan scherp.

'Coalitie van het jaar nul,' zei ze boos. 'Jullie en de Britten en een stukje Spanje erbij, maar dat laatste is al veranderd. Het indrukwekkende duetje.'

Houd toch je bek, houd toch je bek, dacht ze geërgerd, ongelukkig. Altijd moet je weer op die trompet spelen.

'Ik kan misschien doen alsof ik dit allemaal niet gehoord heb,' zei de Amerikaanse politieman.

'Sorry,' zei Nicola. 'Misschien komen we elkaar nog eens tegen op een betere dag, beter voor mij dan.'

Tot haar spijt moest ze niet voor het politiehoofd verschijnen, de kolos die zo theatraal voor generaal Patton speelde. Het was een dunne, bleke kapitein met een bril die in zijn papieren bleef zitten bladeren terwijl Nicola rechtop voor hem stond. Het duurde zo lang dat ze een eind van het bureau weg op een stoel ging zitten die daar tegen de muur stond. Een politieman die in de hoek achter een klein tafeltje zat, deed zichtbaar moeite om niet te lachen.

'O, zit u daar,' zei de kapitein na een tijd, zijn blik over zijn bril heen op Nicola gevestigd.

De soldaat in de hoek gaf haar door een snel gebaartje te kennen dat ze moest blijven zitten. Dat deed ze. De kapitein, die weer even in de papieren gebladerd had, keek opnieuw op.

'Blijft u daar zitten?' vroeg hij. 'Het is wel ver.'

Nicola bleef zitten wachten. Wat moet ik met Rao, dacht ze. Wat moet ik met Ilja? Hoe moet het met Sidi Omar? Hoe moet het met de kelderman, Arhab?

Iets ongelooflijks gebeurde. De soldaat in de hoek stond op en trok de tafel waar de kapitein achter zat een eind het vertrek in tot die bijna voor Nicola stond. Helemaal tot bij haar kon niet omdat er kabels lagen. De kapitein begon tegen hem te schreeuwen, maar de soldaat zei: '*Take it easy*, Johnny. Je hebt je daar aangesteld als een oen, dat is niet goed voor Uncle Sam. We hebben al zoveel andere dingen die niet goed zijn voor Uncle Sam dat dit er best niet meer bij moet.'

Nicola vernam later dat de kapitein en de soldaat in hetzelfde Amerikaanse stadje woonden, dat ze zelfs allebei in hetzelfde bedrijf werkten, met dit verschil dat de soldaat de zoon was van de baas. De kapitein keerde zich naar Nicola toe en zei: 'Als u nu ook Johnny tegen mij gaat zeggen, dan gebeurt er wat.'

Nicola zei: 'Kapitein, de toestand is gespannen in Irak. Jullie hebben maanden en maanden en maanden geleden al gezegd dat de oorlog in Irak over was, maar hij is nu nog altijd niet over. Er wordt overal geschoten, er wordt overal geblaft. De auto's rijden allemaal te hard. Je kunt niet veilig door het donker lopen. Het werkt jullie op de zenuwen, ons ook.'

De kapitein zei luid: 'Er is u bij uw aankomst in Bagdad meegedeeld dat er zones zijn in de stad, dat er voor elke zone bepaalde reglementen zijn. U eerbiedigt die niet. Het blijkt uit... een en ander.' Hij wapperde even met de handen. 'U bent op plaatsen geweest waar u op bepaalde ogenblikken niet mag zijn. U voert ook ingewikkelde gesprekken met Brussel en met Londen, zo ingewikkeld dat we ze niet altijd begrijpen. Spreekt u dan in een soort van geheime taal?'

'Luisteren jullie alles af?' vroeg Nicola verbaasd, glimlachend.

'Wij kunnen journalisten vergunningen toekennen,' zei de kapitein. 'Daarmee bedoelen we dan... Ik bedoel, wij kunnen het aantal dingen die hun vergund zijn verkleinen. Dat wordt dan vermeld op een kaart en bij overtreding van de voorschriften verbonden aan die kaart kunnen zij gearresteerd en opgesloten worden.'

'Ik zal het hun in Brussel en in Londen zeggen,' zei Nicola.

De soldaat in de hoek drukte zijn handpalmen voor zijn gezicht en keek over zijn vingertoppen heen met fonkelende ogen naar Nicola. Nadien zou Nicola van het personeel van dat kantoor vernemen dat de kapitein kapitein geworden was dankzij de invloed van de vader van de soldaat en dat de soldaat zijn legerdienst volbracht op een plekje veilig binnen dankzij de militaire invloed van de kapitein.

'U bent arrogant,' zei de kapitein. 'U spreekt stout. Dat betekent dikwijls dat de persoon in kwestie bang is. Bent u bang?'

'Dikwijls, ja,' zei Nicola.

'Mag ik vragen waarvoor u bang bent?'

'Om dood te gaan,' zei Nicola. 'Om ziek te worden. Om alleen te raken. Om de straat over te steken als er Amerikaanse vrachtwagens aankomen. Om onder puin bedolven te worden. In nachtmerries vind ik mijn weg niet in akelige stegen. Ik verdrink ook dikwijls. Het bangst van al ben ik om te sterven terwijl ik nog altijd niet weet waarvoor ik heb moeten dienen.'

De kapitein zat nerveus zijn hoofd heen en weer te bewegen.

'Ik bedoel deze administratie,' zei hij onwillig.

'Wat is er met deze administratie?' vroeg Nicola. Snel voegde ze eraan toe: 'Ik zal de papieren die ik gekregen heb bij mijn aankomst inkijken en alles doen wat daar in staat. Ik zal mij inspannen om niet meer op de verkeerde plekken te zijn, of daar binnen de gestelde tijd weer weg te zijn. Maar u kunt mij geen andere mening opleggen dan de mijne, anders moet u de Amerikaanse grondwet veranderen. Ik blijf dus denken dat de Verenigde Staten momenteel tot de schurkenstaten behoren.'

'Ik kan niet geloven dat u dat gezegd heeft!'

'In plaats van de Universele Verklaring van de Rechten van de Mens te eerbiedigen, die zegt dat iedere mens recht heeft op leven, vrijheid en het nastreven van geluk, wat in onze grondwet staat en ook in die van jullie, zijn jullie een onafhankelijk land binnengestormd en hebben dat met wapengeweld aan jullie onderworpen. De Verenigde Naties hebben het jullie verboden, ook de Veiligheidsraad heeft het jullie verboden, maar jullie deden het toch. Goed is wat goed is voor Amerika. Dat is de definitie van een schurkenstaat. Goed is wat goed is voor mij. Als jullie er anders over denken, dan schieten we jullie dood. We gooien bommen op jullie steden, we nemen gebouwen in beslag en vestigen daarin Militaire Politieposten.'

'Dit gaat ver, meisje.'

'Dat vinden wij ook,' zei Nicola.

Schei ermee uit, dacht ze rampzalig. Je zit met persoonlijke problemen waar je geen uitweg uit vindt en waar hij niets aan kan doen. Zeg dat het je spijt. Zeg dat je overdreven hebt, zoals altijd. Daar heb je het al, hij gaat telefoneren.

De kapitein draaide een nummer. Hij zat achterover geleund geruime tijd gedempt in de telefoon te mompelen. Hij keek in papieren en las daar wat uit voor. Het leek Nicola dat hij haar naam noemde. Enkele ogenblikken later keek de kapitein ontsteld op.

'Wat? Wat zei u daar?' Er volgde nog wat gestamel: 'Ja ja, natuurlijk. Zeker, zeker, kolonel.'

De kapitein legde de telefoon neer.

'U had me moeten zeggen dat u de vriendin bent van Rao Mohan Surendranath. Ja, het is wel waar dat ik het u niet gevraagd heb natuurlijk. Het heeft de ronde gedaan dat Rao Surendranath een heel mooie vriendin heeft. Ik kan wel zien dat u heel mooi bent, maar ik heb niet meteen het verband gelegd met...'

Ze hoorde zware passen. De deur werd opengegooid. Daar stond Patton. De reusachtige Militaire Politiechef, die ze nu voor het eerst zag zonder helm en zonder knuppel. Ze stelde vast dat hij nog maar weinig haar had, weinig lange haren die over zijn schedel heen van het ene oor naar het andere gekamd waren en daar vastgelegd waren met gel. Misschien heeft hij ook daarom wel die eeuwige helm tot op zijn ogen, dacht Nicola. Hoewel hij best die weinig overblijvende haren had kunnen wegscheren en daar staan met een viriele, kale bol, die hem, vond ze, beter zou staan dan het gestreepte matje over zijn kale schedel. Hij kwam haar opgewekt de hand drukken, zei dat ze er stralend uitzag, boog zich over de kapitein heen en zei: 'Grijs gewemel op een computerscherm is niet voor alle ogen duidelijk. U moet al eens uw wijsvinger gebruiken. Waar u het over had staat op de volgende regel.' Hij richtte zich op en sprak weer luid tegen Nicola. 'De heilige schurken,' zei hij. 'Het is een prachtige uitdrukking. Ik ben het helemaal eens met de definitie. U voert strijd tegen hen, dat was me niet meteen duidelijk, maar nu wel.' Zijn gezicht drukte afkeer en even ook radeloosheid uit toen hij zei: 'Die verborgen nesten, roei ze maar uit. Maar het is tegen hen dat u uitvaart, nietwaar? We hadden sommige dingen verkeerd begrepen.' Hij keerde zich naar de kapitein toe en zei: 'Wij vallen u niet langer lastig.'

Hij nam Nicola bij de arm en leidde haar naar de deur.

De soldaat in de hoek monsterde het schouwspel met blinkende ogen die snel heen en weer gingen. In de gang waar ze zich een weg moesten banen tussen groepjes militaire politiemannen, zei Patton: 'Ook mensen in dit land begrijpen dingen verkeerd. Ik kan u niet zeggen hoezeer dat ons ergert. Ze zijn in dit land nu van die tiran verlost. We hebben hem uit zijn hol gehaald en achter slot en grendel gezet. Je zou denken dat je dan op dankbaarheid kunt rekenen, maar neen. Zaniken over prullen. Nu dit prul en morgen een ander prul. Een volk bevrijden, dan moet je hier en daar wat knijpen. Vlekken schurft moet je schrobben. Gejammer dan, geweeklaag. Gemopper. Gewroet. En de pers maar likkebaarden en het alleen daarover hebben. Duizend verstandige mensen die meebouwen aan een nieuw land. Vijf die proberen om de kar te doen kantelen. Komen aanstormen met een bom, bedoel ik daarmee. Maar u niet. U hebt het juiste woord gevonden: de heilige schurken.'

'Ik probeer te weten wat hen drijft.'

'Wij ook.'

'Wie hen drijft.'

'Wij ook,' zei de reus naast haar met steeds meer goedkeuring in zijn stem. 'Wespennesten. Kelders met een adder in. Het is níét waar dat heel Irak in opstand gekomen is. Irak brandt niet, maar rook en vlammen zie je van ver en in de onmetelijkheid tussen de ene verte en de andere brandt en rookt het niet.'

Toen ze buiten op het plein voor het hoofdkwartier van de Militaire Politie stonden, boog hij zich naar haar toe en zei gedempt, met genoegen, alsof ze een samenzwering smeedden: 'Omar, die zogenaamde Sidi Omar, pak hem maar aan.' Hij knikte haar met flonkerende ogen toe.

'Dat is heel recent,' zei Nicola. 'Iets van gisteren, eigenlijk nog maar van vandaag.'

Zijn ogen flonkerden nog meer.

'Dat weten we,' zei hij. Weer boog hij zich naar haar toe en zei: 'Dat van die verkeerde regel op de computer, daar is niets van waar. Een volk, dat zijn veel soorten mensen, zegt mijn vader. Ik ben het niet altijd met hem eens. Een leger, had hij beter kunnen zeggen. Een leger, dat zijn veel soorten mensen. Dat kapiteintje daarboven is een beetje achterop. Niet die in de hoek, de andere. Naar onze Rumsfeld moet je luisteren. Rumsfeld, onze minister van Landsverdediging. De beste die we ooit hebben gehad.'

Die kwal, dacht Nicola.

'Is hij het die het had over de oude landen van Europa?' vroeg ze.

De reus schaterde het uit.

'O pardon,' zei hij. 'Ik moet niet zo luid lachen. Daar overdreef hij, dat heeft hij al toegegeven, maar andere dingen hoeft hij niet toe te geven. Zeker hoeft hij die niet terug te trekken. Een daarvan is die prachtige leus: "Wapens van vandaag tegen de vijand van vandaag." Voor mensen die niets begrijpen moet je er dan aan toevoegen: "Dus niet wapens van gisteren tegen vijanden van gisteren." Dat moet ik er voor u niet aan toevoegen. Waar staat uw auto?'

'Bij mijn hotel,' zei ze.

'O, hebben ze u…? Dan zal *ik* u terugbrengen,' zei hij.

Zonder verwijl liep hij met haar naar de grote jeep die ze al kende. Twee militaire politiemannen zaten erin, duidelijk paraat voor onverhoedse aanvallen. Hij maakte hun met handgeklap duidelijk dat ze moesten uitstappen.

Terwijl hij met haar het plein afreed zei hij, met opgestoken vinger: 'Vraag onze hulp.' Een straat verder voegde hij eraan toe: 'Wat u doet is goed. Weg met de schurken, ook de heilige. Vraag onze hulp.' Bij een rood licht zei hij, de blik even verborgen onder de wenkbrauwen: 'Wij kunnen wat.'

'Bedankt,' zei ze toen ze uitstapte bij het hotel. 'Steeds tot wederdienst bereid,' voegde ze er glimlachend aan toe.

Terwijl ze op de liftknop duwde, wenste ze dat ze bij Ilja gebleven was. Ze wenste bij Woodrow en bij Oerman te zijn en dat leuke vrouwtje van Oerman en die ruige, rumoerige jongelui van Bagdad Palace.

In haar kamer, terwijl ze voor haar computer zat, kostte het haar moeite om met haar gedachten bij haar werk te blijven.

Dikwijls zat ze te dromen. Dan zag ze die krioelende benden jongelui die voetbal en basketbal en honkbal speelden, met zijn allen tegelijk op hetzelfde plein, terwijl daar ook overal kleine groepjes jongelui stonden te keuvelen en de armen opstaken en scheldwoorden schreeuwden die ze nog niet kende, wanneer ze omvergelopen werden. Een was op een dag eens beginnen te vertellen dat zijn vader een baboesjesmaker was. Baboesjes waren een soort puntig schoeisel, gesloten vooraan, open achteraan, zodat je het gemakkelijk kon afwerpen wanneer je de moskee binnenging. Het kwam erop aan dat gesloten voorste deel zo te maken dat de voet er gemakkelijk uit kon, maar ook niet te gemakkelijk. Als je door een straat liep en je zette een krachtige pas voorwaarts mocht die schoen natuurlijk niet een eindje voor je uitvliegen, zodat je hem tussen andere voeten moest gaan zoeken. De jongen zei dat zijn vader drie knoeiers kende die dat soort van misbaksels maakten. Je moest wel goed de maat nemen van de voeten. Niet alle baboesjes waren goed voor alle voeten. Je moest zelfs rekening houden met de tenen. Daar mocht je het met de klant niet over hebben, zei zijn vader. Niemand wilde scheve tenen hebben. Je moest die tenen zien en er rekening mee houden, maar erover zwijgen. Zijn vader was een heel goed ambachtsman geweest, zei de jongen. Maar nu worden de schoenen in de fabrieken gemaakt, zei hij treurig. Nu ja, het had ook geen belang meer, zijn vader was gesneuveld, voegde hij eraan toe.

Een andere keer had ze eens zitten keuvelen met drie broers, van veertien, zestien en zeventien. Hun vader was gestorven tijdens de eerste Golfoorlog. De jongste herinnerde zich alleen nog maar een beetje hoe zijn vader eruitgezien had. Hij had zo'n snor, zei hij, de handpalmen ongeveer dertig centimeter van elkaar gespreid. Een van zijn broers duwde toen die handen dichter bij elkaar. Maar de snor telde wel mee, voegde hij eraan toe. Hun vader was linnenverver geweest. Ongekleurd linnen kwam in pakken bij hen binnen en hun vader verfde dat dan. De werkplaats bevond zich op het dak van hun huis. Er waren vier gemetselde verfbakken, niet helemaal vierkant. De hoeken waren aan de binnenkant afgerond, dat was gemakkelijker voor het reinigen. Vier kleuren had hun vader, rood, groen, blauw en geel. Een rode bak, een gele, een groene en een blauwe. Altijd was dat zo. De bakken waren een goede halve meter diep. De verf ging daarin, daarna het linnen, en dan moest je daar langdurig op staan trappelen. Zij, de zonen, deden dat. Jongens uit de buurt kwamen helpen. Je stond tot aan je knieën in die kleurstof. Je moest al trappelend het linnen goed door elkaar woelen. Je moest oppassen dat je niet met je voeten verstrikt raakte in die verwarde kluwens en plonzend op je achterste in de verf terecht kwam. Je kon beter geen ruzie hebben met jongens, anders kreeg je weleens een stoot van een elleboog, zogezegd toevallig, en dan gebeurde dat ook.

Een grote jongen had haar eens gezegd dat ze thuis een café hadden gehad met een terras. De mannen zaten daar 's avonds met hun waterpijp bij elkaar, zei hij. Ze veegden het zweet van hun schedel met hun tulband en zetten daarna hun tulband weer op. Ze wapperden met hun boernoes om koelte te krijgen onder hun oksels. Ze spraken niet veel. Het leek dat maar af en toe er een wat zei, maar daarna zaten ze daar allemaal langdurig genoeglijk te glimlachen. Ze rookten ook kif, uit lange pijpjes, de kop slechts een vingertop groot. Daarna zaten ze te soezen. Als ze weer bekomen waren, wisten ze meer te vertellen dan de anderen. De verhalen waren ook kleuriger. Mijn moeder vertelde dat, zei de jongen. Zijn vader was ook een kifroker.

Een andere jongen had haar verteld dat zijn vader portier was in een faculteitsgebouw van de universiteit. Hij had tegen zijn zoon gezegd: 'Ik moet hier naast die poort blijven zitten in mijn hokje, maar jij zult daar binnengaan, in die poort.' Zijn vader was dood, ook zijn moeder en twee broers van hem.

Ze had ook eens enkele woorden gewisseld met een jonge rebel. Hij sprak woedend over de manier waarop ze zijn vader behandeld hadden. Zijn vader was vermist, waarschijnlijk wel dood, had de jongen gezegd, terwijl hij de schouders ophaalde. De putten, had hij gezegd, toen Nicola hem vroeg wat zijn vader deed. De boorputten, had hij bedoeld, de technische installaties voor het oppompen van olie, pijpleidingen, primitieve raffinaderijen voor de zuivering van de olie. De arbeiders en de technici werden daar schandalig slecht betaald, zei hij. Er was meer geld, maar dat kwam niet bij hen. Het belandde bij opzichters en politiemannen die het in hun zakken stopten. Staken kon niet, zei hij, want dan ging je naar de gevangenis. Of je ging ergens anders heen en dan zag men je nooit meer terug. Arbeiders moesten zich verenigen, zei hij, grote organisaties hebben en van zich laten horen, boodschappen naar de wereld sturen, sociale grieven hoorden ze daar.

Over tirannie had een jongen het eens gehad. Een Irakese tiran vervangen door een Amerikaanse tiran leverde niets op.

Ook over de inhoud van het woord terreur was er gesproken. Je mocht jezelf verdedigen, je mocht jezelf blijven verdedigen. Ook nadat de tirannen beslist hadden dat er nu vrede moest heersen. Het had haar blij gemaakt dat het niet altijd de islam was die ze tegenkwam, het verkeerde deel van de islam, de oude baarden, zei ze soms boos.

Enkele keren al was het de kleine Ia geweest die zo'n gesprek met een jongeman mogelijk gemaakt had. Nicola moest eens kennismaken met een vriend van haar. Het meisje wees die dan aan. Hoe zie je er toch uit, had Nicola eens tegen Ia gezegd. Ze had het stof uit haar kleren geklopt met de mattenklopper en had het meisje daarna in bad gestopt. Maar ze besliste dat ze dat toch niet meer te dikwijls zou doen. Het maakte Ia ongelukkig. Je kon dan immers zien wat voor een miserabel lichaampje ze had.

30

Pas laat in de nacht was ze klaar met haar werk. Vermoeid sloot ze de laptop.

Al enkele keren had ze zich verboden Rao op te bellen. Toen deed ze het toch. Maar Rao was in Teheran, zo werd haar gemeld. Het berouwde haar dat ze haar telefoon af had gezet.

Ze kon niet slapen. Ze probeerde te weten te komen waar

Rao zich in Teheran bevond, maar ze kreeg alleen een nacht-waker aan de telefoon die daar niets over wist.

Ze nam een kalmeermiddeltje. Toen viel ze in slaap. Ze werd pas laat in de voormiddag wakker door heftig getrommel op de deur van haar slaapkamer. Het was weer Ilja.

'Je moet eens luisteren,' zei hij.

Hij toonde haar de geluidsbandjes die ze de vorige dag en tijdens de nacht hadden opgenomen in de kazemat van Arhab. Hij hoorde nieuwsberichten op de televisie.

'Hoe komt dat nu? Kijk je nu televisie in je slaap?'

'Nee, nee, ik moet vergeten zijn die af te zetten gisteravond laat, ik bedoel vanochtend vroeg.'

Een Amerikaanse woordvoerder stond met pompeuze kracht-dadigheid uit te leggen op welke manier ze, eens en voorgoed naar hij hoopte, bezig waren het ongedierte uit te roeien. Het zat in ongure stadsbuurten achter deuren die je voor stalpoortjes zou houden. Het zat ook in afgelegen oases ver van de stad. Plaatsen waar plannen beraamd werden, waar beslissingen ge-nomen werden, zei hij. Plaatsen waar de terreur van uitging. Het was hen gelukt vijf van die geheime posten te vernietigen, twee in de stad, drie in de woestijn er omheen. Op al die plaat-sen waren telecommunicatiemiddelen en wapenvoorraden ver-nield. Het mocht aangenomen worden dat personen die tot de spilfiguren van de terreurbeweging behoorden gedood waren.

Vanuit de badkamer hoorde Nicola de nieuwslezer de na-men van die plaatsen noemen. Aït-Assan meende ze ook ge-hoord te hebben.

'Ilja, heb je op de namen gelet?' riep ze door de deur heen.

'Ja, ik heb de namen gehoord,' zei Ilja.

'Was Aït-Assan erbij?'

'Ja, die naam is genoemd. Het is die heel mooie, grote oase waar die gezellige herberg staat.'

'O, ken jij die?' vroeg ze, in de war.

'Ja, heel goed. Er is een marktplein met een chique kleine moskee waar zoontjes uit rijke families godvruchtige moslims komen worden nadat ze eerst ongodvruchtige heidenen geweest zijn in Cannes of in New York. Als daar anti-Amerikaans gestook

275

ontdekt is in geheime kamers, dan zeker weer door dezelfde apen in Washington, denk ik, die al eerder onderaardse gangen vol gifbommen aangewezen hadden op de kaart van Irak.'

Allemachtig... Die prachtige, verre plaats, dacht Nicola verslagen.

'Waarschijnlijk weer de oude, beproefde methode,' zei Ilja door de badkamerdeur heen. 'Op een van de vijf plaatsen moet wat zitten, we walsen ze dus allemaal maar plat.'

Nicola kleedde zich in alle haast aan. Ilja toonde haar de vier geluidsbanden die hij meegebracht had.

'Daar zit niet alleen interessant materiaal in,' zei hij. 'Er zit ook bewijsmateriaal in.'

'Ja, ik zal het bekijken en er heel zeker wat mee doen,' zei Nicola. 'Maar het kan niet meteen. Ik moet even de stad uit. Ik ken Aït-Assan. Het is een heerlijke plaats.'

'Dat zei ik toch al,' zei Ilja.

'Ik ben er kort geleden geweest. Ik wil er weer naartoe om te kijken hoe het daar nu is en nagaan of het waar is dat daar geheime plannen bestonden.'

'Kort geleden in Aït-Assan geweest?' vroeg Ilja. 'Jij alleen? Je weet niet veel van autorijden in de woestijn. Niet genoeg om alleen naar Aït-Assan te kunnen rijden. Dat herinner ik me nog van vroeger. Moet ik begrijpen dat...?'

'Ik wil er niet over praten, Ilja.'

'Dan heb ik het allemaal al begrepen. Dat is de plaats, nietwaar?'

'Wat voor plaats? Wat bedoel je?'

'Van de grote liefde.'

'Ik wil ernaartoe,' zei Nicola. 'Ik weet zeker, ik weet heel zeker dat daar geen onruststokers zaten. Daar werden geen opstanden tegen de Amerikaanse bezettingstroepen beraamd. De mensen, daar in die oase, zijn niet bezig met Amerika. Het zijn oasebewoners, in het land van de Twee Stromen, waar de mensheid heeft leren schrijven en paleizen bouwen en zwaarden smeden met robijnen op de schede, reeds duizend jaar voor Amerika ontdekt was. Ze hadden hun eigen familie en hun eigen beroep of hun eigen grond. Reizigers kwamen daar toe met hun eigen kamelen. Ze waren tevreden dat ze bij elkaar waren. Ze waren gelukkig. Ze zaten te lachen en te kletsen in de lekkere koelte van de nacht. Als het waar is dat de Amerikanen die plaats vernield hebben omdat daar misschien oproer tegen hen beraamd werd, dan... dan... dan...'

'Zachtjes, meisje, zachtjes,' zei Ilja.

'Dan zullen we die Amerikanen weer wigwams sturen en houten bogen en stenen bijlen en pluimen om er hun hoofd mee te versieren.'

'Je gaat toch zelf niet naar Aït-Assan rijden?'

'Nee, ik had aan een taxi gedacht. Een chauffeur die de woestijnsporen kent of die een satellietkompas heeft.'

'Ik wil die plaats ook weleens terugzien,' gromde Ilja. 'Wat je daar zei... Ik zal je brengen als je wilt.'

'O ja, dank je.'

Ze onderdrukte het verlangen om hem een kus te geven.

Ze zaten naast elkaar in de auto die Ilja van Nel Roos had gekregen. Nicola vroeg zich af of ze dit eigenlijk wel moest doen. Eerst met die ene heel bijzondere man en dan met die andere, ook heel bijzondere man. Ze was zo in gedachten verzonken dat ze niet hoorde wat Ilja zei.

Hij vroeg haar boos of hij alles twee keer zou moeten zeggen. Dan konden ze beter rechtsomkeer maken.

'Nee, het spijt me, Ilja. Ik was verstrooid. Het spijt mij echt.'

Het bleek dat hij de plaats aangewezen had waar je van aan de rand van de stad de oude wal kon zien waar ergens de kelder van Arhab was. Hij had gezegd dat ze daar moesten gaan binnenvallen en de jongens bevrijden.

'Vanavond laat,' zei hij. 'Als die knapen weg zijn die op de binnenplaats koranverzen zitten op te zeggen. Waarschijnlijk heb je daar dan maar één kerel met een knuppel. Het zal wel zo geregeld zijn dat ze elkaar aflossen voor de bewaking. Of het dan helemaal over zal zijn met dat soort dingen? Dat zal wel een illusie zijn. Er zijn nu al andere plaatsen, dat staat vast. Maar ik spreek hierover omdat ik je wat wil vragen. Moeten we met de politie gaan en die kerel, die bewaker, laten arresteren of doen we dat alleen?'

'Maar als we alleen gaan, wat doen we dan met die bewaker?'

'Een paar dagen in die put, dat zou me wel bevallen, maar we moeten hem er daarna weer uit halen.'

'Toch beter maar de politie, zou ik denken,' zei Nicola.

'Maar welke politie dan?'

'Ja, dat is een goede vraag. De Amerikaanse politie? De Irakese politie die voor de Amerikanen werkt? De Irakese politie die niet voor de Amerikanen werkt, maar voor een of andere generaal? Zo ken ik er wel drie. De Irakese politie die voor de leider van de sjiieten werkt? De Irakese woestijnpolitie? Vraag het mij maar niet,' zei Nicola.

'Hoor ze kwekken,' zei Ilja toen ze de radio aangezet hadden en een Irak-specialist in Washington bezig hoorden over de zuiveringsacties. 'Ze zullen de wereld weer eens uitleggen hoe goed ze de vrede dienen.'

Er werden namen genoemd van terroristen die misschien wel uitgeschakeld waren door bombardementen van de Amerikaanse luchtmacht.

'Bombardementen?' vroeg Nicola onrustig.

De berichten hadden tot dan toe geen uitleg bevat over de gevolgde methode.

'Bommen? Dan schiet er van Aït-Assan waarschijnlijk niets meer over,' zei Nicola.

'Ik heb nog nooit gehoord van terroristen op die plek. Die herberg is nog altijd wat vroeger de karavaanserais waren: een goede, warme, lekkere, veilige plek. Meer kamelen en geiten toen, dat is het enige verschil, en de zoontjes van de rijkelui in de moskee waar ze kamers met airconditioning hebben en een helikopter die verse groenten en fruit aanbrengt, die moeten vooral die Saoedi's laten weten dat zij en hun families nog steeds goede volgelingen van de Profeet zijn.'

'Saoedi's?' vroeg Nicola. 'Krijgt die plaats geld van de Saoedi's?'

'Ik denk het wel, ja, ik ben er bijna zeker van.'

'Ilja, die aristocraten van het Midden-Oosten in hun witte mantels, die koningen en prinsen en hun vele aan invloed en rijkdom geholpen neven, en hun vele met invloed en rijkdom beloonde volgelingen, beschermen zichzelf en ook elkaar. Ik maak een mooi gezellig plekje voor jou en jij kunt daar dan tonen dat je politiek correct bent.'

'O? Gaat dat zo?'

'Ja, dat gaat zo. Een tegenmacht tegen Amerika. Gauw binnenstormen in Irak dus wanneer die macht te groot wordt. Maar er wordt gezegd dat er nooit gevaar zal uitgaan van de olieprinsen, omdat ze economisch niets voorstellen en niet eens op weg zijn om ooit iets voor te stellen.'

'Dat zegt zeker die Hindoe van jou?'

'Noem hem toch niet zo,' zei Nicola. 'Je kunt mij dan die Belgische noemen en ik jou die Rus.'

'Pardon,' gromde hij, 'maar die man uit Noord-India, die Rao zus-en-zo spreekt dan over een eerste tegenmacht voor Amerika. Als je zegt "daar is een eerste boom", dan is de tweede boom niet ver. China is nog ver, dat is voor later, maar intussen is er India, dat is niet ver, dat is ook het Oosten. Dat boog vroeger de knie voor de Britse onderkoning. Het kijkt nu rechtop, vrank in de ogen van Toontje Blair als die als een baby voorbijkomt aan de hand van zijn peetvader Bush. Er heerst al een hele tijd grote drukte in het noorden van India.'

'Ook in het noorden van Pakistan,' zei Nicola. 'Sommigen beweren dat Bin Laden daar zit.'

'Heb ik ook al gehoord, ja,' zei Ilja. 'Osama Bin Laden vertoont zich graag als een bestofte, in lompen gehulde pelgrim voor Mekka, maar hij is een van die door voorspoed en macht begunstigde edellieden uit de hofhouding van het Saoedi-rijk.'

'Niet de man voor morgen dan, volgens die theorie,' zei Nicola dan.

Ilja schudde van neen.

'Berucht figuur van gisteren,' zei Nicola.

Ilja knikte.

'De grote prijs van het Midden-Oosten,' zei hij. 'Er zijn ook wel Europeanen die daar zouden willen meerijden.'

'Chirac?' vroeg ze. 'Met Schröder?'

'Minder. Hitler is nog niet lang genoeg geleden.'

'Jullie Poetin?'

'Mijn Poetin,' zei hij, een beetje bitter glimlachend. 'Die moet nog een lange, lange bedevaart doen. Ook Stalin is nog niet lang geleden. Tussen haakjes, ik ken Vladimir. Wist je dat?'

'Nee, dat heb je me nooit verteld.'

'Hij is een heel leuke kerel. Ik heb gehoord dat hij een chique villa heeft in de Provence en dat heel dure binnenhuisarchitecten daar gewerkt hebben.'

'Goed voor hem. Echt goed voor hem. Vorsten, daar moet wat luister omheen. Armoedzaaiers vergeet je op den duur te groeten. Je rijdt naast het spoor,' zei Nicola. 'Denk ik toch.'

Hij bleef doorrijden tot bij de boom met een wijdvertakte kruin die ze in de verte hadden gezien. Er bevond zich een waterput met een horizontale dissel waar je een ezeltje kon voorspannen dat rondjes liep om water op te pompen.

'Je kent deze plaats niet meer?' vroeg hij. 'Nee, je kent die niet meer.'

Het was een vraag, maar het klonk evengoed als een triest antwoord daarop.

'Ja, ik weet het toch,' zei ze opeens blij. 'We zijn hier geweest. Jij dacht dat die boom een apenbroodboom was. Er staan er veel van dat soort in Afrika, in het zuiden van de Sahara, waar de savanne begint. Maar je was er niet zeker van of er ook hier in deze woestijn stonden. Je zou het opzoeken, zei je. Je hebt dat gedaan en je ontdekte dat het geen apenbroodboom is, maar een acacia.'

Opeens lachte ze vrolijk.

'Ik zie dat je het nu helemaal weet,' zei hij knorrig.

'Ja, die grote acaciabomen hebben overal stekels. Ik zei dat volgens de verhalen alleen geiten daarin konden opklauteren tot hoog tussen de takken waar ze dan 's avonds afgetekend stonden tegen de lucht als silhouetten met horens, je kon ze voor duivels houden. Een mens kon niet in die boom klauteren wegens al die stekels, maar jij zei dat het wel kon. Je zou het eens bewijzen. Je geraakte wel degelijk hoog, maar ik riep dat klimmen gemakkelijk was. Afdalen, daar zat het hem. Tegen de opwaartse stekels in. En terwijl ik dat zei, gleed je uit en je kwam met je achterste op een dikke tak terecht, een plek, duidelijk goed voorzien van die stekels. Het was alsof er vijftig mensen tegelijk schreeuwden.'

'Overdrijven, daar kun je ook wat van,' gromde hij.

De put had ook een touw waaraan je een leren emmer kon laten afdalen in de diepe koker. Die koker was zo diep dat je de emmer niet meer zag, maar je hoorde na enkele ogenblikken wél de plons. Het water was heerlijk koel.

Nicola proefde de smaak aandachtig.

'Er zit iets van acacia's in,' zei ze.

'Jij en je acacia's!' riep hij boos.

Hij greep de emmer en even leek het haar dat hij die over haar zou uitgieten. Dat deed hij toch niet.

'Daar hebben wij gezeten,' zei hij. 'Daar, op dat plekje.'

Hij ging daar zitten, met zijn rug tegen de put.

'Kom eens bij mij zitten?' vroeg hij.

Ze deed het. Ze greep zijn arm.

'Ilja, jij en ik, dat is altijd goed geweest, dat zal altijd goed zijn. Het is nu anders, maar goed zal het altijd zijn.'

Hij greep haar in zijn armen.

'Nee, Ilja, niet doen. Dat bedoelde ik niet. Nee, niet doen.'

Verkracht hij mij nu, dacht ze, of laat ik hem doen? Die weekheid vervulde haar. Dit mag niet, dacht ze, dit kan niet, maar zijn forse armen omklemden haar. Hij drong zo hard aan dat ze zich boos moest maken. Hij viel om. Ze stond op en liep een eind van de put weg. Die vreemde hulpeloosheid vervulde haar weer. Ik heb ook van hem gehouden, dacht ze. Maar ze verdreef die herinnering. Je hebt Rao niets beloofd, zei een zwakke stem in haar. Je hebt niemand wat beloofd, maar ook die gedachte bestreed ze. Hij stond op en kwam bij haar.

'Het spijt me,' zei hij. 'Er is geen sprake van dat ik ooit geweld tegen je zal gebruiken. Ik alleen zonder jou, daaraan wennen? Dat zal me nooit lukken. Maar als jij het zo wilt, dan moet het maar.'

Nicola was in de war. Ik mag hem, dacht ze. Ik houd van zijn geknor en zijn gemopper. Ik houd van dat hevige verlangen in zijn ogen, van die feestelijke flonkering opeens, van die zachte warmte, van die mateloze goedheid die hem ombekwaam maakt om op een geordende manier te leven.

'Blijf bij mij,' smeekte hij terwijl hij weer haar hand greep. 'Je zult het goed hebben bij mij. Je zult... Ik zal... Ik zal een of andere goede baan zoeken en veel geld verdienen voor jou. Ik ben een tijdje leraar geweest in mijn jonge jaren. Ze zeiden dat ik dat heel goed kon. Ik had er geen moeite mee om tucht te houden onder de vrolijke bende. We maakten samen pret en toch werkten ze goed. Die directeur stond erbij en begreep dat niet goed. "Ze lijken het wel te doen om jou gelukkig te maken," zei hij. Ik kan opnieuw ergens in een school gaan werken.'

Twee, dat kan niet. Dat kán niet, dacht ze. Dat wil ik ook niet, betoogde ze met kracht.

'Nee, niet over de toekomst praten,' zei ze, toen hij daar weer over begon.

'Je wilt niet met me trouwen, nietwaar?' vroeg hij. 'Je wilt liever die rijke, machtige man.'

'Grotere onzin heb ik je nog niet dikwijls horen uitkramen,' zei ze boos. 'Er is geen sprake van trouwen, met jou niet, en ook met iemand anders niet. Ik ben je daar overigens geen verantwoording over verschuldigd. Dit is mijn leven. Je bent een heel goeie kameraad, maar... Ik wou... Er zijn andere dingen gebeurd. Ik weet zelf niet zo best hoe het daarmee verder moet. Ik weet niet eens of het daarmee verder moet. Je hebt gezegd dat je me wat tijd zou geven. Doe dat, alsjeblieft.'

Hij werd weer rustig. Ze liepen terug naar hun auto.

'De vorige keer dat we hier waren,' zei hij. 'In het donker, weet je het nog? Toen hebben we twee groene stippen gezien. Een jakhals waarschijnlijk. Je knipte even met de vingers en hij was weg. Soms, na onweersbuien, zijn er poelen in de nabijheid van de put. Dat weten de dieren. Daar komen ze op af. Ze komen kijken. Als er dan een groter roofdier in de buurt is, dringen zij niet aan. Als we ook in Bagdad eens knip konden doen.'

Toen Aït-Assan nog slechts een vlekje was, kwam er een jeep van de Amerikaanse Militaire Politie op hen toe gereden.

'Niet doorrijden, rechtsomkeer maken,' gebaarde een rechtopstaande soldaat in de jeep hun.

Nicola stak haar perskaart van Reuter in de hoogte. De militaire politieman kwam ernaar kijken. Hij liet twijfelend zijn hoofd heen en weer gaan.

'Kijken mag,' zei hij, 'maar jullie veiligheid garanderen is wat anders. Er zijn twaalf bommen geweest, maar er zijn maar elf kraters. De twaalfde is een nietig kratertje dat al half weer toegegleden is met zand. Ik denk niet dat ze die raket uit de grond gaan halen. Zo goed als zeker zullen ze ook die laten ontploffen, het zal geen verschil meer maken met wat daar nu al te zien is. Met wat daar nu niet meer te zien is, bedoel ik.'

In de verte voor hen galmde een ontploffing. Het leek alsof een vulkaan zand uitspuwde.

'Daar hebben we hem. Kom dus maar,' zei de soldaat. 'Het is voorbij. Allemaal maar hopen dat er bij vergissing geen dertiende is.'

Hij apprecieerde duidelijk zijn eigen humor. De jeep reed snel van hen weg.

'Gauw, we kunnen misschien nog helpen,' zei Nicola stil.

31

Het Rode Kruis was er, twee vrachtwagens met Amerikaanse soldaten, twee kleine pantserwagens en enkele jeeps.

De herberg en de mooie, kleine moskee lagen in puin. De meeste dadelpalmen waren afgeknapt. Van de kleine boerderijen schoten alleen brokken leem over. Ze zagen verplegers die lichamen optilden en op berries legden. Op de binnenplaats van de herberg tussen de verwoeste bijgebouwen lagen rijen lichamen onder lakens. Naast de herberg, aan de rand van het woestijnspoor, stond een tent, waar lichamen binnen werden gedragen. Toen Nicola en Ilja daar aankwamen, probeerde een afgejakkerde verpleegster van het Rode Kruis hun de weg te versperren.

'Niet nu,' zei ze.

Nicola toonde haar perskaart.

'Ja goed, dan wel,' zei de vrouw.

Twee artsen en vier verplegers waren in de tent aan het werk. Een schreeuwende vrouw wilde zich niet laten wegleiden. Twee verplegers konden haar toch overmannen.

'Hoe moet ik dat uitleggen,' zei de verpleegster, die Nicola en Ilja eerst had willen buiten houden. 'Ze hebben haar haar halve kind gegeven. Ze zegt dat ze ook de tweede helft wil.'

Ze keek schamper op naar Nicola. 'Dat is zeker een verhaaltje dat jullie wel lusten?'

Ze liepen weer naar buiten. De herbergier leefde nog. Hij lag nog steeds verdoofd op een bed met verband om zijn hoofd. Over zijn onderlijf lag een laken. Ilja stond er star naar te kijken. Hij wees met de vinger. 'Hij heeft geen voeten meer,' fluisterde hij.

Overal om hen heen klonk gejammer. Achttien kinderen lagen onder witte doeken aan infuusflessen. Een man op een bed die nog één hand vrij had probeerde Ilja tegen te houden. Hij vroeg waar zijn vrouw en kinderen waren. Hij noemde de namen. Nicola zei dat ze hen zou zoeken. Er waren twee vrouwen die niet wilden blijven liggen. De verplegers bonden hen uiteindelijk vast met riemen. De man lag te huilen. Hij wees naar zijn rechterbeen dat geamputeerd was tot halfweg de dij.

'Hoe moet ik nu werken?' zei hij.

Hij vroeg of ze nu al wisten waar zijn vrouw en kinderen waren.

'Ja ja, zeggen ze altijd, maar niemand komt wat zeggen.'

'Hoe is het gebeurd?' vroeg Ilja.

'Bommen,' zei de man. 'Vliegtuigen.'

'Heb je de vliegtuigen gezien?' vroeg Ilja.

'Ja.'

'Hoeveel waren er?'

'Twee.'

'Hoog?'

'Nee. Ze doken en dan lieten ze bommen vallen en dan vlogen ze weg en daarna kwamen ze terug en dan doken ze weer en dan lieten ze weer bommen vallen. De herberg hadden ze van de eerste keer. Ik was daar aan het werken aan de muur van een stal. Het dak viel in, maar niet op mij. Het vliegtuig kwam nog eens terug. Toen viel er weer een bom op de herberg en daarna nog een. Die laatste bom heb ik nog horen vallen, maar ik weet er niets meer van. Toen ik mijn ogen weer opendeed, was dit aan mijn been al gebeurd.'

Hij huilde weer en wees naar de stomp.

Tussen het puin van de moskee konden ze vier dode lichamen zien liggen. Er waren twaalf doden, hoorden ze zeggen. Ilja probeerde tussen het puin sporen te vinden van installaties voor telecommunicatie, of misschien wapens van een of andere soort. Ze vonden niets. In de verwoeste vertrekken rond de binnenplaats vonden ze enkele omvergevallen computers en veel overblijfselen van boeken. Religieuze geschriften, meditatie-teksten, ook studieteksten. De islam in de wereld leek een onderwerp te zijn dat de mensen hier had beziggehouden.

'Zijn dat dan de booswichten tegen wie Amerika zich moest beschermen?' zei Ilja.

Een ook duidelijk vermoeide verpleger zei: 'Volgens een soldaat is het ergste voorbij, maar niet voor ons. Het verzamelen van lichamen, ook als die niet meer volledig zijn, is niet het ergste. Wat je daarna nog moet verzamelen, daar zal ik nooit aan wennen.'

Bij een van de jeeps hoorden ze op de radio de Amerikanen. Ze hadden het weer over uitroken en uitroeien.

'Ze zijn dol op die dingen,' zei Ilja. 'Verborgen wapens die nergens zitten. Verborgen schurken die nergens zitten. Altijd weer worden porties van dat soepje opgediend. Dan wordt er minder gepraat over de wapens en de schurken die wel ergens zitten, die ik weet zitten.'

Ilja had urenlang geholpen met het bevrijden van ingesloten gekwetsten en het wegbrengen van dode lichamen. Nicola had intussen gekwetsten verzorgd en met hen gepraat over hun familie en over hun werk.

'Ze begrijpen er niets van,' zei ze. 'Bommen, daar, bij hen! Waarom toch, vroegen ze. Een man die in de herberg werkte, in de keuken en bij het poetsen van de kamers, kon het niet geloven. Ik denk altijd maar dat ik het gedroomd heb, zei hij, maar hij zit vol scherven. Eén grote, zodat zijn heup niet meer werkt. En ook bij hem ontbrak een onderbeen.'

'Ik zal hen binnenkort ook eens aanpakken,' zei Ilja tijdens de terugreis. 'In de hotels die ze in beslag genomen hebben en waar ze bij elkaar zitten in hun mooie, goedgeperste, militaire uniform, hun goedgepoetste schoenen, hun keurige *crew cut*, hun gladgeschoren wangen, hun overhemd waar niet één verkeerde plooi in zit en de klad mosterd die ze bij hun hotdog krijgen, zo fris dat het lijkt alsof ze die pas in New York zijn gaan halen. Ik zal daar te midden van hen eens een hotdog-doos gaan plaatsen met wat anders erin en dan van op een afstand met mijn zaktelefoon dat spul doen ontploffen.'

Toen ze een tijd gereden hadden, zei Nicola: 'Ook Rao spreekt soms op een vreemde manier over gewelddadig oproer.'

'Nu spreek jij over hem,' gromde Ilja.

Ze antwoordde daar niet op.

'Hij is natuurlijk tegen oproer gekant. Al wie wat bezit, is tegen oproer gekant, zei hij eens met de zelfspot die hem kenmerkt. Tijdens oproer worden deuren ingebeukt en huizen geplunderd en geldkoffers leeggeroofd. Maar hij zegt ook andere dingen. Ik bedoel daarmee dat het menselijk bestaan amoreel zou zijn, niet goed, niet slecht, gewoon niets, bij gebrek aan regels. Hij is een vrijdenker. Abraham heeft eens gedroomd dat God tegen hem gesproken heeft, zo zei Rao. Mozes noemde hij een *clevere* kerel die op een verborgen plek in het gebergte wetten ging uitkappen in gesteente en daarmee dan naar de mensen kwam en zei dat God hem die gegeven had. Mohammed had volgens hem last van luchtspiegelingen. Sommigen zien daarin omgekeerde palmbomen, hij zag een engel. Wetten waren ons door niemand gegeven en wij hadden ze ook niet in ons, zei Rao. Als morgen de wetten op de minimumlonen afgeschaft worden, dan duiken de industriëlen en de handelaars terug naar de hongerlonen van de negentiende eeuw. De arbeiders zouden weer tien uur per dag moeten werken en ze zouden geen betaald verlof meer krijgen. Ja, ik ook, zegt Rao dan. Maar dat hij daar zijn leven op bouwt, is niet waar. Het zijn dingen die hij zegt. We zeggen allemaal dingen, maar we doen er andere. Ik bedoel wat Rao over oorlog zegt,' zei ze. 'Terreur is een gruwelijk woord, zegt hij. Terreur is ook onfatsoenlijk. Oorlog is eveneens een gruwelijk woord, maar het lijkt fatsoenlijk. Je hebt het dan over generaals en vaderlandsliefde. Bij terreur heb je het over boeven en over moordlust. Het verschil zit hem alleen in de datum waarop de oorlog eindigde. Voor de generaals eindigt de oorlog op de dag dat zij de overwinning behalen. De verliezers moeten dan hun wapens inleveren, ze doen dat omdat ze niet anders kunnen, maar ze beginnen meteen met het bij elkaar brengen van nieuwe wapens. Zij komen in het geheim bij elkaar. Ze bereiden aanvallen voor en demoraliseren intussen hun vijand al met aanslagen en overvallen. Dat deed ook generaal De Gaulle in Londen tijdens de Tweede Wereldoorlog. Zijn verzetsmensen legden bommen onder Duitse treinen. In Berlijn had men het toen over de boeven die de Nieuwe Orde niet wilden verstaan. Maar wat later veroverden het verzet Parijs en De Gaulle kwam over de Champs-Elysées aanstappen als een zegevierende generaal. De oorlog was terreur geworden, de terreur werd opnieuw oorlog. De Israëli Sharon bestempelt de Palestijnen als boeven omdat ze joodse nederzettingen overvallen en daarbij ook vrouwen en kinderen doden. Die Palestijnen zijn soldaten die een oorlog voortzetten waarvan ze het eerste deel verloren, net zoals De Gaulle. De terreur is het patriottisme van de verliezer, zegt Rao, vaderlandsliefde wordt dan de terreur van de overwinnaar.'

'Zei hij dat zo?' vroeg Ilja verrast.

Hij zat een poosje somber voor zich uit te kijken.

'Dan is hij alvast niet dom,' zei hij ten slotte. 'Hoewel die lof mij moeite kost.'

'De betekenis van het woord wet is maar een schijnbare moeilijkheid, zegt Rao. Dat terrorisme een onwettelijke bezigheid zou zijn en oorlog een wettelijke, snijdt geen hout. De Fransen streden in Algerije met de wetten van hun land, de FLN-strijders vochten tegen de Fransen met de wetten van hun land dat door de Fransen onrechtmatig tot hun kolonie was gedegradeerd. Dat geldt ook voor de Palestijnen. Die soldaten en burgers willen hun land terug.'

'Het is de eerste keer dat je wat zegt over Israël en de Palestijnen,' zei Ilja.

'Ik vertelde wat Rao erover zegt,' zei ze.

'Maar je bent het daarmee eens.'

'Ja. Jij toch ook?'

'Ja, ik ook. Ja. De joden zeggen wel dat hun land tweeduizend jaar geleden al van de joden was. Wat denk jij daarover?'

'Tweeduizend jaar, dat is lang geleden,' zei Nicola. 'De wereldkaart hertekenen op grond van de dingen zoals die tweeduizend jaar geleden waren? Dat zou een rare prent worden. Voor ons, kleine Belgjes, zou dat wel voordelig uitvallen.'

'Hoezo?'

'België bestond van in de tijd van Julius Caesar. Dat is tweeduizend jaar geleden. Het omvatte toen Nederland, het westen van Duitsland, België en het noorden van Frankrijk. Zullen we bij meneer Chirac en bij de Nederlands koningin en bij kanselier Schröder gaan aankloppen en die grote dames en heren onze papieren tonen?'

Hij schaterde het uit.

'Doe dat!' riep hij uitbundig. 'Schrijf daarover. Breng dat op gang. Ik zal Vladimir vragen dat hij jullie steunt. En we maken jou tot koningin en ik... ik word niks,' zei hij, somber weer. 'Daar dien ik voor, om niks te worden.'

'Toe, kerel, je bent een kei. Ik zal eens over jou schrijven en de jongelui van Bagdad opzwepen. En dan gaan we dat hoofdkwartier van de Amerikanen bestormen.'

Even was het goed tussen hen. Even was het als vroeger.

Nicola had twee van de geluidsbandjes meegenomen die Ilja de vorige dag en ook nog tijdens de nacht had opgenomen in de luchtkoker boven de kelder van Oerman Arhab. Het eerste wat opviel was dat de stemmen van de jongelui heser en zwakker geworden waren.

'Hij laat hen niet slapen,' zei Ilja. 'Soms eens een uur en dan gaat het weer door.'

Ze hoorden weer de tekst die ze al kenden over de morgenklaarte die de vlakte verhelderde, het leger van de getrouwen dat gezwind voortstapte en de godverloochenende lafaards die dood en vernieling te verwachten hadden. Maar de jongelui kregen een andere opdracht. Ze moesten de letters tellen. Vijf jongens moesten een na een de eerste zin opzeggen. In snel tempo, zodat ze konden tonen dat ze daartoe in staat waren. Zodra de eerste de tekst gezegd had, moest de tweede er onmiddellijk op inhaken, daarna de derde, dan de vierde en dan de vijfde. De anderen moesten intussen de letters tellen. Het werd van hen verwacht dat ze dat in korte tijd zouden kunnen doen. De imam zou nagaan wie het kon en wie niet.

Ze hoorden de eerste jongen beginnen.

'De morgenklaarte verhelderde de vlakte.'

De imam schreeuwde hem toe dat hij veel te traag sprak. De jongen herhaalde de tekst, sneller. De tweede begon, daarna de derde, daarna de vierde en daarna de vijfde. Het werd een onophoudend, onwelluidend geratel dat de andere jongens alleen maar kon hinderen bij het tellen van de letters.

Nicola legde even de band stil.

'Dat is zeker wel de bedoeling?' zei ze. 'Dat hinderen, dat ergerlijk verstoren van de aandacht...'

'Ja, klaarblijkelijk,' zei Ilja.

Zodra een jongen klaar was met het tellen van de letters werd van hem verwacht dat hij de hand zou opsteken. Dat gebeurde, maar het getal klopte niet, riep de imam. Hij schold de jongen uit voor dommerik. Ook de tweede vergiste zich. De derde had het getal juist.

Vijf andere jongens moesten de tweede zin opzeggen.

'Gezwind stapte het leger van de getrouwen voorwaarts.'

Het akelige ratelen begon weer. Viermaal was het cijfer onjuist. De imam schreeuwde de jongens toe dat ze moesten opstaan. Hij zou hun teloefeningen geven.

'Hoeveel is drieëntwintig plus achttien?' riep hij. 'Zeg het, nu dadelijk. Drieëndertig plus achtentwintig? Zeventien plus vierentachtig?'

Een jongen die zich driemaal vergist had, werd naar de put verwezen. Ook de derde zin werd afgewerkt en daarna begon het eigenlijk. Toen moesten vijf jongens onafgebroken de hele tekst opzeggen en de andere jongens moesten de letters optellen, de totale som. Het werd een wild geharrewar. Na de eerste vijf moesten andere jongens de tekst overnemen, daarna vijf anderen, daarna moest het allemaal sneller gaan.

De imam schreeuwde verwensingen boven het geschetter uit. Herhaaldelijk hoorden ze een zweep knallen. Vier jongens moesten naar de put.

'Honderd en negen,' hoorden ze.

'Nee!' schreeuwde de imam.

'Achtentachtig.'

'Nee!' schreeuwde de imam.

'Honderd vierendertig.'

'Nee!' schreeuwde de imam.

Toen het getal honderd zeventien kwam, weerklonk er iets als een schot.

'Kom hier, jij, prins van de getallen,' riep de imam. 'Jij bent de enige die kan denken in deze kudde runderen.'

Hij dwong de anderen in de handen te klappen.

'Jou, winnaar van deze strijd, schenk ik dit brood en deze kruik water,' zei hij. 'Eet en drink, nu.'

De anderen moesten in de handen blijven klappen terwijl de jongen at en dronk. Soms moesten ze voorovergebogen staan, soms de armen boven het hoofd heffen terwijl het handgeklap ononderbroken doorging. Het duurde en duurde.

'Worden ze niet gek?' jammerde Nicola.

'Dat is de bedoeling,' zei Ilja.

De imam prees de overwinnaar omdat hij gehoorzaamd had, omdat hij zonder aarzelen, zonder denken de opdracht uitgevoerd had.

'Zonder denken, hoor je het?' zei Nicola.

'Daaraan kun je de volgeling van God herkennen,' zei de imam. 'Hij heeft maling aan de vermoeidheid en wint de strijd. Hij verdrijft het gepieker met zijn geest. Hij laat daar niets anders in toe dan de grote helderheid van God.'

'Weg, alles wat er in die geest is, hoor je hoe hij het hun allen uitlegt?' zei Nicola.

De jongen was blijkbaar klaar met eten en drinken en kreeg de toelating om te gaan zitten en rusten.

'Zit je goed, voorbeeldige jongen?' vroeg de imam. 'Aan het werk dan, jullie nietsnutten. Een, drie, vijf!' schreeuwde hij.

Vijf jongens moesten de tekst opzeggen volgens de methode die ze al kenden. Het eerste woord, het derde woord, het vijfde woord, enzovoort. Tienmaal zouden ze samen de tekst op die manier opzeggen. Daarna zouden vijf jongens, de ene na de andere, de tekst op die manier reciteren en de anderen zouden dan de letters tellen van de woorden die zij hoorden. Alleen van de woorden die zij hoorden.

'Een, drie, vijf,' zei de imam.

Nicola schakelde de cassettespeler uit.

'Als ik ernaar blijf luisteren word ik gek in hun plaats,' zei ze. 'We moeten hen daaruit halen, Ilja. Hoe dan ook.'

'Oerman bereidt dat al voor,' zei Ilja.

'Wat doen we dan met de jongens?' vroeg Nicola.

'Het Rode Kruis, om te beginnen,' zei Ilja. 'Daarna Unicef.'

'Nel Roos?'

'Heel zeker, ja.'

'Geef ik een persconferentie?' vroeg Nicola. 'Als ik de reporters optrommel, komen ze.'

'Dat zou wel knallen,' zei Ilja. 'Maar dan kun jij een hele tijd niet meer op straat komen. Laat Oerman het doen, met theatervertoon, en met Woodrow en ik aan de klank- en lichtinstallatie. Ons leven wordt niet gevaarlijker dan het nu al is. Schrijf jij je artikel en stuur dat de wereld rond. Dan knalt het op alle continenten.'

'Nou nou, alle continenten, ik en mijn speelgoedjes.'

'Ik heb je brief uit Brussel gehoord over de potsierlijke manier waarop Berlusconi de zaken voor Europa verknoeid heeft toen hij daar even de dingen mocht leiden. Dat dreunde.'

'Je bent nog altijd mijn beste lezer,' zei ze. 'Blijf dat,' smeekte ze.

Ze greep zijn arm met haar beide handen en schudde daaraan.

'Blijf dat. Blijf dat. Voortvarende Rus. Speelkameraad. In mijn allerslechtste dagen kon ik altijd naar jou toe komen of je opbellen. Het was daarna altijd beter. Doe niet alsof ik grote huwelijksplannen doorkruist heb. Die waren er niet. Als je echt je deur voor mij dichtdoet, kom ik op dat matje liggen tot je ze weer openmaakt.'

'Babbeltrien,' zei hij nurks.

'Ik moet dringend gaan schrijven en faxen,' zei ze, toen ze in Bagdad aangekomen waren. 'Maar ik ga even met je mee om te horen hoe Oerman de dingen geregeld heeft voor de overval op die kelder.'

32

Oerman kwam al van ver met zwaaiende armen en een wild wapperende mantel op hen toe gestormd.

'Weg!' schreeuwde hij. 'Weg! Weg! Weg! Alles weg!'

'Wat bedoelt hij daar nu weer mee?' vroeg Ilja. 'Die kerel moet alles eerst op een onverstaanbare manier zeggen en daarna mag je weten wat hij bedoelt.'

'Ze zijn weg!' schreeuwde Oerman. 'Allemaal verdwenen.'

'Wie zijn weg?' vroeg Ilja.

'Wie zijn weg! Wie zijn weg!' riep Oerman alsof hij radeloos was. 'Over wie hebben wij het? Over parelvissers? Over klarinetspelers? De bende van Arhab natuurlijk! De onderaardse kelder is leeg. De put is leeg. De nissen vol taterend klein grut zijn leeg. De binnenplaats is leeg. Gestommel op de cassette, wat gemompel, wat dof gepraat, en dan niets meer. Leeg! Alles leeg! We zijn naar Sidi Omar gehold en daar zijn de deuren op slot. Gebons, getrommel, door vensters gaan kijken. Niets. Dat huis is dicht. Tijdelijk zonder twijfel, maar nu is het dicht.'

Ilja vloekte.

'Zeg dat wel,' zei Oerman hijgend. 'Wij met onze wijze plannen dat het nog een dagje moest duren, om zeker te weten wat we eigenlijk al wisten...'

'Maar wat we nu toch beter weten,' zei Nicola aarzelend, pleitend. 'Betere funderingen, stevigere bewijzen.'

'Ja, dat zal wel zo zijn,' zei Oerman gelaten. 'Het gezond

verstand vaart doorgaans goed bij uitstel. Leef traag. Te langzaam en naarstigheid overwint alles. De vluggerd struikelt over zijn eigen voeten. Vier patrouilles had ik georganiseerd,' zei hij, de handen weer opgestoken. Hij vloekte viermaal.

'Rijden we er eens heen?' vroeg Ilja.

'O ja! O ja!' zei Oerman met theatrale gretigheid. 'Steek het broodmes diep in de wonde en draai maar en nog maar eens. Russen! De lijders van de mensheid.'

Ze reden naar het steegje. De poort van de binnenplaats bij de moskee stond open. Er was niemand. Ook de nissen waren leeg. De poort van de kelderruimte was dicht, maar niet op slot. Het was vreemd voor hen om in die half onderaardse overwelfde kelder te staan. Het hysterische tumult dat ze gehoord hadden op de kleine klankband leek nog maar pas voorbij. Het was alsof de bezwete, uitgeputte jongelui elk moment tevoorschijn konden komen, ademloos, uitgemergeld. Ze zouden die verwilderde ogen dan zien.

Ilja trok het houten luik en het liggende traliehek omhoog. De put was een diepe, donkere holte. Uit de nabije slaapplaats waren het stro en de matrassen verdwenen. De vloer was geveegd. Ze liepen terug naar de kelder en keken omhoog in de luchtkoker, waar hun micro had gehangen.

'*Gone with the wind,*' zei Ilja.

Ze reden naar het huis van Sidi Omar en belden meermaals aan. Niemand kwam openmaken. Sommige binnenluiken waren gesloten. Ze liepen een blokje om, op zoek naar een andere toegang, een achterdeur, een dienstingang. Twee kleinere deuren vonden ze. Fors gesloten. Geen bel. Geen ramen.

'Daar gaat onze bewijsvoering,' zei Nicola treurig.

'De klankbanden hebben toch waarde,' zei Ilja zonder veel overtuiging.

'Documentaire waarde,' zei Nicola. 'Nuttige waarde, maar het is niet wat je op een rechtbank nodig hebt. Geluidsbandjes doen het niet bij een rechter. Iedereen kan die maken. Je schrijft een tekst en je werft een paar acteurs aan om die te spelen. Acteurs spelen al wat je maar wilt.'

'We gaan hen zoeken,' zei Oerman. 'We hebben tweehonderd jonge kerels daarvoor. We verdelen de stad in wijken en we sturen hen daarheen, straat in, straat uit. Kijken, luisteren. Om te beginnen de moskeeën, de koranscholen, dan de andere scholen, de islamitische boekwinkels, islamitische clubs. Zoeken tot we hen vinden.'

'Ja,' zei Ilja moedeloos. 'Ja. Maar weet iemand op honderdduizend na hoeveel inwoners Bagdad heeft?'

Hij bracht Nicola naar haar hotel.

'Kom met me mee eten,' zei ze.

Hij schudde van neen. Hij stapte uit om het portier voor haar te openen, maar hij kwam te laat.

'Altijd maar klungelen,' zei hij.

Er reed een kolossale vrachtwagen met opligger voorbij. S&S stond er in het groot op. Hij werd gevolgd door nog zo'n vrachtwagen en dan nog twee kleinere.

'S&S, dat is hij, nietwaar?' vroeg hij. 'Die Rao Mohan Surendranath van jou. Ze zeggen dat het Surendranath en Surendranath is en dat hij die naam gekozen heeft om duidelijk te maken dat hij het met niemand moet delen, dat hij geen partners heeft, dat hij de grote baas is, hij alleen. Is dat zo?'

Ze glimlachte even.

'Het zou best kunnen,' zei ze.

'Maar is het zo?' vroeg hij, aandringend.

'Het is ongeveer zo, ja.'

'Hij werkt voor de Amerikanen, maar hij schijnt tegen de Amerikanen te zijn. Is dat waar? Weet je dat?'

'Hij is tegen de Amerikanen, ja.'

'Collaboratie,' zei hij. 'Omdat alles mag in een amorele wereld?'

'Nee, niet daarom. Zeker niet daarom. Hij zegt zulke dingen wel. Die problemen bestaan wel werkelijk voor hem, maar hij leeft daar niet mee. Ik heb nog vrienden die die dingen bespreken, in Brussel. Goede collega's, kameraden. Zij weten alles over de big bang en dat de zon na zoveel miljard jaar zal uitgebrand zijn, weg zon dan, weg wij, maar ook zij leven daar niet mee. Zij leven genoeglijk binnen de aardse limieten. Hun droogje, hun natje, foeterdefoeter tegen de maatschappij en daarna gezellig een pintje.'

'Zou hij die opstanden tegen de Amerikanen kunnen leiden?' vroeg hij.

'Ja, heel zeker,' zei ze.

'Ook de zogenaamde martelaars?'

'Ook die, ja.'

'Dat mag van hem?'

'Hoe ver hij daarin gaat, weet ik niet. Het principe keurt hij niet af, ieder zijn vrijheid, maar ik denk niet dat hij een doder is, zeker geen zelfdoder. Dat laatste aspect irriteert hem. Hij praat graag over die dingen, maar hij preekt niet. Hij wil misschien wel laten voelen dat je tegen de Amerikanen kunt zijn en niet voor de islamitische fundamentalisten. Dat vind ik heel goed,' zei Nicola. 'Ik ben ook zo, maar ik heb geen tweehonderd zevenentwintig bedrijven.'

De ogen van Ilja werden wat groter.

'Tweehonderdzevenentwintig bedrijven?'

'Ja... Eerlijk gezegd, veel te veel naar mijn smaak. Ik moet nu heel hard gaan werken.' Hij knikte met nadruk. 'En een kusje voor Ia,' zei ze. 'Ik zou ook weleens Ia willen heten en tegen jou opklauteren.'

Ze wilde hem een kus gaan geven, maar hij liep naar de andere kant van de auto.

Nicola gaf de hotelbediende achter de balie de opdracht telefoongesprekken voor haar wel op te nemen, maar ze niet door te sturen naar haar kamer.

'Ik zal ze later beluisteren,' zei ze. 'Het zou wel druk kunnen worden. Ik heb veel werk.'

Ze zei ook dat ze niemand naar boven mochten laten komen. Niemand. Voor een dringende boodschap, bijvoorbeeld door de directie van het hotel, moesten ze iemand sturen en driemaal aankloppen op de deur en dan nog eens drie keer. Tok-tok-tok en dan nog eens tok-tok-tok.

'Komt er herrie?' vroeg de bediende.

'Dat zou wel kunnen,' zei Nicola nerveus. 'Misschien toch ook wel niet.'

Ze gaf de jongeman een biljet van twintig dollar. Hij maakte zich breed en zei: 'Hier komt niemand voorbij.'

Een kwartier later al dacht ze schamper terug aan haar opmerking dat er misschien toch niet veel herrie zou komen. Hoe naïef kon iemand zijn. Nauwelijks had ze haar deur op dubbel slot gedaan en de overgordijnen dichtgetrokken en over de twee lijnen die ze ter beschikking kreeg in het kort de belangrijkste dingen doorgegeven, titels, ondertitels, enkele berichten in telegramstijl, of daar hoorde ze al de opgewonden stem van haar baas in Brussel, even later die van Londen, waar het nog vroeger op de dag was. Terwijl ze met toestemming van haar baas bijzonderheden over het bombardement op de oase Aït-Assan doorgaf aan het grote hoofdkwartier, werd vanuit New York dringend contact met haar gevraagd. Het Amerikaanse leger, zo werd haar gemaild, liet weten dat ze 'knooppunten' hadden gebombardeerd, plaatsen waar verbindingen van het terrorisme elkaar kruisten. Een coördinator in Londen organiseerde het contact. Nicola werd verzocht eerst haar verhaal te geven, de gebeurtenissen, wat ze in Aït-Assan gezien had, in beknopte stijl, daarna een voor een de getuigenissen die ze in de oase had kunnen bekomen. Haar hart hamerde terwijl ze overwoog of ze het over het halve kind en dergelijke dingen zou hebben. Moe, duizelig, deed ze het toch. Ik heb die vulgaire baldadigheden niet uitgehaald, dacht ze, zij hebben dat gedaan. Laat zij daar dan maar met beschaamde kaken staan. Na de getuigenissen wilde de coördinator de gegevens over de binnenplaats van de herberg waar de doden lagen. Vervolgens over de tent van het Rode Kruis waar de gekwetsten verzorgd werden. Daarna wilde hij een beschrijving met bijzonderheden van de plaats na het bombardement, de verwoeste herberg, de verwoeste moskee, het verkoolde marktveld, de afgeknapte palmbomen, de verwoeste boerderijen. Ten slotte verlangden ze van haar een eveneens nauwkeurige beschrijving van de plaats zoals die geweest was voor het bombardement, haar persoonlijke blik, haar ontmoeting met bewoners van de oase en daar aan vastgeknoopt haar persoonlijke evaluatie van wat er gebeurd was. Ze hoefde zich niet in te houden, de stijl mocht bewogen zijn. Vanuit Tokio, waar het volle nacht was, werden haar vraagjes gesteld over de bevolking van een dergelijke oase en over de gasten van de herberg. En of er tot dan toe enig verband geweest was tussen die plek en de oorlog, wilden zij ook weten. Een generaal uit Washington had geprobeerd haar te bereiken via Londen en daarna via Brussel. Men had hem niet doorgelaten. Vanuit Parijs ondervroegen zij haar over het economische belang van een oase als Aït-Assan, het politieke belang, het militaire belang, het aantal bewoners, het aantal doden, het aantal gekwetsten, de afstand tussen Aït-Assan en Bagdad, de jonge moslims die waren omgekomen in de moskee, of er daar een verband was met het terrorisme, de aard van de boeken die teruggevonden waren in het puin, poëzie en wijsbegeerte, maar hoe had zij dat kunnen nagaan? Kende zij Arabisch? Kon zij eens iets in het Arabisch zeggen? Wilde ze eens luisteren naar een Arabisch zinnetje en dan vertalen wat daar gezegd was? Soms sprak ze in de telefoon in haar linkerhand en faxte intussen dingen een andere richting uit met de rechterhand.

Ze had al twee keer koffie naar boven laten komen. Ze vroeg er weer. Toen ze passen hoorde, ging ze de deur openmaken. Een paar zware, woeste passen. Toen ze vlakbij de deur stond, werd er zo hard op gebonsd dat ze achteruitsprong.

'Maak die deur open!' schreeuwde een Amerikaanse stem, die ze herkende. De stem van de man die Patton wilde heten.

Ze opende de deur. Die leek te klein voor de kolos. Zo wild ging hij tekeer, dat de deur haar raakte en ze tegen de muur aan viel.

'Wat heeft dit te betekenen?' schreeuwde hij. 'Wat moet ik nu horen? Ik dacht dat u en ik elkaar begrepen.'

Het meisje met de koffie verscheen ook in de deuropening.

'Dat kan wachten,' tierde de Amerikaan.

Hij wilde de deur dichtgooien, maar Nicola trok ze weer open.

'Dat kán wachten, maar dat hoeft niet te wachten,' zei ze. 'Uit mijn weg!' riep ze toen ze het dienblad van het meisje overgenomen had.

De Amerikaan stond daar met een knuppel aan zijn voet en een helm tot op zijn ogen.

'Gaat u uit de weg?' riep ze. 'Of giet ik die koffie over u heen?'

'Hé, wacht!' schreeuwde hij toen ze al de koffiekan greep. Ze liep zo heftig langs hem heen dat ze hem raakte met het dienblad en er koffie over zijn hand gemorst werd. Hete koffie. Hij ging tekeer alsof hij mishandeld was. 'Dit is mijn kamer,' zei ze. 'Ik hoef u hier niet binnen te laten. Als u in het holst van de nacht met alle geweld met mij wil praten, zal ik naar beneden komen.'

'Naar beneden en dan misschien meteen maar mee naar de politiepost,' zei hij, 'ja, dat is een goed idee.'

Ze greep de telefoon, drukte op een paar knoppen en zei: 'Reuter Londen, dit is Nicola Fransse, ik ben in mijn hotelkamer. Er is hier een Amerikaan die mij geen papieren getoond heeft. Hij wil mij opbrengen. Zijn naam is...'

De Amerikaan snokte de telefoon uit haar handen en liet hem met een smak op haar werktafel neerkomen. Hij stond daar met die zwarte ogen naar haar te kijken.

'U heeft wel lef,' zei hij stiller. 'Dat moet ik toegeven. U komt uit Brussel, nietwaar? Ik heb er al eens een paar uit die hoek ontmoet. Ze willen de dingen zoals zij die zien. Verander maar niets, tenzij zij het willen.'

'Er zijn al heel wat veranderaars bij ons binnengedonderd in de loop van de laatste eeuwen,' zei Nicola. 'Die zijn er daarna allemaal weer uitgedonderd.'

'Een paar wel met onze hulp,' zei de Amerikaan.

'Toegegeven,' zei Nicola. 'Jullie zijn niet helemaal schoorsteenvegers.'

'Dat is weer niet het beste woord,' zei de Amerikaan.

'In andermans schouw kruipen en er wit uitkomen, ik zie niet hoe dat zou kunnen,' zei Nicola.

'Ja, laten we het daarover hebben,' zei de Amerikaan. 'In die speciale telegrammen, in die speciale berichten, wordt er gedaan alsof er nu iets heel typisch in Irak gebeurd is.'

'Er is nu iets heel typisch in Irak gebeurd,' zei Nicola.

'Ik ben aan het woord nu,' zei de Amerikaan. 'Die onschuldige oase wordt een soort van aards paradijs. Wij hebben dat geschonden, wij hebben het verwoest, zonder dat er enige reden toe bestond. Dat zou typisch zijn voor ons.'

'In Aït-Assan zaten er geen massavernietigingswapens in de grond,' zei Nicola, 'en ook geen andere wapens. Er waren daar geen communicatietuigen of documenten van terroristen verborgen. En evenmin terroristen. De oaseboeren die er dadels en gerst teelden en de reizigers die er kwamen overnachten in de herberg, vormden geen enkele bedreiging voor het Amerikaanse volk. Maar die plaats moest toch met bommen bestookt worden om de mensheid te vrijwaren van terroristen. Het lijkt wel dat ik daar meneer Bush hoor in de dagen dat Saddam er nog was. Iets kleins dat op aangrijpende wijze de schoonheid of de afschuwelijke lelijkheid van iets groots illustreert, de dichters noemen dat een metafoor. Zij die dat goed kunnen, er zijn er niet veel, worden terecht met lauweren bekroond.'

De Amerikaan maakte een driftig wegvegend gebaar.

'Die getuigenissen,' zei hij, 'die zogenaamde gesprekken met gekwetsten, met verplegers, dat halve kind, die man die geen voeten meer had, die man die geen arm meer had, die verpleger die het wegdragen van lijken niet erg vond, maar het opruimen van de resten wel, dat hebt u zeker allemaal verzonnen? De mensen willen macabere dingen, dus geeft u hun die?'

'Daar is geen woord van verzonnen,' zei Nicola. 'De gesprekken zitten allemaal in mijn dictafoon.'

'Ja, maar die heeft u hun wel onder de neus geduwd. Wat een kans voor die lui om zich eens belangrijk te voelen, om eens op de radio gehoord te worden, om eens op de televisie gezien te worden.'

'Nee, ik heb niemand mijn dictafoon onder de neus geduwd,' zei Nicola. 'Ik heb die niet eens in mijn hand gehouden. Het is een ding van buitengewone kwaliteit. Het zat in mijn tas. Die stond wel open omdat ik ook bloed moest stelpen, maar het dictafoontje werkt ook als de tas dicht is. Als u niet op de hoogte bent, van het bestaan van dergelijke moderne dingen, zal ik die weleens voor u demonstreren, als u wilt.'

'En die televisiebeelden,' zei de Amerikaan, 'wie heeft die gemaakt? Iemand anders op andere plaatsen zeker?'

'Dat waren geen bewegende beelden,' zei Nicola. 'We konden de oase zien en het puin. Als het die plek al was...'

'Het wás die plek, maar het waren foto's die op de televisie vertoond werden, geen bewegende beelden. De foto's heb ik gemaakt met een klein toestelletje, niet veel groter dan een lipstick, u kent dat. Ik heb er u al eens mee gefotografeerd. Dat weet u nog wel. Ik heb de foto's op de computer vergroot en doorgestuurd. Kijk, hier is het toestelletje. Zal ik u nog eens fotograferen? Dan kunt u weer mee in de reportage.'

'Doe dat niet!' riep hij boos. 'Waarom doet u eigenlijk alsof Irak een onschuldig schaapje is dat opgevreten wordt door monsters, en dat wij die monsters zijn, dat monster zijn in onze aard zit, dat het onze bezigheid is?'

'Nu,' zei Nicola. 'Vroeger niet. Later ook niet, hoop ik.'

'Die voorstelling klopt ook nu niet,' zei hij. 'Wij hebben Irak van Saddam bevrijd.'

'Heeft één Iraki u daar om gevraagd? Enkele emirs die in jullie binnenzak slapen zeker wel. Zullen wij Amerika eens van Bush komen bevrijden?'

'Dan zal het Amerikaanse volk u dat niet gevraagd hebben,' zei de Amerikaan.

'Dat is het ergste van alles,' zei Nicola treurig.

'Hoezo, het ergste van alles? U zei daarnet wel wat anders.'

'Bush beweert dat Amerika mag doen wat het maar wil, als het maar goed is voor Amerika. Dat is heel erg. De hele wereld, behalve één slippendragertje, zei Bush dat hij zijn handen van Irak moest afhouden. Bush luisterde niet. Dat was al erg. Maar het ergste is dat de meerderheid van de Amerikanen nog steeds vindt dat Bush gelijk heeft. Een volk van tweehonderd vijftig miljoen mensen dat meent en verkondigt dat je mag moorden en branden zoveel je maar wilt, als het maar goed is voor je. Ze hebben Bush de tweede keer meer stemmen gegeven dan de eerste keer.'

Ze zei dat 'die Bush van hen' grapjes mocht maken, voor de televisie met een listig glimlachje de vraag mocht stellen waar die gifbommen wel zouden zijn die Saddam verborgen had. Misschien zaten ze wel onder zijn papieren. 'Je hoorde het publiek toen vrolijk schateren,' zei Nicola. 'Ik hoorde het Amerikaanse volk mee schateren. Dat vee loeide van San Francisco tot in Boston.'

Er kwamen nog meer Amerikanen de kamer binnen. Een van hen zei: 'Wij hebben tot opdracht alle voorwerpen en documenten in verband met de zaak in beslag te nemen.'

Nicola vroeg Patton: 'Laat ik dat weten op het hoofdkwartier van Reuter in Londen of zult u mij dat met lichamelijk geweld beletten?'

'Weg!' zei Patton tegen de anderen.

Hij dreef hen de kamer uit en duwde de deur dicht.

'U doet zich kordater voor dan u bent,' zei hij tegen Nicola. 'U speelt een rol. U bent onrustig. Dat zie ik wel.'

'Ik heb allang niet meer geslapen,' zei Nicola. 'Ik heb ook dingen gezien waarvan ik dacht dat ze niet bestonden.'

'Wat zegt meneer Rao Mohan Surendranath van al deze dingen?' vroeg de Amerikaan.

Zijn vorsende blik onderzocht haar.

'Ik weet het niet,' zei ze. 'Hij was er niet de laatste keer dat ik hem belde.'

Ze moest nog steeds vragen beantwoorden van nieuwsagentschappen en radio- en televisiezenders. Ze vroeg de Amerikaan wrevelig of hij wilde weggaan.

'Ik moet nog wat schrijven,' zei ze. 'Een artikel voor een Belgisch dagblad en een column voor een blad in Frankfurt.'

'Schrijft u dan in het Duits?' vroeg de Amerikaan.

'Ja.'

'Kunt u dat?'

'Nee.'

'Hoe gaat dat dan?'

'Ik heb mijn eigen Duits. Voetballers-Duits, noemen ze dat ginder, maar ze begrijpen het en maken er echt Duits van.'

'Kunnen wij geen vrienden zijn?' vroeg de Amerikaan ongelukkig. 'U bent er eentje zoals er niet veel zijn. Maar u doet dan weer ineens van die dingen. In uw hart bent u correct, dat weet ik zeker, maar u wilt doorgaan voor een rebel. Jullie in Europa maken de dingen altijd maar moeilijk.'

Hij zei dat ze het daarbij zouden laten, maar ze gingen haar wel meer in het oog houden dan vroeger.

'Nog meer?' vroeg Nicola.

De Amerikaan hief moedeloos de armen, schudde van neen en verliet de kamer.

Nicola werkte haar artikel en haar column af. Toen belde ze haar baas in Brussel op om te zeggen dat ze zestien uur lang niet ter beschikking was.

'Precies zestien?' vroeg die.

'Ja,' zei ze. 'Vier uur op mijn rechterzij, vier uur op mijn linkerzij, vier uur op mijn rug en vier uur op mijn buik.'

'Je krijgt er nog vier bij om te ontbijten,' antwoordde hij. 'Ook die week vakantie op de Caraïben, waar wij moeilijk over deden. Ook die zes maanden Washington, waar we nog moeilijker over deden. En ook die twaalf procent opslag, waar we heel moeilijk over deden. We verwachten dat er teruggeslagen zal worden. Houd dat in het oog, maar slaap eerst maar eens uit.'

33

Er wérd teruggeslagen. Op de vernieling van de vijf zogenaamde knooppunten van het islamterrorisme, wat zelfs in Washington niet ver van het Witte Huis een dom, bespottelijk manoeuvre genoemd werd, volgden in één nacht negen bomaanslagen op 'de knooppunten van het Amerikaanse imperialisme'. De Arabische televisiezenders brachten er uitvoerig verslag over uit. Herhaaldelijk werden close-ups van dode Amerikaanse soldaten getoond.

De week daarop bombardeerden de Amerikanen het lokale vliegveld Emira, dat al enkele weken bezet gehouden werd door sjiitische milities. De woordvoerder op het Amerikaanse hoofdkwartier verklaarde dat daar de centrale zenuwknoop van het verzet werd getroffen. Het laatste vliegtuig dat ze daar nog hadden was verwoest, zei hij, er zouden van daaruit geen raketten meer vertrekken. Terwijl er tijdens de persconferentie op het podium gegrinnikt werd, sprak hij over 'de laatste kanonnen van Allah'. Hij corrigeerde zichzelf: 'Van de Grote Mollah, bedoel ik natuurlijk', waarbij een foto van de sjiietenleider werd getoond.

De week nadien stortten raketten neer op een Amerikaans legerkamp tussen het vliegveld en de hoofdstad. Barakken en vrachtwagens werden vernietigd. Lange tijd stond het kamp in brand. Volgens de Amerikanen waren vier van hun soldaten gesneuveld. Volgens de Arabische zenders waren het er eenentwintig. 'Een deel ervan kunnen we u tonen,' zei de Arabische nieuwslezer de volgende dag. Op het scherm verschenen beelden van vijftien kisten onder Amerikaanse vlaggen, en daarna beelden van een vrachtwagen waarin verschillende kisten naast elkaar stonden, eveneens onder een Amerikaanse vlag.

Op verschillende plaatsen in de stad werden arrestaties verricht. Een uitgaansverbod werd uitgevaardigd en daarna weer ingetrokken.

De nervositeit in de stad groeide nog toen er een aanklacht ingediend werd tegen de bezettingstroepen. Die zouden Irakese gevangenen mishandeld hebben. Eerst werd dat ontkend, daarna werd het door onrustige diplomaten toegegeven, met de verzekering dat de schuldigen streng gestraft zouden worden. Televisiebeelden gingen de wereld rond waarop je kon zien hoe Britse soldaten op een schandelijke manier Irakese gevangenen behandelden.

Nicola ontving dreigbrieven. Ze nam een kamer in een ander hotel. Ze huurde een andere auto, ander model, andere kleur. Wanneer ze door de stad reed en omkeek zag ze altijd een Amerikaanse jeep, en ook wanneer ze haar hotel verliet of daar weer aankwam zag ze daar Amerikanen.

Iedere nacht hoorde ze ontploffingen. Ze zag vuurhaarden. De Amerikanen lieten weten dat de raketten door hen afgevuurd waren om gebouwen of voorraden van de opstandelingen te vernielen.

Op een ochtend kwam Ilja opgewonden bij Nicola aan met de melding dat hij Oerman Arhab gezien had. De imam van de kleine koranschool van Bethel-Dar en van de overwelfde kazemat, de beul, zei hij. De kerel met de averechtse teksten. Hij had hem gezien in Europese kleren, maar hij wist zeker dat het die Oerman Arhab was. Hij droeg een grijs, gestreept pak van behoorlijk goede snit en hij reed in een grote, chique, zand-kleurige Lancia.

'Een Lancia?' vroeg Nicola bevreemd.

'Ik heb hem gezien. Een grote, chique Lancia.'

'Rijden imams in grote, chique Lancia's?'

'Deze wel. Probeer me niet van mijn stuk te brengen. Het is zoals ik zeg. Ik heb de kleren en de auto ook beschreven voor een aantal van onze jongelui. Als ik ook maar in mijn auto gezeten had... Maar ik was te voet. Je kunt niet te voet achter een auto aanhollen.'

'Droeg hij een tulband?' vroeg Nicola.

'Maar nee. Een tulband en een Europees pak, dat hoort toch niet bij elkaar.'

'Ze doen het,' zei Nicola. 'De Sikhs bijvoorbeeld, die hebben dikke pakken zwart haar, maar ze mogen het niet tonen. Hun baard mogen ze tonen, maar niet hun haar. Dat zou een *disgrace* zijn, zei een Sikh ooit tegen mij. Wat voor haar had jouw kerel? Zwart haar, een volle haardos of al kale plekken?'

'Nee, nee, een volle haardos.'

'We kunnen in elk geval uitkijken naar die chique, zand-kleurige Lancia,' zei Nicola. 'Dat is een kostbare aanwijzing. Daarin een man met een volle, zwarte haardos en een grijs gestreept pak.'

'Gaan we in de stad rondrijden?' vroeg Ilja.

Hij bleef gelegenheden zoeken om bij haar te zijn.

Rao was dikwijls afwezig. Hij was eens in de Verenigde Staten, in Pakistan en ook eens in Egypte. De hele tijd ondervroeg Ilja haar daarover. Hij wist niet dat zij Rao al twee keer ontmoet had sinds de aanval op de oase Aït-Assan, telkens in een vallei van de Koerden op een klein vliegveld dat de Amerikanen de Koerdische strijdkrachten hadden laten behouden als beloning voor hun hulp bij het omverwerpen van het regime van Saddam. Indar had haar daar heen gebracht in de geblindeerde Bentley. Rao was er komen landen in zijn kleine jet, die hij zelf bestuurde. Het zat haar niet lekker dat ze dat niet tegen Ilja zei. Natuurlijk, ze hoefde het hem niet te zeggen. Ze was daartoe niet verplicht. Maar volgens haar was ze dat toch wel wegens de warme vriendschap die er tussen hen beiden was en die voor hem meer was dan vriendschap. Dat maakte hij haar geregeld duidelijk. Maar ook voor haar was het meer. Ze bestreed dat gevoel, maar niet altijd. Dan heerste er verwarring in haar die ze slechts met moeite kwijtraakte.

Tijdens de twee kleine reizen naar de vallei van de Koerden was de Bentley meermaals beschoten door sluipschutters. Tot zijn tevredenheid vond Indar daar nooit sporen van op de auto. Ze had Rao gevraagd of ook zijn vliegtuig tegen kogels bestand was. Tegen kogels wel, had hij gezegd, maar tegen raketten was niets bestand. Het ergerlijke aan geleide raketten, had hij haar eens gezegd, was dat je die niet kon ontwijken. Je kon er niet voor op de vlucht gaan. De raketten volgden je. Er bestonden systemen om de radar in de war te brengen, maar die waren niet te koop voor de kleine mensen. Al meermaals had hij de term kleine mensen gebruikt. Nicola wist niet goed wat hij dan bedoelde. Soms leek het een sociale term te zijn. De kleine landen, de kleine volkeren, de kleine mensen. Dat leefde in hem. De manier waarop industriële en rurale proletariërs in de loop der tijden uitgebuit waren, stond hem tegen. Slecht behandeld, ontevreden personeel was zoiets als verroeste machines. Daar kon je geen resultaten mee boeken. Je kon afspraken met elkaar maken. Als de methode A goed was voor jou en de methode B goed voor jouw personeel en de methode C goed voor jou en voor jouw personeel, dan moest je methode C volgen. Dat waren pragmatische overwegingen. Ook taakverdelingen wilde hij, alweer om de praktische reden dat een maatschappij niet kon functioneren als iedereen hetzelfde deed. Je kon je ook daar niet omringen met berooiden. Je moest ze wat geven voor ze aan het pakken gingen. Ook onwetenden waren niet nuttig. Kennis als dam tegen de domheid.

Het beeld van imam Arhab in een Europees pak in een grote Lancia bleef Nicola intrigeren. Ze reed naar de Nationale Dienst voor het Verkeer, die was opgericht in afwachting dat er weer ministeries zouden zijn. Bij de dienst verkeersbelasting probeerde ze te weten te komen of er Lancia's ingeschreven waren en aan wie die dan toebehoorden. Ze gaf het op toen het haar duidelijk werd dat de dienst een hopeloze warboel was.

Ze vond een garage waar vroeger Lancia's verkocht werden, maar de eigenaar was dood, zijn vrouw en kinderen waren naar Jordanië vertrokken en er waren geen documenten achtergebleven in het verlaten kantoortje.

Een aantal van de aanslagen van de jongste weken was het werk van zelfmoordrijders. Bij acht ervan was dat zeker het geval, bij nog vijf andere bijna zeker. Het bevreemdde Nicola dat ze in de beide kampen zelfmoordrijders scheen aan te treffen. Geen probleem wat de opstandelingen betrof, maar het andere kamp, dat waren de Amerikanen. Het leek haar onzinnig dat ook de Amerikanen zelfmoordrijders gebruikten. Toch leken gegevens dat te bevestigen. De oase Binaya, ongeveer halverwege tussen de hoofdstad en de heilige stad van de sjiieten leek zo'n plek te zijn. Daar stond het heiligdom van Sidi Makarim, een maraboet uit de veertiende eeuw die nog altijd aanhangers en leerlingen had in een heel mooi, oud klooster met zuiltjes en kleine kamers. Bedevaarders kwamen ernaartoe vanuit de woestijn. De kloosterbewoners zegenden de kinderen. Op bijzondere dagen voerden ze razendsnelle dansen uit waarbij ze in vervoering raakten en het leek dat zij tollen waren, die bleven draaien zonder dat ze daar iets voor schenen te moeten doen. Volgens de overlevering was het hoofd van de sjiieten daar ieder jaar komen bidden, eeuwenlang al. Tijdens een van zijn persconferenties had de woordvoerder van het Amerikaanse leger Binaya eens genoemd in een kleine lijst van plaatsen waar volgens gegevens van de legerleiding Amerika werd bestreden. Wat later was de naam opnieuw genoemd met nog slechts twee andere. Enkele dagen later werden die drie plaatsen vernield. Op twee ervan waren bommen gegooid vanuit een helikopter. Op Binaya was dat niet goed mogelijk omdat er zich afweergeschut bevond. Een oude terreinwagen was daar vanuit de woestijn komen aan razen en had het klooster tot een puinhoop herleid. Theoretisch, zo zei men, zou een soennitische fundamentalist het gedaan kunnen hebben. Soennieten en sjiïeten twistten of bestreden elkaar de hele tijd, maar Binaya was een heel oud heiligdom dat ook geëerbiedigd werd door de soennieten. Soennitische bedevaarders kwamen ernaartoe vergezeld van hun mollah en tijdens de feesten na de ramadan zaten sjiïtische en soennitische imams er naast elkaar aan tafel. Iedereen was het erover eens: de persoon die daar in een terreinwagen was komen aanrijden, was geen islamitische fundamentalist. Maar wat was hij dan wel? Wie was hij dan wel?

Het lukte Ilja, Woodrow en Oerman niet enig ander spoor te vinden van de jongelui uit de overwelfde kazemat. Ze zwierven in de avonduren door de stad om te kijken naar jongelui die in groepjes bij elkaar stonden of door de straten liepen. Ze bleven staan kijken bij koffiehuizen en buurtbioscopen om te zien wie daar in en uit liep. Op de sportvelden liepen ze langs de toeschouwers. Ze gingen kijken en luisteren in de buurt van moskeeën en koranscholen. Maar steeds keerden ze teleurgesteld terug. Er kwamen dreigbriefjes aan in Bagdad Palace, naamloze boodschappen op flarden papier die om een steen gewikkeld waren en zo naar binnen gegooid werden. De teksten bevatten scheldwoorden. Zij waren 'kinderen van de duivel'. Dergelijke dingen werden niet meteen ernstig genomen in een oproerige stad waar geen gezag meer heerste en waar opinies en gezindheden evenzeer elkaar bestreden als de buitenlandse vijand. Ze vonden eens een briefje waarin zij ervan beschuldigd werden 'de kinderen van God' uit hun heiligdom te hebben verdreven. Verdreven, zo stond het er. Verjaagd uit hun heiligdom, heette het een dag later. Op een ochtend stelden ze vast dat er rode verf uitgegoten was voor de toegangsdeur.

'Bloed,' zei Nicola angstig.

'Nee, dat is geen bloed,' zei Ilja.

'Dat weet ik,' zei Nicola. 'Maar het moet dat wel voorstellen. Dat gebruik heb ik in Iran gezien. Je giet rode verf voor iemands deur en een paar dagen later ligt daar iemand dood. En hij moet niet alleen sterven, hij moet sterven in angst, vandaar de kleur van bloed.'

'Patrouilles,' zei Woodrow. 'Je moet patrouilles organiseren. Niet alleen wij, maar ook onze jongens. We moeten met zijn allen kijken wie er in de buurt rondloopt.'

Ilja was het daarmee eens. Oerman was zo opgewonden dat zijn stem oversloeg. Hij zei dat ze wapens moesten hebben. 'Uittrekken, hen voor zijn, dat geboefte uit zijn holen halen.'

Ze vonden een briefje waarop stond dat ze heidenen waren, op een ander werden zij beschuldigd van lafheid. Door te willen leven zoals de buitenlanders werden zij hun medeplichtigen.

Op een middag, terwijl Oerman en een aantal jongeren zaten te bidden, Oerman op de rots waar hij gewoonlijk zijn toespraken hield, de jongeren op de grond om hem heen, allen diep voorovergebogen, het hoofd in dezelfde richting, leek het alsof de donder insloeg op Bagdad Palace. Op de vier hoeken van het binnenplein stortten de gebouwen in. De ontploffing was zo krachtig dat de ruiten in de omliggende gebouwen verbrijzeld werden. Bij de eetzaal stortten lichamen over elkaar heen tussen steenbrokken en stof. Oerman werd door de luchtverplaatsing van zijn verhoog geveegd en tuimelde tussen de blokken omlaag. Hij bloedde aan zijn handen en zijn hoofd, maar hij was verder niet gekwetst. Woodrow had brandwonden, veroorzaakt door olie die op het fornuis in brand geraakt was en die zich verder verspreid had. Fernando, El Burro, die ervan gedroomd had een beroemd matador te worden, lag dood onder de balken en de brokken van een ingestort plafond. Ilja kon zich bevrijden van onder het puin, hij had builen, maar geen verwondingen.

Elf jongelui waren dood, twintig erg gekwetst, bijna allen hadden ze ergens bloed op hun lichaam.

Terwijl een brandweerauto en ziekenwagens kwamen aan rijden stroomde een menigte rond Bagdad Palace samen.

'Wat nu? Wat nu?' hoorde je daar. 'Hier kon je geen goed woord over de Amerikanen horen, maar kijk ze daar nu liggen. Zo Iraaks als het maar kan, zo vredelievend als het maar kan, maar dood, verhakkeld, bebloed.'

Iemand wees naar Oerman en zei: 'Als je eens een goeie wilt horen over kwibus Bush, ga maar naar hem.'

De mensen uit de buurt kenden Bagdad Palace. Zij mochten de moed en de opgewektheid die daar heersten. De weigering om ook aan het doden te gaan. De vitaliteit. Het eenvoudige vertrouwen. Het geloof in een leven dat voor zichzelf kon zorgen, zonder gewapende betuttelaars.

34

Nicola had de afgelopen dagen en ook die ochtend nog reportages gemaakt met opnamen van gesprekken in de kleinere steden van de sjiieten. Ze had verrast, tevreden vastgesteld dat de grote meerderheid van de bevolking daar niet extremistisch was, dat geen van hen ernaar verlangde de soennieten te gaan uitroeien, wat ze een soennitische fundamentalist weleens had horen zeggen, en dat ze ook de Amerikanen niet wilden uitroeien. Ze wilden die wel weg, maar levend. Ze wensten hun een goede gezondheid en een voorspoedige toekomst toe, in hun eigen land. Ze hoorde in haar hotel de geweldige donderslag in de binnenstad. Toen haar enkele ogenblikken later de boodschap van Ilja en de samenvatting van de gebeurtenissen overgemaakt werden, holde ze naar haar auto.

Ze stond te huilen bij de dode lichamen en hielp bij de verzorging van de gekwetsten. Diezelfde nacht nog begroeven ze Fernando en de dode jongens, langer kon er niet gewacht worden in een woestijnland als je geen koelkelders had. Ze bleef bij de gekwetsten. Er waren er die hun angst niet de baas konden. Anderen waren wanhopig. Ze praatte met hen. Ze hield hun hand vast. Ze reed naar haar hotel en stuurde berichten door naar haar agentschap over de aanslag op Bagdad Palace.

'Straks nog meer,' zei ze. 'Ik moet eerst even terug naar die jongens.

Ze reed terug naar Bagdad Palace en hielp weer bij de verzorging van de gekwetsten. Een zwaargewonde jongen stierf. Ook hij werd meteen begraven. In de ochtenduren praatte ze met Woodrow.

'Ik ben nog vergeten je wat te vertellen,' zei ze. 'Ik heb met die meid gesproken die haar vingers niet terugtrok. Ik heb haar gezegd dat jij een verstokte vrijgezel bent en dat ze niet moest proberen om daar verandering in te brengen.'

'Dat is een leugen,' zei Woodrow.

'Dat weet ik toch wel,' zei Nicola. 'Maar met een beetje geluk zal ze het nu wél proberen.'

'Ik moest het proberen, zei je.'

'Ja, maar als zij het doet, is het toch gemakkelijker.'

'Jij bent me er eentje,' zei hij.

'Ga daar dus nog maar eens kijken,' zei Nicola. 'En hang de koele uit.'

'Zijn jullie allemaal zo?' vroeg hij.

Oerman had een ontwrichte schouder. Hij droeg zijn arm aan die kant in een verband. Hij was van streek. De uitbundige branie leek geblust.

'Dit had ik nooit verwacht,' zei hij. 'Ruziemaken, ja…'

'Dat scheen je plezierig te vinden.'

'Maar toch niet doden. Doden!' zei hij sidderend.

Spelen, dacht Nicola, die grote knaap heeft tot vandaag lopen spelen. Het leven is een glorierijk theater, maar nu liggen de decors aan stukken.

Ilja kwam naar hen toe, bleek, gespannen.

'Ik zet het ze betaald,' zei hij. 'Reken daar maar op. Ik zet het ze betaald.'

'Nee, nee,' zei Nicola zacht. 'Niet zo.'

Later die ochtend kwam Rao daar aan. Het bracht Nicola in de war.

'Ik heb gehoord wat hier gebeurd is,' zei hij. 'Wie heeft dit gedaan?'

'Dat zouden we wel willen weten,' zei Nicola. 'Dat volkje uit de kazemat, die imam. Bijna zeker komt het uit die richting. Anderzijds…'

'Anderzijds?' vroeg Rao.

'De dingen vlotten niet meer zo goed tussen ons en de Amerikanen. Wij beginnen hen in de weg te lopen, geloof ik.'

'Maar *zij* doen zulke dingen toch niet,' zei hij met een woest gebaar naar de ingestorte gebouwen.

'Wie hoort bij wie, wat hoort bij wat?' zei Nicola.

'Een complete verwarring,' gromde Rao.

Hij drukte Ilja aan zijn borst. Dat deed hij ook met Woodrow en Oerman. Hij liep langs de gekwetste jongens. Hij keuvelde met hen en legde zijn hand op hun wang. Hij kwam terug en zei: 'Ik maak hier de boel weer in orde. Mag ik dat doen? Ik heb altijd wel ergens ploegen met overschotjes van tijd. Ik zal een écht centrum voor jullie bouwen, een echt binnenplein, een echte eetzaal, een echte slaapplaats, een echte bibliotheek. Dat was ik al eerder van plan, maar nu doe ik het.'

'En wie zal dat betalen?' vroeg Ilja.

'Jullie,' zei Rao. 'Met een krediet van honderd vijftig jaar.'

Toen hij daarna aanstalten maakte om weg te gaan wist Nicola niet wat ze moest doen.

'Dat tehuis en zo, doe je dat echt?' vroeg ze.

'Natuurlijk. En ik laat Kofi Annan komen om het in te huldigen.'

Nicola zei tegen Ilja: 'Ik moet nog gaan schrijven, een uitvoeriger verhaal over wat er hier gebeurd is.'

'Ja, ga maar,' zei hij, een beetje onwillig. 'Ga! Ga!' zei hij daarna zachter.

Rao volgde haar in zijn Bentley naar het hotel.

'Mag ik mee naar binnen?' vroeg hij. 'Ik heb nog nooit een correspondente van Reuter aan het werk gezien.'

'Ja, kom maar mee,' zei ze.

Hij zat in de verste hoek van de kamer toe te kijken en te luisteren toen ze de verbindingen met Brussel en Londen tot stand gebracht had en in de micro begon te praten. Na een poos kwam hij naderbij en vroeg vol bewondering: 'Moet je dat eerst niet schrijven? Schud je dat zomaar uit je mouw?' Wat later zei hij: 'Dat Capitool, weet je nog? Je hebt dat met mij eens bezocht. Die koepel is nu af. Misschien kun je dat gebruiken. Het contrast met het puin van Bagdad Palace.'

Ze verwerkte het idee in haar tekst. Even stopte ze met schrijven.

'Je bouwt Bagdad Palace, maar je bouwt ook het Capitool,' zei ze.

'Dat kun je beter maar niet vermelden,' zei hij. 'Het zou alles meteen minder mooi maken. Het leven is mooi, maar nooit helemaal, zei eens iemand. Volgens mij wel,' zei hij, achter haar, met de armen om haar heen.

'Nee, zo kan ik niet werken,' zei ze.

Hij keerde terug naar zijn hoek. Hij zat stil te luisteren.

'Bravo,' zei hij toen ze de verbindingen afsloot. 'Wat er gebeurd is, sober, koel, zuiver. Huilen, dat moet je de mensen laten doen. Slechte schrijvers weten dat niet, die huilen zelf.'

Hij zei dat de tafel gedekt was bij zijn zwembad en dat hij haar eigenlijk daarvoor was komen halen.

'Ik ben niet in de beste stemming. Ik kan niet feesten terwijl zij daar...'

'Niet piekeren,' zei hij. 'Je doet al wat je kunt. Je doet meer dan je kunt. Kom mee met mij.'

Hij liet haar in de auto stappen.

Op verschillende plaatsen in de stad brandde het. Er waren weer ontploffingen aan de kant van het vliegveld.

'En Bush blijft maar zeggen dat hij vrede aan het stichten is in dit land,' zei ze. 'Er is hier iedere dag minder vrede.'

'De knoeier,' zei hij, zonder boosheid.

'Hij redt het niet,' zei Nicola. 'Nee, hij redt het niet. Bush de domoor en om hem heen de wapenfabrikanten en de oliemagnaten zijn bezig voor Amerika de zaken grondig te verknoeien. Die schaamteloosheid. Ik heb nog nooit een zo ontwikkeld, fatsoenlijk land zo openlijk gemeen zien doen.'

Tweemaal veranderde Rao zijn traject om een rumoerige bende te ontwijken. Toen de poort in het overwelfde ingangsgebouw voor hen geopend was en ze naast het gazon en de bloemenperken gereden waren, stond daar Indar, de jonge Sikh die haar ook al eens vervoerd had. Hij glimlachte terwijl hij haar liet uitstappen.

'Welkom,' lispelde hij.

Rao wees naar het zwembad.

'Ja, ja,' zei ze.

Terwijl ze zwommen leek het haar dat de hele wereld glom en blauw was.

Ze aten samen, eerst zij een beetje, daarna hij meer terwijl zij over de tafel hapjes in zijn mond duwde. Ze dacht dat hij met haar zou willen vrijen. Ze was blij dat hij het niet deed. Ze was hem er dankbaar voor.

Ik houd van deze man, dacht ze. Het zou beter zijn als ze eens al zijn geld afpakten, maar hoe lang zou het duren voor hij er weer had?

Toen ze het hadden over de imam Arhab en de jongelui in de overwelfde kelder vroeg hij: 'Hoe zei je dat die man heet?'

'Arhab.'

'Ja, maar zijn volledige naam, Arhab is maar het achterste deel van een naam. Wat komt ervoor?'

'Oerman,' zei ze. 'Ken je die misschien?'

'Ik ben de naam al eerder tegengekomen, maar ik weet niet meer waar of in welk verband.'

'Hij stond daar als een imam in een grauwe mantel en een grauwe tulband en nu rijdt hij rond in een grote chique Lancia en een Europees pak zonder tulband.'

'Dat doen er wel meer. Zo goed als alle olieprinsen in het Midden-Oosten hebben nu eens een chic maatpak aan en dan weer een Arabische mantel, een chique ook wel, meestal een hagelwitte.'

'Ik ben moe. Ik zou naar mijn hotel willen gaan,' zei ze. 'Neem me niet kwalijk. Ik zou voor de rest van de middag maar slecht gezelschap voor je zijn.'

'Dat kan ik heel goed begrijpen,' zei hij.

Hij bracht haar naar haar hotel.

'Overmorgen ben ik weer in de stad,' zei hij. 'Mag ik dan komen?' vroeg hij.

'Ja,' zei ze, vermoeid, glimlachend.

35

Op de afgesproken dag kreeg Nicola bericht dat Rao in Beiroet was. Of de afspraak een dag uitgesteld mocht worden? Ook die volgende dag leek het bijna te mislukken. Hij kwam twee uur later aan dan voorzien. Indar was haar intussen komen halen. Ze had die tijd doorgebracht in de bibliotheek. Toen ze samen gegeten hadden, vroeg ze: 'Heb jij nog andere hindoekleren dan dat prachtige pak met veel knoopjes dat je aanhad toen ik hier voor het eerst kwam?'

'Jazeker, ik trek altijd hindoedingen aan als ik mijn familie ga bezoeken.'

'Trek er voor mij ook nog eens aan, heel mooie, zoals in de sprookjes.'

Hij zat te lachen.

'Ik een brahmaan, jij een brahmaanse dan?'

'Ja goed, dat doe ik,' zei ze.

Hij nam haar gezicht tussen zijn handpalmen.

'Even vakantie,' zei hij bemoedigend. 'Daar maak je niemand minder gelukkig mee. Het leed van de mensheid op één paar schouders, dat kan niet. Dat mag niet.'

Ze liepen naar de slaapkamers.

'We moeten ons dan ook oliën en zalven,' zei hij. 'En reukwater sproeien.'

'Dan doen we dat.'

Hij wilde dat zij hem oliede en hij haar. Ze belandden daarbij op het dikke tapijt waar ze haar voeten al in had voelen wegzinken.

Hij hield haar omstrengeld.

'Ga niet weg van mij. Ga nooit weg van mij. Bewaak me. Zie toe dat ik geen schurk word.'

Wat later zei hij: 'Geolied vrijen geldt in mijn land als een teken van raffinement.'

'Ik ben het daarmee eens,' zei ze.

'Doen we dat bij gelegenheid nog eens?'

'Ja,' zei ze.

Later stond ze daar in een zilverig glanzende lichtgele sari. Hij droeg een lichtgrijze jas met gesloten, opstaande boord, daaronder de lange rij knoopjes, daaronder een nauwsluitende, lichtgrijze broek en zwarte schoenen met een zilveren gesp. Zo keerden ze terug naar hun tafel bij het zwembad voor het dessert.

'Dit is helemaal onwerkelijk,' zei ze weemoedig. 'Nog steeds is dat zo. Ik kan maar geen verband vinden tussen dit en mijn leven, wat ik ben en wat ik doe. Waarom moet ik erop toezien dat je geen schurk wordt? Zou dat gebeuren als ik er niet was?'

'Ja, dat is zo goed als zeker,' zei hij. 'Ik heb je verteld dat een brahmaan dat mag. Herinner je je dat nog? Zelfs verandert het woord schurk van betekenis nu, terwijl wij spreken. Jij bedoelt met schurk iemand die de wetten van de westerse beschaving overtreedt, in mijn land ben je er dan een zoals het hoort.'

'We moeten dan aannemen dat er meer dan één moraal onder de mensen bestaat?'

'Ja.'

'Meer dan één stel morele voorschriften?'

'Zeker.'

'Die elkaar tegenspreken?'

'Blijkbaar.'

'Wat als we daar niet mee instemmen?'

'Iedereen stemt in met zijn eigen morele systeem.'

'Nee, ik bedoel, als we er niet mee instemmen dat er verschillende morele systemen zijn.'

'Dat is niet moeilijk, dan hebben we de wereld zoals die nu is. *The clash of civilizations.* De andere mag niet verschillend zijn. Hij moet met een vork en een mes eten, niet met alleen maar een vork, niet met de vingers van zijn rechterhand, hoewel dat veel gemakkelijker is. Ook liever niet met stokjes, tenzij eens een keer als folkloristisch uitstapje waarbij we dan zitten te glimlachen. De andere op de vingers tikken, hem vermanen, tegen hem schreeuwen, hem ondersteboven slaan als schreeuwen niet helpt. Een aarde vol buldoggen en de kleine hondjes aan de deur. Duidelijk stemmen we daarmee in. We doen het zo. Wat als de ander verschillend mag zijn? Dan hebben we weer jullie aards paradijs. Dan keuvelen we met de leeuwen, met de kleine hondjes op onze schoot.'

Woedend sprak hij over wat de Amerikanen met Aït-Assan en met die andere vier plaatsen hadden gedaan.

'Daar waren echt domkoppen aan het werk,' zei hij. 'Daar zat toch niemand die voor hen gevaarlijk was. Niets was daar schadelijk voor hen. Hoe onwetend kan iemand zijn! Hoe onbekwaam! Maar er moest wat gedaan worden, nietwaar? De Grote Kudde bij de Mississippi en bij het Rotsgebergte had al eens opgekeken. Die moest weer vreedzaam aan het grazen gebracht worden.'

'Je doet weer iets waar ik moeite mee heb,' zei Nicola.

'Wat is dat dan?'

'Wat er in de oase Aït-Assan gebeurd is, die glunderende herbergier die nu geen voeten meer heeft, de stukjes mensenlichamen die door de vermoeide verpleger bij elkaar geveegd worden, dat gore gedoe van schurken, je keurt dat alleen maar af omdat het dom is, ondoelmatig, onproductief.'

'Mijn genen doen dat al drieduizend jaar. Geen wonder dat ze daar goed in geworden zijn.'

'Wat een afschuwelijke manier om dat te zeggen.'

'Daar schiet je in de roos. Zeggen! We brengen ongelooflijk veel tijd door met het zoeken naar de woorden om het te zeggen. Als dat ons gelukt is, willen we bewierookt worden.'

'Je speelt je rolletje,' zei ze wrevelig.

Hij knikte.

'De stoute jongen spelen. Dat onblusbare mannelijke genot!'

Toen werd hij even stil.

'Wacht even, ik moet je wat zeggen: ik weet waar ik de naam Oerman Arhab gezien heb,' zei hij. 'Ik weet ook waarom hij soms in een tulband en een djellaba in een moskee staat, of in een kamertje bij een moskee, en waarom hij soms in een Europees pak in een dure Europese auto rijdt.'

'Volgens mij is hij het die de aanslag op Bagdad Palace gepleegd heeft. Hij of de Amerikanen, maar ik denk dat hij het was.'

'Nee, dat denk ik niet,' zei Rao. 'Ik weet zo goed als zeker dat hij dat niet gedaan heeft. Hij is instructeur. Je zou hem ook een leverancier kunnen noemen, maar hij pleegt geen aanslagen. Of ik zou me heel erg moeten vergissen.'

'Instructeur,' zei Nicola. 'Ja, dat woord begrijp ik hier, maar leverancier, wat bedoel je daar in 's hemelsnaam mee?'

'Hij levert doders af.'

Ze sprak over de micro die ze neergelaten hadden in de luchtkoker van de kelder naast de kleine moskee met de koranschool die Arhab bestuurde.

Tevreden, bewonderend nam hij kennis van die bijzonderheden.

'We hebben de instructeur aan het werk gehoord,' zei Nicola. 'De folteraar. We hebben het waanzinnige gehuil van die jongelui gehoord.'

'Ja, ze gaan erop los tegenwoordig,' zei hij.

Bevreemd vroeg ze: 'Is die man, die Oerman Arhab, níét een hysterische imam die een hysterische islam wil met hysterische volgelingen die aan het moorden slaan zodra je de deur voor hen openzet?'

'Maar nee, zo kan dat niet werken.'

'Je gaat het toch niet hebben over taakverdeling?' vroeg ze.

'Ja, net wel,' zei hij. 'Computerschermen ontwerpen is iets anders dan computerschermen maken; computerschermen maken is iets anders dan computerschermen verkopen of programma's maken die op computerschermen verschijnen of kinderen drillen zodat die computerschermen om zich heen willen zodra ze boven de rand van de wieg kunnen uitkijken.'

'Wacht even,' zei ze. 'Je kunt het veel te goed uitleggen.'

Ze zat hem onderzoekend aan te kijken.

'Je gaat zo dadelijk weer zitten lachen, nietwaar?' vroeg ze. 'En zeggen dat mijn linker oorlelletje iets groter is dan mijn rechter.'

'Dat is zo,' zei hij.

'Hou op,' zei ze. 'Ik wil het daar niet over hebben.' Ze herhaalde dat. 'Wordt er *handel* gedreven in martelaars?' vroeg ze. 'Is het dat wat je me probeert te zeggen? Wéét jij dat? Vroeger zei je altijd dat je dat meende, dat je het dacht. Is dat veranderd? Of heb je vroeger de vraag maar ontweken?'

'Ach, ach,' zei hij een beetje droevig, 'onprettige dingen, het is dan aangenaam om te zeggen dat je het niet echt weet. In zekere zin is dat ook waar. Wat weet je namelijk echt? De meeste dingen weet je niet echt.'

'Ja, maar daar zijn we de dingen weer aan het ontwijken,' zei ze teleurgesteld. 'Weet je het wel echt? Dat van die handel in zelfmoordenaars, bedoel ik. Wist je het ook toen al echt?'

'Ja, ik weet het echt. Ik wist het toen ook.'

Ze merkte dat het hem moeite kostte dat te zeggen.

'Dat soort van dingen bestaat,' zei hij.

'Ook hier?'

'Ja. Ook hier.'

'Ook nu? Die dingen zijn nu, hier bezig?'

'Ik wou dat het anders was, maar het is zo, ja,' zei hij met een zucht.

'Opdrachtgevers werven hier en nu instructeurs aan om martelaars voort te brengen?'

'Ja.'

'En die worden daarna afgeleverd?'

'Ja, vroeger ging dat langzaam, nu sneller omdat er meer vraag naar is. Het aanbod volgt de vraag, dat werkt even accuraat als stenen die je loslaat en die dan vallen. Een vlot voortgebracht, goed afgewerkt product, daar gaat het om.'

'Afgewerkte producten! Ik kan niet wennen aan die manier van spreken. Het plegen van aanslagen, dat is een heel andere bezigheid, een heel andere man is daar bezig.'

'Nee, nee, niet een heel andere man. Het is een man zoals alle mannen. Overigens, je komt niet meteen bij hem. Je hebt eerst nog de coördinator, de man die een kijk heeft op de aanslagen, het aantal, de plaats, de tijdstippen. Pas dan kom je bij de uitvoerder, die zich bezighoudt met het materiaal en het in aanslag brengen van de schutter, daar, op die plaats, op dat moment, met dat materiaal, met dat voertuig, een gestolen ding, dikwijls oud, maar dat nog één keer goed afgesteld wordt.'

'Ook dat wéét je?'

'Ja. Dat stelen en afstellen behoort tot de taak van de uitvoerder, net zoals natuurlijk het halen en het plaatsen van de springstof, granaten voor het lichtere werk, anders dynamiet, dat is wat ingewikkelder, het is veel zwaarder, je hebt detonators nodig, ook een afstandsbediening, maar dat is geen probleem meer, een zaktelefoontje volstaat.'

'Is dat per stad georganiseerd? Per land?'

'In piramidevorm, zoals de bedrijven, plaatselijke personages, boven hen regionale, dan landelijke.'

'Is er een top?'

'Eén voor de hele wereld, bedoel je dat? Zo iemand is me niet bekend. Zo iemand is er nu niet, denk ik. Later? Dat is mogelijk. Veel later dan. Er zijn ook geen mondiale bankkrakers of autodieven of schriftvervalsers.'

'Het zijn dus losse groepjes die niets met elkaar te maken hebben?'

'Ja.'

'En het enige wat hen bindt is dat ze allen hetzelfde wapen gebruiken, die grauwwitte griezel die komt aanrazen in een roestig voertuig?'

'Helemaal juist.'

'Niet de islam dus?'

'Nee.'

'Dat zeg je wel met heel veel overtuiging.'

'De islam, dat zijn mensen van vroeger, plattelandsmensen, mensen die met hun handen werken. Hier en daar zitten bij de prinsen onvoorstelbare hoeveelheden geld. Dat dient om voor die prinsen Rolls-Royces en paleizen te kopen, twintig Rolls-Royces per familie, tien paleizen per familie. Er is geen economie. Daarvoor moet er technologie zijn, maar technologie, dat staat niet in de koran, weg dus daarmee. Er zijn geen verbruikers, want er zijn geen goederen. Er zijn geen goederen, want er zijn geen verbruikers met geld genoeg om die goederen te kopen. Wat zou de islam met de wereld moeten? Vijftig Rolls-Royces per familie en dertig paleizen per familie? De islam wil de wereld niet omdat hij daar niets mee kan doen.'

'Zit de islam nergens in dat netwerk waar je het over had?'

'Ja, toch wel. Er is een werktuig dat uit de islam komt, een wapen. De islam is een geducht wapenleverancier, maar van een heel bijzondere soort. Dat wapen is niet het terrorisme. Terrorisme vind je overal, in alle delen van de wereld, in alle culturen. Op een paar uitzonderingen na zijn alle dictators van Zuid-Amerika terroristen. Op wat meer uitzonderingen na zijn alle staatshoofden in Afrika terroristen. Op een paar uitzonderingen na zijn in bepaalde delen van Azië alle dictators terroristen. Maar de *zelfmoordterrorist*, dat is wat anders. Daar heb ik het over. Dat is een bijdrage van de islam. Zo iemand zaait dood en vernieling om zich heen, maar er kan daarna niets meer tegen hem ondernomen worden, want er schiet niets meer van hem over. Men kan hem niet meer ondervragen, men kan hem niet folteren om meer namen te krijgen, want hij is er niet meer. Hij heeft zichzelf mee omgebracht. Hij komt vanuit het niets en verdwijnt weer in het niets. Maar daarna liggen daar die twee enorme ingestorte torens op Manhattan, daarna zie je in Madrid die stations bezaaid met treinwrakken en dode lichamen. Als ik de zelfmoordterrorist een bijdrage van de islam noem, bedoel ik daarmee niet dat de islam het zelfmoordterrorisme uitgevonden heeft, of dat je islamiet moet zijn om een zelfmoordterrorist te kunnen worden. Ook andere culturen kennen dat offer tot in de dood. In het oude Rome meldden christenen zich aan en stapten daarna de arena in waar de leeuwen lagen. Protestanten bleven hun psalmen zingen terwijl de eerste takkenbossen aan hun voeten al brandden.'

'Hebben jullie zoiets in het Hindoeïsme?'

'Jammer genoeg wel,' zei hij. 'Vrouwen klommen op de brandstapel na het overlijden van hun man. Mannen die alleen maar een lendendoek droegen gingen in het gebergte op een rotsplateau zitten, staken de armen op en bleven daar zo onbeweeglijk zitten. Gelovigen lieten hen soms eens eten of drinken, zo kon dat lang duren, maanden, soms jaren. Onder de zon, in de regen zaten die mannen daar. Maar dat gebeurt vandaag al veel minder. Ik zie ook niet veel katholieken meer in het gezelschap van leeuwen en de protestanten zijn zo weinig talrijk dat er in de kerk geluidsversterking nodig is om het zingen aan de gang te houden en slaat de bliksem in, dan bellen zij de brandweer. De christenen stierven bovendien niet voor God, niet om God een dienst te bewijzen. Ze stierven om God niet te verliezen. Ze zorgden eigenlijk voor zichzelf. Ook bij een offerdood is daar een scheiding, een muur, een grafput. Bij ons is dat niet zo. Bij ons is alles ijl in de ouderdom. Alles wordt dunner. De dingen zijn steeds verder verwijderd. Je gaat over in het wijde niets, dat ook het al is. Je wordt daarmee verenigd. Maar in de islam is het sterven voor Allah, Allah verheffen tot je eronder bezwijkt, de hele koran door tref je dat aan. Misschien heeft daarom het woord martelaar bij hen die betekenis kunnen krijgen. Die bijzondere betekenis: sacrale zelfdoding. In verschillende oorlogen in het Midden-Oosten werd daar al gebruik van gemaakt. In de oorlog tussen Iran en Irak bijvoorbeeld, dat is bekend, liet men jongelui, ook kinderen, heel veel kinderen, een bewerking ondergaan, verwant met de opleiding die men monniken of andere jonge asceten liet ondergaan in de kloosters. Een ondraaglijk hoge graad van zelftucht die leidde tot een soort van zelfhypnose, het breken van de wil waarbij zenuwen stierven. Pijn werd niet meer gevoeld. De dood werd niet meer gevreesd. De dood is al bij hen binnen. Die leidt hen naar God, een extase zo groot dat die de lichamelijkheid overwint. Wie heeft voor het eerste het grote nut ingezien van dergelijke personen bij het voeren van een oorlog of guerrilla? Arafat? Osama Bin Laden? Ik weet het niet. Maar dat verschrikkelijke wapen bestaat. Het bestaat nu. En niemand vermag er wat tegen. Bestrijd maar eens die martelaren. Je kunt hen niet eens vinden. Ze zitten ergens in een huis brood te eten, gewoon zoals wij, en dan komt er iemand bij hen binnen, die pakt een van die jongelui, zet hem in een auto en die raast als een bom ergens naar een muur of een poort. Het volgende ogenblik bestaat die muur of die poort niet meer en hij evenmin. Maar het zijn dus niet de fundamentalistische dwepers van de islam die dat doen.'

'Ik zou niet weten op welke manier dat voor hen voordelig zou kunnen zijn.'

'De monsterachtige aardbeving, die verwekt werd op Manhattan en waardoor die twee torens instortten, dat is voor geen enkele godsdienst goed, maar het is wél onvoorstelbaar goed voor iemand die als voorbereiding Amerika alvast wat kleiner wil, minder overmoed, minder lef, de daver op het lijf en daardoor minder macht; daarna nog eens zo'n dreun op het Pentagon, dat oppermachtige wapenarsenaal, de burcht van de geldmannen die voor onneembaar werd gehouden, maar die ook door elkaar geschud werd, die verbrijzeld had kunnen worden, die verbrijzeld zou zijn als er niet een klein tegenslagje was geweest. De jongelui die de Boeings in die vestingen ramden waren geen profeten van Allah, het waren ook geen krijgers voor Allah, al hebben ze dat misschien geloofd in dat vernietigde brein waarvan ze niet meer wisten dat het vernietigd was. Heeft ooit iemand uit vrije beweging al eens een auto in een muur geramd en zichzelf daarbij omgebracht? Uit godsvrucht? Ieder gelooft wat hij wil, maar ik geloof het niet. De islam zou moeten protesteren tegen het misbruik dat van hen gemaakt wordt. Er zijn imams die het doen, sommigen oprecht, sommigen onoprecht. Zowel de enen als de anderen worden niet geloofd.'

'Wie is Osama Bin Laden dan?'

Rao haalde de schouders op. 'Een man die bepaalde dingen financiert. Misschien organiseert hij ze ook.'

'Een kleine man?'

'Dat denk ik, ja.'

'Hij spreekt over Allah en heidenen en duivels.'

'Ja, net daarom denk ik dat hij een kleine man is. Heidenen en duivels stellen niets meer voor in de wereld van vandaag. Zonder twijfel weet hij dat.'

'Maar waarom spreekt hij er dan over?'

'Om de zaken eenvoudiger te maken, denk ik, om minder gestoord te worden bij zijn werk. Het is niet uitgesloten dat hij gelooft in heidenen en duivels en dat hij voor Allah wat moet doen en dat hij in die zin zijn kleine deel in het grote werk doet, wat heel goed is voor de grotere, belangrijke personen die hem gebruiken. Een gewillige medewerker met veel geld, die veel kan financieren en verder niemand in de weg loopt, nu niet en later niet.'

'De grote manipulator, wie is dat dan?'

Rao zat ernstig voor zich uit te kijken.

'Die is er nog niet,' zei hij. 'Zal er gauw zo eentje op het toneel komen? Ik denk het niet. Zal er later zo eentje op het toneel komen? Ik denk het wel.'

'Wordt dat allemaal al voorbereid?'

'Ja, dat denk ik ook.'

'Weet Bush dan dat ze het niet tegen God hebben, maar tegen de banken van Manhattan, met andere woorden tegen hem, en is hij dus een beetje slimmer dan wij denken?'

'Dat zou heel goed kunnen.'

'Zijn de oliehandelaars en de wapenfabrikanten de hoofd-personages?'

'Zo goed als zeker.'

Ze bleef zijn blik zitten onderzoeken.

'Je weet wel wat ik nu ga vragen, nietwaar?' vroeg ze. 'Je zit erop te wachten. Vooruit dan maar: is India een kandidaat?'

'Ja,' zei hij.

Op dezelfde rustige toon herhaalde hij dat nog eens.

'Zou je meedoen als India daaraan begon?' vroeg ze.

Daar antwoordde hij niet op.

'Als mensen het woord India horen, denken ze aan heilige koeien,' zei hij. 'Aan kleine meisjes die koetaarten gaan uit-smeren op de wanden van hun hut en later die gedroogde taar-ten in een mand op hun hoofd verkopen. Ze denken aan de Ganges, waar stervenden van overal op de oevers komen zitten om de zon te zien opgaan boven het water om dan de *darshan*, de grote zegening, te krijgen. Ze denken aan honderd miljoen kleine rijstboertjes die strompelend een houten ploegje laten voorttrekken door de modder waarin ze wat rijst telen, niet eens genoeg voor hun eigen familie, zodat sommigen zelfmoord ple-gen van ellende en schaamte. De meesten weten niet eens dat er vijfhonderd miljoen van die boertjes zijn die niets kunnen kopen, die geen welvaart scheppen, die dus geholpen moeten worden, die het land verarmen. Maar ze weten evenmin dat er ook al tweehonderd vijftig miljoen andere Hindoes zijn – dat is bijna evenveel als alle Amerikanen bij elkaar – die wel welvaart scheppen, die het land verrijken, die naar de universiteit geweest zijn, die een auto en een computer hebben, die treinen en boten en wisselstukken voor machines fabriceren en die nu al tot de beste informatici van de hele wereld behoren. Wij hebben heel goede technologie, wij hebben heel goede managers, wij hebben heel veel geld, wij hebben een miljard mensen en we hebben de atoombom. De brahmanen, de machtigen onder ons, zijn conservatieve mensen. Als je alles behoudt, behoud je ook je macht. Indrukwekkend veel Amerikaanse en Europese bedrijven hebben het knooppunt van hun boekhouding in India. Op de zuidelijke, te warme punt na, heeft India een heel aangenaam klimaat, warme zomers en een gezellig vuurtje om bij te zitten in de winter. En zodra wij het watergeweld van onze onaards grote rivieren onder controle krijgen, zullen wij tot de grootste energieproducenten van de wereld behoren, misschien zullen wij wel de grootste zijn. Maar wij zijn zachtmoedig, nietwaar, Gandhi was tegen geweld. Wij spreken dus zacht en hebben goede manieren. Dat brengt de wereld in de war. Dat wiegt de wereld in slaap.'

'Rao, ken je Osama Bin Laden persoonlijk?'

'Ik heb hem ontmoet voor dat in Manhattan gebeurde.'

'Weet je waar hij zit?'

'Nee. Ik heb hem in Afrika ontmoet. Ik zou toen niet gedacht hebben dat hij ooit zoiets zou doen. Ik blijf denken dat het eigenlijk niet hij is die dat gedaan heeft, wel dat hij het gefinancierd en mee op de rails gezet heeft. Maar zoiets bedenken en doen, volgens mij heeft hij niet die dimensie, maar ik kan me vergissen.'

'Heeft Rao Mohan Surendranath die dimensie?'

'Zeker. Maar iets een tweede keer doen, daar is geen kunst aan. Iedereen kan Amerika ontdekken. Dat is waar. Al wat je ervoor hoefde te doen was de boeg van je schepen op de verte richten en wegvaren, weg van de bestaande wereld, op een moment dat de halve mensheid geloofde dat de aarde plat was en dat er heel ver in de oceaan kloven waren waarin zwarte monsters huisden. Tateren en tateren en tateren. Columbus deed het.'

Nicola zei: 'Ik wilde weten wat er omgaat in de geest van de jongeman die met een doek om zijn hoofd, alleen een spleet voor zijn ogen naar een deur of een muur toe raast. Niets dus. Dat brein is helemaal leeggemaakt. Er wordt een trekker overgehaald en dat brein schiet.'

'Uitzonderingen terzijde gelaten vrees ik dat het zo is, ja.'

'De koning van Saoedi-Arabië wordt weleens de beschermer van het geloof genoemd, de Heer van Mekka. Hij zou moeten protesteren tegen de manier waarop zijn geloof onteerd wordt door de lui die trekkers overhalen in het brein van anderen.'

'Je hoort hem niet,' zei Rao.

'Ook niet in jullie hogere kringen?'

'Hij geeft geen kik.'

'Het staat me niet aan dat je terreur goed vindt,' zei ze.

'Die vorst van de Saoedi's is een despoot. Despoten willen geen verandering. Hij zou weer kunnen eindigen als woestijnsjeik. Dat kennen ze in zijn familie. Zijn grootvader was er een. Ook haast al zijn grootooms.'

36

Hij vertelde over koning Rama die met zijn soldaten geen oorlog kon winnen en zich liet helpen door apen. Zij sprak over de Guldensporenslag en vertelde hoe de Vlaamse ambachtslieden de Franse ruiters tegenhielden met pieken, daarna met hun knots de Franse ridder doodsloegen en goedendag zeiden.

Ze speelden met elkaar terwijl ze weer van kleren verwisselden. Zijn handen waren zacht, teder.

'Lieveling,' zei hij, 'als ik niets voor je mag zijn, als die ramp mij zou overkomen, mag ik dan toch goed voor je zijn? Mag ik mijn hele leven goed voor je zijn?'

In zijn armen nog vroeg ze: 'Wat je daar zei over de zelfmoordterroristen, die gruwelijke verklaring, dat zij nuttig zijn, de kalmte waarmee je dat zei, je had tussendoor weleens kunnen glimlachen, zo leek het mij. Je voerde daar ook wel een stukje op, maar hoeveel was er van waar?'

'De kleine helft,' zei hij.

'Dat is te veel,' zei ze.

'Een vierde. Is het gruwelijke er dan van af?'

'Niet echt.'

'We hebben het eens gehad over de loopgraven,' zei hij. 'Goede soldaten in hun mantel met een helm en hun wapen, een groot geweer, met daar een bajonet op. Die moesten uit de loopgraven klimmen en dan strompelend, gebukt, zigzaggend naar de loopgraaf van de vijand hollen. Daar werden ze doodgeschoten, wat ze van tevoren wisten, niet altijd, maar dikwijls wel. Ik storm nu vooruit en over een aantal seconden ben ik dood. Ik denk ook dikwijls aan de landing in Normandië in 1944, die kleurloze zee, daarop de donkere silhouetten van die boten, die ook op wielen het strand op konden rijden, soldaten daarin en over die hele kust verspreid, in alle plooien van het landschap, bunkers van de Duitsers en daarin machinegeweren. Duizenden en duizenden van die heldhaftige, jonge geallieerden zijn niet verder gekomen dan die stranden. Dat wisten zij. Zij moesten op die betonnen wal inbeuken, zij en dan anderen en nog anderen en weer anderen en steeds weer anderen, tot daar bressen in kwamen en zij het land in konden. Maar zij, die eerste vlaag en die tweede en die derde, zouden doodgaan. Zij wisten dat, maar ze deden het toch. Ze zwommen niet terug. Die jongelui waren bewerkt, ze waren daarvoor geschikt gemaakt. Ik heb gelezen dat ze ook allemaal tabletten hadden gekregen, van die pillen die ze aan zieken geven die naar de operatiekamer moeten, om hen minder bang te maken, een grotere dan gewone dosis zelfs, om hen roekeloos te maken, wat voor sommigen noodlottig uitviel, stond er in dat boek. Zij stortten in en werden krankzinnig toen de landingsboten de zandige zeebodem raakten en op wielen het strand opreden en dat helse mitrailleurvuur uitbarstte, alsof daar overal vulkanen werkzaam werden. Al van maanden voor de dag van de landing waren ze met die mannen bezig geweest, stond daar, ze hadden hen behandeld. We zullen nooit weten hoe, zei die schrijver. Ze zijn immers allemaal dood. De vaderlandse prietpraat van die deftige leraars en psychologen en artsen of het islamitisch getier van Oerman Arhab in die kelder naast de kleine moskee, de enen de dood in en de anderen ook de dood in, waar zit het verschil? Zeg mij dat. Weer patriottisme aan de ene kant en terrorisme aan de andere kant, maar zoals we al zeiden kunnen we dat omdraaien. Voor de Palestijnen is de jood Sharon de terrorist die hun land afgepakt heeft en die hen doodschiet als ze dat terug willen.'

'Maar dat aspect zelfmoord,' zei Nicola. 'Doden, die moet je in een oorlog verwachten, maar jezelf doden, dat is twee keer doden. En jongelui zodanig folteren dat ze dat willen doen, dat is drie keer doden. Dat is veel, Rao.'

'Ik kan er niets tegen inbrengen,' zei hij stil. 'Weet je wat een brengun is? Ze hebben me tijdens mijn militaire opleiding daarmee leren schieten. Het is een grote mitrailleur, die op de grond staat. Jij ligt op je buik erachter. Onder de loop zitten ijzeren stangen die je uitklapt naar beneden toe, de loop rust daarop. Die zware kolf zit tegen je schouder. Die davert terwijl je schiet, je moet die met alle geweld in bedwang houden. De kogels dragen een halve mijl ver. Wat in de verte beweegt, sol- daten bijvoorbeeld, die gebukt tussen de struiken lopen, maai je daarmee weg. Ik heb later, tijdens echte gevechten, aan de grens van Kasjmir, eens gezien hoe die soldaten er dan uitzien. Verhakkeld. Je zou kunnen zeggen, nee dat doe ik niet, laat ik het maar houden bij lichtere mitrailleurs, die maar honderd meter ver dragen. Nee, nog niet protesteren, ik maak hier maar een vergelijking. Wat ik bedoel is, als er een gruwelijk wapen bestaat en de andere heeft het, moet jij het ook hebben, of jij wordt verhakkeld. Kwantitatief gezien is de atoombom het gru- welijkste wapen. Met één klap breng je honderdduizenden mensen om het leven. De Amerikanen hebben in Japan getoond hoe dat gaat. Maar de atoombom is een moeilijk wapen. Heel veel kennis, heel veel geld en heel veel moeite zijn er nodig om het te produceren en het daarna in machtige, ondergrondse bunkers te bewaren. Je hebt daarbij ook af te rekenen met zware diplomatieke moeilijkheden. Grote tegenstrevers hinderen je bij die plannen. India kan daarover meespreken. Die atoom- koppen kunnen ook gestolen worden. Die bunkers en die fabrieken kunnen vernietigd worden. De zelfmoordrijder doodt minder mensen ineens, maar je kunt niets tegen hem doen. We hebben dat al eens besproken. Hij loopt tussen ons op straat. Hij zit op een terrasje naar ons te kijken. Hij keuvelt met de vrouw bij wie hij zijn krant gaat kopen. Hij glimlacht en zegt pardon als zijn elleboog even die van jou raakt. Hij stapt in een auto of in een vliegtuig zoals wij. Achteraf hoef je geen onderzoek naar hem in te stellen, zoals we zeiden is hij er niet meer, hij bestaat niet meer. En de volgende, die zit ergens op een terras en keuvelt met de krantenvrouw. Opnieuw rijst de vraag: laten wij de brengun aan de vijand over? Niet om het probleem heen lopen: de vijand doet het, hij gebruikt dat wapen. Het misdrijf van de ene maakt het misdrijf van de andere niet goed, dat weten we wel. Oog om oog, tand om tand, dat keuren wij af. Wij zijn beschaafd, zeggen wij. Wij laten ons dus in brokken schieten. Wij laten die grauwe schimmen in hun minibusje op ons komen toe rijden. Wij laten die piloten in jeans en baskets de Twin Towers omver beuken, morgen de Big Ben, overmorgen de koepels van de Académie Française, en de Eiffeltoren, de nieuwe Reichstag in Berlijn, het Capitool in Washington, de paleizen van Peking en Tokio.'

'Je ziet de dingen wel in het groot. Zoals Attila en Julius Caesar en Napoleon en Rockefeller en de makers van het Britse Imperium en die van het Nederlandse Wereldrijk en die van het Spaanse Wereldrijk en Pol Pot en Al Capone en Baekelandt.'

'Wie is Baekelandt?'

'Eentje van bij ons, in de struiken langs de weg, een dolk in iedere hand, een moordpriem heette dat toen.'

'Sprak je echt boos?'

'Ja... Nee... Nee... Een beetje toch wel. De dolken waren nuttig voor de rover Baekelandt. De kromme sabels van die lui met een rode doek om hun hoofd bewezen diensten aan de koninginnen van Engeland. Maar daarom prijs je die dingen toch niet. We prijzen ook de gifkorrels niet die we in hoopjes op onze zolder leggen tegen de muizen. We prijzen ook de doosjes niet waar de mieren inkruipen en dan kanker krijgen en die doorgeven aan de hele kolonie. We legden vroeger wolf-

ijzers in de tuin, tegen de dieven. We prijzen niet de galgen en de elektrische stoelen en guillotines waarmee strenge mensen andere mensen uit hun midden verwijderen. We loven het mosterdgas niet. We aaien niet de granaten die we naar andere mensen toe slingeren.'
'De mensheid is een oorlogszuchtige soort, daar kun je niet omheen.'
'Slaan of je laten slaan.'
'Zoiets, ja.'
'Kunnen we niet proberen dat onder elkaar te regelen?'
'Dat doen we. Maandenlang hebben we met zijn allen tegen de Amerikanen gezegd dat ze Irak niet mochten vernielen. De Amerikanen deden het toch en enkele weken later stond er een generaal op het televisiescherm en die zei: "Al die nog niet dood zijn, zijn halsoverkop op de vlucht." *"Running like hell"*, zei hij.'
'Doden is iets miserabels,' zei ze. 'Dan geef je het op. Je bekent je onmacht om het op een andere manier te regelen. We komen uit het Niets, we willen daar niet terug naartoe. Maar andere mensen daarheen sturen doen we wel. Mensen pijn doen mag niet, maar hen doodtrappen wel. Wat een zielige boel. Vergiftigen of doodgetrapt worden, zoals de schorpioenen en de grote apen.'
'De goede wapens door anderen laten kopen of ze zelf kopen.'
'Altijd weer zij of wij. Wij en de anderen.'
Een woord had haar gepijnigd. 'Kopen?' vroeg ze.
'Krijgen is een weinig verspreid gebruik,' zei hij.
'Koop je martelaars?'
'Jazeker.'
'Ze worden gemaakt en verkocht?'
'Het is een dwaling te denken dat terroristen een bende zijn die op vele plaatsen zit en die je moet vinden en uitroeien. Iedere keer als ze er een vinden die op de een of andere manier tot het bedrijf behoort, zeggen wij: weer eentje minder. Daar is niets van waar. Het terrorisme is niet een verborgen hol waar adders doodgeslagen moeten worden. Het is geen wapen-

opslagplaats waar je tien obussen moet stelen zodat je kunt zeggen: nu zijn er tien minder. Want dan maken ze er andere en dan zijn het er twintig in plaats van tien.'

'Jij hebt gemakkelijk praten, Rao. Jij bent een bouwer, je bent geen vernieler.'

'Als ze me slaan, sla ik terug,' zei hij. 'Ik bied niet mijn andere wang aan. Als de andere het meent, meen ik het ook. En ik koop wat nodig is om hen desgevallend voor te zijn.'

'Zou je doden voor je bedrijven?'

'Voor mijn bedrijven niet. Voor mijzelf wel. Voor jou ook.'

'Martelaars kopen en die omzwachteld met doeken op mensen laten toe razen?'

'Niet voor de bedrijven, maar voor jou en mij wel.'

'Je zult zo dadelijk weer lachen, nietwaar? En dan wat zeggen over mijn schouders of over mijn neustopje.'

'Als ik mij daar nu al eens mee bezighield,' zei hij. Hij greep haar vast, maar ze weerde hem af.

'Ik kan er niet om lachen,' zei ze. 'Doden is afschuwelijk.'

'Ik ben het daar helemaal mee eens.'

'Maar je verzet je daar niet tegen.'

'Kun je je verzetten tegen wat je bent?'

'Maar je bent niet alleen wat, je doet ook wat. Je kunt wel beslissen over wat je doet. Dat zei Camus, voor wie ik een heel grote bewondering heb.'

'Wel een beetje ver van de wereld,' zei hij. 'En een te goede schrijver. Te goede schrijvers verleiden je. Je sluit je ogen en laat je maar wiegen.'

'Ik weet niet of dat waar is,' zei Nicola. 'Hij zegt: als het leven absurd is, zijn ook wij absurd. Dan maakt het geen verschil of wij iets goeds of iets kwaads doen. Als dat zo is, het zij zo. Maar we kunnen ons daartegen verzetten. We kunnen nee zeggen. Geboren zijn als een dief, maar niet stelen. Op de aarde staan als een moordenaar, maar niet doden. Dan verandert de wereld niet. Je hebt ook niets gewonnen. Maar je hebt je eer behouden als mens. Die mag tot dan toe bestaan hebben als een gedachte, in je brein, maar die heeft daarna ook een lichaam, die kan kijken en luisteren en voelen en door de vlakte hollen dat je haren om je oren waaien. Dan is de zon een schat en de regen is een schat en de krieken zijn schatten.'

'Ja… Ja… Ja…' zei hij. 'Preek tegen mij. Strijd tegen mij. Wees dat prachtige, goede meisje. Vorm die man van eer. Ik zal dan krieken om je oren hangen en je mee naar buiten nemen. Schud me door elkaar. Kneed me. Gooi de geldschatten het venster uit. Die fatsoenlijke, arme drommel zal daar staan stralen. Daarna, in een ommezien, voor je er wat van gemerkt hebt, zal daar weer een rijke schoelje staan.'

'Ik kan met jou niet praten. Ik kan het tegen jou niet halen,' zei ze ongelukkig. 'Maar ik ga er níét mee akkoord dat je mag doden en ik zal het mijn hele leven lang afschuwelijk vinden dat ze jongens verbrijzelen om doders van hen te maken. Ik moet het allemaal niet toepassen op jou, nietwaar. Jij wilt leven. Jij wilt zon en regen en olijven en look. Maar je wilt me graag plagen. Je bent een pestkop. Ik zal je eens wurgen.'

Ze begonnen te worstelen. Haar handen zaten om zijn hals en ze kneep en kneep. Hij liet dat gebeuren. Hij schudde zijn hoofd heen en weer. Hij trok de ogen wijdopen en keek scheel. Hij deed of hij geen adem meer had, en net toen ze hem geschrokken losliet, greep hij haar en zij was onder hem. Hij verpletterde haar en rukte aan haar kleren. Hij wroette en wentelde tot hij weer onder haar lag. Daarna was hij weer boven haar. Wanneer beginnen we te vrijen, dacht ze, al helemaal warm. Plotseling besefte ze, voelde ze dat hij het niet haalde, tot haar grote jolijt. Het ergerde hem dat zij het uitgierde. Nu plaag ik hem, dacht ze. Ik pest hem tot net voor hij boos wordt, maar dat kwam vroeger dan voorzien, wat haar jolijt nog verhoogde. Hij schreeuwde haar bars toe, maar ze hield hem in bedwang. Ze woog met haar hele lichaam op hem. Met haar handpalmen hield ze zijn hoofd omlaag. Ze kuste zijn boze mond, ze kuste zijn wangen, zijn ogen, zijn hals. Ze streelde die grote, woeste man, tot ze voelde dat hij zwichtte en week werd, tot zijn lichaam haar weer omving, tot zijn vurigheid weer oplaaide en ze toch vrijden, heftig, alsof die strijd daar toch nog niet beslecht was. Ik wilde dat, dacht ze duizelig. Ik zal dit altijd willen, wat hij ook zegt, wat hij ook doet.

37

Hij hield woord. Bulldozers en grote vrachtwagens waarop stond S&S, kwamen en ruimden het puin van Bagdad Palace. Beton-molens spoten kuilen toe. Een architect kwam met wapperende vellen papier. Landmeters plantten rood en wit gestreepte staken.

Wekenlang klonk, boven het gebulder uit, helder het tik-ken van de truwelen op de bakstenen. Aan één kant was een brede ingang opengelaten, waar de vrachtwagens en de bulldo-zers heen en weer reden. Toen de daklijn van de gebouwen bereikt was, kwam een oude, verroeste vrachtwagen met grote snelheid vanuit de stad op die doorgang toe razen. De vracht-wagen had geen cabine meer, je zag een soort van platte laad-bak en daarvoor, aan een wat krom getrokken stuur, zat een man in een witte djellaba en een tulband. De jongelui, die de bouwwerken volgden, zagen het wilde schommelen van de laad-bak. Ze hoorden het gekrijs van de oude motor. Onder gegil en geschreeuw wierpen ze zich op de grond. Anderen stoven naar alle kanten uit elkaar. De vrachtwagen overreed enkele jongens. Zo heftig stopte hij dat ze gekraak en gebons hoorden. De man die de vrachtwagen bestuurde, sprong op. Hij rukte aan zijn tulband. Hij stak zijn armen in de hoogte en schreeuwde: *'Alla-hou akbar!'* Hij gaf een ruk aan iets in zijn kleren en toen was er een ondraaglijk, te dichtbij gebulder, tegelijk met de uit elkaar spattende, openwaaierende vuurgloed en dan het neerstorten van brokstukken.

'Het was Pico,' hoorde Nicola een jongeman roepen toen ze op de plek des onheils aangekomen was.

De jongeman lag op een draagberrie. Hij zwaaide met zijn arm om haar aandacht te trekken in de drukte van verplegers die heen en weer liepen om gekwetsten weg te dragen.

'Missy! Missy!' riep hij. 'Het was Pico. Ik heb hem goed ge-zien.'

'Nee, Ali, dat zal niet waar zijn, denk ik,' zei Nicola.

'Het is heel zeker waar. Hij stond rechtop in die oude vracht-wagen en schreeuwde: *"Allahou akbar."'*

De verplegers droegen de jongen weg. Andere jongens kwamen bij Nicola en zeiden dat het wel degelijk Pico was geweest. Ze begrepen er niets van. Pico had nog nooit over Allah gesproken. 'Over muziek dag en nacht, maar over Allah? Nooit.'

Ilja kwam aan uit de administratieve wijk waar hij besprekingen had moeten voeren over de gebouwen van het nieuwe Bagdad Palace. Ook hij geloofde het niet.

'Pico? Nee, dat was Pico niet.'

Maar de jongen hield voet bij stuk. Twee andere jongens bevestigden het.

Een jonge, begaafde toekomstige musicus die tijdens gesprekken met zijn vingers op tafels en stoelen of op zijn knie stukken muziek zat te spelen, alsof daar een piano was en dan niet hoorde wat je zei. Overal waar hij kon luisterde hij naar de radio. Soms schudde hij dan droevig met het hoofd. Dat zouden ze niet mogen doen, zei hij dan meewarig.

Hij had nooit andere kleren gedragen dan jeans en gestreepte of geruite hemdjes. Niemand had hem ooit zien knielen om te bidden. 'Hij bidt op die piano's,' had Oerman eens gezegd. 'We zouden er een voor hem moeten kopen.'

'Hij is zeker een van die verleiders van Sidi Omar tegengekomen,' zei Ilja. 'Zacht zijn, kunstzinnig spreken, meelokken.'

De jongen die het eerst tegen Nicola gesproken, lag ondertussen in de tent van het Rode Kruis tussen andere gewonden. Hij maakte gejaagde gebaren met zijn arm en riep dat ze naar hem toe moest komen.

'Ook! Ook!' riep hij, terwijl hij naar Ilja wees. 'Ik heb nog wat gezien,' zei hij toen ze beiden bij hem stonden. 'Het is alsof ik moet lachen,' zei hij, 'maar ik mag niet lachen. Ik kan nu niet lachen. Jullie weten wel wat er gezegd wordt. Dat die helden bij Allah naar de meiden mogen, die meiden die niet oud worden, die nooit ongesteld zijn en niet zwanger worden. De helden beschermen hun piemel om daar goed en veilig aan te komen en meteen aan het bonken te gaan. Pico had niets aan onder zijn djellaba, die hing open. Hij had zijn piemel, die in een koker zak, dik omzwachteld, tegen zijn buik aan gebonden, en zijn ballen waren ook dik omzwachteld. Alles twee, drie keer zo groot als normaal. Ik ken wel een paar apen van wie je zoiets zou verwachten, maar niet van Pico. Toch stond hij daar zo. Ik heb hem gezien. Die piemel! Het was net een dikke kaars die tegen zijn buik aan was gebonden.'

Oerman bevond zich ergens aan de zuidkant van de stad, op een bijeenkomst met een jonge sjiitische imam. De twee bespraken er wat ze samen zouden kunnen ondernemen tegen de Amerikanen, waarbij ze zich zouden inspannen om geen geweld te plegen en om elkaars gevoeligheden niet te kwetsen.

Woodrow zat helemaal onder de builen en de schrammen, maar hij wilde niet gaan liggen. Later, toen de drukte van de redders, de brandweer en de politie achter de rug was, zat Nicola bij zijn bed. Hij had koorts gekregen en ze hadden hem verplicht op een brits te gaan liggen.

'Wood, help mij eens,' zei Nicola. 'Ik ben tegen geweld gekant, overal, altijd, in alle omstandigheden, maar nu heb ik het moeilijk. Er is blijkbaar iemand zwaar beledigd door wat wij gedaan hebben in de kelder van Arhab en bij Sidi Omar. Die beledigde persoon heeft iets gedaan. Ik heb wel honderd keer tegen mijzelf gezegd dat ik nooit zoiets zou doen.'

'Is dat nu veranderd?' vroeg Wood met zijn zachte stem.

'Niet echt.'

'Je zou het wel lekker vinden als je eens mocht terugmeppen.'

'Ik mag wat ik wil.'

'Mogen van jezelf, bedoel ik.'

'Ja, juist,' zei Nicola. 'Misschien verandert het toch nog, maar na hoeveel keer dan? Zou jij willen terugmeppen, Wood?'

'Ach, ik.'

'Zeg nu niet dat je gewoon een bangerd bent. Je bent geen bangerd. Je bent braaf, zachtmoedig, je slaapt niet. Niemand heeft je dat voorgeschreven. Je laat je niets voorschrijven. Dankjewel, dankjewel, zeg je als iemand eraan begint, en dan ga je weg. Val eens in slaap en word wakker en zeg dat God tegen je gesproken heeft, van jou zal ik het geloven. Geloof jij helemaal niet in God?'

'Ach, ik ken wel drie mensen die met God gesproken hebben en een van ze heeft verschijningen. De paus heeft eens gezegd dat Maria bij hem gekomen is en de kogel die op hem afgeschoten werd van richting heeft doen veranderen. Hij moet dat maar geloven, als het hem gelukkig maakt. In een uit het Swahili vertaald Oost-Afrikaans gedicht vertelt de dichter dat hij een voorvader heeft die met zijn linkervoet op een krokodil stond en met zijn rechtervoet op een andere krokodil en die zo de rivieren overstak. Die grootvader kwam 's nachts soms nog bij hem op bezoek. Mens, moet dat zalig geweest zijn. Als je maar één tiende had van de macht van die geweldige kerel, was je nog altijd een kei.' Dromerig, terwijl zijn schouders even bewogen, zei hij: 'Bij mij is nooit iemand op bezoek gekomen. Ik zou het nochtans wel gewild hebben, zo'n goddelijk wezen dat alles kan en dat aan jouw kant staat. Vandaag geloven de mensen niet meer. Dan zit je daar alleen. Je ligt daar alleen.'

'Zou je echt graag geloven, Wood? Is dat waar?' vroeg Nicola.

'Jazeker. Dat is toch gezelliger, warmer, veiliger. Wandelen aan de hand van het machtigste wezen dat er bestaat.'

'Jij bent heel geleerd, Wood,' zei Nicola. 'Zeg mij eens, bestaat God?'

'Ja, ik denk het wel,' zei Woodrow.

'Mij niet voor het lapje houden. Echt antwoorden.'

'Dat was mijn echte antwoord. Ik denk dat God bestaat, ja. Een tijdloze, ruimteloze almacht! Met ons kleine bewustzijntje kunnen wij ons een tijd voorstellen die ergens begint en ergens eindigt. Wat er voor het begin van de tijd was en wat er na de tijd nog zal zijn, wat er buiten onze ruimte is, daar zitten wij in de almacht, maar daar kunnen wij met onze voelsprietjes niets van weten. Toch bestaat die, tijdloze, ruimteloze almacht, anders zou mijn tijdelijkheid niet hebben kunnen beginnen.'

Hij glimlachte. 'Hecht maar niet te veel belang aan wat ik zeg,' zei hij verdrietig. 'Ik ben een ongelukkige ketter.' Weer was er even die glimlach. 'Ik sta met mijn knokkeltje op een deur te kloppen, maar ze willen mij niet binnen laten. Dat is natuurlijk niet erg. Ze zijn niet verplicht mij iets te zeggen, maar dat brengt dan mee dat ik niets weet. Ik weet niet wat ik moet doen. In Lahore, in Pakistan, mogen de heidenen binnen in de moskeeën. Ik heb daar met moslimvrienden blootsvoets op de grond gezeten. Zij baden, ik droomde. Ik heb met een Bengaalse medestudent in een hindoetempel jasmijnblaadjes geworpen naar een beeld van Visjnoe. Voor mij had dat alleen maar een symbolische betekenis. Tot mijn verrassing gold dat ook voor hem. Ik heb met Japanners in een shintotempel gestaan en met hen in de handen geklapt om de aandacht van de voorvaderen te trekken: kijk, wij zijn hier. Ik heb sandelstokjes aan het branden gebracht en 'oooom' zitten zeggen in een boeddhistisch heiligdom in Mandalay. Als iemand de Almacht eerbied betoont, eerbiedig ik dat. Spotten! Als er iets is waar ik niet mee spot, is het dat. Het allergrootste wat je kunt doen. Verbonden zijn met de tijdloze, ruimteloze Almacht. Maar ikzelf ben daar niet mee verbonden. Ik sta voor een grote muur.'

'Je zou een goede onderzoeker kunnen zijn,' zei Nicola. 'Ook een heel goede professor. Ik heb tegen Moulay eens gezegd dat ik graag in zijn klas zou willen zitten, ik zou ook best in die van jou willen zitten. Je zou ook een heel goede arts zijn en veel geld verdienen en dat dan uitdelen,' zei ze gauw toen ze hem al aanstalten zag maken om te protesteren. 'Maar in de plaats daarvan ben je hier, te midden van de dolertjes van Bagdad. Je zorgt heel goed voor hen. Ik zou niet weten hoe je dat beter zou kunnen doen. Maar je zorgt niet voor jezelf. Je onderneemt niets voor jezelf. Hoewel er zeker dingen zijn die je graag zou doen. Je bent onderzoeker geweest in Oxford, is het niet? Maar op een dag was je daar weg. Is het waar dat je nachtmerries hebt en dat je dan altijd bent op plaatsen die je niet kent en waar ze jou niet kennen?'

'Dat komt weleens voor.'

'Je ligt ook dikwijls in woelig water. Ilja heeft mij dat verteld.'

'Beter niet in echt water,' zei hij. 'Ik kan niet zwemmen.'

'Je zei eens tegen Ilja dat er geen deugden zijn en ook geen zonden.' Nicola leek pijn te zien in zijn blik. 'Er is toch de Universele Verklaring van de Rechten van de Mens?'

'Dat is een afspraak die we onder elkaar gemaakt hebben

en die we niet nakomen,' zei Wood. 'Ik duw jou niet in de modder, jij mij niet, als het zo in ons kraam past, maar als het zo niet in ons kraam past, doen we het anders. Kijk om je heen. Dat stel kerels uit de Far West waar wij in onze kinderjaren mee dweepten, cowboys, indianen op gevlekte paarden. Zij maakten een grondwet en die diende als model voor de Franse grondwet en voor die van de meeste andere landen. Maar dat past nu niet in hun kraam.'

'Jij zult nooit iemand doden. Maar je weet niet waarom. Je bent bang. Je wilt niet zo'n stuurloos wezen zijn. Je bent verloren omdat ze het je allemaal niet uitgelegd hebben.'

'Hoe zouden ze het ons ooit hebben kunnen uitleggen? Wanneer zouden ze dat hebben moeten doen? Nu, terwijl we die onbehaarde, bleke slappelingen zijn? Vroeger, toen we nog behaard en met een kleiner kopje door de savanne liepen? Nog vroeger, toen we als kleine aapjes in rotskloven zaten en de aarde vol dinosaurussen liep? Nog vroeger, toen we wroetend met onze vinnen uit te laag water aan land probeerden te komen en door die moeite duizend jaar later poten kregen? Nog vroeger, toen we in diep water zwommen? Nog vroeger, toen we kevers waren op de bodem van dat diepe water? Nog vroeger, toen we grote moleculen waren die uit elkaar vielen in broeierige baaien en poelen wanneer bliksemstralen daarop in sloegen in een stank van methaan en ammoniak? Of nog en nog en nog vroeger, toen brokken brandende metalen en gassen door het heelal tolden? Waar, wanneer werden we geschikt geacht om het Grote Onderricht te krijgen? Was het dan één grote leerstoel of was er een in elk van de miljarden melkwegen?' Hij maakte een wegwerpend gebaartje en wilde er niet verder over praten. Hij zei: 'Dat meisje waar we het eens over gehad hebben, ik moest eens tegen haar vingers duwen, zei je me.'

'Ja? Ja?' vroeg Nicola.

'Ze is hier eens op bezoek gekomen. Ze wilde documentatie inzamelen over verlaten kinderen.'

Goed, goed, goed, dacht Nicola tevreden. Ze vroeg: 'Heb je haar gezegd dat jullie eens samen moeten gaan eten en dat je het dan allemaal eens tot in de bijzonderheden zult uitleggen?'

'Ja. Hoe weet je dat?' vroeg hij verrast.

'Dat is wat ik gedaan zou hebben,' zei ze. 'Als ik een man was,' voegde ze er snel aan toe.

'Die kerel van jou is daar,' zei Wood. 'Kijk hem eens hollen.'

Rao kwam op haar toe gestormd. Hij pakte haar in zijn armen en klemde haar wild tegen zich aan. 'Is alles goed met je?' vroeg hij heftig.

'Ja ja.'

'Is er niets met je gebeurd?'

'Nee nee nee.'

'Stommelingen hadden me gezegd dat iedereen hier dood was. Wie heeft dit gedaan?' vroeg hij bleekjes. Hij sidderde van woede.

'Pico,' zei ze verdrietig, 'een heel fijne jongen die vroeger hier was.'

'En die ze behandeld hebben?'

'De hele leerstof klaarblijkelijk.'

'Maar wie heeft hem gestuurd? Wie heeft hem in die auto gezet? Weten ze daar al iets van?'

'Nee.'

'Dan zal ik het te weten komen. Ik zal ze krijgen. Dat ze er maar op rekenen. Ik zal ze krijgen.'

Nicola had hem nog niet eerder zo gezien. Die gesmoorde woede in zijn stem, die kende ze niet. Superieure zelfbeheersing, daarbij een genoeglijke ironie, cynisme soms, maar dat bleek meer spel dan agressiviteit te zijn.

'Ik maak er meteen werk van,' zei hij. 'In wat voor een auto kwam dat kereltje hier aan?'

'Een kleine open vrachtwagen, geen cabine meer, roestig, met deuken in, zo'n ding waar de bak van omhoog kan, de spullen glijden er dan uit.'

'Een kipbak, zoals elke ondernemer er een heeft, of twee, of vier,' gromde hij.

Hij vloekte.

'Maar ze hebben toch allemaal een stuurcabine. En nog iets: de vrachtwagen was mosterdgeel,' zei Nicola. 'Een van de jongens is ons dat komen zeggen. Hij weet waar die auto stond, of in elk geval toch waar er zo'n auto stond.'

'Dat is al beter,' zei Rao. 'Waar is die jongen nu?'

'Daar, in het kleine zaaltje naast de keuken. Hij zegt dat hij ook dat grijze minibusje kende waarmee ze de Britse country-club verwoest hebben. Dat stond daar ook, zei hij, op een soort van parkeerterrein. Het is misschien een opslagplaats van een handelaar in tweedehandsauto's of een autokerkhof. Daar, het is die jongen, op dat kleine rustbed. Hij droomt ervan auto-mecanicien te worden, zegt Ilja. Als je hem wat hoort zeggen, gaat het over auto's.'

Ze liepen naar dat zaaltje naast de keuken. De jongen had duidelijk pijnstillers gekregen. Zijn ogen vielen haast dicht ter-wijl ze spraken, maar het onderwerp auto's had weer zijn uit-werking. Hij kwam moeizaam rechtop zitten en werd steeds meer wakker. Hij zei dat hij die kipbak kende, dat hij die gezien had en dat hij die bleekgrijze minibus ook kende. Ook die had hij gezien. Hij had dat ook toen gezegd, maar niemand had naar hem geluisterd. Ja, hij wist goed waar die opslagplaats voor tweedehandsauto's zich bevond.

'Ik zal jullie ernaartoe brengen,' zei de jongen.

'Nee, je mag nog niet uit je bed,' zei Nicola.

'Wie zegt dat?' vroeg de jongen boos. 'Ik kan goed op mijn benen staan. Ik heb al een keer of drie heen en weer gelopen.'

Hij kwam al uit zijn bed. Rao hielp hem bij het aankleden.

'Wil je op mijn rug zitten?' vroeg hij de jongen. 'Het is lang geleden dat er nog eens iemand op mijn rug gezeten heeft. Laten we dat maar eens doen.'

'Ja, vooruit,' zei de jongen vrolijk. 'Als ik niet te zwaar ben voor u, want trappen op en af, dat gaat nog niet te best.'

'Ik ga met jullie mee,' zei Nicola. Ze liep nog even terug en riep: 'Wood, ik kom straks nog even langs. Ik ben nog niet met je uitgepraat.'

De Brit groette haar met een handgebaartje.

38

Rao was daar met zijn Land Rover.

'Vooraan zit een deuk,' merkte Nicola op.

'Iedereen dood, hadden ze gezegd,' zei Rao. 'De hele wereld loopt vol wijsgeren, ze weten alles, maar ze weten niets.'

'Heb je zo die deuk opgelopen?' vroeg Nicola. 'Heb je hard gereden omdat je dacht dat ik...'

Rao was helemaal over zijn toeren. Het leek alsof hij zou gaan huilen.

'Jij,' zei Nicola. 'Jij...'

Ze greep zijn arm en drukte zich daar tegenaan.

'Jullie zijn een koppeltje, nietwaar?' zei de jongen. 'Ik had dat al opgemerkt.'

Hij zat in de Land Rover mee vooraan, tussen hen in. Nicola nam achter zijn rug weer de arm van Rao.

'Klungelige rallyrijder,' zei ze.

Zou ik ook door alle verkeer heen naar hem toe stormen als ik zoiets gehoord had, vroeg ze zich af. Ja, ik geloof het wel, dacht ze.

Nadat ze door vier of vijf straten gereden waren, kwamen ze op een grote, open plek tussen huizen. Achter een hek stonden veel oude auto's.

'Daar stond die kipbak,' zei de jongen. 'Daar, tegen die muur, dat hek kan openschuiven. Ik kijk niet naar dat soort van rammelbakken, maar ernaast stond een Alfa Romeo, stokoud, maar Alfa Romeo's zijn altijd klasse. Dat blijft zo, hoe oud ze ook zijn.'

Rao liep naar het huis ernaast en bonsde op de deur. Een oude vrouw kwam openmaken. Rao praatte met haar. De vrouw schudde van neen. Rao praatte door, maar de vrouw schudde opnieuw van neen. Ze wees naar een ander huis, de derde deur. Ze maakte gebaren met haar vinger. Nicola was intussen bij Rao gekomen. Ze liepen samen naar het aangewezen huis. Een man maakte de deur open. Drie kinderen gluurden langs hem heen naar buiten. Rao zei dat hij enkele tweedehandswagens zou willen kopen. Hij vroeg van wie de auto's op de open plek waren en waar de handelaar zijn verkoopkantoor had.

'Hassan,' zei de man, terwijl hij met gebaren duidelijk maakte waar ze die konden vinden: daar, die straat in, en dan links.

'Is er daar een garage? Een werkplaats?' vroeg Rao.

'Een werkplaats,' zei de man.

Rao bedankte hem.

Terwijl ze terug naar hun auto liepen praatte hij in zijn zaktelefoon.

'Liefje,' zei hij daarna, 'ik zou je eigenlijk liever terug naar je hotel brengen.'

'Nee,' zei Nicola.

'Je zou onaangename dingen te zien kunnen krijgen,' zei hij.

'Dan zal ik daar naar kijken,' zei ze.

'Voor je werk als reporter zal het zeker nuttig zijn,' zei hij.

'Maar jij persoonlijk...? Weet je het zeker...?'

'Ik weet het zeker.'

'Je bent een grote meid. Je zult al weleens eerder onaangename dingen gezien hebben.'

Het viel Nicola op dat hij niet glimlachte.

Ze vonden de werkplaats. Een oudere en een jongere man sleutelden er aan een autowrak.

'Moet dat ooit nog rijden?' vroeg Rao.

De oudere man stond hem onderzoekend te bekijken. De jongere sleutelde door.

'Zal het ooit nog rijden?' vroeg Rao.

'Misschien eerst eens zeggen wie je bent,' zei de man, 'en waarvoor je gekomen bent.'

'Ik ben bouwondernemer,' zei Rao. 'Ik heb een aantal vrachtwagens, zware, goede voor het grote werk en andere met een kipbak, waar al deuken in zitten en die rammelen, voor het rommelige, kleine werk. Ze hebben er drie van die laatste soort van mij gestolen. Ze zijn geel, okergeel, dat is praktisch, je herkent ze zo tussen honderd andere. Arbeiders hebben verteld dat ze er een hadden zien staan, ginder, op de open plek.'

Rao wees in die richting.

'Bedoel je dat ik die wagens van jou gestolen heb?' vroeg de man verontwaardigd.

'Nee, dan zou ik hier niet staan,' zei Rao. 'Dan zou de politie hier staan. Jij bent een handelaar. Je kunt niet altijd zomaar weten waar de dingen vandaan komen die ze je aanbieden.'

'Ik heb maar één gele kipbak gehad,' zei de man. 'En die heb ik niet meer.'

'Ik heb het gemerkt,' zei Rao. 'Ik had gisteren meteen moeten komen.'

Weer stond hij te mompelen in zijn zaktelefoon.

'Hoe heet die straat hier?' vroeg hij.

'Waarom moet je dat weten?' vroeg de man.

'Hoe héét ze?' riep Rao luid.

Bedeesd gaf de man de naam op. Rao gaf die door in de telefoon.

'Zou je me willen zeggen aan wie je de auto verkocht hebt?' vroeg hij de man.

'Nee, die naam geef ik je niet,' zei de man. 'Die man heeft nergens schuld aan. Die hoeft geen hinder te ondervinden. Je hebt nog altijd niet gezegd wie je bent,' zei de man, 'alleen maar dat je bouwondernemer bent. En wat sta je daar de hele tijd in die telefoon te mompelen?'

'Ik moet medewerkers van mij ontmoeten,' zei Rao. 'Zij zitten in de auto, maar ze moeten weten waar ik ben.'

'Je bent iemand met niet veel tijd, zo te zien,' zei de man. 'Zeg nu eens wie je bent.'

'Ik ben Roger Hogarth,' zei Rao.

'Een Britse naam,' zei de man, 'maar je bent geen Brit.'

'Wie?' vroeg Rao. 'Naar wie is die okergele kipbak gegaan?'

'Dat zeg ik u niet.'

Een Land Rover stopte vlak voor de deur. Vier stevige mannen met een knuppel sprongen eruit. Nicola greep de arm van Rao. 'Zeg, wacht even,' fluisterde ze.

De jongere man, die neergehurkt aan het autowrak had zitten werken, vluchtte het huis uit. De oudere man trad achteruit.

'Oude voertuigen gaan dikwijls zonder omhaal de deur uit,'

zei hij. 'Dan worden er weleens onnauwkeurigheden begaan bij het opschrijven van namen. Soms verloopt de verkoop zonder papieren. De eigenaar betaalt en neemt het voertuig mee. Ik weet niet meer aan wie ik die gele kipbak verkocht heb.'

De vier mannen hadden niet alleen een knuppel mee, er zat ook een pistool aan hun gordel en een mes in een schede, naar het Nicola leek. Twee van hen grepen de oude man. Na een kort bevel van Rao namen ze hem mee naar een vertrek achterin waar ze niet meer gezien werden. Ook de twee andere kerels gingen mee naar binnen. De tussendeur werd gesloten. De gekwetste jongen die met hen meegekomen was, stond met fonkelende ogen naar Rao te kijken.

'U liegt er nogal op los,' zei hij. 'Dat gele ding is niet van u gestolen. U vond dat uit.' Hij zei opeens: 'Ik weet wat ze daar achter die deur gaan doen.'

Ze hoorden de oude man jammeren.

'Rao, laat ze daarmee ophouden,' zei Nicola boos.

'Ik heb je gewaarschuwd,' zei Rao.

'Dat verandert niets aan de zaak. Het is niet voor mij dat je ermee moet ophouden.'

'Wat mensen doen als je niet naar hen kijkt, daar schrik je van de eerste keer,' zei Rao. 'Maar schrikken of niet schrikken, handelen of niet handelen, die lui gaan daarmee door.'

Ze hoorden de oude man om hulp roepen.

'Rao, ik ga weg als je daar niet mee ophoudt,' zei Nicola.

'Je hebt gehoord wat de Amerikaanse minister van Defensie gezegd heeft. Oorlog voeren is hard, en harde ondervragingen behoren daartoe. En Patton, het hoofd van de Militaire Politie, die ken je wel.'

'Ja, die ken ik.'

'Een mep krijgen is een zegening, zegt hij, als je ook doodgeschoten had kunnen worden.'

'En toen stond hij zeker te schokken van het lachen?'

De kerels brachten de oude man terug. Hij bloedde aan de slaap, zijn tulband was scheefgezakt. Hij liep gebogen met een hand voor de buik. Ze leidden hem tot voor Rao. Er was duidelijk ook iets met zijn handen.

'Het is Kashim,' stamelde de oude man. 'Die school aan het Nadja-plein. Groot huis, grote jongens.'

'Is er hier speciale elektrische bedrading aangebracht in de kipbak?' vroeg Rao.

'Speciale bedrading?' stamelde de man. 'Neen, neen! Niet doen. Ik zal het zeggen,' zei hij klaaglijk toen de kerels weer naderbij kwamen.

'Wie heeft de bedrading aangebracht?' vroeg Rao. 'Jij of Kashim?'

'Ik,' zei de man.

'En wie heeft de pakjes geplaatst? Langwerpige kakikleurige pakjes.'

'Nee,' zei de man. 'Nee!' riep hij snel, angstig. 'Geen pakjes. Draden. Je moet me geloven. Het is waar.'

'Goed,' zei Rao. 'Geen gezwets nu verder.'

Hij gaf de vier kerels een wenk dat ze moesten volgen.

Rao was nerveus toen ze weer in de Land Rover zaten.

'Het kan niet anders,' zei hij tegen Nicola. 'Het klinkt niet mooi in de mond van die Amerikaanse hoge ome, maar het kan niet anders. Oorlog. Je geeft meppen of je krijgt er. Wij, Hindoes, doen het met de Pakistani's, de Pakistani's doen het met ons. De Fransen deden het in Algerije, de Nederlanders deden het op Java, de Belgen in Kongo, ik denk wel dat je dat weet. De Turken doen het met Grieken, de Grieken met Turken. De Britten? Als je dat opsomt, heb je een encyclopedie.'

'Het is niet grappig,' zei Nicola. 'Ik wou dat ik niet meegekomen was.'

'Ik moet weten wie verantwoordelijk is voor wat er bij jullie gebeurd is,' zei Rao weer woedend. 'Ik zal dat te weten komen.'

Het grote huis op het Nadja-plein was een patriciërswoning, verweerd, beschadigd, maar nog heel mooi, met balkons, dubbele tuindeuren en friezen in de gevel. De vier knokkers, die met hen meegereden waren, stopten vlak achter hen.

'Is dat de bende van Rao?' vroeg Nicola.

'Is dat jouw bende had je kunnen vragen.' Een beetje stuurs zei Rao: 'Nee, het is niet mijn bende. Zulke personen kun je inhuren.'

'Je wist ze wel zitten. Ze waren er meteen.'

'Liefje, er woedt een oorlog in dit land. Iedere kogel die wordt afgevuurd, iedere raket, iedere bom is een schending van de menselijkheid.'

'Maar die menselijkheid, die beroemde menselijkheid waar wij ons op beroemen, bestaat die dan wel? Wij bewijzen namelijk in alle tijden en op alle plaatsen het tegendeel.'

'Die menselijkheid bestaat. Wat niet bestaat, kun je niet schenden. Maar luister alsjeblieft even: ik verkondig niets. Ik dring niemand wat op.'

Nie wieder Krieg, nooit meer oorlog, het staat op alle monumenten, maar als je een krant openslaat is daar weer een nieuwe begonnen. En dan maar weer schieten. En dan maar weer folteren!'

'En zij dan de beul uithangen en wij niet? Ze zullen feesten!'

In de deuropening verscheen een jongeman in een elegante djellaba, zonder tulband, met een Europese haarsnit.

'Rao, ik ken die man,' zei Nicola stil, geschrokken. 'Dat is een van die zogenaamde leraren die ik gezien heb in het huis van Sidi Omar, waar ze jongelui heen lokken om hen zogezegd te helpen bij hun studiewerk. In werkelijkheid gaat het erom hen te testen, hen de geneugten van de hemel van Allah al eens te laten ondergaan, en de meest geschikten onder hen dan over te brengen naar de kelder van Arhab, waar hun brein gebroken wordt en er wilde dieren van hen gemaakt worden.'

Beminnelijk vroeg de jongeman waarmee hij hen van dienst kon zijn. Zijn gezicht verstarde toen hij Nicola zag en nog meer toen hij naar de tweede Land Rover keek en naar de vier mannen die daaruit tevoorschijn kwamen.

'Een woordje graag met Kashim,' zei Rao.

'Ik ben Kashim,' zei de jongeman.

Rao zei: 'Wij komen van Hassan, de handelaar in oude auto's, die de auto's ook voorziet van een bijzondere bedrading, wanneer daarom verzocht wordt. U hebt van hem een mosterdgele, kleine vrachtwagen overgenomen waarin speciale bedrading was aangebracht, maar nog geen kakikleurige pakjes. Toen die mosterdgele, oude vrachtwagen kwam aanrazen in Bagdad Palace, zaten de pakjes er wel in.'

Hij gaf de vier mannen een wenk.

'Ik weet niet waar u het over hebt,' zei Kashim.

De vier mannen grepen hem vast en namen hem mee naar binnen.

'Toe, blijf liever hier,' zei Rao tegen Nicola.

Maar ze schudde het hoofd.

'Het is beter,' zei Rao.

'Het is niet beter,' zei Nicola. 'Het is ook niet gewoon goed.'

Ook dit was een huis met veel gangen en kamers en een binnenplaats. In een van de hoeken daarvan merkte Nicola jongelui op die haastig wegdoken achter een gordijn. Ze herkende ook de andere 'leraar' die kwam toegesneld. Wat later stonden ze in een ruim vertrek voor Sidi Omar, die achter een breed bureau zat te midden van boekenrekken. Tussen de boekenrekken hingen gravures en er stonden twee grote, oude wereldbollen.

Sidi Omar, die prenten had zitten bekijken, greep snel in de la naast hem. Een van de vier mannen schoot daar een kogel doorheen, zo dicht bij de hand van Sidi Omar dat daar splinters hout op vielen. Een andere kerel liep om het bureau heen en haalde het pistool uit de la. Hij doorzocht snel de andere laden. Sidi Omar riep hun toe dat ze zijn huis moesten verlaten. Hij zou de politie opbellen en hen in de gevangenis laten opsluiten.

'Hou je babbel!' schreeuwde Rao, weer buiten zichzelf van woede. 'Jij zult naar de gevangenis gaan en of je er ooit nog uit komt, is lang niet zeker. We zouden ons zelfs kunnen afvragen of het nuttig is dat jij er levend in gaat.'

'Ik begrijp niets, maar niets van al wat u daar uitkraamt.'

'We zullen het je tonen!' riep Rao. 'Ik beschuldig je nu al van moord op vier jongelui, mishandeling met zware verwondingen van twintig of dertig andere jongelui en het vrijwillig vernielen van de gebouwen waarin deze jongelui zich bevonden. Ik zal die plaatsen en die jongelui aan jou tonen. Ik zal jou op die plaatsen aan die jongelui tonen. Daarna zal ik aan die jongelui vragen wat we met jou moeten doen. Als ze mij laten kiezen, zal ik jou naar Den Haag brengen in Nederland en je terwijl de wereld toekijkt laten verschijnen voor het Internationale Gerechtshof. Milosevic zit daar. Vooruit, mee met ons.'

Sidi Omar riep dat hij niet zou meegaan. Hij probeerde uit het vertrek te vluchten. Twee van de vier kerels van Rao grepen hem onder zijn oksels en droegen hem met spartelende benen het vertrek uit.

'Degene die het dynamiet plaatst ook,' zei Rao op de binnenplaats. 'Die daar.'

De twee andere kerels grepen Kashim. Op straat gaf Rao te kennen dat hij Sidi Omar in zijn Land Rover wilde en Kashim in de tweede. Zo vertrokken ze terwijl op straat al overal mensen kwamen toekijken.

'Wat doen ze met die brave meneer?' hoorde Nicola een vrouw zeggen.

In het verkeer van de moderne binnenstad leek het Nicola opeens dat ze in een heel andere wereld kwamen. Wat ze in dat grote huis gezien had, leek iets uit een akelige droom, maar de dingen werden weer werkelijk toen ze Bagdad Palace binnenreden. Ze werden meteen omringd door een menigte jongelui.

'Hij daar! Hij is het geweest!' riep Rao hun toe terwijl de twee kerels Sidi Omar uit de Land Rover tilden. 'En die andere daar heeft de auto klaargemaakt, maar deze heeft die auto naar jullie toe gestuurd. We moeten eens bespreken wat we met hem gaan doen. Ik heb een voorstel.'

Maar hij werd meteen overstemd door geschreeuw dat van alle kanten leek te komen. Het weerklonk tot over de beschadigde muren van de nieuwe gebouwen, net als het huilen van een menigte op een sportveld, wanneer de tegenstrevers iets hatelijks hebben gedaan. De jongeren stortten zich op Sidi Omar. Er ontstond een wild kluwen. Rao probeerde het hun te beletten. Nicola gilde het uit. Er waren ook grotere jongens die de razernij niet wilden, maar vuisten beukten, stenen beukten. Toen ging de kring jongelui uit elkaar en werden er stenen naar Sidi Omars lichaam geworpen. De jongens gingen grotere blokken halen en ploften die erop neer. Ze bleven smijten

zodat die hoop groter en groter werd, tot ze bij een berg stonden, nog steeds met stenen in de hand, hijgend, druipend, met
gloeiende ogen. Nicola stond daar met de handen voor het gezicht. De gekwetste jongen die hen door de stad geleid had,
stond daar nog steeds bij haar. Hij keek verwezen naar de grote
hoop stenen.

'Goeie genade,' zei Rao. 'Dat had ik niet voorzien. Het is te
laat voor Den Haag nu. Wat ze hierover zullen denken, weet ik
niet. De Amerikanen willen de dingen weer overlaten aan de
Iraki's. Onder hen zullen er dan wel zijn voor wie stenigen nog
mag, het stenigen van zondaressen dan, maar een man stenigen,
daar heb ik nooit van gehoord.'

De jongeman uit het huis van Sidi Omar, de zogenaamde
leraar, zag er bleek uit. Hij kwam naar Rao toe.

'U hebt een grote vergissing begaan,' zei hij. 'De school van
Sidi Omar is er om jongelui te helpen volwassen te worden.'

'En de groene rustbedden dan?' vroeg Rao. 'En dat neuken
en die ingebonden piemel van Pico, daar begrijpt u natuurlijk
allemaal niets van. *Insh' Allah.* Maar jij gaat met mij mee naar
Den Haag. Dan kunnen we het daar allemaal eens vertellen.'

De jongeman probeerde te vluchten, maar de kerels grepen hem en brachten hem naar de auto van Rao. Ze deden
hem achterin plaatsnemen, een kerel rechts van hem en een
links. Rao ging achter het stuur zitten. Door het open raampje
zei hij tegen Nicola: 'Ik bel je straks op.'

39

'BAGDAD SCHREEUWDE' had Nicola als titel boven haar stuk
geplaatst, het ooggetuigenverslag van de 'steniging' van de Grote
Terrorist. Overal had men die titel behouden. Die stond op
voorpagina's van kranten, ook de foto van de berg stenen en
de jongelui die daar hijgend, in hun schamele kleren omheen
stonden, velen op blote voeten. Niet alleen honderd jongelui
hadden daar geschreeuwd, Bagdad schreeuwde, die verslagen,

vernederde stad, bezet door leugenaars en bedriegers, verbrokkeld en krachteloos geworden door onenigheid. Over het land scheen de schreeuw zich te hebben verspreid: 'Wij willen dit niet. Wij verdragen het niet meer.'

Het was allemaal voorbij toen Ilja daar toekwam. Hij stormde het wijde binnenplein op. Hij greep met de beide handen een brok puin, tilde die op tot boven zijn hoofd en stond daarmee bij de steenhoop, waar het lichaam nog onder lag. Het leek alsof hij die steen met geweld daarop zou neersmakken. Een laaiende woede overheerste hem. Dat had Nicola toch gedacht, maar er brak iets. Hij liet de steen zakken, ter hoogte van zijn borst. Zo stond hij daar een tijdje en toen liet hij de steen op de grond vallen. Ook daarover had Nicola geschreven. Als doders bij je wat kwamen doen, of je dat dan bij hen ook moest gaan doen?

'Waarom niet?' vroeg Woodrow toen ze laat in de avond in Bagdad Palace kwam, wetend dat ze toch niet zou slapen. 'Maar we zouden protesteren tegen onze absurditeit, hadden we gezegd. Als moordenaar geboren worden, maar niet moorden. *No passaran.* Het is wel mooi, dat gedoe van Camus,' zei hij. 'Tegen alles in gaat die dokter in *La Peste* toch voor de zieken zorgen.'

'Jij doet het ook, Wood,' zei Nicola.

'Camus heeft eigenlijk niet helemaal doorgedacht,' zei hij. 'Goed en kwaad aan elkaar gelijk, dan is het niet beter voor de mensen te zorgen dan niet voor hen te zorgen. Je weet niets over het morele gehalte van die handelwijzen. Het is nuttiger, het streelt je ijdelheid een beetje, het troost je dus zeker wel, maar dat zijn kleine dingen. Het grote is dat je nog altijd in een illusie leeft. Je meent dat je het beter doet dan de absurde bedillers, misschien doe je het slechter. Maar...' voegde hij er na een poosje aan toe.

'O toch,' zei Nicola. 'Ja, zeg eens gauw wat er op die maar volgt.'

'Je hoeft niet alles te hebben om deugd te beleven aan veel. Je hoeft niet alle flessen oude Scotch te hebben om die lekker te vinden. Ik heb eens gelezen dat er rozijnenbomen bestaan.

349

Ik had er nog nooit van gehoord, ik heb er ook nooit een gezien. Maar rozijntjes zijn wel lekker. Wij, Britten, zitten zalig, half in zwijm, met verdraaide ogen met ons achterste op een warme steen op een dag dat het eens níét regent. Als student heb ik in de straat waar ik mijn kamer had eens een halfuurtje voetbal gespeeld met een knaap. De voetbal was een colablikje. De volgende dag stond die knaap weer voor mijn deur. Hij had een voetbal meegebracht.'

'Die knaap was een kampioen,' zei Nicola glimlachend.

'Ik heb eens veertien dagen bij vrienden mogen verblijven op Malta. Ik heb het grootste deel van die tijd doorgebracht op wit kiezel tussen agaven. Als je dan lang heel stil ligt, komt er bijna altijd iets of iemand naar je kijken. Bij mij was het een hagedisje. Ik zag zijn kopje in de schaduw van een steen. Het gluurde naar mij. Het was nieuwsgierig. Toen ik met mijn wimpers knipperde, was het verdwenen. Maar de volgende dag was het kleine diertje daar weer. Het lag daar weer te gluren. Een distelstruik en daar schuin fel zonlicht op, dan lijk je uit elkaar gespat, roerloos geworden vuurwerk te zien. Een mus is een prachtige rakker. Een dikke boom die afgezaagd wordt, beneden, die ringen, daar zit een halve eeuw geschiedenis in, soms wel een hele. In de Provence golven de valleien en de hoogvlakten van het ene einde naar het andere, alles is daar horizontaal, maar er staan cipressen, donkergroene lijntjes rechtop in de verte. Die wijzen naar de hemel. Die is daar niet, maar het is daar wel blauw en heet en dan wenste je dat je een vijgenboom zou zijn en daar nog honderd jaar blijven staan. Of een rots en daar voor altijd blijven staan. In Engeland staat in elke tuin naast elke *cottage* een vrouw van een jaar of zestig rozen te snijden. Die zullen mee verschrompelen als de zon opgebrand is en de aarde verschrompelt. Er bestaat geen mooier zwart dan het zwart met bruin in het pelsje van een mol. Als je de hagedis achter de steen vergroot, krijg je een voorhistorisch monster. Sneeuw, sneeuw en nog sneeuw en dan een Zweed die goedenavond tegen je zegt, zo stil dat je je afvraagt of je het wel gehoord hebt. De ezeltjes behoren tot de mooiste dieren die er bestaan, ze staan ergens met de kop naar een muurtje, ze staan daar, duidelijk tevreden, ezeltje te zijn. Als wij dat ook eens konden. Tevreden mensje zijn.'

Nicola zat te glimlachen.

'Ons kleine plekje is mooi. Zit je dat te zeggen, Wood?'

'Heb je al eens een mol in je handen gehad?'

'Nee.'

'Je moet hem bij zijn nekvelletje houden, want hij heeft tandjes als duimspijkers, die planten zich zo in je vingers. Hij is ook sterk. Je voelt dat forse kronkelen van zijn ruggengraat. Je ziet hem woelen in de tuin, een spa eronder, wip en daar is hij. Ik zou het weleens voor je doen, maar hier in de woestijn zijn er geen mollen. Je zou hem weer in zijn pijp zetten?'

'Ja.'

Nicola zag weer dat wijze, verdrietige lachje van hem.

'Is er alleen maar dat?' vroeg ze. 'Dat kleine dingen mooi zijn?'

'Nee nee, er is meer. We zijn samen.'

'Ja?' zei Nicola verrast.

'Samen zijn is goed. Dan heb je het warm. Hoor ons maar eens kwekken. Er zit ook nog een ander voordeel aan samen zijn. Je kunt dan de dingen met elkaar bespreken. Allemaal aan de zelfde kant van de weg rijden, dan raak je beter vooruit. Wij, Britten, links; jullie, rechts, jullie moeten het altijd anders doen dan wij.'

'Deugniet,' zei Nicola vertederd.

'We kunnen afspreken dat ik jullie vijgen niet kom plukken en jullie de mijne niet, dat een poortje mag en dat we dan samen vijgen eten. Dat je kinderen niet mag slaan, kinderen zijn bang wanneer ze geslagen worden, wij weten dat. Daarover eens kwekken dus. Dat we de mensen maar moeten laten doen als ze denken dat God tegen hen gesproken heeft, in de taal van hun tijd en hun plaats dan wel, terwijl er toen ook al Chinezen waren, maar je kunt niet aan alles denken. Dat we geen Afrikaanse vrouwtjes fotograferen, die dan denken dat je hun zieltje meeneemt. Dat we geen lege colablikjes op straat gooien omdat we dan allemaal in een lelijke straat lopen. Dat we na tien uur 's avonds onze muziek moeten beluisteren met gesloten vensters omdat anders de wereld volloopt met krankzinnige, oude mensen. Dat oude mensen veel weten, maar niet alles en dat ze af en toe moeten zwijgen omdat anders de wereld volloopt met jongelui die wanhopig hun handen in de lucht steken. Dat boze mensen niet in holen onder de grond zitten, wat Bush wel zou willen, want dan kan hij hen gaan zoeken en er blijven. Dat boze mensen dikwijls vooral ongelukkige mensen zijn. Dat de publiciteit ons niet moet zeggen dat we het water in onze keuken moeten ontkalken omdat ze ons dat de dag daarvoor al gezegd hebben en de dag daarvoor en daarvoor en daarvoor. We hebben al flink wat bijgeleerd in al deze dingen,' zei Wood. 'Dat is heel goed. En het komt doordat we bij elkaar zijn. Anders zouden we er niet aan gedacht hebben.'

Ilja kwam naar hen toe. Hij gebaarde dat ze niet moesten stoppen met praten en trok een stoel bij.

'Ik heb een essay gekregen over het ontstaan van de democratie en de Universele Verklaring van de Rechten van de Mens,' zei Nicola.

'Even nuttig als een gescheurd vliegenraam,' zei Ilja.

Nicola betastte zijn omzwachtelde arm.

'Doet het daar nog pijn?' vroeg ze. 'Daar?'

Hij schudde onwillig van neen. Nicola bleef de arm vasthouden terwijl ze verder praatten. Wood merkte dat. 'Je moet er eens op blazen,' zei hij. 'Mijn moeder deed dat met mij. Dat hielp.'

De jongelui hadden met man en macht gewerkt om de plaats weer bewoonbaar te maken. Glasscherven bij elkaar vegen en opruimen, puinbrokken wegbrengen, gebarsten muren schoren: heel de nacht was er geloop. De verpleegdiensten hadden een aantal gekwetste jongelui daar moeten houden omdat er geen plaats voor hen was in ziekenhuizen en tenten. Twee verpleegsters waren daar gebleven. Ze kwamen geregeld eens keuvelen. Een jongen met een diepe wonde in de long stierf in de vroege ochtenduren. Oerman, hun rebelse jonge imam, had onafgebroken de verpleegsters geholpen. Hij gunde zichzelf geen rust. Nu eens was hij woedend, razend, dan weer zat hij daar verslagen, vernietigd. Hij tilde de gestorven jongen op en drukte hem aan zijn borst. Hij huilde. Hij woelde met zijn gezicht in de haren van de jongeman. Hij bleef dat maar doen.

'Kom Oerman,' zei Ilja. 'We moeten hem wegbrengen.'

In het vroege daglicht begroeven ze de dode jongens op het kleine kerkhofje achter de moskee. Nicola zag de grote menigte die daar bedrukt bij elkaar stond. Oerman sprak: 'Meneer Bush zegt iedere dag hoe goed hij voor zijn volk zorgt. Terroristen bestrijden het Amerikaanse volk, maar hij zal het beschermen, hij zal hun vrouwen en kinderen beschermen.'

Hij liep tot bij de eerste jongen die daar onder een wit laken lag. Hij noemde zijn naam en gaf zijn leeftijd. Hij zei dat de jongen nog twee kleine broertjes had die bij een tante van hem woonden. De jongen had verteld dat hij in spoken geloofde. In eentje maar, had hij gezegd, alsof hij zich schaamde. Op de vraag of het spook een man of een vrouw was, had hij gezegd dat het een man was. Die kwam in zijn huis, die was helemaal in het grijs, donkergrijs. Misschien had dat te maken met het donkerte in zijn huis. Op de vraag of zijn vader iets deed tegen dat spook, had de jongen geantwoord dat zijn vader al lang dood was. Tien jaar? Ja, zoiets. De jongen wilde leerlooier worden omdat de man die tegenover hem woonde leerlooier was en hij daar dikwijls mocht komen zitten.

Brahim, zei Oerman bij de tweede jongen. Hij zou liever gehad hebben dat hij nu niets over hem moest zeggen in het publiek. Koppig zijn mocht weleens, maar nooit eens iets geloven van wat iemand anders zei. Van neen zitten schudden, kibbelen. De schouders ophalen en weggaan.

'Hij kwam wel terug,' zei Oerman. 'En als hij glimlachte, als hij dat af en toe eens deed, dan had het allemaal geen belang meer. Dan zou je gezegd hebben dat er twee manen in de lucht hingen om de weg voor hem te effenen. Misschien zou hij dan wel gezegd hebben: eindelijk eens een verstandig woord. De betweter, de muggenzifter. Hij had zelfs sproeten.'

Bij de derde jongen, Itsjak, stond hij te dromen. Er waren er die je geld gegeven zou hebben om weg te blijven, zei hij. Deze zou je geld gegeven hebben om te komen. 'Maar toen ik hem eens vroeg wie de grootste is, ik of Allah, stak hij de vinger op en zei: jij, Oerman. Daarna zoog hij alle lucht uit zijn bolle wangen weg. Als je je toehoorders vroeg wanneer Haroen al Rasjid dit of wanneer Haroen al Rasjid dat en je kreeg dan na heel wat moeite toch het jaar, dan gaf hij daarna de dag en de maand op. Als je hem zei: vandaag gaan we het hebben over... Dan antwoordde hij: vasten, want je hebt weer dat halve brood meegebracht, verleden jaar had je dat ook bij je en toen ging het over de ramadan. Hij was de jongen die ja knikte. Daarmee bedoelde hij dan niet dat het waar was, maar dat ik me niet vergiste. Tweemaal waren we het niet met elkaar eens. En twee-maal had hij gelijk. Het nadeel was dat ik geregeld vingers de hoogte in zag gaan en dan zei een jongen: nee, imam, nee, Itsjak zegt... Vaarwel Itsjak ben Ahfid. Ik benoem je tot lid van de Academie van Wetenschappen en Schone Kunsten.'

Bij Ismel, de vierde jongen, zei hij: 'Verleden week nog, hij zat te schateren omdat ik niet wist in welke ploeg David Beckham speelt en ook niet om welk soort van vrije schoppen Roberto Carlos beroemd was. Hij kwam aangelopen met een stuk steen aan zijn voeten. Hij schoof mij dat toe en zei: kom, kom. En dan moest ik komen aandribbelen en hem voorbij gaan. Het is me nooit gelukt.'

'Ik hoop dat er een voetbalveld is daarboven,' voegde hij eraan toe.

Ook bij de vijfde, Lahsen, bleef hij een tijdje staan dromen. 'Ik heb een tijd niet geweten waarom hij mij zo strak aankeek. Alle anderen zaten daar gewoon, de benen gekruist, maar hij lag op zijn buik. Zitten wilde hij niet. Dat moest dan maar. Maar waarom lag hij mij altijd zo te bespieden? Zijn linkerhand deed dan altijd wat. Ik kon niet zien wat, want hij hield zijn rechter-hand ervoor. Maar geregeld heerste er pret om hem heen. De jongens zaten dan te giechelen en gluurden naar mij. Onver-hoeds stormde ik eens naar hem toe. Toen zag ik het. Hij te-kende mij. Met een brokje kalk. Op de stenen. Ik geloofde eerst niet dat hij dat gedaan had, maar toen tekende hij met enkele snelle trekken mijn ongelovige gezicht. Daar stond die achter-dochtige knorpot. Ik trok andere gezichten. Hij tekende ook die. Wel twintig stonden er daar op den duur. We zaten met zijn allen in een grote kring rond hem en toen tekende hij zichzelf als een kleutertje met een vinger in zijn mond. Ik denk dat hij een groot karikaturist geworden zou zijn. Misschien zouden zijn tekeningen wel doorgedrongen zijn tot in de *New York Times* en de *Washington Post.* God zegene Amerika, zegt Bush. Ik zeg: God zegene jullie, mijn vijf kleine broertjes.'

Toen de menigte zich verspreid had en ze weer naar Bagdad Palace liepen, zagen ze daar de grote vrachtwagens S&S staan. Overal op de steigers liepen arbeiders heen en weer. Ilja vroeg Nicola of ze niet naar haar held moest. Toen ze niet antwoordde, vroeg hij kregelig of ze niet hoorde wat hij zei.

'Pardon, ik had je niet gehoord,' zei ze. 'Wat vroeg je me?'

Ilja schudde van neen. Laat maar, gebaarde hij. Hij was een poosje stil. 'Die Sidi Omar,' zei hij daarna, 'die zogenaamde wijze man, die moet geweten hebben wat er met hem gebeurde, nietwaar? Terwijl die stenen kwamen, wist hij wat er ging gebeuren. Ik heb eens gelezen dat bij de traditionele stenigingen eerst keien naar de benen geworpen werden, daarna naar het lichaam en dan pas naar de borst, om het lang te laten duren.'

'Zo is het niet gegaan,' zei Nicola. 'Er brak razernij uit, een verward geweld. En toen stonden ze daar stil, heftig ademend, met gloeiende ogen. Het was niet berekend, er werd ook niet nagegaan hoe het nog erger kon. Jij zou het ook niet gedaan hebben, Ilja.'

'Dat is niet zo zeker.'

'Die steen kwam tot boven je hoofd, maar je hebt hem niet neergekwakt.'

'Toch wilde ik het.'

'Maar je hebt het niet gedaan.'

'Het plan om die Sidi Omar naar Den Haag te brengen, naar het Internationale Gerechtshof, was dat gemeend? Zou hij dat gedaan hebben?'

'Ik denk het wel, ja,' zei Nicola.

'Nu ja, openbare straf voor de Grote Vijand van de Westerse waarde, de Amerikanen zouden dat dan wel graag gezien hebben. Zijn grote vrienden…'

'De Amerikanen zijn niet zijn grote vrienden.'

'Hij werkt wel heel hard met hen samen.'

'Dat wel, ja, maar daarom zijn ze nog niet zijn grote vrienden. Als ze mij al dat geld willen geven, laat ze dat dan maar doen, zegt hij.'

'Het lijkt op wat je in de boeken leest over lui die collaboreerden met de nazi's, toen, in en rond Duitsland. Wat gaat hij doen met die andere, die leraar? Hij heeft die meegenomen in zijn auto.'

'Ik weet het niet,' zei Nicola.

'Heb je het hem nog niet gevraagd? Jullie telefoneren elk uur, neem ik aan. Sorry,' zei hij wrevelig. 'Ik zeg altijd maar weer domme dingen. Vergeef me. Alsof je niet zou mogen telefoneren wanneer je wilt en met wie je wilt.'

'Zachtjes, Ilja,' smeekte Nicola.

Ze haalde haar telefoontje tevoorschijn en belde Rao op. 'We hebben de jongens begraven,' zei ze. 'Ilja is hier bij mij. Er wordt gevaagd wat je met die andere gaat doen, die leraar, die je meegenomen hebt in je auto.'

'Daar doe ik nu meteen niets mee,' zei hij. 'Hij moet ons eerst wat vertellen.'

'Rao, het woord "vertellen" klonk vreemd. Je gaat die man toch niets doen, hé?'

'Hij zal iets doen,' zei Rao. 'Over niet al te lange tijd, denk ik. Ik doe iets. Ik wacht.'

'Daar heb je het weer. Dat woord "wachten". Dat klinkt raar. Waar is die man nu?'

'Maak je maar geen zorgen. Hij blijft leven. Hij moet blijven leven want ik wil met hem naar Nederland. Die Omar is er niet meer, hij dan maar, die tweede man, die de auto besteld heeft, die de speciale bedrading besteld heeft, die de dodelijke pakjes erin aangebracht heeft en die dan die jongen, Pico, daarnaartoe geleid heeft, misschien wel terwijl hij zijn arm vasthield. We brengen nu papieren bij elkaar. Papieren die mee zullen gaan naar ginder. Maar ik moet nog even wachten. Die man moet mij eerst nog iets vertellen.'

'Wat dan, Rao?'

'Waar die Oerman Arhab is, die de jongens in die overwelfde kelder behandelde en die ook rondrijdt zonder tulband in een chique Lancia. Onze man moet me vertellen waar hij nu is en waar die andere jongens zijn, die kameraden van Pico, die blijkbaar klaargestoomd zijn of die ook al ergens een contract uitgevoerd hebben of ergens wachten. En of je bij die Arhab moet zijn om een contract te komen voorstellen en naar kandidaten te kijken. Ik denk van niet, maar bij wie dan wel? Ik denk niet dat die Sidi Omar de gewone contractman was. Hij zag er zo academisch uit. Hij bewoog zo weinig. Maar zo was het ook met de ayatollah, Khomeini, zeggen ze hier om mij heen. Die Arhab weet dat en die kerel in… euh…'

'Ja, Rao, die kerel in…? Wat ging je zeggen?'

'Ik bedoel de kerel die ik nu in bewaring heb. Die weet waar Arhab is en die moet me dat zeggen.'

'Als je hem foltert, kom ik nooit meer naar je toe.'

Daar zeg je meer dan je weet, dacht ze.

'Altijd maar weer zeg je dingen,' zei Rao. 'Zeggen! Zeggen! Zeggen! Ik zal het je later allemaal vertellen,' zei hij. 'Nu niet. En nee, ik folter hem niet. Wees gerust. Ik doe hem niets. Ik neem hem mee naar Den Haag.'

Het was de eerste keer dat hij zelf de telefoonverbinding verbrak.

Het is normaal, dacht ze, hij is daar omringd door medewerkers.

40

De drukte in Bagdad Palace was nog toegenomen toen ze daar weer aankwamen. In de ramen werden alweer nieuwe ruiten geplaatst. De verbrijzelde ruiten werden eruit gehaald en vervangen door andere. Drie betonmolens waren aan het werk. De verse specie werd in bakken op de schouders de ladders opgedragen. Ze hoorden weer de klinkende truwelen van de metselaars. Op andere plaatsen werden stukken muur onder gedonder neergehaald. Dadelijk werd dat puin weggevoerd. Overal waren jongens van Bagdad Palace mee aan het werk. Het waren er wel honderd, dacht Nicola.

'Ilja, zie je dat? Ze doen mee. Ze stonden daar beteuterd op het kerkhof, zoals ik, maar zie, ze pakken het aan. Ze geven het niet op. Hun leven pakken ze daar aan.'

Ook in de blik van Ilja zag ze die kracht, die wil die niet gebroken was.

'Ik wil met die kerel van jou praten,' zei hij.

'Toe, zeg gewoon Rao.'

'Ja, goed, Rao,' zei hij. 'Ik wil met hem praten. Ik zou er een groot, gezellig café van willen maken? Natuurlijk moeten al die plaatsen voor de jongelui er ook weer komen, eetzaal, slaapzalen, kleine kamertjes om te discussiëren, klassen, maar ook een groot, echt café, met een tuin en pergola's en terrassen vol mensen die 's avonds komen kletsen en de nargileh roken en de wereld aan hun laars lappen.'

'Daar, die stevige kerel, bij die grote ladder, dat is de werfbaas. Het is een Turk. Hij weet alles. Hij zal het doen zoals je het wilt. En die kleine man daar met zijn lang haar en zwarte jeans en rood hemd, boe, ba, theatraal, zoals altijd. Hij is architect. Ga met hem praten. Als je wat tegen hem zegt en er kan wat mee gedaan worden, dan beginnen zijn ogen te fonkelen. Hij ziet dat dan allemaal al. Hij maakt wat tekeningen op de grond en daarna verdwijnt hij en enkele uren later komt hij terug met papieren, groter dan hijzelf. Abel heet hij. Hij is een Jordaniër. Hij heeft verwanten onder de Palestijnen op de Westbank. Daar kun je best met hem niet over praten, toch niet tijdens de werkuren.'

'Heb je onlangs nog gegeten?' vroeg Ilja.

'Euh... Nee...'

'Blijf je niet met mij eten?'

'Ja, Ilja, heel graag. Of kom jij mee naar mijn hotel. Hier lopen we maar in de weg. Er is daar een heel goed restaurant, een Napolitaanse kok, een heel goeie.'

'Er zijn hier wel veel dingen te regelen,' zei hij aarzelend, maar ze nam hem al mee naar haar auto.

Op de binnenplaats van het hotel, tussen hagelwitte muren, bij het zwembad, onder palmbomen, alles ordelijk en kraaknet, vroeg hij: 'Zijn we hier in Miami, misschien?'

Hij keek naar de elegant gemeubileerde Amerikaanse bar naast de salons.

'We hebben samen eens op zo'n plaats gelogeerd,' zei hij.

'In Damascus,' zei ze.

Verrast keek hij op. 'Je weet het nog. Het was in Damascus. We hadden al een halve dag of zo gevrijd en toen zaten we op het bed, elk op zijn helft van het bed, zoals kleermakers, en we kletsten en we kletsten en we kletsten. Het werd zo donker dat we elkaar bijna niet meer zagen zitten. We deden de lichten aan. Een tijd later zeiden we verwonderd: kijk daarbuiten, het is weer licht. Wat hebben wij elkaar toen allemaal verteld?'

'We hebben het allemaal hervormd,' zei ze. 'Het leven, de maatschappij, de politiek, de economie, de manier waarop je als mens moet leven, China, Rusland, België, de diepzeevisvangst, de bestaansmogelijkheden van de eskimo's, weer de manier waarop je als mens moet leven, de grote, heel sympathieke stad Caïro, die barst van het leven en midden daarin de stokoude universtiteit Azaar waarvan men zegt dat het een van de centra van het islamitisch fundamentalisme is. We zouden gaan duiken in de Rode Zee, we zouden naar de Zuidpool gaan, waar pinguïns je tegemoet komen als burgemeesters zodat je aanstalten maakt om hen de hand te drukken.'

'De liefde zouden we niet hervormen,' zei hij. 'Die was helemaal zoals het hoorde.'

'Wat moet ik nu antwoorden?' vroeg ze verslagen. 'Ilja, zeg mij eens eerlijk, jij bent toch zo'n vrije vogel, jij wilt niet iemand die bij je woont. Leven met z'n tweeën, verantwoordelijk zijn voor elkaar, rekening houden met elkaar…'

'Van elkaar houden,' zei hij heftig. 'Kletsen tot het licht wordt en dat overheerlijk zalig vinden. Waarom heb je dat gedaan?' vroeg hij woedend. 'Waarom ben je opgetrokken met die andere kerel?'

Omdat ik van hem houd, dacht ze. Waarom zeg je hem dat dan niet?

'Jij wilt altijd maar plannen maken, voor een jaar ineens, voor tien jaar ineens, voor honderd jaar ineens.'

Dat is niet waar, dacht ze. Je bent er eentje alleen, zoals hij er eentje alleen is. Een genoeglijk vandaag, gisteren is vergeten en morgen moet maar voor zichzelf zorgen.

'Waarom?' vroeg hij, zo luid dat de ober kwam vragen of ze wat wilden, of ze iets gevraagd hadden dat hij niet goed gehoord had.

'Vroeger zou jij nu gemanoeuvreerd hebben tot we daarboven in die kamer waren,' zei hij.

Dat is niet waar, hoop ik, dacht ze, hoewel het wel waar is dat je twijfelaars een handje moet toesteken. Het is niet waar dat ik met hem naar boven wil, dacht ze, dat is níét waar.

'Geen antwoord,' gromde hij. 'Dan maar terug naar iets wat Bush gezegd heeft, of zoiets.'

Ze aten in stilte. Een klein meisje dat aan een naburige tafel zat kwam Nicola een tekening tonen die ze gemaakt had. Nicola prees haar. Het meisje kwam nog een tweede blad tonen. Daar stond een poes op. Nicola tekende er een klein poesje bij. Uitbundig schaterend ging het kleine meisje dat aan haar ouders tonen. Ilja gromde: 'Ik wil geen onaangename dingen tegen je zeggen. Ik ben een bullebak.' Bij de koffie zei hij: 'Ze hebben Bush een tweede maal verkozen. Dat onvoorstelbaar domme volk deed dat. Een overschot van stemmen zelfs. Drie miljoen. Nu ja, die andere, die Kerry, heeft in het parlement ook voor de oorlog gestemd, dat is een. Hoe zou hij wat tegen die oorlog kunnen zeggen terwijl zijn eigen jongens, die Amerikanen, in Irak hun leven wagen, dat is twee. En hij heeft het charisma van een plaatselijke lekenhelper, dat is drie.'

Hij zei dat hij langs het nieuwe Civic Center gereden was. 'Die witte gebouwen, die zuilen in drie cirkels boven elkaar, die koepel, die deze Rao aan het bouwen is, je waant je daar in Washington. We moesten misschien een of andere wilde heilige daar eens heen sturen en dat de lucht doen ingaan.'

Toen Nicola de rekening ondertekend had kwam het kleine meisje afscheid nemen.

'*Goodbye,*' zei ze terwijl ze een kleine revérence maakte.

Terwijl ze het restaurant verlieten zei Ilja: 'Jij bent ook niet vol ongeduld om moeder van kinderen te worden.'

'Ooit toch wel,' zei Nicola met een glimlachje terwijl ze naar hem omkeek.

In de hal van het hotel vroeg hij: 'Hoe zeg je dat ook weer? Bedankt voor de uitnodiging en voor de gezellige middag?'

'Ik ga schrijven over de begrafenis van de jongens,' zei ze.

Hij liep al weg. Ze bleef hem verdrietig nakijken. Ze dacht: hij zou in Moskou als politicus bergen werk verzetten, als dat verwarrende idealisme, die goedheid, die edelmoedigheid niet altijd weer de dingen in de war kwamen sturen.

Week na week, in een drukte waarin ze soms omvergelopen werden, zagen ze het nieuwe Bagdad Palace groeien. Zelfs van de tuin werd werk gemaakt, met terrassen en pergola's. Soms zag Nicola van ver Rao op een steiger staan. Hij wees met de arm en riep bevelen naar de arbeiders. Kolossale, geprefabriceerde, betonnen wanden werden aangevoerd. Dat werd dan een zaal. Nog meer van die wanden, dat werd een bioscoop. Geregeld belde Rao haar eens op. Hij gaf haar uitleg, hij vroeg haar mening. Ze zag zijn overrompelende energie aan het werk, zijn vitaliteit, zijn creativiteit. Soms schreeuwde hij met de armen in de lucht, daarna stond hij weer rustig met een architect of een ploegbaas te praten.

Op een avond liet Rao haar weten dat ze Arhab gevonden hadden, Oerman Arhab, de driller, op een plek aan de zuidkant van de stad, een kleine moskee, die ook kelders had. Buren hadden verteld dat daar een paar weken lang jongelui geweest waren. Ze hadden in die weken meermaals geschreeuw gehoord, maar de jongelui waren nu weg. Verkocht, zei een oude man. Buren spraken dat laatste tegen, maar de oude man hield het staande. Met die jongelui werd wat gedaan, daarna werden ze 'afgeleverd', verkocht voor geld. Een Saoedi, zei hij, een heel rijke Saoedi.

'Osama Bin Laden is een heel rijke Saoedi,' zei Nicola.

'Nee, het gaat daar niet over hem,' zei Rao. 'Die rijke Saoedi kwam daar, in die kleine moskee. Er was daar nog zo'n instructeur als Arhab. Die twee werkten daar samen. Ook de kerels met die knuppels zijn daar.'

Er was nog een belangrijk gegeven, zei hij. Iets wat ze pas ontdekt hadden en wat ze nu dus zeker wisten.

'Arhab werkt ook voor een genootschap dat The Council heet. Hij behandelt daar kaderleden en jonge managers. Hij stoomt ze klaar tot ze met lijf en ziel hun bedrijf willen dienen.'

'Klaarstomen? Zei je dat? Onderricht in de aard van wat er in die kazemat gebeurde?'

'Jazeker. Ook in India ken ik dergelijke plaatsen. Er zijn er ook in Europa. Afmatten, uithongeren, breinen kraken. Er komen pillen aan te pas en dan worden die stempels in hen geslagen, die programma's, totale gehoorzaamheid, toewijding over alle grenzen heen. Het bedrijf is fabelachtig, de raad van bestuur is fabelachtig, wij zijn fabelachtig. Soms wordt er weleens opgetreden, door een of andere substituut of procureur, maar die kunnen juridisch heel weinig doen. Het is onderwijs, wordt er dan gezegd, heel strenge tucht, maar waar ligt de grens tussen heel streng en te streng? Het is zo moeilijk omdat die jongelui er vrijwillig aan begonnen zijn. Ze werden gelokt, charmant verleid, maar charmante verleiding is niet verboden. Sidi Omar, dat mooie huis, even een moeilijke episode dan in zo'n kelder, gebrul, getier, honger, uitputting, maar gauw raak je niet meer aan getuigenissen, ze zijn al mak, ook beschaamd. Niemand wil "gemaakt" zijn. Wij hebben onszelf gemaakt. We zijn wat we willen zijn. Een kleine vergissing dus, nou ja, zo klein ook weer niet: we dachten dat die Sidi Omar de topman was, maar zo is het niet. De jongelui hebben de verkeerde gestenigd. De topman zit op een ondergeschikte plaats, waar hij minder opvalt. Daar kennen wij, Hindoes, wat van. In de Oost-Afrikaanse landen zitten wij in een achterkamertje achter de computer en de zwarte Afrikaanse manager staat vooraan in de winkel. Het is de kleine, verborgen Indiër die de manager is. De Afrikaanse manager vooraan is maar schijn. Dankzij hem kunnen de oude dingen blijven voortbestaan. De man die ik meegenomen heb is de baas, denk ik toch. Over een paar dagen zal ik het zeker weten.'

Een week later bevestigde hij het. 'Die charmante zogenaamde leraar leidde de zaken. Sidi Omar was er voor het prestige, voor de welvoeglijkheid. Er zijn nog twee andere opvoeders zoals hij in Bagdad.'

'Opvoeders,' zei Nicola, 'zei je dat?'

Ja, dat was het woord dat hij gebruikte. En de drie 'opvoeders' stonden onder wat hij 'een man uit een ander land' noemde.

'Dat zal wel die rijke Saoedi zijn. De kerel die ik meegenomen heb, heeft toegegeven dat hij opdrachten gaf aan "afgewerkte" jongelui, niet het aangenaamste woord. Hij heeft al eens jongelui doorgegeven aan een oliebedrijf om een concurrent te saboteren. Lui uit de Perzische Golf waren gekomen. Ze wilden wat ondernemen tegen bepaalde schepen die hen hinderden. Er is ook een *mocaddem,* een soort van burgemeester, die een jongeman kocht om af te rekenen met een tegenstrever die op een naburig plein een ander gemeentebestuur had opgericht in een ander gemeentehuis. Een kapitein van de vroegere lijfwacht van Saddam, die is overgelopen naar de Amerikanen, heeft een jongen gekocht om een schuilplaats te vernielen waar een luitenant van hem zichzelf tot kapitein had benoemd. En laat ik mijn eigen beroep maar niet veredelen door wat te verzwijgen,' zei Rao, 'een belangrijk bouwondernemer in Lakhsim heeft al drie doders gekocht om bouwwerven van concurrenten te vernietigen. Zoek maar niet naar de islam achter al deze dingen. Zoek maar niet naar fundamentalisten. Dit is niet het werk van ayatollahs en mollahs. Volgens Rumsfeld wel. Die ziet achter alles een samenzwering van de islam. De islam die het op Amerika gemunt heeft. Je hebt hem dat soort dingen zeker al horen zeggen: Saddam die gifbommen zou geven aan Osama Bin Laden en Osama Bin Laden die de gifbommen dan zou uitstrooien over New York en Washington. Daar zijn de Amerikanen dol op. De idiote *Rumspeak!* Je hebt hem ook weleens horen praten over het grote Oudheidkundig en Kunsthistorisch Museum in Bagdad dat zij gebombardeerd hebben en dat daarna leeggeplunderd werd. Hij zag op de televisie enkele keren een man naar buiten lopen met een vaas.

Wel twintig keren zag ik dat, zei hij. En toen zei hij verwonderd dat hij niet wist dat er zoveel vazen zaten. Het culturele erfgoed van de mensheid? Het zal hem een zorg zijn. Dollars voor Amerika, dat is eens wat anders! De analfabeet! Wat wij hier meemaken, daar zit geen islamitisch fundamentalisme in. Wat we zien, is het ontstaan van een werkmethode, van een nieuw wapen. Ik heb je dat al eens gezegd. We hadden het toen over Israël, de jonge Palestijnen die daar de joodse nederzettingen binnen razen zijn geen moslimfundamentalisten, het zijn mensen die hun land terug willen. Het zijn jongens die naar huis willen. De heilige doders van Bagdad willen niet meer moskeeën. Zij willen minder Amerikanen. De grote fundamentalistische samenzwering tegen het christelijke of onchristelijke westen is een fictie. Maar de heilige doders zijn spectaculair. Om hen op te zwepen wordt Allah er even bijgehaald. Zo worden ze nuttig. Je kunt naar hen wijzen met je vinger. Je kunt een kruistocht voeren tegen een onbestaand leger, in werkelijkheid hoopjes dutsen, geprefabriceerde, weerloze waanzinnigen, die niets met elkaar te maken hebben, die uit kelders en achterkamertjes komen en waar schrapers van de derde categorie wat geld mee verdienen. De echte oorlog wordt dan onzichtbaar.'

Weer sprak hij met die gloed die hem slechts af en toe overmeesterde.

'Wie voert die echte oorlog dan, Rao? Amerika, ja, maar Amerika tegen wie en wie tegen Amerika? Als het niet heidenen en ketters zijn die weer bekeerd moeten worden of uitgeroeid...'

'Er wordt altijd maar gezegd dat de Amerikanen het machtigste volk van de wereld zijn. Dat is het ook, maar het hoeft niet altijd zo te blijven. De kortzichtigheid van een aantal commentatoren kent geen grenzen. De islam is een oude godsdienst. Die ondergaat dezelfde evolutie als het christendom. Die onafzienbare menigte in het Midden-Oosten en in het Verre Oosten en in Noord-Afrika heeft alleen nog maar enkele moslimtradities. Dat oude boek, die oude ayatollahs, dat behoort niet meer tot hun leven. Een oude gerstteler op een akkertje in een oase aan de rand van de woestijn zie je nog weleens op een matje zitten, met zijn hoofd in de richting van Mekka buigend. Maar hun zonen zouden een auto willen en hun kleinzonen staan in een groepje bij de kroeg. Verwacht maar niet dat de Reguibat, de Tadjakant of de Toearegs Europa weer zullen komen binnenstormen in hun wapperende blauwe mantels, een doek voor hun gezicht, in hun geheven vuist een kromzwaard. De Saracenen... Die wachttorens staan nog op de kusten van Frankrijk en Spanje. De woestijnruiters vertonen nu die wilde ritten voor de toeristen, zoals de nepcowboys elkaar beschieten in nepsaloons of van houten daken vallen in Texas en Arizona. Nasser droeg al geen tulband meer, Sadat droeg er geen, Moebarak draagt er geen, de vader van de koning van Marokko droeg er in zijn tijd nog een, maar ik heb hem gekend toen ik student was. Hij was toen in Cannes op de Croisette, hij en andere jonge prinsen uit het Midden-Oosten, en daar droegen ze geen tulband, hoor. Het kleine volk krijgt nu procentjes op de olie. Ze moeten niet veel meer werken en ze hoeven geen belastingen te betalen, net zoals in Monaco. Er is geen grens aan hun geluk. En de kaïds en de pasja's en de prinsen? Het maakt zoals we al eens zeiden niets uit of je twintig of dertig Rolls Royces hebt. Later misschien, veel later, wanneer die honderden miljoenen moslims hebben leren lezen en schrijven en rekenen, als ze geld niet meer in kelders verstoppen, als ze beursmagnaten en *masters of business administration* hebben. Dan zullen wij misschien 's nachts eens wakker worden en ongewoon rumoer horen. Hoewel... Ik ben in de geschiedenis nooit machtige woestijnrijken tegengekomen, ook geen oerwoudrijken, terloops gezegd, en ook geen schrale steppe- of toendrarijken. China, dat moet ik dus ook nog zien. En Rusland zou die lange, logge staart tot in Wladiwostok beter kwijtraken. Maar er zijn plaatsen, andere plaatsen, waar het wel kan. Amerika is zo'n machtig land geworden. Anderhalve eeuw geleden was het nog een dun bevolkt, ver landbouwland. De paardendief was de vijand. De joodse rabbijnen schreeuwen in Jeruzalem, maar daarbuiten zijn het poppenspelers. De ayatollah Khomeini schreeuwde. De poppenspelers! De paus van Rome, ach, de arme man, hij kan niet meer schreeuwen, maar hij zou het wel willen, de poppenspeler. Onze tempelbrahmanen in Benares en Calcutta. De monniken van Boeddha, in het oranje gekleed met een blote schouder die je niet mag aanraken, tussen tempels die op uitvergroot speelgoed lijken, behangen met klokjes waar de kinderen in verrukking naar luisteren. De Congolese tovenaar behangen met veren en luipaardstaarten. De nieuwe televisiepredikanten in hun kristallen kathedralen, het nieuwe spiritualisme draagt daar aan de voorkant zijn geld naar binnen en de profeten dragen het aan de achterkant naar buiten. Nog even en we gaan kijken of er op de oevers van de Amazone geen Chavante-tovenaar meer is. En misschien, op een berg in Mexico, of er daar geen mensenoffers meer gebracht worden, met een stenen bijl, met bloed op de dreigende, grijnzende afgod zodat men daar minder bang voor moet zijn. Het lamentabele poppenspel, je hoeft het niet uit te roeien, laat het de bevreesde mensjes maar troosten. De Amerikanen weten wel waarom zij met de televisie erbij zitten te bidden voor zij een vergadering beginnen. Hoe meer verkeerde vijanden, hoe beter. Ik zou soms met mijn vuisten op die godvruchtige, Texaanse tronies willen slaan. Onthoud dit. Denk eraan terug als je me het ziet doen. Ik zal nooit jongelui mishandelen en hen daarna op die walgelijke manier de dood in sturen, maar dat die Angelsaksische blanken voor eeuwig in hun witte Capitolen zelfgenoegzaam de wereld moeten zitten overheersen, is níét waar. Er zijn plaatsen waar daaraan gewerkt wordt. Ik zal je daar weleens meer over vertellen. Als daar, bij gelegenheid, buiten mijn wil dan, eens zogenaamde heilige doders aan te pas komen, dan zijn dat ingehuurde knechtjes. Aangekochte wapens, zou je ook kunnen zeggen, nuttig voor de aanvallers, welkom als alibi voor de verdedigers. GOD WEER MAAR EENS HUURSOLDAAT VAN DE KRIJGSHEER. En, groot mirakel, wie had wat anders verwacht, hij is de bondgenoot van de beide partijen. Sorry, lieveling, ik ben niet helemaal mezelf. Ik heb een streepje cocaïne gesnoven, wat ik zelden doe. Als ik er straks niet de tijd voor zou hebben, dan zeg ik het nu al maar: ik houd van je. Ik begin er soms aan te twijfelen of ik mijn leven wel kan verdragen. Met jou zal ik het kunnen, dat weet ik zeker. Hoe onverantwoord opgewonden ik ben kun je hieraan merken: ik praat alleen maar over mezelf. Ik wil jou gelukkig maken. Liefje, zeg eens iets.'

'Rao, die plaatsen waar je het over had, die kerels die vinden dat het niet altijd Amerika moet zijn, ga jij Amerika te lijf? Ben je daar al mee bezig?'

'Ik ben blij dat je het gevraagd hebt. Ja, ik ben daar al mee bezig. Daaraan kun je meten hoeveel ik van je houd. Ik heb je zonder te aarzelen dat gevaarlijke antwoord gegeven. Dat ik ten voordele van de Amerikanen werk is maar schijn. Dat weet je al. Het windt me op dat zij de verkeerde man dichterbij laten komen. Dat ze mij intussen een berg geld laten verdienen, is aangenaam meegenomen. Het zou best kunnen dat we nu deze fantastische toestand beleven, dat twee vijanden op een lijn tegenover elkaar staan en dat de ene vijand de andere niet ziet. Ik vraag mij weleens af hoe Jeroen Bosch of Pieter Breugel dat geschilderd zou hebben. Wees niet verbaasd dat ik die namen noem. Ik heb van mijn ouders in Europa mogen studeren. Toch was ik hier wel een beetje snobistisch, ik geef het toe. Nu wou ik je wat vragen. Of je een koffertje zou kunnen maken en met mij meevliegen naar Den Haag. Ik heb een man in mijn macht die aan het hoofd staat van een ploeg die jongelui lokt en hen dan misvormt en waanzinnige doders van hen maakt en hen dan verkoopt. Het is iets wat niet tot de geschiedenis van Irak behoort, het behoort nauwelijks tot de gebeurtenissen. Het is een smerige kleinigheid van onder de grond. Oorlog is een groot, bloedig drama. Mensen komen met elkaar in botsing. Ze beuken erop los tot er een blijft liggen. Mensen zullen dat wel altijd blijven doen, ze doen het al van in het begin der tijden. Elkaar bespieden, elkaar benijden, elkaar beroven, elkaar slaan, elkaar doden. Het zielige vertoon van de machtelozen. We hebben niet wat we zouden willen hebben en dus pakken we het maar. En staan ze daar in een rij om het ons te beletten, dan rammen we ons daardoor heen. Een woest streven naar beterschap, het kan ook iets groots in zich hebben, iets van man tegen man, in de open lucht en geen slagen onder de gordel. Dat is natuurlijk maar schijn. Een gevoel. Maar een gevoel is nog altijd beter dan niets. Het is beter dan de gemeenheden achter de rug, de vunzigheden in het donker, iets kleins en onzindelijks. Het fundamentalisme is al klein. Het is tijdelijk en plaatselijk. Een klein aantal mensen op een klein aantal plaatsen. Zo'n steenpuist hier en daar op het grote lichaam van de islam. Maar zelfs daar heb ik het hier niet over. Hier hebben we iets nog kleiners en nog viezers. Ze zijn alleen bezig met hun eigen voordeel. En daarvoor ontlenen ze iets aan het moslimfundamentalisme. Mogen we Allah even van jullie? Mogen we de duizeligheid van de draaiende derwisjen even van jullie? Mogen we de mooie meiden en de groene rustbedden van de hemel even van jullie? En mag dan even een beetje allerbloedigst geweld? Schurkenwerk! Schunnig schurkenwerk van gemaskerde boeven. Ereherstel dus voor de honderden miljoenen moslims die niet dat programma willen. Je bent geen terrorist als je vreemde indringers uit je huis verdrijft. In New York viel de elektrische stroom eens uit. Boefjes stalen toen de winkels leeg. Dat maakte van de New Yorkers toen geen boeven.'

'Rao, je bent bang voor iets, nietwaar? Ik hoor het in je stem. Waar ben je bang voor?'

'Dit gesprek heeft lang genoeg geduurd,' zei hij wrevelig.

'Nicola, kom je mee? Ik zou het heel graag willen.'

'Ik ga met je mee, Rao.'

'Ik zal je afhalen over een halfuurtje.'

41

Het waren de vier gehuurde kerels in de andere Land Rover. De man aan het stuur merkte dat Nicola naar de pistolen en de gummistokken keek. Hij haalde zijn pistool uit de leren tas en gaf het aan haar.

'Een speelgoedwapen,' zei ze verwonderd.

'Doelmatige schijn,' zei de man.

'En als die niet werkt?'

'Voor noodgevallen hebben we iets wat wel werkt, maar dat is niet dikwijls nodig.'

Ze reden door straten die Nicola niet kende. Toen zag ze de minaret van de kleine moskee van Bethel-Dar, waar de koranschool gevestigd was, en ook die overwelfde kazemat en de luchtkoker waarin ze de micro hadden neergelaten. Daar stopten ze. Rao kwam de poort openmaken. Nicola zag dat hij bleek was, vermagerd ook, meende ze. Hij gaf haar een kusje.

'Kom mee,' zei hij. 'Ik wil dat je het allemaal ziet. Je schrijft wat je wilt, maar ik laat het je zien.'

De binnenplaats was leeg. De deur van de overwelfde ruimte was op slot. Rao opende die met een sleutel. Ze liepen in het schemerdonker onder het lage gewelf naar de verre hoek, waar de put was. Twee van de kerels uit de Land Rover kwamen mee. Ze tilden het luik op en schoven daarna het traliehek weg. Een van hen knipte een zaklamp aan en richtte de ongewoon sterke lichtstraal op de bodem van de put. Daar, diep in de donkerte, zat een man. Hij smeekte jammerend dat ze de lichtstraal zouden doven en hield de armen beschermend voor het gezicht. De man die de zaklamp had hield de lichtstraal nu schuin zodat ze de man op de bodem van de put nog steeds wazig konden zien, maar zo dat de lichtstraal hem geen pijn meer deed.

'Hoelang heeft die man in de put gezeten?' vroeg Nicola gedempt.

Rao gaf haar een kleine wenk dat ze moest zwijgen. Hij boog zich over de put en zei: 'Kashim, nu moet je het zeggen, dat laatste dat ik je gevraagd heb. Of er boven jou nog iemand is aan wie je moet vragen wat je moet doen.'

'Er zitten vreemde kevers in deze put!' riep de man. 'Die lopen over mij heen.'

'Dat beeldt hij zich in,' zei Rao gedempt tegen Nicola. 'We hebben hem daar wat voor gegeven.'

'Wat jullie met deze man doen is afschuwelijk,' zei Nicola boos.

'Hou je mond even,' zei Rao. 'Maak het nou niet moeilijk.'

Rao boog zich weer even over de put en herhaalde zijn vraag. De man in de put schreeuwde van angst.

'Ze zijn er weer!' riep hij.

'Dat zal zo doorgaan als je niet spreekt,' zei Rao. 'Zeg of er nog iemand boven jou staat en wie dat is.'

'Nee, er is niemand.'

'Jij koos de jongens uit?'

'Ja.'

'Jij besliste welke jongen welk werk zou doen?'

'Ja.'

'Jij maakte de auto voor hem klaar?'

'Ja.'

'Jij zorgde ervoor dat de auto op de goede plaats terecht-
kwam?'

'Ja.'

'Jij bracht de jongen dan daarheen?'

'Ja.'

Nicola zag dat een van de mannen uit de Land Rover een
dictafoontje op de put gericht hield. Op een wenk van Rao stopte
de man de bandopname.

'Goed, Kashim,' zei Rao. 'Ik dacht wel dat het zo was, maar
we konden maar beter zeker zijn. We hebben hierboven een
geschreven document. Ook daarin staat wat je daarnet allemaal
gezegd hebt. Je zult dat papier moeten tekenen. Dat zal je toch
wel doen, denk ik, Kashim? Zul je dat papier tekenen?'

'Ja.'

'Zul je proberen het allemaal toch nog af te wimpelen en
het papier niet te ondertekenen? Als je dat zou doen, dan blijf
je in de put en we komen een week lang niet terug.'

'Nee, ik zal het doen! Ik zal het doen!' riep de man klaaglijk. 'Haal mij uit de put, alstublieft! Haal mij eruit!'

Een van de gehuurde mannen gooide de lussen van het dikke
touw in de put. 'Om je middel binden en met beide handen
vasthouden!' riep hij.

Kashim deed wat hem gezegd werd, maar hij was duidelijk
verzwakt en hij viel terug toen ze het touw begonnen op te halen. Hij probeerde het opnieuw. Hij viel terug toen hij al enkele meters opgehaald was. Een van de mannen daalde met
snelle grepen af in de put. Hij knoopte het touw om het middel
van Kashim en gaf het sein. De tweede man haalde Kashim op
uit de put. Daarna gooide hij het touw weer naar beneden. De
man die beneden gebleven was kwam gezwind, met snelle gre-

pen, weer naar boven geklommen en sprong uit de put. De man die weken in de put had doorgebracht, stond in elkaar gezakt, angstig naar Rao te kijken. Hij was vermagerd. Hij had een stoppelbaard. Hij zag er haveloos en vuil uit. Zijn witte mantel was een grauwe vod geworden. Zijn benen trilden. Het leek alsof hij zijn handen bij elkaar gedrukt hield om niet te laten merken dat ze beefden. Ook zijn gezicht zat vol stof. Tranen hadden daar strepen in getrokken.

'Wat heb je met hem gedaan?' vroeg Nicola. 'Hoe mager hij is! De korsten op zijn lippen! Die holle ogen! Je hebt hem uitgehongerd, nietwaar? Rao, dit vind ik absoluut niet goed.'

'Wil je echt weten wat er met hem is gebeurd?' vroeg Rao.

Nicola hoorde weer die gesmoorde woede in zijn stem. 'Met hem is gedaan wat hij met die jongelui heeft gedaan, wat hij met hen heeft laten doen, wat op hetzelfde neerkomt, of nee, wat nog erger is. Personeel is minder verantwoordelijk dan de kerel die de bevelen geeft.'

De ingehuurde kerels leidden de verzwakte, strompelende man al weg. Nicola liep achter Rao aan, die hen met grote passen volgde.

'Niets te eten, niets te drinken, is het zo gegaan?' vroeg ze woedend. Ze greep zijn arm en bracht hem met een ruk tot stilstand. 'Antwoord mij!'

Hij stond voor haar met flonkerende, zwarte ogen en opgestoken vinger. Die sidderde. 'Met hem,' herhaalde hij heftig, 'is gedaan wat hij met de anderen gedaan heeft.'

'Zo hoort het niet,' zei Nicola. 'Je hebt hem toch die zogenaamde oefeningen niet laten ondergaan? Uren en uren, dagen en dagen, tot daar stompzinnige beesten zaten.'

'Dan zal ik het je uitleggen,' zei hij. 'Die kerel daar hebben ze vroeger gebroken. Hij kreeg toen een programma, een nieuw programma in zijn brein. Om dat eruit te krijgen moest hij nog eens gebroken worden. Dat is nu gebeurd. Voor dat gebeurde, zat hij hooghartig te glimlachen. Hij zat ons uit te lachen. Er is niets van waar, zei hij. Wat vinden jullie toch uit. Je hebt gezien dat dat veranderd is. Het programma zal wel niet helemaal weg zijn uit zijn brein, maar het is wel doorbroken. Het ligt daar rommelig en verward in zijn hersenen. Die kerel met holle ogen en bibberende handen, dat is de man van vroeger. Die zal niet hooghartig tegenover die rechter staan glimlachen en zeggen dat het allemaal verzonnen is. Hij zal nachtmerries hebben en zeggen dat het waar is.' Gejaagd voegde hij eraan toe: 'Hij zal medische zorgen krijgen, daar zal ik op toezien. Ik zal meer doen dan dat vragen. Er zal in Den Haag iemand zijn die mij daar verslag over uitbrengt. We zullen hem bewaken.'

'Maar niet zo. Niet zoals hij daar in die put zat.'

'Het is nodig dat we hem bewaken, om te voorkomen dat hij zelfmoord pleegt. Hij is nu gewoon onbekwaam om te leven, maar dat zal veranderen. Artsen kennen zijn toestand. Ze zullen hem behandelen. Maar eerst moet hij die bekentenissen doen. Mensenverkrachters!' zei hij vol walg. 'Je moet ook hen verkrachten eer ze wat anders kunnen doen dan met een glimlach jongelui de dood insturen. Ik zou willen dat het anders kon, maar het kan niet anders. Geloof me, alsjeblieft. We zullen later de bijzonderheden bespreken.'

Later... Het zou haar later lijken dat ze die lange, akelige nacht gedroomd had.

Ze reden met de twee Land Rovers door de donkere stad, waar ze in de verte vlammen zagen flakkeren en waar bommen ontploften.

De twee jeeps van de Amerikaanse Militaire Politie in de verre donkere hoek van het vliegveld... De kolos Patton die daar stond met zijn helm en zijn knuppel en zijn norse, achterdochtige blik toen hij zei dat hij er niet zeker van was dat het allemaal wel goed was zo... De verbetenheid van Rao toen hij antwoordde dat hij de kerel naar Den Haag móést brengen, want in Bagdad zou hij slechts één gevangene meer zijn, ergens in een gevangeniscel, maar in Den Haag zou de wereld hem zien en horen... De rukkende bewegingen van het gehelmde hoofd en het flapperende handgebaar van vooruit dan maar... En de privé-jet die klaarstond als een prachtige, witte roofvogel, Rao in de pilotenstoel, naast hem een jonge tweede piloot... De honderd lichtjes die Nicola dacht te zien... Het grote dashboard... Ook boven Rao waren er lichtjes, ook aan zijn linker elleboog... Zij, halfweg in de lage, slanke passagiersruimte... Achter haar de vier ingehuurde kerels... Helemaal achterin de geboeide handen van de verschrompelde, doodsbenauwde man en de ketting waarmee die vastzaten aan een ring in de wand.

Nee, had Rao met een hakkende handbeweging geantwoord. 'Geen douche, geen kleren, geen scheergerief. Ze willen kerels die uit holen gehaald zijn? Wel, ze zullen er zo een krijgen.'

De urenlange vlucht... Het eindeloze zoemen... Daarna weer een zee van lichtjes... Een verre donkere hoek van een vliegveld... Politiemannen, een man van de Indiase ambassade, een man van het Nederlandse ministerie van Buitenlandse Zaken... En plots een groep journalisten met flitsende camera's.

Nicola had geen foto's willen maken van de gevangengenomen man, niet in Bagdad, niet in het vliegtuig, ook niet bij de aankomst. Ze wilde de journalisten niet ontmoeten. Ze wilde geen gebruik maken van de tijd die Rao haar wilde gunnen om als eerste de berichtgeving te doen.

'Ik zal erover schrijven,' zei ze, 'maar gewoon, op mijn manier, niet als iemand die er bij was.'

Niet achter de rug van een strompelende man. De journalisten omringden de gevangene. Hun camera's flitsten. De man probeerde weer zijn ogen te beschermen tegen het schelle licht.

Rao liet zich fotograferen op het trapje naast het vliegtuig. Hij stak een hand op en groette glimlachend. De held die de schurk had gevangen en had meegebracht.

Tijdens de lange terugtocht kwam hij bij haar nadat hij het toestel had overgelaten aan de tweede piloot. Ze wilde niet praten. Hij drong niet aan. Ze had het gevoel dat ze iets had meegemaakt dat ze nog niet kende: een angstwekkende macht en tegelijk een heel grote, ook haast angstwekkende rust, beide veroorzaakt door de man die naast haar zat. Mijn kleinheid, mijn hulpeloosheid, dacht ze. Waarom doe ik zo hooghartig?

Ze kon die verwarring niet meer in bedwang houden.

'Maar je hebt die man gefolterd,' zei ze. 'Weer met die pijn, met die heftigheid, met die angst.'

'Het is oorlog,' zei hij stil.

'Nee, wat jij deed was geen oorlog. Je folterde een mens.'

Daar valt meer over te zeggen, dacht ze. Maar ze verdrong die gedachte.

'Ze zullen wel blij zijn met wat je nu gedaan hebt,' zei ze. 'De bullebakken in Washington. Die zijn dol op kerels die uit een hol gehaald worden. Ze zullen staan grinniken en elkaar toeknikken. *God bless America.* Laat de dollars maar over mij neerkomen. Zalige regenvlagen.'

Hij werd niet boos. Toen zei hij, op een toon zoals je terloops een onbelangrijke opmerking maakt: 'Ik heb niets nodig van al wat ik daar in Bagdad doe.'

'Sorry, ja, het spijt me,' zei ze. 'Die laatste opmerking over de dollars trek ik terug, maar al die andere woorden daarvoor niet. Je bent gekant tegen het vernietigen van mensen maar je doet het toch.'

'Er zal gewoon een andere komen. Daar in Bagdad kan zo goed als niets bewezen worden, net zoals met die sektes bij jullie in Europa en in Amerika. Iemand wordt gearresteerd, lang onderzoek, lange ondervragingen, geen echt sluitende bewijzen en overal irriterende procedurefouten en zogenaamde procedurefouten, dossier best maar sluiten en niet gauw een tweede alstublieft. Maar daar in Nederland zal wat gezegd worden. Goede, conservatieve mensen zullen opkijken en zeggen: kijk eens, is het toch waar? Dóén ze echt zulke dingen?'

Wat later, haast treurig, zei hij: 'En het zal weer Allah zijn die het op zijn schouders krijgt. Die snode islam. Het is natuurlijk waar dat de zelfmoordenaars op zijn moslims behandeld worden. Getraind, heet dat. Trainingskelders, trainingskampen. Ik heb eens tegen iemand gezegd dat je het even goed met Jehova zou kunnen doen. Allah vervangen door Jehova. Een andere naam. Het zou bijna even goed gaan. Maar, zei die andere, Jehova heeft niet die groene rustbedden en die mooie meiden die mooi blijven. Het beruchte fundamentalisme wordt dan dat. Verspreide stakkertjes die willen neuken. Verspreide, wat grotere kerels die de kleine kereltjes drillen en aan werk helpen voor pakjes geld, niet eens altijd dezelfde vijand, verspreide dreuntjes op de kop van verspreide verdrukkertjes. En af en toe eens een grote dreun. Een enkele keer eens een hele grote. Manhattan, nine eleven.' Er ging een flits door die donkere ogen. 'Een draai om de oren van Bush, een mep op het bakkes van Rumsfeld, die Cheney en konsoorten.'

Nicola had bij andere gelegenheden het gevoel gehad dat ze geen rekening moest houden met zijn woede. Bijna alles wat hij deed was ook spel. Er was bijna altijd ook ironie, plotseling kwam er dan een zachte glans in zijn ogen. Weer ironie en dan, maar dat duwde je weg, weer zo'n woedend woord.

'Rao, je bent in Bagdad om op een heel gemakkelijke manier heel veel geld te verdienen. Je hebt op die manier ook al gewerkt in de rijke landen van de olieprinsen. Je hebt me gezegd dat je je ook weleens bezig zou willen houden met mijnen in Kongo en met de wouden in Brazilië. Dat bonte leven, de kracht die je daar ontwikkelt, die vrijheid, tot je genoegen... Maar er is meer, nietwaar? Het gaat ergens naartoe. Het is oorlog, zeg je op een toon die me bang maakt. Voor jou is het echt oorlog, is het niet? Je voelt die. Maar waarvoor dan? Voor wie?'

Weer werd de aandacht getrokken door de snelheid waarmee hij naar haar omkeek.

'Je bent boos op de Amerikanen, dat kan ik dikwijls horen,' zei Nicola. 'Maar er zijn zoveel anderen in de wereld op wie je op gelijke wijze boos zou kunnen zijn, om dezelfde reden. Daar hoor ik je niet veel over zeggen. Je bent geen wereldhervormer. De wereld hoeft niet te veranderen. Je redt het wel. Amerika, baas van de wereld, dat is een tijdelijke toestand, zei je eens. Het is niet vanzelfsprekend dat het zo moet blijven. Je sprak in dat verband eens van India, dat prachtige land waar we beiden van houden, intelligentie bemerk je daar, charme, vandaag al een goede economie, morgen een geweldige.'

Zonder overgang vroeg hij: 'Als ik naar Amerika ga, als de dingen in de nabije toekomst zo zouden lopen, dan ga je mee, is het niet?'

'Zullen de dingen zo lopen?'

'Je doet het dan toch, nietwaar? Je gaat dan met me mee?'

'We hadden een afspraak,' zei ze. 'We zouden niet meteen grote plannen maken.'

'Zo'n groot plan is het niet,' zei hij, al meer ontspannen. 'Ik kom elk jaar weleens in Amerika. Jij bent er ook al meermaals geweest. Hoeveel keer? Wel vier of vijf, geloof ik.'

'Zes,' zei ze.

'Zo zie je maar. We zouden zelfs zonder te plannen elkaar daar kunnen tegenkomen. Hecht niet te veel belang aan wat ik met die man in de put gedaan heb. Oorlog veroorzaakt veel nutteloos lijden. Ik weet niet of je wel mag spreken van nuttig lijden. Op het einde van de Tweede Wereldoorlog was het Duitse Bremen een prachtige stad, met een bloeiende, weelderige cultuur, paleizen en heel veel mensen, heel veel vrouwen en kinderen want de mannen waren soldaat. De geallieerden hebben de stad aan gruzelementen geslagen. Eén nacht bombarderen, toen was die stad verwoest en lagen daar tienduizenden dode vrouwen en kinderen omdat Hitler zich niet wilde overgeven. En in Hiroshima en Nagasaki waren er honderdduizenden dode vrouwen en kinderen omdat de Japanse keizer zich niet wilde overgeven. Een boze droom in Europa, een boze droom in Azië. Toen daar een eind aan kwam, werd het leven daar weer beter.'

Nicola dacht terug aan de jongeman die ze hadden weggebracht. Ze sprak over de gejaagde, ziekelijke ijver waarmee hij van in de put 'ja, ja, ja' had geantwoord op de vragen die hem werden gesteld. Hij had de drie papieren ondertekend zonder ze gelezen te hebben. Zo hard had zijn hand daarbij gebeefd dat een van de kerels zijn arm had moeten vasthouden.

'Die onterende gewilligheid,' zei ze. 'Dat kun je doen met een menselijk brein. Ik moet je hierbij nog een vraagje stellen: je hebt dat werk, die hersenspoeling, natuurlijk niet zelf gedaan. Wie heeft het dan wel gedaan?'

De schouders even ophalend, zei Rao: 'Een man uit de organisatie waarvoor Arhab werkte, een van die instructeurs die je kunt inhuren.'

'Maar wist die wat je met Arhab gedaan hebt?'

'Het zou hem weinig kunnen schelen, denk ik. Een ingehuurde man betaal je, einde van het verhaal.'

'En dat vind jij dus goed.'

'Ach, weer dat woord. Iets is slecht, iets is goed, iets mag, iets mag niet...'

'Het mag niet!' zei ze met kracht. 'Het is niet goed.'

Ze zat een poosje te mijmeren. Rao probeerde haar hand in de zijne te nemen, maar ze liet dat niet toe.

'Arme islam,' zei ze dromerig. 'Verward worden met een handjevol ondergrondse dwepers die de oude tijd niet kunnen vergeten.'

42

In het tumult van metselende en timmerende bouwarbeiders vertelde Nicola aan Ilja, Woodrow en Oerman wat er gebeurd was. Rond hen stonden de grote jongens.

'Den Haag? Het Internationale Gerechtshof?' vroeg Ilja ongelovig. 'Zoiets *zeg* je. Maar heeft hij dat *gedaan?*'

'Ja, hij heeft het gedaan. En in de weken daarvoor deed hij iets anders.'

Ze vertelde over de put in de kazemat en hoe die jongeman daaruit gekomen was. Ze werden stil. 'Ik hou mijn babbel,' zei Oerman toen. 'Dat kost mij grote moeite.'

Ilja vroeg: 'Met die man doen wat hij met onze jongens had laten doen, was dat de samenhang?'

'Ja.'

Ilja stond met gefronste wenkbrauwen na te denken. Hij vroeg: 'Zouden we hem dan in zo'n grijs minibusje of in zo'n gele kipbak ergens naar een plaats vol Amerikanen kunnen laten razen?' Hij schreeuwde: 'Als we hem eens gingen terughalen en een kipbak voor hem klaarmaakten!'

'Dat zou jij nooit doen, Ilja,' zei Nicola.

'Ik wel,' zei Woodrow. 'Ik zou erbij in mijn handen wrijven.' Hij grinnikte.

'Dat nieuwe ding van de Amerikanen, dat Capitool, wordt binnenkort ingehuldigd,' zei Ilja. 'Als wij dat eens voor hen gingen inhuldigen. Als wij dat eens gingen opblazen. We weten nu hoe het moet.'

'Hou ermee op,' zei Nicola.

Wat later zei Ilja haar: 'Goed, het mag niet, maar die meneer Rao Mohan Surendranath heeft toch die vliegreis naar Den Haag gemaakt. Hij heeft dat gedaan!'

'Ga je nu je hoed voor hem afdoen?'

'Ik heb nooit een hoed gehad.'

'Je petje dan.'

'Ik heb geen petje meer. Dat ligt daar ergens tussen het puin.'

Mistroostig zei hij: 'Als ik wat doe, gebeurt er niets. Mekkeren en klungelen, maar alles blijft zoals het was. Een rijke meneer met een Bentley en een jet moet je zijn.'

'KOPSTUK VAN HET ISLAMITISCH TERRORISME GEVANGEN', stond er de volgende dag in de kranten. Ook het woord 'fundamentalisme' stond overal te lezen. Het ergerde Nicola. Die kerel is geen fundamentalist, dacht ze, niet eens echt een islamiet. Hij is gewoon een mensenhandelaar.

Bij de artikelen stonden foto's van Rao, Rao op het trapje naast de cabine van zijn jet, Rao bij een Amerikaanse generaal, Rao met drie Amerikaanse generaals.

De tweede zogenaamde leraar uit het huis van Sidi Omar werd aangehouden, twee dagen later ook de zogenaamde imam Oerman Arhab.

Amerikaanse journalisten interviewden Rao over zijn 'geslaagde kruistocht tegen de terroristen'. 'Dat maak je mee met ondernemers,' schreef de reporter, 'die weten van aanpakken.'

Nicola vroeg zich humeurig af of hij een mensdom van ondernemers wilde. Rao vermeldde haar naam in de interviews. Hij vertelde over haar artikels. Ze belde hem op om te vragen dat niet meer te doen. Ze vroeg hem ook tegen de journalisten uit te leggen dat hij geen strijd gevoerd had tegen het moslimfundamentalisme, maar tegen een betaald geboefte.

'Ach, uitleggen,' zei hij. 'Waar is uitleggen goed voor? Iedereen bepaalt vooraf wat waar is en daarna zitten ze geduldig te luisteren tot je klaar bent.'

Hij kwam haar soms opzoeken in Bagdad Palace. Ook dat had ze liever niet, zei ze hem. Toen kwam hij naar het persgebouw waar zij soms telegrammen verstuurde. Hij stond haar op te wachten. Ze ging hem zeggen dat ze niet veel tijd had, maar hij pakte haar bij haar pols en nam haar mee naar zijn auto, een kleine dienstwagen van zijn bedrijf. Hij zei dat hij haar iets moest tonen.

'Je zult het zien,' zei hij toen ze hem gevraagd had wat hij haar wilde tonen.

Ze reden door de buitenwijken aan de noordkant van de stad, waar zich het kerkhof bevond waar ze de jongens hadden begraven. Ze kon het van ver zien. Ook Rao keek ernaar. 'Daar liggen ze, nietwaar?' vroeg hij. 'Ze liggen daar in vrede. Als je dood bent, heb je vrede. Dan is daar niets anders mee vermengd.'

'Wat wil je?' vroeg ze toen ze nog een tijdje gereden hadden. 'Je zei dat je mij iets wilde tonen. Wat is dat dan?'

Hij stopte op de oever van de Tigris bij een bosje palmbomen. Hij nam een reiskoffer uit de auto, opende die en keerde hem om op het zand. Een berg dollarbiljetten. Meer geld dan Nicola ooit al bij elkaar had gezien. Toen haalde hij nog een pak waardepapieren uit een kleinere koffer en gooide die ook op de hoop. Hij nam een doosje lucifers uit de auto en stak het allemaal in brand, op verschillende plaatsen.

'Zeg, wat doe je nu?' vroeg Nicola.

Hij wees naar de al op drie plaatsen brandende hoop biljetten en waardepapieren en zei: 'Als dat gemengd is met wat ik voor jou voel, als je dat gevoel hebt, en als dat niet goed is, dan wil ik het niet. Dan wil ik die hoop niet.'

De hoop begon volop te branden.

'Maar nee!' riep Nicola. 'Doe niet zo'n gekke dingen.'

Ze doofde de vlammen met haar voet. Rao stak de hoop op andere plaatsen in brand.

'Hou ermee op!' riep ze. 'Ik bedoelde dat niet! Niets van wat je daar zegt, is waar. Hou ermee op, zeg ik je.'

Ze schopte wild in de hoop zodat de brandende biljetten in het rond vlogen. Ze slaagde erin het vuur te doven. Ze greep de biljetten en de papieren met beide handen en stopte ze weer in de koffers, klapte die dicht en gooide ze weer in de auto. Toen huilde ze. Hij greep haar vast en klemde haar in zijn armen.

'Ik houd van je,' zei hij. 'Ik houd van je. Als je me zegt dat je alleen maar met me wilt trouwen als ik hier een handel in granen en zaden begin, dan doe ik dat. Als je wilt dat ik een persagentschap begin, dan doe ik dat, of een vliegschooltje, waar jonge Iraki's kunnen leren vliegen, of een hogeschool waar zij *master of business administration* kunnen worden, of een park met sportterreinen waar ze kunnen leren tennissen, een plaats waar het geen oorlog is en waar niets anders mee gemengd is, zeg me dat, dan doe ik het.'

Ze kon het snikken niet bedwingen.

'Ik ben niet beter dan jij,' zei ze. 'Je mag zijn wie je maar wilt en wat je maar wilt. Er zijn dingen die me in de war brengen, maar dat telt niet mee.'

Ze drukte zich tegen hem aan. Ze kuste hem. 'Ik houd van je,' zei ze. 'Ik houd van je.'

Twee fietsers reden met rinkelende bellen voorbij, daarna een vrachtwagen.

Nicola raapte een paar biljetten en waardepapieren op die door de wind meegevoerd waren, en stopte ze in de grote koffer in de auto.

'Dit gedoe hier, je leek weer een circusbaas,' zei ze. 'Ik weet nooit wanneer je ernstig bent.'

Ze opende de kleine koffer een keek aandachtig naar de grote bedragen op de waardepapieren.

'Is één papier echt zoveel waard?'

'Ach, laat dat geen indruk op je maken. Als je zo'n pak erft, dan vermenigvuldigen die zich vanzelf.'

'Als je nu in Australië een stadswijk aan het vernieuwen was, zou je dan ook zo druk met die Amerikanen bezig zijn?'

Hij haalde de schouders op.

'Ze irriteren me,' zei hij. 'Ze staan daar zo zelfverzekerd, zo spotziek, zo verwaand.'

Ze hoorde de gesmoorde grimmigheid in zijn stem.

Hij bracht haar naar haar hotel.

'Morgen?' vroeg hij.

'Ja... Dat denk ik wel. We zullen wel zien.'

Ze gaf hem een kusje.

'Niet boos op me zijn.'
Ze gaf hem een betere kus.

Bagdad Palace werd de mooie plaats waar Ilja van gedroomd had. Het grote café kwam er, de tuin, de terrassen, en de paviljoenen, de grotere gebouwen voor de jongelui. Nicola zag hoe opgewonden dat alles Ilja maakte, maar ze zag ook hoe onrustig hij werd wanneer zij erbij kwam staan.

Op een keer gromde hij: 'Ik moet je al aan hem overlaten, nu moet ik hem nog dankbaar zijn ook.'

Hij zag er hulpeloos uit. Ik houd van je, zeiden zijn ogen. Blijf bij mij, smeekten ze.

'Wanneer kom je weer eens naar mijn huis?' vroeg Rao haar.

Wat later zei hij haar: 'De reis naar Amerika is voor binnenkort. Daar zal iets heel groots gebeuren.'

Meer wou hij er niet over kwijt, maar de volgende keer dat hij erover sprak had hij het over 'een dreun'. Daar had hij het vroeger al eens over gehad, maar nu zou het er een zijn zoals ze er daar nog nooit een gehad hebben.

Omdat Nicola stond te aarzelen vroeg hij teleurgesteld: 'Kom je daar niet naar kijken? Wil je niet eens weten wat ik daarmee bedoel?'

'Nee, ik wil het niet weten. Ik ga niet mee kijken. Ik houd wel van je. En als je me een beetje tijd geeft, dan kom ik misschien wel. Ik zou niets liever doen dan komen, maar de dingen woelen nog door elkaar.'

'Ik ben in mijn huis een kamer voor je aan het inrichten,' zei hij, 'met je eigen bibliotheek en een zithoek. Van jou, echt van jou. Het wordt zo bevestigd door een notaris. Je kunt mij met een deurwaarder eruit gooien.'

'Braniekereltje, ik wil jou er niet uit gooien,' zei ze op een klaaglijk toontje.

Zoveel jongelui kwamen er naar Bagdad Palace, zo gezellig werd het daar, dat het al te klein werd. Prompt liet Rao doorgangen in de muren hakken. De metselaars gingen weer aan het werk.

Ilja stond samen met Nicola toe te kijken.

'Ik zal hier lopen als een luxeschooier,' zei hij. 'En jij zult een halve wereld van hier zijn. Ik zal je niet zien en niet horen. Ik zal nooit meer voelen hoe zacht je huid is op je polsen.'

Ze gingen kijken naar 'het Capitool van Bagdad', de indrukwekkende nieuwe regeringsgebouwen, het grote witte blok, met daarboven de zuilen in drie cirkels boven elkaar en nog daarboven de glanzende koepel. Daar zou 'het Congres' zetelen, het nieuwe parlement van Irak, en ook de kabinetten van de nieuwe regering zouden daar hun intrek nemen.

'Nep-Congres, nep-regering,' zei Ilja. 'Achter iedere rug een Amerikaan die aan de linkerhand trekt als er iets moet gebeuren en aan de rechterhand als het aan die kant beter voor hen uitkomt.'

De ruwbouw was voltooid, de gebouwen stonden er, de daken waren dicht. Twee kleine vrachtwagens van S&S waren er nog met arbeiders om de laatste hoopjes rommel op te scheppen.

'Hij zal daar zeker weer staan als de grote held,' zei Ilja.

'Hij kan wel goed bouwen,' zei Nicola.

'Ja,' zei Ilja.

'Hij gaat binnenkort naar Amerika,' zei Nicola. 'Hij moet zich daar ergens gaan bezighouden met een stadsbuurt, denk ik.'

'Zijn we hem dan kwijt?' vroeg Ilja. 'Zo heeft alles uiteindelijk zijn goede kanten.' Hij keerde zich bruusk naar haar om. 'Maar je gaat zeker met hem mee?' Toen ze niet antwoordde, vroeg hij: 'Hij heeft je dat gevraagd, nietwaar?'

'Hij heeft het gevraagd, ja,' zei ze.

'Ga je het doen?'

Weer antwoordde ze niet.

'Nu ja,' zei hij. 'Bagdad Palace of Waldorf-Astoria? Ik zou ook wel weten wat ik moest doen.'

'Is dat waar, Ilja? Zou je dat weten?' vroeg ze.

'Luister niet naar mij. Ik zeg toch zomaar wat.'

Ze keek naar zijn lange, soepele gestalte waarmee hij voor paljas speelde te midden van de knapen van Bagdad Palace.

'Je hebt me al lang geen hand meer gegeven,' zei ze.

Een van zijn handen was vlak bij de hare. Ze raakte ze aan met haar vingers, nam zijn hand in de hare en bekeek ze.

'Moejik-handen, heb je eens gezegd. Je kon daaraan zien dat je van de lagere klassen was.'

'Ik ben van de laagste klasse.'

'Beeldhouwershanden,' zei ze. 'Michelangelo had die en Da Vinci en Tolstoï.'

'Van Tolstoï weet jij niks,' zei hij. 'Van zijn handen, bedoel ik.'

'Hij was een grote, stevige man,' zei Nicola. 'Hij had zeker goede, forse handen. Dat merk ik ook aan de manier waarop hij over vrouwen schrijft.'

Hij wilde zijn hand terugtrekken, maar zij hield ze vast en legde ze op haar wang.

'Ik heb al lang niet meer gevoeld hoe goed die is,' zei ze.

Hij rukte zijn hand los.

'Ik word gek als je zo doet,' zei hij.

Hij liep terug naar de auto. Toen ze weer in Bagdad Palace waren, zag Nicola dat er in het café al gasten pepermuntthee zaten te drinken. Het café was nog niet geopend maar de twee grote jongens die zich daarmee bezighielden, kwamen zeggen dat ze het al eens fijn vonden om bezoekers te ontvangen. Onder een pergola stonden mannen en vrouwen bij elkaar, vrouwen met een hoofddoek, maar geen sluier voor het gezicht, ook Europese vrouwen. Wood was er ook. Hij stond achter twee vrouwen die ruim zo groot waren als hij, zodat je hem bijna niet kon zien. Nicola zag dat hij op de tenen ging staan en haar een wenk gaf zonder dat de vrouwen het zagen. Hij wees discreet naar de leuke vrouw met sproeten met wie ze in de Belgische ambassade gebabbeld had. Ja, ik zie het, bracht zij met een glimlach en een hoofdknikje naar hem over. Even liet ze een duimpje langs haar wang omhooggaan.

Oerman kreeg een nieuwe minaret en de puinhoop waarop hij sprak had nu het uitzicht van een rotsblok met verschillende goed geplaveide plateaus op verschillende hoogten.

'Je zou er *La Traviata* kunnen zingen,' zei hij in verrukking.

Soms preekte hij boven op de minaret.

43

Laat op een avond kwam Rao haar halen in haar hotel. 'Je moet eens meekomen,' zei hij.

Hij wilde niet zeggen waarvoor.

'Je hebt weer gesnoven,' zei Nicola. 'Ik zie het aan je ogen.'

'Ik ben het aan het afleren,' zei hij. 'Praat er niet over.'

Hij reed met haar in zijn Bentley naar een hoog punt van waar ze in de verte de witte Capitoolgebouwen konden zien. Hij liet haar uitstappen en toen liepen ze nog een berm op en beklommen een berg oud, afgebrokkeld metselwerk. Haar ogen wenden langzaam aan de duisternis. Onwerkelijk wit stonden de zuilen en de koepel onder de sterrenhemel.

Rao had een zaktelefoon in zijn handen. Hij was opgewonden, zenuwachtiger dan ze hem ooit al had gezien.

'Nu zal ik mezelf tonen,' zei hij. 'Nu zul je weten wie ik ben en hoe ik ben. Ik mag me niet voordoen als iemand die ik níét ben. Je hebt me gezegd dat ik mag zijn wie ik ben, dat je me geen voorwaarden stelt. Ik denk dat je het goed zult vinden, vooral wegens een bepaald aspect. Dat vernoem ik nu al. Ik ben geen doder. Ik verniel wat mij hindert, dat doen ze ook met mij, maar ik dood niet. Ik zal nu een telefoonnummer intikken. Als ik het laatste nummer intik, dat is een negen, zal er ginder ver iets gebeuren, houd de koepel in de gaten. Er is daar nu niemand. Die gebouwen zijn leeg. Zou er toch iemand zijn, dan is dat een groot ongeluk dat ik niet voorzien en niet gewild heb. Over enkele dagen wordt daar een groot feest gegeven. Een belangrijke meneer uit de Verenigde Staten komt speciaal daarvoor hierheen. Nee, schrik niet, het is niet de president, niet Bush. Dat kan nu niet, maar wel een heel hoge meneer, nog een paar anderen misschien. De opening. Het begin van een nieuw tijdperk, zeggen zij. Een stokoud tijdperk, zeg ik.

Hij begon cijfertjes in te tikken.

'En nu de negen,' zei hij.

Hij drukte de toets in. Een donderslag weerklonk. In de verte ontstond een krans van vuur en steenpuin. De witte gebouwen stortten in. Een tweede donderslag weerklonk. Een vulkaan barstte uit op de plaats waar het Capitool stond. Als het boeket van een vuurwerk stond daar even een monsterachtige bloem van steen en stof en vlammen. De zuilen stortten in. Het witte blok waarop zij rustten, zakte in elkaar. Het grootse witte complex lag daar verwoest onder vlammen en zwarte rookwolken. In de onwerkelijke stilte die daarop volgde hoorde Nicola Rao zeggen: 'Volmaakt.'

In de verte zagen ze de flakkerende en rokende gebouwen. Alarmgehuil brak los op twee, drie, daarna vier plaatsen. Geraas van vrachtwagens hoorden ze in de verte. Er werd ook geschoten. Salvo's, twintig, dertig na elkaar.

'Kijk, kijk, we hebben maatjes daar in het donker,' zei hij glimlachend. 'Die groeten ons.'

Nicola was verstard. 'Jij hebt dit gedaan,' zei ze. 'Daar, dat loeiende geweld, dat was jij. En nu glimlach je en je spreekt over maatjes.'

'Kleine rebellen ergens die in de handen klappen omdat hun Grote Vijand er van langs gekregen heeft.'

'Maar hoe kon je zoiets doen?'

'Niets is eenvoudiger dan dat,' zei hij. 'Je bouwt het mee in in de funderingen, de kokers, de draden voor de elektriciteit. Die verbindingen lopen door het hele gedoe heen, met op kleine afstanden van elkaar wat dynamiet, een zogenaamd blokje cement iedere keer. In het midden onder de koepel zaten natuurlijk kolossale blokken. Nog wat detonators en een telefoontje erbij dat verborgen lag te wachten tot mijn vingertop iets deed. Klik, deed het toen gehoorzaam. Lieveling, ik heb je gezegd dat ik geen doder ben. Daar,' hij wees naar de flakkerende, rokende verte, 'ligt geen enkele dode. Een ongelukje kan, zoals ik zei, ook op de weg kan een ongelukje. Maar in Washington zullen ze er beteuterd bijstaan.'

Zijn flonkerende blik was weer op haar gericht. 'Ze waren van plan hier te komen feesten. Nu moeten ze thuis blijven. Dat feest is afgelast. Bijna waren ze er, maar de deur werd voor hun neus dichtgeklapt. Ik had het gemener kunnen doen. Het zou mij niet meer gekost hebben om dat daar de lucht in te jagen terwijl die feestvierders er allemaal waren. De protserige hotemetoten! Het heeft me zelfs niet bekoord. Naar die bloedige boel heb ik geen ogenblik verlangd. Ik vond dat ik je dat moest uitleggen. Je hebt me een aantal dagen geleden iets gevraagd. Je hebt in die vraag wat geformuleerd. Nauwkeuriger zou niet kunnen.'

Hij vroeg of ze het nog wist.

'Nee, ik weet niet meer waarover je het hebt,' zei ze.

'Of ik zin had om Bush een draai om zijn oren te geven. Een mep op het bakkes van Rumsfeld.' Hij knikte. 'Dat is het, ja,' zei hij. 'Dat is het wat ik wilde doen. Kijk, dat is daar gebeurd. Dat verwaande stel in Washington dat Amerika bevuilt, die hebben al eens eerder een draai om hun oren gekregen. Weet je niet waar?'

'Manhattan?' vroeg ze verwezen. 'De Twin Towers? Nine eleven?'

Weer knikte hij.

'Kwak op dat bakkes. Duizenden doden? Nee, niet voor mij. Dat is niet mijn stijl. Dat daar zijn maar stenen. Maar die oren hebben weer een mep gekregen. Dat is het wat er nu in de wereld gebeurt. Geen samenzwering van een godsdienst. Geen roversnest. Geen boevenvolkje dat je uit zijn holen moet halen. Nee, een mep in het gezicht van het stel dat mijn prachtige Amerika waar ik mee dweep vernedert, beledigt, kwetst.'

'Heb je plannen voor nog meer meppen?' vroeg Nicola.

'Kom mee, ik zal het je tonen,' zei hij.

Op het dak van de auto vouwde hij in de straal van een zaklamp een groot plan open.

'Dat is het echte Capitool, het Capitool van Washington,' merkte Nicola op.

'Precies,' zei hij.

Hij vouwde een doorschijnend vel open waarop lijnen getrokken waren, gebouwen, zuilen, een koepel. Hij schoof dat over het plan van Washington.

'Die plannen dekken elkaar,' zei ze.

'Ik had hun voorgesteld om dat kleinere Washington hier voor hen te bouwen, een tweede Amerikaans Capitool pal op de plek waar de olie van de aarde zit. Dit,' zei hij, hij wees naar de verte, waar het al krioelde van de auto's en de brandweerwagens, 'dit was niet de grote act. Nog niet. Dit was de generale repetitie.'

'Je gaat binnenkort naar Amerika, heb je gezegd.'

'Zo is het.'

'Om… Om dat te doen?'

'In Amerika zijn de dingen niet afgewerkt,' zei hij. 'De Twin Towers was een groot succes. Economisch Amerika stortte in elkaar. Dat brok uit het Pentagon, ook dat was goed. Een brok uit Militair Amerika. Een grotere brok zou beter geweest zijn. Nu moest Politiek Amerika nog volgen, die weidse, witte pracht, met die zuilen en die koepel, in Washington moest veranderen in een walmende puinhoop. Dat mislukte. Dat vliegtuig haalde het niet. Het plofte neer.'

'Heb jij toen gezegd: dat doe ik ooit beter?'

'Niet meteen, toch niet in die bewoordingen, maar het kwam wel in mij op. Amerika berokkent het mensdom schade. Amerika liegt en bedriegt. Het moordt en brandt. Dat is de boodschap die Amerika uitstuurt: als het goed voor je is, moet je liegen en bedriegen en moorden en branden. Amerika verslaan kan nog niemand, maar meppen geven wel, wanorde verwekken, angst verwekken, verdeeldheid verwekken, onzekerheid verwekken, onrust en twijfel verwekken.'

'Is er een hoofdkwartier?'

'Nee, er is geen hoofdkwartier. Er is geen oorlog in de maak. Nu,' hij benadrukte dat woordje, 'kan niemand wat tegen Amerika doen.'

'Maar je kunt het ondermijnen.'

Weer flonkerden zijn ogen.

'Precies,' zei hij. 'Dat is precies het juiste woord.'

'En daarna de Grote Knal?'

'Dresden was afschuwelijk,' zei hij, 'maar die kleine Hitler en zijn Duizendjarige Rijk werden daardoor van de aarde geveegd. Hiroshima en Nagasaki waren afschuwelijk, maar die kleine Japanner en zijn Goddelijke Keizerrijk werden toen van de aarde geveegd. Een knal, een vuurzee, dat móét soms. Even moet dat.'

Ze zag hoe hij zijn vuisten balde.

'Mensen willen niet luisteren.'

'Zo is het, ja.'

Hij schrok van zijn eigen heftigheid.

'Nee, ik bedoel niet dat mensen een soort zouden zijn die gedwongen moet worden. Het overgrote deel van de belangrijke dingen kun je met hen bespreken. Ze kunnen dat onder elkaar bespreken.'

'Nadat je hen eerst voor die vuurzee hebt geplaatst,' zei Nicola. 'De tijdelijke tiran. De folteraar van wie je de blik afwendt, daarna komen weer de eerbare besprekingen. *Senatus Populusque Romani.* Het hoge ideaal van Engels en Lenin, maar eerst nog het beulenwerk van Stalin.'

'Als je er een theorie van maakt, klopt er niets,' zei hij somber. 'Theorieën zijn waardeloos.'

'Ze kloppen wel en ze hebben waarde,' zei Nicola, 'maar je kunt er niet mee onder de mensen komen.'

'Dit is een heel moeilijk moment voor mij,' zei hij nerveus. 'Ik moet nu overigens naar huis. Ze zullen mij opbellen. Ze zullen met mij willen spreken. Ik ben tenslotte degene die dat daar gebouwd heeft.'

Ze reden door de woelige stad. Bij haar hotel zaten ze nog even naast elkaar in de luxe-auto, in het schijnsel van een gebrekkige straatlantaarn.

'Heb ik het nu verknoeid bij je?' vroeg hij. 'Je zit je af te vragen of ik die voorlopige kerel ben, de bloedige beul van het tijdelijke moment.'

Hij vraagt me niet om mee te rijden naar zijn huis, dacht ze. Hij vraagt ook niet of hij mee naar boven mag.

'Ik moet echt weg. Ik bel je nog,' zei hij.

Hij stapte uit en opende het portier voor haar. Hij bleef in de deuropening staan en zei: 'Ik mag van jou de persoon zijn die ik wil, maar van deze persoon houd je niet, is het niet?'

Ja, toch wel, dacht ze. Dat maakt het net zo moeilijk. Geef me eens een kus, dacht ze. Zeg eens dat het ook voor jou moeilijk is. Vraag me eens om hulp, één keer.

Zijn handpalm lag op haar wang. Hij gaf haar een warme kus.

'Ik houd van je,' zei hij. 'Misschien... Misschien is er alleen maar het kwaad en bestaat het verschil tussen mensen hierin dat de ene daar beter tegen bestand is dan de andere. Dat moet ik hopen.'

De stad stond in rep en roer. Overal raasden auto's.

'Op zoek naar de fundamentalist, de duivelse islamiet in zijn hol,' zei hij spottend, bitter, bijna droef.

44

Toen Rao vertrokken was, wilde ze naar Bagdad Palace, maar een jeep van de Militaire Politie belette haar de poort uit te rijden. Auto's met luidsprekers kondigden een verkeersverbod aan tot zonsopgang. De bewoners van de stad werd verzocht in hun huizen te blijven. Nicola belde Ilja op vanuit haar kamer.

'Ik dacht dat je bij hem was,' zei hij. 'Dit keer is het dat grote, witte gebouw, dat Capitool. Er gingen Amerikanen komen, uit Washington, om de inhuldiging ervan bij te wonen. De daders hebben zich vast vergist. De datum, bedoel ik.'

'Niet noodzakelijk,' zei Nicola stilletjes.

'Wat bedoel je daarmee?' vroeg Ilja.

'Niets, ik zei dat zomaar.'

'Je voelt je niet goed,' zei hij.

'Ik wilde naar je toe komen, maar ik mag hier niet buiten.'

'Ik kom,' zei hij.

'Nee, er is rijverbod.'

'Er is zoveel,' gromde hij.

Een halfuur later zag ze hem door haar venster beneden bij de poort staan ruziemaken met de Militaire Politiemannen. De jeep stond in de open poort. Ze trokken aan zijn arm. Hij klom in de jeep, sprong er aan de andere kant weer uit en kwam wijdbeens naar het hotel gestapt. Nicola belde snel naar de balie beneden en gaf de instructie dat ze de man die de hal in zou komen, een grote man, naar boven moesten laten gaan. Ze hoorde zijn krachtige stap.

'Kun je weer niet goed slapen?' vroeg hij.

Hij vroeg of ze het van in haar kamer konden zien.

'Nee, maar hierbuiten, in de gang rechts, wel,' zei ze. Ze liep er met hem heen. Er waren in de verte nog rookwolken op die breed uitgespreide, verwoeste hoogte. Geweldige waterstralen konden ze ook zien, steeds meer auto's en ook wriemelende mensen.

'Er zijn er daar nog zoals jij, die ze niet binnen kunnen houden,' zei Nicola. 'We kunnen in de bar iets gaan drinken,' zei ze. 'Ik kan wel iets gebruiken... We kunnen ook wat naar boven laten komen,' zei ze snel toen hij niet antwoordde.

Hij stond te luisteren naar wat ze in de telefoon zei.

'Whisky drink jij alleen als je het echt absoluut niet meer weet,' merkte hij op.

'Je hebt er die met alle geweld bloed willen,' zei ze. 'Hoe meer hoe liever zelfs, maar je hebt er ook anderen.'

'Daar is dan wel geen bloed, maar evengoed is er de beul. Chirurgen met doorschijnende handschoentjes.'

'Heb jij Machiavelli destijds gelezen?' vroeg ze.

'Ja, natuurlijk. Aan de universiteit in Moskou moesten we zelfs delen ervan uit het hoofd kennen. Andere stukken werden dan weer genegeerd. Het Kremlin functioneerde toen nog, krakend en piepend, maar het draaide. Bloed moet, zei, na enige aarzeling wel, een van onze nog halfrode professoren.'

'Machiavelli zegt niet dat bloed moet.'

'Hij zegt dat het niet anders kan.'

'Ja, zo is het. Als je dat of dat wilt, dan kun je niet om geweld heen, maar of je dat dan doet of niet doet, dat hangt van jezelf af. En of je daar iets tijdelijks of iets definitiefs van maakt, hangt ook van jezelf af. Zou jij het doen, Ilja? Tijdelijk de bloedige beul spelen?'

'De hele tijd wil ik dat,' zei Ilja. 'Ik breng er mijn leven mee door.'

'Nu ja, willen, maar zou je het ook doen?'

'Je krijgt op je kop als je het doet,' zei hij. 'Zo leer je dat wel af.'

'Nee, dat is niet de reden waarom je het niet doet. Ilja, jij wilt niet echt dat bloed. Je doet het ook niet. Je barst eens uit. Een bui, maar daarna heb je er spijt van. Niet omdat je op je kop gekregen hebt.'

'Als jij het zegt,' gromde hij. 'Mijn moeder heeft eens een bord op mijn hoofd aan stukken geslagen.'

Hij glimlachte. Ook zij glimlachte.

'Hoe zag dat hoofd er toen uit?' vroeg ze.

'Geen schram.'

De whisky werd gebracht met olijven en blokjes kaas met mosterd en een zilveren schaal met chocolaatjes.

'De islam verwatert,' zei Nicola.

De ober die de whisky voor hen uitgeschonken had, *on the rocks*, voor hen beiden, kwam terug en vroeg of hij de fles op de kamer zou laten. Dan zou hij ook een ijsemmertje brengen.

'Ja, denk ik,' zei hij.

'En wijsgerig worden ze ook,' zei Ilja, toen de man weggegaan was om het ijs te halen.

'Bagdad Palace wordt een parel,' zei Nicola, toen ze een slok gedronken hadden.

'Je weet nog niet alles,' zei hij.

'O, wat is er dan nog?'

'Ik krijg een salaris. Ze hebben ons erkend als hulpgenootschap. Drie salarissen, ik, Wood en de kok, en subsidies voor het runnen. Rao heeft dat gedaan,' voegde hij eraan toe.

'Voor de eerste keer zeg je niet "die kerel van jou".'

'Omdat ik met hem zal moeten leven,' gromde Ilja. 'Hij is nu zeker zijn meubels aan het stukslaan?'

'Zijn meubels aan het stukslaan? Waarom?'

'Om wat ze hem aangedaan hebben, zijn bouwwerk, dat vroeger wit was en trots overeind stond en dat nu ligt en zwart ziet. Daar kan hij niet blij mee zijn of misschien toch wel, dan kan hij het een tweede keer opbouwen. Ja, dat zou helemaal in zijn aard liggen.'

'Hoezo, in zijn aard? Wat weet jij van zijn aard?'

'Zeg, zeg, maak je niet zo boos. Verdedig hem niet zo. Volgens mij kan hij zich goed genoeg zelf uit de slag trekken.'

Volgens mij ook, dacht ze met een vage bitterheid.

In geen tijd was Ilja's glas nog twee keer bijgevuld. Dat wist ze al van vroeger. Ook dat had hij van de Moejiks, zei hij. Hij vertelde dat die hun eigen wodka stookten en dat ze zeiden dat je goede dingen niet moest verdunnen.

De telefoon rinkelde. Het was Woodrow.

'Zeg hem dat hij ook komt!' riep hij haar toe.

Hij liep op haar toe en nam de telefoon over.

'Wood?'

Maar Nicola nam hem de telefoon weer af.

'Woodrow... Euh... Ilja zegt dat je ook hierheen moet komen,' zei ze.

'Ik kom eraan,' zei Woodrow voor ze wat meer had kunnen zeggen.

'Een man van de daad,' zei ze.

Een halfuur later was Woordrow er en nog een kwartier later stond ook Oerman er, die van Woodrow gehoord had waar hij heen ging. Een tweede fles whisky en meer ijs werden gebracht, en ook een extra portie kaasblokjes. De stemming werd beter en beter. Ergens in de nabijheid werd op een muur gebonsd, wat later ook op hun deur. Nicola had intussen berichten doorgestuurd naar haar agentschap, een artikel over de vernieling van het Capitool van Bagdad, met meningen en beschouwingen.

'Verspreide getuigenissen,' zei ze terwijl ze de triomferende, steeds meer uitgelaten uitbrengers ervan in één blik overschouwde.

Rakkers, dacht ze glimlachend. Kon je ook leven als rakker?

Toen het buiten licht werd, vertrok Woodrow als eerste. Een halfuurtje later stond Oerman op. Hij zei met een blik op Ilja: 'Als we hem nu daar in bed stoppen, valt hij hier niet op de grond; als ik hem nu meeneem, valt hij buiten niet op de grond.'

Het werd het bed. Toen Ilja daar uitgestrekt lag en Nicola zijn broeksriem lostrok en zijn schoenen begon uit te trekken, zei Oerman: 'Als je zou denken dat je onschuld nu veilig is, pas dan toch maar op. Hij heeft ook mij eens een verhaal verteld over Moejiks en over de manier waarop die dood kunnen zijn en weer levend worden.'

'Hoera voor de Moejiks,' zei Nicola zachtjes.

Oerman fluisterde in haar oor: 'Als je hem maar half zo nodig hebt als hij jou, pak hem dan. Dan bezit je een grote, kostbare schat.'

'De kamer uit,' zei Nicola.

Ilja sliep al voor Oerman weggegaan was. Nicola zat lange tijd op de rand van zijn bed. De telefoon rinkelde, later nog eens en nog eens. Ze nam niet op. In de ochtendeditie van het televisienieuws zag ze Amerikanen die geïnterviewd werden over de vernietiging van het Capitool van Bagdad. Ze veerde overeind toen ze zag dat ook Rao daarbij was. Een Amerikaan met een vierkante kin zei, terwijl hij zijn gebalde vuisten langzaam op en neer bewoog: 'Wij zullen dat Capitool opnieuw bouwen.' Hij scandeerde langzaam zijn woorden. 'Wij zullen het precies bouwen zoals het was. Alleen maar een beetje groter.' Om hem heen werd gejuichd. 'Waar of niet waar?' vroeg de man. Zijn blik stond op Rao gericht. Die knikte uitbundig, wat opnieuw handgeklap verwekte.

Nicola schakelde de televisie uit. Hij staat daar al, dacht ze onrustig. Het kwade moment was voorbij. Het moeilijke, opgelegde stuk. De kortstondige akeligheid. Het beroepswerk van de beul ad interim. De efficiënte mens. Zijn wat je bent terwijl de anderen, klungelig, prekerig proberen wat anders te zijn en door de mazen vallen.

Ze ging weer bij het bed staan waar Ilja lag te slapen.

Hoe ben jij hier bij mij aangespoeld, dacht ze, viriele steppebewoner die niet afstamt van Moejiks, hoewel je je daar graag voor uitgeeft.

Hij had geen enkele Moejik in zijn hele stamboom. Hij was de zoon van een geleerde, ook de kleinzoon van een geleerde en de achterkleinzoon van een geleerde. De verlopen zoon, corrigeerde hij eens toen erover gesproken werd, de verlopen kleinzoon, de verlopen achterkleinzoon. Je moet niet te veel denken, zei hij, dan deug je nergens meer voor. Zijn vader had gevangengezeten onder de sovjets. Hij was toen Siberië in getrokken. Ze hadden geen geld meer om zo ver achter mij aan te komen, zei hij.

Ik ga ervandoor, dacht ze. Ik ga hier een tijdje weg.

Ze pakte haar kleren en haar laptop in haar koffer en ging beneden de rekening betalen. Ze zei dat er in de kamer nog iemand lag. Die moest er voor de middag nog uit.

'Nee, laat hem maar liggen,' zei ze. 'Ik betaal wel een dag meer.'

Ze gaf de man haar creditcard, maar de man glimlachte en zei: 'Laat het maar zo.'

Ik zorg voor mijn baby, dacht ze terwijl ze de hal uit liep.

Ze reed naar een klein Italiaans hotel in de buurt van het grote, verwoeste museum. Ze hadden daar een kamer, met een hemelbed, zag ze verrast, een bruine plankenvloer, gravures tegen de muren. De eigenares, signora Lucia, stond haar onderzoekend te bekijken. Ze tokte met haar wijsvinger op de balie en zei: 'Als er mannen komen, betalen die ook. Na een bepaald uur, bedoel ik.'

'Er komen geen mannen,' zei Nicola.

De vrouw bekeek haar nog aandachtiger en zei: 'Dat kan ik moeilijk geloven, of er zou wat moeten haperen aan de mannen van tegenwoordig.'

'Bedankt,' zei Nicola met een mat glimlachje. 'Mag ik nu al in de kamer? Nu meteen, bedoel ik. Ik heb de laatste tijd niet veel geslapen.'

Dat kon.

Ze werd pas in de vroege avond wakker. Ze reed wat rond in de oude wijken. Ze vond de overblijfselen terug van een moskee die ze kende van vroeger. Het waterbassin, vroeger een bron, was er nog steeds. Volgens de legende zou Omar Khayyam daar gezeten hebben. Hij zou er met mensen hebben zitten keuvelen en daarna, in het schemerdonker, zou hij gedichten hebben geschreven.

Ze vond de oude, niet erg beschadigde bibliotheek terug waar ze jaren geleden nog in Arabische manuscripten had zitten snuisteren. Het was nog steeds een bibliotheek, maar ze was, zo las ze 'voor onbepaalde tijd gesloten'.

Ze keerde terug naar haar hotel, vergat daar te eten en sliep weer, tot de volgende ochtend. Toen kwam signora Lucia haar kamer binnen met een overvloedig beladen dienblad: roereieren, spiegeleieren, gebakken bacon, worstjes, kaas, twee soorten marmelade en drie soorten brood.

'Als u dit nu niet opeet, haal ik er een arts bij,' zei ze. 'Ach hop, daar hebben we het al. Ik ging net zeggen: en als u gaat huilen, haal ik er twee.'

'U komt toch niet babbelen,' zei Nicola met een piepstem.

'Twee jongens van een jaar of achttien zijn me komen vragen of hier een zekere Nicola Fransse woonde. Nee, loog ik, zoals voorgeschreven. Ze brachten toen een teken aan op een papier dat ze bij zich hadden en liepen weg.'

'Wie waren die jongens?' vroeg Nicola bevreemd. 'Kerels met een knuppel of een pistool of zoiets?'

'Nee, nee, jongens. Ik zou best zo'n paar zonen willen.'

Twee dagen later, nadat ze wat geschreven en doorgestuurd had en daarna door de stad had gelopen, deelde signora Lucia haar mee dat er weer twee jongens bij haar geweest waren. Zelfde vraagje, zelfde merkteken op een papiertje.

'Ze keken naar de sleutels van de kamers aan de haken op de plank achter mij. Aan die sleutel van jou hangt ook je naam. Ik weet niet of ze die gezien hebben. Ze moeten dan wel goede ogen hebben gehad.'

In de loop van de volgende dag stopte Nicola bij een herberg die opengehouden werd door een Armeniër. Ze ging naar binnen en ze vroeg of twee jongens of andere personen daar gevraagd hadden naar een zekere Nicola Fransse.

'U ook al?' riep de man, een kleine, kale dikkerd. 'Waarom moet met alle geweld geweten worden waar die beroemde Nicola Fransse is? Is het een topster of een popster of zoiets en moet aan de wereld meegedeeld worden dat ze voor de vierde keer gaat trouwen?'

Weer in de auto dacht ze mistroostig: de popster is nog nooit getrouwd. Ze belde Rao op. Die zei dat hij haar tijd zou geven. Hij wist dat ze dat nodig had. Ze kreeg die tijd. Ze hoorde hem lachen toen hij zei dat de big bang niet voor morgen was. Ze moest die niet zo meteen verwachten. Stiller, met een vreemde rust in zijn stem, zei hij: 'Maar die komt. En al eerder, als dat ding aan het rollen is, dan kom ik om jou. Hoor je dat, meisje? Dan kom ik om jou.'

Nu zou ik verdrietig moeten zijn, dacht ze in de late avond terwijl ze bij het open raam naar de beschadigde, oude woestijnstad keek waar ze van hield. De begaafde, lichtvoetige man op wie ik verliefd geworden ben... Hij voert zijn plannen uit, het ene na het andere. Dat had Soeur Emilienne haar eens gezegd op de kostschool. 'Het is allemaal eenvoudig en niet moeilijk,' had ze gezegd. 'Je maakt een lijstje van wat je moet doen en dan doe je het eerste, daarna het tweede, daarna het derde... Niet alles tegelijk, niet alles door elkaar, gewoon het ene na het andere.'

De volgende dag schreef ze verhaaltjes over signora Lucia en de Armeniër uit de herberg en stuurde die naar haar bladen. Later, na de hete uren, reed ze de woestijn in en stopte in een kleine oase. Ze liet de auto daar staan en liep een uur lang van de auto weg. Daarna keerde ze naar de auto terug in haar eigen spoor. Het leek haar dat ze gezwinder en lichter liep dan de vorige dagen.

'Je slaapt ook beter, nietwaar?' zei signora Lucia toen Nicola de volgende ochtend pas laat naar beneden kwam.

'Ja, ik slaap beter,' zei Nicola.

In de late namiddag, terwijl Nicola zat te schrijven, kwam de waardin naar boven. De armen opgestoken riep ze: 'Weer twee! En nu hebben ze een hele tijd naar je auto staan kijken. En tegen elkaar staan fluisteren.'

'Wanneer was dat?'

'In de loop van de namiddag, in de heetste uren.'

Op dat moment kwam een grote, heel oude autobus schommelend, krakend en piepend aanrijden. Die stopte in wolken stof. Op drie plaatsen tegelijk kwamen er jongens uitgesprongen, die het huis omsingelden alsof ze het wilden overvallen. Toen kwam, in het tegenlicht van de avond, zodat ze alleen de silhouetten zag, een grote slungelige man aanstormen en dan een kleinere man met een kaal hoofd en dan een man in een zwarte wapperende mantel en een tulband. Jongens kwamen aangehold en voegden zich bij hen. De grote, slungelige man kwam naar binnen gestormd, daarna volgden ook de kleine en de man met de wapperende mantel.

Bezweet, de haren in de war, stond Ilja voor haar.

'Gekke trien! Gekke trien!' riep hij. 'Moet je nu weglopen? Jij moet toch niet weglopen! Als je me niet wilt hebben, zeg dat dan gewoon. Dan loop ik weg. Ga dan terug naar je goede hotel. Pardon, mevrouw, hier is het zeker ook goed, maar in het andere hebben ze meer computers, denk ik toch.'

Nicola greep hem vast. Ze greep zijn hals. Ze greep zijn haren, met haar wang tegen de zijne.

Zijn dat nu mijn tranen of staat hij daar te huilen, dacht ze.

Het leek wel alsof het hotel ingenomen werd door een wilde bende. De jongens tolden in het rond, schreeuwden, zongen.

Dat… dat, dacht Nicola later, die onstuimigheid, dat bruisen, dat geweld, die door niets begrensde vurigheid… En die menigte jongelui die als gekken stonden te roepen en te tieren en te schateren… Ze lachten haar zeker uit, dacht ze toen, ze zouden het zeker overal gaan vertellen… En de kleine Ia, wat later, die weer tegen haar opklom… En het bericht van Ilja dat hij een goed huis voor haar zou bouwen… En haar bericht dat het perscentrum in Bagdad nog slechts een gebrekkig uitgeruste legerbarak was… Zijn aarzelende verklaring dat haar grote baas in Londen misschien wel mee zou investeren… Haar uitspraak dat ook zij spaarcenten had… Hij die naar binnen ging en terugkwam met een spaarboek die hij ergens had opgedolven… En het is geen oorlog en ze krijgen ons niet! En ik ben gek en zij zijn gek. En wat is beter… Wat is beter?

VAN ASTER BERKHOF ZIJN EVENEENS
BIJ HOUTEKIET VERSCHENEN

Donnadieu
Met Gods geweld
Hoog spel
De winter komt
Happy town
Verborgen schade
Geliefde kapelaan
Daneelken
Angelina